MW01040273

Центральный
научно-исследовательский
и проектный институт
по градостроительству
Государственного Комитета
по гражданскому строительству
и архитектуре
при Госстрое СССР

●

Central
Research and Design
Institute of Town Planning
State Committee
of Civil Engineering
and Architecture
under Gosstroy USSR

ОСНОВЫ СОВЕТСКОГО ГРАДО СТРОИТЕЛЬСТВА

ТОМ 1
VOLUME 1

PRINCIPLES OF TOWN PLANNING IN THE SOVIET UNION

VOLUME 1

University Press of the Pacific
Honolulu, Hawaii

Principles of Town Planning in the Soviet Union
(Volume One)

by
State Committee of Civil Engineering and
Architecture

ISBN: 1-4102-1311-0

Reprinted from the 1966 edition

University Press of the Pacific
Honolulu, Hawaii
http://www.universitypressofthepacific.com

АВТОРСКИЙ КОЛЛЕКТИВ

Н. БАРАНОВ, В. ШКВАРИКОВ, Е. БАРКОВА,
О. КУДРЯВЦЕВ, В. ЛАВРОВ, Г. ЛАППО,
О. СМИРНОВА, К. ТРАПЕЗНИКОВ, М. ХАУКЕ
В. ХОДАТАЕВ

AUTHORS

N. BARANOV, V. SHKVARIKOV, H. BARKOVA,
O. KUDRYAVTSEV, V. LAVROV, G. LAPPO,
O. SMIRNOVA, K. TRAPESNIKOV, M. HOWKE,
V. CHODATAEV

ПРЕДИСЛОВИЕ

Монография «Основы советского градостроительства», подготовленная к изданию Центральным научно-исследовательским и проектным институтом по градостроительству, разрабатывалась в период 1958—1965 гг.

Руководствуясь историческими решениями XXII и XXIII съездов КПСС и Программой Коммунистической партии Советского Союза, на основе обобщения опыта современного отечественного и зарубежного градостроительства авторы данной работы стремились определить прогрессивные принципы планировки, застройки, инженерного оборудования и благоустройства советских городов и осветить возможные пути их дальнейшего развития.

По своему содержанию монография «Основы советского градостроительства» является первой попыткой комплексного рассмотрения и определения наиболее целесообразного решения важнейших градостроительных проблем. Этому способствовали всесоюзные совещания по строительству и, особенно, Всесоюзное совещание по градостроительству, проведенное в июне 1960 г. в Москве, и научно-техническое совещание по планировке и застройке жилых районов и микрорайонов, проведенное в декабре 1964 г. в Москве.

В декабре 1960 г. Академия строительства и архитектуры СССР при активном участии Института градостроительства провела специальную сессию, посвященную вопросам советского градостроительства. Доклады, содоклады, решения и другие материалы сессии о состоянии и перспективах развития градостроительства были в полной мере учтены и использованы в настоящей работе.

В разработке «Основ советского градостроительства» учтены материалы V конгресса Международного союза архитекторов, который состоялся в 1958 г. в Москве, и VII конгресса, который состоялся в Гаванне в 1963 г. Как доклады, так и выступления и резолюция конгресса показали, что среди прогрессивных архитекторов всего мира существует единство взглядов на оценку важнейших проблем современного градостроительства.

Монография «Основы советского градостроительства» состоит из четырех томов. Первый том посвящен проблемам расселения, планировке новых и реконструкции старых городов; второй том посвящен планировке и застройке промышленных и жилых районов, системе культурно-бытового обслуживания и озеленению городов; в третьем томе рассматриваются инженерное оборудование городов, индустриализация и экономика градостроительства; четвертый том посвящен архитектурной композиции городов.

Монография «Основы советского градостроительства» написана коллективом научных сотрудников под руководством д-ра архитектуры проф. Н. В. Баранова и канд. архитектуры доц. В. А. Шкварикова (зам. руководителя).

В подготовке монографии, кроме сотрудников ЦНИИП по градостроительству, участвовали сотрудники института ВОДГЕО, ЦНИИЭП жилища, Института экономики строительства, Академии коммунального хозяйства имени Памфилова и др.

Публикуемый первый том монографии состоит из введения и четырех разделов. Обеспечение наиболее благоприятных условий для труда, образования, быта и отдыха городского населения составляет основное содержание градостроительной деятельности. Различные стороны этого исходного положения рассматриваются в отдельных разделах монографии, где они раскрываются и конкретизируются применительно к градостроительству.

Введение посвящено социальным предпосылкам градостроительства.

В I разделе характеризуются принципы расселения и регулирования роста городов.

Во II разделе определяются основы планировочной структуры новых городов.

В III разделе рассматриваются вопросы реконструкции и дальнейшего развития старых городов.

IV раздел посвящен городскому движению и транспорту, где рассматриваются мероприятия, обеспечивающие быстроту, безопасность и удобство передвижения городского населения.

Авторский коллектив первого тома: Н. Баранов, В. Шквариков, К. Трапезников (введение), М. Хауке и Г. Лаппо (I раздел), О. Смирнова, М. Хауке (II раздел), В. Лавров (III раздел), В. Ходатаев, О. Кудрявцев и Е. Баркова (IV раздел).

Графическую часть работы выполняли К. Александер, Т. Говоренкова, А. Горбачева, И. Ефимов, Г. Петров, М. Савельев, А. Стрельников, М. Тараканов, О. Ушакова, Н. Химец и И. Щербачева.

В подготовке книги к изданию принимали участие Е. Соколова, И. Магидин, Т. Бржевская, Г. Левина и Н. Денисова.

ЦНИИП градостроительства выражает признательность и благодарность всем организациям и отдельным лицам, принявшим участие в сборе и обработке материалов.

*Центральный научно-исследовательский
и проектный институт по градостроительству*

ВВЕДЕНИЕ

Градостроительство, т. е. теория и практика планировки и застройки городов, охватывает широкий комплекс социально-экономических, санитарно-гигиенических, технических и архитектурных проблем. Этот вид архитектурной и строительной деятельности всегда определялся социальным строем и уровнем развития производительных сил общества.

Градостроительство имеет историю, уходящую своими корнями в глубь тысячелетий.

Каждая историческая эпоха выдвигает перед градостроительством определенные социальные требования.

Архитектура города как явление сложного и комплексного характера складывается под влиянием и под воздействием многих разнородных факторов. Важнейшие из них, определяющие архитектуру города, как уже отмечалось, — это социальный строй и производительные силы общества. Градостроительство всегда было мощным средством выражения интересов и идеологии господствующих классов. Следует, однако, подчеркнуть, что подлинные, реалистические произведения архитектуры, наиболее совершенные городские ансамбли прошлого и настоящего времени выражают не только узкоклассовые, а во многих случаях более широкие общенародные идеи и общественные интересы, что и определяет их прогрессивность для своего времени и непреходящую художественную ценность для будущих поколений.

В условиях классово-антагонистических общественных формаций, основывающихся на господстве частной собственности на средства производства, на эксплуатации человека человеком, градостроительство подчинено интересам эксплуататорских классов. Только с уничтожением капиталистического способа производства, с упразднением частной собственности на средства производства, на землю и крупное домовладение возможно градостроительство в интересах всех членов общества.

В нашей стране новые социальные основы советского градостроительства заложила Великая Октябрьская социалистическая революция, осуществившая глубочайший переворот в политической, хозяйственно-экономической и культурной жизни нашей страны. Конец эксплуатации человека человеком, раскрепощение труда, национализация крупных городских домовладений и ликвидация частной собственности на землю, социалистическая организация производства в промышленности и сельском хозяйстве, государственное планирование и возможность гармонического целенаправленного развития населенных мест — эти великие революционные изменения создали новую эпоху в развитии градостроительства.

Советское градостроительство с первых дней Великой Октябрьской социалистической революции получило общенародную гуманистическую направленность. Уже в первых революционных актах о перераспределении жилой площади в пользу трудящихся и о переселении рабочих в центральные благоустроенные районы городов проявилась подлинно народная сущность градостроительной политики социалистического государства.

Решение социальных проблем в области градостроительства было сопряжено с преодолением крайней отсталости городского хозяйства дореволюционной России.

Направление социалистического переустройства старых городов в города нового социального содержания было определено в Программе Коммунистической партии, разработанной в 1919 г. под руководством В. И. Ленина и принятой VIII съездом РКП(б).

В программе была подчеркнута необходимость всеми силами стремиться к улучшению жилищных условий трудящихся, к уничтожению негодных жилищ, к перестройке старых и постройке новых жилых домов, соответствующих новым условиям жизни рабочих масс, к уничтожению скученности и антисанитарности старых кварталов, к перестройке и благоустройству рабочих окраин городов, к рациональному расселению трудящихся.

Эти положения определили основную социальную направленность советского градостроительства, его главные, первоочередные задачи. В соответствии с этими задачами развивалась вся последующая градостроительная деятельность в нашей стране. Восстановление промышленности, а затем ее полная реконструкция, строительство новых фабрик и заводов, создание новых индустриальных гигантов вызвали бурный рост городов и успешное развитие градостроительства в период социалистической индустриализации. Жилищное и культурно-бытовое строительство развернулось во многих старых промышленных городах, коренная реконструкция которых означала всесторонний процесс их полного обновления.

Плановое социалистическое хозяйство СССР позволило осуществлять градостроительство в соответствии с народнохозяйственными планами и социально-экономическими требованиями периода построения социализма. В эпоху социалистического строительства накоплен огромный градостроительный опыт, свидетельствующий о великих социальных преимуществах советского градостроительства, его гуманистических принципах и прогрессивной направленности.

Крупные достижения советского градостроительства обусловлены развитием социалистической индустриализации страны. В короткий срок многие в прошлом не благоустроенные города и рабочие поселки превратились в крупные города, оснащенные современным инженерным оборудованием и благоустройством. К числу таких городов относятся Баку, Ереван, Тбилиси, Ташкент, Харьков, Челябинск, Свердловск, Новокузнецк, Новосибирск, Нижний Тагил, Казань, Куйбышев, Донецк, Красноярск, Хабаровск, Череповец и многие другие. На карте кашей Родины появилось много новых городов : Запорожье, Комсомольск-на-Амуре, Березники, Ангарск, Волжский, Сумгаит, Рустави, Хибиногорск, Мончегорск, Норильск, Чирчик, Нибет-Даг, Душанбе, Находка и многие другие. Социалистическая реконструкция охватила почти все старые города. Принципы социалистической реконструкции городов были четко определены и обоснованы в процессе разработки генеральных планов Москвы, Ленинграда, Киева, Баку и других крупных городов.

Особой творческой страницей в развитии советского градостроительства был период восстановления городов, разрушенных фашистскими варварами в 1941—1945 гг. Восстановление Ленинграда, Киева, Минска, Волгограда, Севастополя, Новгорода, Пскова, Ростова-на-Дону, Калинина и других городов, сильно разрушенных в период Великой Отечественной войны, превратилось, по существу, в процесс их полного обновления.

Советское градостроительство в своем развитии преодолевало противоречия, обусловленные не только объективными экономическими причинами, но и ошибочным отношением к освоению архитектурного наследия прошлых эпох.

Важнейшим историческим событием в жизни советского народа явился XXII съезд Коммунистической партии Советского Союза, принявший новую Программу КПСС — Программу построения коммунистического общества.

Теоретические положения и практические задачи коммунистического строительства, сформулированные в Программе КПСС, определяют новые социальные требования и направленность советского градостроительства в период развернутого строительства коммунизма.

Градостроительство периода развернутого строительства материально-технической базы коммунизма исходит из того положения, что коммунизм — это высокоорганизованное общество свободных и сознательных тружеников.

Провозглашенный Программой КПСС лозунг «Все во имя человека, для блага человека» раскрывает смысл огромного созидательного труда советского народа по строительству материально-технической базы коммунизма. В этом лозунге выражена сущность нашего градостроительства, важнейшая основа его социального содержания.

Перспектива развития наших городов как городов коммунистического общества в первую очередь связана с социально-экономическими предпосылками, обусловленными сущностью коммунистического строительства.

Социальный прогресс советского общества охватывает широкий круг проблем, непосредственно связанных с градостроительством, так как социально-экономические основы планировки и застройки городов в решающей степени обусловливаются условиями труда, быта и отдыха, системой культурно-бытового и других видов обслуживания населения.

Градостроительство в условиях перехода к коммунизму будет развиваться последовательно в соответствии с закономерностями общественного развития и материальными возможностями государства. Для правильного подхода к решению проблем градостроительства определяющее значение имеет указание Программы КПСС о том, что Коммунистическая партия «выдвигает и решает задачи коммунистического строительства в меру подготовки и созревания материальных и духовных предпосылок, руководствуясь тем, что нельзя перепрыгивать через необходимые ступени развития, равно как и задерживаться на достигнутом, одерживать движение вперед»[1]. Принцип последовательного решения проблем градостроительства, в котором разумно согласуется удовлетворение современных потребностей с решением перспективных задач общественного развития, имеет важнейшее значение для теории и практики планировки и застройки новых и реконструкции существующих городов, для преобразования всей системы социалистического расселения в расселение, соответствующее коммунистическому обществу.

Переход от социализма к коммунизму осуществляется непрерывно. Этот же непрерывный, последовательный процесс совершается и в градостроительстве.

Главная экономическая задача советского общества в период развернутого строительства коммунизма состоит в том, чтобы в течение двух ближайших десятилетий создать материально-техническую базу коммунизма. Создание материально-технической базы коммунизма предполагает всемерное развитие новых экономически эффективных отраслей производства, новых видов энергии и материалов, всестороннее и рациональное использование природных ресурсов, органическое соединение науки с производством и быстрые темпы научно-технического прогресса, дальнейший рост культурно-технического уровня трудящихся. В этот период в городах и сельских населенных местах должен быть создан тот строительный фонд, который обеспечит высокий уровень жизни населения.

Развитие общественного производства повлечет за собой ряд социальных следствий, которые окажут серьезное, определяющее влияние на градостроительство.

Бурный рост производительных сил в период развернутого строительства коммунизма требует рационального размещения промышленных предприятий по территории страны. Соблюдение этого требования является важнейшим условием планомерного развития всех отраслей народного хозяйства. Уже в первые годы социалистического строительства В. И. Ленин подчеркивал огромное народнохозяйственное значение рационального и научно обоснованного размещения промышленности. В известном «Наброске плана научно-технических работ» В. И. Ленин, указывая на необходимость составления плана реорганизации промышленности и экономического подъема России, подчеркнул, что «В этот план должно входить: рациональное *размещение* промышленности в России с точки зрения близости сырья и возможности наименьшей потери труда при переходе от обработки сырья ко всем последовательным стадиям обработки полуфабрикатов вплоть до получения готового продукта»[1]. Это указание В. И. Ленина сыграло исключительно большую роль в период социалистической индустриализации страны и в дальнейшем развитии производительных сил социалистического государства.

Требование рационального размещения промышленности приобретает еще большее значение в период развернутого строительства коммунизма. Этому вопросу уделено особое внимание в Программе КПСС: «Развернутое строительство коммунизма требует все более рационального **размещения** промышленности, которое обеспечит экономию общественного труда, комплексное развитие районов и специализацию их хозяйств, устранит чрезмерную скученность населения в крупных городах, будет содействовать преодолению существенных различий между городом и деревней, дальнейшему выравниванию уровней экономического развития районов страны»[2].

В этом положении Программы КПСС определена одна из важнейших задач экономического развития, от успешного решения которой будет зависеть разумное формирование новой системы расселения коммунистического общества.

В основе рационального размещения производительных сил, как отмечено в Программе КПСС, лежит стремление в первую очередь обеспечить экономию общественного труда. В условиях современного промышленного производства это достигается различными путями: приближением обрабатывающей промышленности к добывающей, производства к потребителю, кооперированием и специализацией предприятий. В ходе решения проблемы

[1] Программа Коммунистической партии Советского Союза. Изд. «Правда», 1961, стр. 65.

[1] В. И. Ленин. Соч., т. 27, стр. 288.
[2] Программа Коммунистической партии Советского Союза. Изд. «Правда», 1961, стр. 72.

рационального размещения промышленности реализуется необходимость комплексного развития районов. В нашей стране уже имеется немало таких районов.

Постоянный социальный прогресс нашего общества и последующее бурное развитие промышленности, несомненно, усилят процесс возникновения новых и дальнейшего развития старых городов, будут созданы многочисленные новые города; будет продолжаться ограничение роста крупнейших городов, так как в условиях развернутого строительства коммунизма нет экономической необходимости допускать отступления от рационального размещения промышленности и расселения. Относительно равномерное размещение промышленности прекратит чрезмерное средоточие населения в крупных городах. На базе вновь возникающей промышленности все большее развитие получат небольшие и средние благоустроенные города, что будет иметь большие социальные и экономические последствия, прежде всего в области повышения удобств жизни населения.

Рациональное размещение промышленности и создание многочисленных производств по переработке сельскохозяйственного сырья будут содействовать ликвидации существенных различий между городом и деревней. Как указывается в Программе КПСС, переход к коммунистическим производственным отношениям определит слияние двух форм социалистической собственности (государственной и колхозно-кооперативной) в единую коммунистическую собственность. Это явится экономической основой решения важнейшей социальной проблемы коммунистического строительства — проблемы преодоления существенных различий между городом и деревней. В результате соединения промышленности и земледелия и превращения труда сельскохозяйственного в разновидность индустриального дальнейшее принципиально новое развитие получат формы расселения.

Решение проблемы преодоления существенных различий между городом и деревней приведет к тому, что все населенные места Советского Союза будут преобразованы в города или поселки городского типа, имеющие необходимые удобства для жизни населения. **«Ликвидация социально-экономических и культурно-бытовых различий между городом и деревней,** — говорится в Программе КПСС, — **явится одним из величайших результатов строительства коммунизма»**[1].

В условиях капитализма крупные города разрастаются до гигантских размеров. Безудержная погоня за прибылью делает невозможным преодоление все обостряющихся противоречий, вызванных стихийным беспредельным ростом многомиллионных городских образований.

Опыт социалистического градостроительства со всей очевидностью свидетельствует о том, что недостатки современного крупного города могут и должны быть устранены. Уже в настоящее время эта задача поставлена и решается в таких крупных городах нашей страны, как Москва, Ленинград, Киев и др.

Средние и малые по размерам и численности населения города являются наиболее распространенными в городской сети страны. Если в настоящее время в СССР имеется всего 29 крупных городов с населением более 500 тыс. человек, а больших городов — 158, то средних и малых городов насчитывается более 1600. В малых и средних городах проживает примерно 40% всего городского населения.

Период коммунистического строительства будет связан с процессом массового формирования новых городов. Это будут различные по своему значению города. Некоторые из них возникнут с развитием добывающей промышленности, другие — в связи с производством различных видов продукции, иные будут созданы как научные центры, города курортного типа и т. п.

Коренное обновление крупных городов и развитие малых и средних городов будет связано с их полным инженерным оборудованием и благоустройством. «В предстоящий период, — говорится в Программе КПСС, — осуществится широкая программа коммунального строительства и благоустройства всех городов и рабочих поселков, что потребует завершения их электрификации, в необходимой степени газификации, телефонизации, обеспечения коммунальным транспортом, водопроводом и канализацией, проведения системы мероприятий по дальнейшему оздоровлению условий жизни в городах и других населенных пунктах, включая их озеленение, обводнение, решительную борьбу с загрязнением воздуха, почвы и воды»[1].

Многообразие географических условий Советского Союза внесет немало особенностей в размещение городов и поселков по территории страны, в характер их связей, их взаимного влияния. Вероятно, что в районах с суровыми климатическими и неблагоприятными природными условиями планировка и застройка городов будут иметь свои характерные черты, отличные от планировки и застройки городов,

[1] Программа Коммунистической партии Советского Союза. Изд. «Правда», 1961, стр. 85.

[1] Программа Коммунистической партии Советского Союза. Изд. «Правда», 1961, стр. 94.

расположенных в средней полосе и тем более в южных районах нашей страны.

В период развернутого строительства коммунизма наряду со строительством новых городов будут происходить процессы последовательного преобразования существующих городов в города коммунистического общества.

Условия жизни городского населения в значительной мере зависят от правильного размещения промышленных и жилых районов, их планировки и застройки, системы культурно-бытового обслуживания и отдыха населения. Требование комплексной организации городов особо подчеркнуто в Программе КПСС. «Города и поселки должны представлять собою рациональную комплексную организацию производственных зон, жилых районов, сети общественных и культурных учреждений, бытовых предприятий, транспорта, инженерного оборудования и энергетики, обеспечивающих наилучшие условия для труда, быта и отдыха людей»[1].

Научные принципы формирования рациональной структуры новых городов и последовательное преобразование сложившейся структуры существующих городов в соответствии с перспективой развития нашего общества — одна из основ советского градостроительства. Эти принципы рассматриваются в разделах «Планировка новых городов» и «Реконструкция городов» первого тома данной монографии.

Здесь мы излагаем лишь исходные социальные требования к градостроительству, обусловленные Программой КПСС.

Труд. «Сфера, где создаются материальные ценности, — говорится в Программе КПСС, — это главная сфера жизни общества»[2]. Коммунистический труд — это труд на благо всего общества. Он превращается для всех его членов в первую жизненную потребность, осознанную необходимость, в источник радости и морального удовлетворения.

В советском градостроительстве требования социального прогресса находят выражение в создании наиболее благоприятной материальной среды для трудовой деятельности городского населения. Успешность решения этих задач зависит от:

комплексного размещения промышленных предприятий и других мест приложения труда с учетом интересов производства и удобств населения, создания хорошей связи жилых районов с местами приложения труда;

рационального архитектурно-планировочного решения промышленных районов, основанного на требованиях производства, специализации и кооперирования предприятий;

создания новых, прогрессивных типов производственных зданий и сооружений, соответствующих уровню научно-технического прогресса и благоприятным условиям труда.

Современный этап развития производства характеризуется очень быстрым развитием и внедрением научно-технических достижений. На наших глазах происходит быстрое изменение технологии производства. Чрезвычайно увеличивается значение науки, усиливается и приобретает новые формы ее связь с производством. Достигнутые рубежи научно-технического прогресса свидетельствуют о том, что мы стоим на пороге еще более значительных качественных изменений в технике производства и его организации. В настоящее время в промышленности существует уже немало цехов и целых предприятий, где условия труда совершенно не похожи на те, которые существовали до недавнего времени. Условия труда на ряде новых предприятий во многом приближаются к труду работников лабораторий научно-исследовательских институтов. Все это свидетельствует о том, что происходит активный процесс соединения умственного и физического труда в производственной деятельности людей.

Одной из важнейших социальных проблем, которая должна быть решена в период развернутого строительства коммунизма, является обеспечение наиболее благоприятного санитарно-гигиенического состояния промышленных районов и городов. Эта задача имеет тем большее значение, что в настоящее время происходят интенсивное техническое перевооружение промышленности и ее бурное развитие. Решение этой проблемы заключается в максимальном обезвреживании отходов промышленных предприятий на основе более современной технологии и полной промышленной утилизации производственных отходов. Научно-технические достижения и опыт ряда передовых предприятий дают основание полагать, что эта задача технически разрешима и экономически целесообразна. Предприятия, не имеющие санитарной вредности и не связанные с большими перевозками сырья и продукции, можно размещать в непосредственной близости к жилью. Основные предприятия обрабатывающей промышленности (металлургия, химия, машиностроение и др.) вследствие технологической общности производства и в связи с внедрением новейшей комплексной механизации, автоматизации производственных процессов и транспорта, а также с использованием новейших видов энергии и топлива будут группироваться в промышлен-

[1] Программа Коммунистической партии Советского Союза. Изд. «Правда», 1961, стр. 94.

[2] Программа Коммунистической партии Советского Союза. Изд. «Правда», 1961, стр. 88.

ные районы. Правильное, экономически обоснованное решение функциональной и архитектурно-планировочной структуры промышленных районов — одна из первостепенных задач современного градостроительства. Социальный аспект в решении этой проблемы имеет большое значение для градостроительства коммунистического общества. Этим задачам посвящен раздел «Планировка и застройка промышленных районов города» (раздел V второго тома).

Быт — одна из важнейших областей жизни человеческого общества. Формирование городов строящегося коммунистического общества органически связано с процессом перестройки быта.

Программа КПСС определяет перспективы дальнейшего подъема материального благосостояния советского народа, повышения реальных доходов, населения, широкое развертывание жилищного и культурно-бытового строительства.

По мере строительства коммунизма личные потребности будут все больше удовлетворяться за счет общественных фондов потребления. В результате роста производительных сил страны общество получит возможность взять на себя бесплатное содержание детей в детских учреждениях и школах-интернатах (по желанию родителей) и предоставить в бесплатное пользование квартиры, коммунальные услуги, общественный транспорт, некоторые виды бытового обслуживания. Постепенно будет осуществлен переход к бесплатному питанию (обеды) на предприятиях и установлено частичное бесплатное пользование домами отдыха, пансионатами, туристическими базами, спортивными сооружениями. В этих положениях Программы КПСС развиты и конкретизированы марксистско-ленинские идеи последовательного формирования коммунистического быта на основе изобилия материальных и культурных благ общества. В основе формирования коммунистического быта лежит изменение характера домашнего труда.

Прогрессивные изменения в быту будут осуществляться на основе разумного сочетания общественных и личных интересов граждан. Становление принципов коммунистического быта ничего общего не будет иметь с нивелировкой индивидуальных потребностей и вкусов. При коммунизме люди приобретут широкие возможности в организации своего быта на основе изобилия материальных средств и возможностей, которые предоставит им общество. В Программе КПСС указывается: «Обеспечить непрерывный прогресс общества, предоставить каждому члену общества материальные и культурные блага по его растущим потребностям, индивидуальным запросам и вкусам — такова цель коммунистического производства»[1].

В решении многих проблем и задач коммунистического формирования быта очень важная роль принадлежит градостроительству и архитектуре.

Создание наилучших бытовых условий жизни людей связано в первую очередь с окончательным разрешением жилищной проблемы — одной из наиболее трудных и острых социальных и градостроительных задач. Коммунистическая партия и советское государство уделяют этому исключительное внимание. В Программе КПСС сказано, что партия ставит задачу разрешить самую острую проблему подъема благосостояния советского народа — жилищную проблему. В первую очередь в стране будут в основном удовлетворены потребности в благоустроенных жилищах, а в последующем каждая семья, включая семьи молодоженов, будет иметь благоустроенную, соответствующую требованиям гигиены и культурного быта квартиру. Крестьянские дома старого типа в основном будут заменены современными домами либо (там, где это возможно) реконструированы и благоустроены.

Осуществить в короткие сроки намеченные планы жилищного строительства в огромных масштабах возможно только на основе индустриализации строительства. В Программе КПСС особо подчеркивается необходимость всемерного развития и технического совершенствования строительной индустрии и быстрейшего перехода к возведению полносборных зданий и сооружений из крупноразмерных конструкций и элементов промышленного производства. Тип жилья, как известно, определяется социально-экономическими, культурно-бытовыми и материальными возможностями общества. В процессе строительства материально-технической базы коммунизма будет осуществлено совершенствование жилища и всего комплекса массовых общественных зданий и сооружений, входящих в систему всестороннего культурно-бытового и других видов обслуживания населения.

В формировании коммунистического быта развитию системы общественного обслуживания принадлежит важная роль. Именно поэтому вопросам культурно-бытового обслуживания трудящихся в Программе КПСС уделяется большое внимание. Положения Программы предусматривают осуществление громадного строительства дошкольных детских учреждений, школ, предприятий торговли,

[1] Программа Коммунистической партии Советского Союза. Изд. «Правда», 1961, стр. 64.

общественного питания и других учреждений бытового обслуживания населения. С этой целью в стране будут значительно расширены сети: торговая и общественного питания, детских учреждений, медицинского обслуживания и т. п. Произойдет не только количественный рост этих учреждений, но и качественные изменения в самой организации обслуживания.

Новые принципы, определяющие развитие системы всестороннего обслуживания, должны получить последовательное выражение в структуре городов.

Структура города как единого социального и архитектурно-планировочного организма во многом определяется системой общественных центров. Надо полагать, что общественная деятельность населения получит еще большее развитие, и роль и значение общественных центров городов будут возрастать. Этот вопрос освещается в разделе «Планировка новых городов» первого тома и в четвертом томе монографии.

В соответствии с моральным кодексом строителей коммунизма, сформулированным в Программе КПСС, сложатся новые принципы взаимоотношений между обществом и личностью. Это окажет громадное влияние на различные стороны жизни коммунистического общества, воспитание, образование и все взаимоотношения между людьми. Развивающийся коммунистический образ жизни определяет новые формы бытовой организации жилищ, культурно-бытового обслуживания, образования и воспитания.

Отдых — необходимый фактор в жизни человека, важное средство сохранения его здоровья и повышения работоспособности. Отдых трудящихся непосредственно связан с продолжительностью рабочего дня.

В Программе КПСС указано, что в предстоящем десятилетии осуществится переход на 6-часовой рабочий день при одном выходном дне в неделю или на 34—36-часовую рабочую неделю при двух выходных днях, а на подземных работах и на производствах с вредными условиями труда будет введен 5-часовой рабочий день, или 30-часовая пятидневная неделя. Во втором десятилетии на базе соответствующего роста производительности труда начнется переход к еще более сокращенной рабочей неделе.

Перспективы увеличения свободного времени усиливают необходимость расширения мер по его рациональному использованию, что предопределяет всестороннее развитие духовной и физической культуры строителей коммунизма. «В период перехода к коммунизму возрастают возможности **воспитания нового человека, гармонически сочетающего в себе духовное богатство, моральную чистоту и физическое совершенство**»[1].

В условиях развернутого строительства коммунизма всестороннее развитие личности приобретает особое значение. Это обязывает для достижения поставленной цели наиболее эффективно использовать средства градостроительства.

В качестве одной из важнейших задач партия выдвигает заботу о здоровье, об увеличении продолжительности жизни населения; это обеспечивается всей системой социально-экономических и медицинских мероприятий. Основное направление дальнейшего увеличения продолжительности жизни — профилактика, предупреждение болезней. Решение этой задачи требует широкого охвата населения диспансерным предупредительным наблюдением. Все это связано с большим строительством больниц и санаториев, лесных школ, родильных домов, домов отдыха, пансионатов и т. д. Спорт и физическая культура получают невиданный размах и массовость. Градостроительное обеспечение этих мероприятий подробно рассматривается в разделе «Система культурно-бытового обслуживания населения» во втором томе.

Не менее важное значение в наше время приобретают вопросы рациональной организации и усовершенствования городского транспорта. Важнейшей предпосылкой для создания наиболее благоприятных условий высокопроизводительного труда является максимальное сокращение времени, затрачиваемого на передвижение от жилья к местам приложения труда. Для этого необходима рациональная организация городского движения.

Жилые районы с промышленными могут быть удобно связаны лишь при комплексном решении всех транспортных проблем современного города. Пути решения этой проблемы освещены в разделе «Городское движение и транспорт».

Таким образом, задача коммунистической организации жизни людей затрагивает широкий круг проблем, непосредственно связанных с градостроительством. В структуре городов закладываются общие предпосылки для создания благоприятных условий труда, быта и отдыха, для культурного обслуживания и, в конечном счете, для физического и интеллектуального развития населения.

Еще никогда в истории градостроительство не находилось в таких благоприятных условиях и не имело такой общественно-политической значимости, как сейчас. Оно не только служит удовлетворению современных мате-

---

[1] Программа Коммунистической партии Советского Союза. Изд. «Правда», 1961, стр. 120—121.

риальных и культурных потребностей народа, но одновременно является и средством, способствующим решению больших социальных проблем. Советское градостроительство стало важным фактором, активно воздействующим на прогресс нашего общества.

Это возрастающее значение градостроительства в условиях развернутого строительства коммунизма особо подчеркивает Программа Коммунистической партии Советского Союза. В ней сказано: «Большое значение приобретают градостроительство, архитектура и планировка для создания благоустроенных, удобных, экономичных в строительстве и эксплуатации городов и других населенных мест, производственных, жилых и общественных зданий. . . . В предстоящий период осуществится широкая программа коммунального строительства и благоустройства всех городов и рабочих поселков, что потребует завершения их электрификации, в необходимой степени газификации, телефонизации, обеспечения коммунальным транспортом, водопроводом и канализацией, проведения системы мероприятий по дальнейшему оздоровлению условий жизни в городах и других населенных пунктах, включая их озеленение, обводнение, решительную борьбу с загрязнением воздуха, почвы и воды».[1]

Города коммунизма, отражая богатство и многообразие духовной жизни людей, изобилие материальных благ общества, будут городами невиданных в истории совершенства и красоты, соответствующими всесторонним запросам жизни и эстетическим представлениям людей высокой культуры.

Коммунистические города — это города высокой социальной гармонии, безупречные в санитарно-гигиеническом отношении, величественные и прекрасные в своем архитектурном облике.

[1] Программа Коммунистической партии Советского Союза. Изд. «Правда», 1961, стр. 94.

Расселение и регулирование роста городов

Раздел
Section I

Глава 1

ЗНАЧЕНИЕ ПРОБЛЕМЫ

Проблема расселения охватывает широкий круг вопросов, начиная от общегосударственных задач по преобразованию и развитию всей сети населенных пунктов страны и кончая вопросами расселения жителей внутри отдельных населенных пунктов. В самом общем виде расселение может быть охарактеризовано как размещение населения на территории страны, района или населенного места, определяемое участием в общественном труде и связанное с удовлетворением потребности в жилищах, культурно-бытовом и коммунальном обслуживании. Расселение зависит от способа общественного производства, уровня развития техники, природной среды, а также от особенностей исторического развития страны и данного населенного пункта.

В Советском Союзе социалистическая система расселения начала формироваться на основе сети населенных пунктов, сложившейся на протяжении многих веков и отражавшей антагонистические противоречия, свойственные предшествующим общественным формациям. Важнейшим из этих противоречий была противоположность между городом и деревней, которую капитализм довел до крайнего предела. Характеризуя процессы, происходившие в капиталистической России, В. И. Ленин писал: «Рост городского (общее: индустриального) населения *на счет* сельского есть не только теперешнее, а всеобщее явление, выражающее *именно закон* капитализма»[1]. Следствием развития капиталистических форм расселения в России было обострение противоречий между культурой больших городов, сосредоточивших все сокровища науки и искусства, и варварством деревни.

Численность населения страны значительно выросла за годы Советской власти. Благодаря социальным преобразованиям, приведшим к коренному улучшению условий жизни всего общества, Советский Союз стал страной высокой продолжительности жизни и самой низкой в мире смертности. По сравнению с дореволюционным временем общая смертность населения снизилась в 4 раза, а детская — в 8,5 раза. Среднегодовой естественный прирост населения за последнее десятилетие составил 16,4 человека на 1000 человек и значительно превысил аналогичные показатели по другим странам. По сравнению с 1913 г. население страны увеличилось на 81,3 млн. человек и составило на 1 июля 1965 г. 230,5 млн. человек[1].

В результате индустриализации страны изменилось соотношение между городским и сельским населением, а также между городами различной величины; возникли сотни новых городов; резко возросли доля и роль крупных и больших городов; стали иными как распределение населения по территории Советского Союза, так и характер расселения в отдельных его районах (рис. 1—3).

Изменение численности городского и сельского населения СССР иллюстрируется табл. 1

Таким образом, городское население за годы Советской власти увеличилось на 95 млн. человек, преимущественно за счет перемещения населения из сельской местности.

Переход значительного числа сельских жителей в города, вызванный бурным ростом промышленного производства, стал возможным благодаря успехам механизации и повышению производительности труда в социалистическом сельском хозяйстве СССР. Несмотря на то что численность сельского населения СССР к 1965 г. по сравнению с дореволюционным временем сократилась на 23,2 млн. человек (почти на 18%), современное сельское

[1] В. И. Ленин. Соч., т. 4, стр. 144.

[1] Народное хозяйство СССР в 1964 г. Статистика, 1965, стр. 7.

ТАБЛИЦА 1

Городское и сельское население СССР*

Год	Все население в млн. человек	В том числе		В % ко всему населению	
		городское	сельское	городское	сельское
1913 г. (в современных границах)	159,2	28,5	130,7	18	82
1939 г. (на территории, включающей западные области Украины и Белоруссии, Молдавию, Литву, Латвию и Эстонию)	190,7	60,4	130,3	32	68
1959 г. (по переписи на 15 января) ...	208,8	100	108,8	48	52
1965 г. (оценка на 1 июля)	230,5	123,0	107,5	53**	47

* Народное хозяйство СССР в 1964 г. Статистика, 1965, стр. 7.

** Официальной статистикой не учтено так называемое «скрытое» городское население, проживающее в сельской местности, но работающее на предприятиях и в учреждениях ближайших городов и поселков. Особенно распространено это явление в пригородных зонах крупнейших городов. Таким образом, фактическая численность городского населения превышает приведенные в таблице цифры.

хозяйство дает гораздо больше продукции (и валовой и товарной), чем давало в прошлом сельское хозяйство царской России. Миграционные потоки из сельской местности в города СССР превысили по своим размерам крупные межрайонные и даже межконтинентальные миграции мирового значения[1].

Коренным образом изменилась социально-экономическая основа города, которая для большинства дореволюционных городов определялась преимущественно административными и торговыми функциями. Советские города — это в первую очередь места наибольшей концентрации обрабатывающей промышленности — ведущей отрасли народного хозяйства.

По сравнению с дореволюционным временем произошли большие сдвиги в распределении населения по территории страны. Это явилось результатом успешно осуществляемого Коммунистической партией курса на более равномерное размещение производительных сил, вовлечение в хозяйственное использование богатейших ресурсов северных и восточных районов, ускоренное экономическое, политическое и культурное развитие национальных окраин бывшей Российской империи.

В общей численности населения страны сильно возросла доля восточных районов. Здесь была создана вторая и создаются третья и четвертая угольно-металлургические базы СССР, осваивается целина, вовлекаются в использование новые месторождения разнообразных полезных ископаемых, сооружаются гигантские электростанции.

В связи с этим за период с 1926 по 1959 г. общая численность населения восточных районов (без Урала) увеличилась на 19,4 млн. человек.

Значительно выросла численность населения Европейского Севера. Ведущие промышленные районы Европейской части СССР также привлекли к себе большие массы населения. Эти районы стали главными базами реконструкции всего народного хозяйства страны, в связи с чем коренным образом изменилась структура их промышленности[1].

В настоящее время главными районами концентрации городского населения в СССР являются (по данным на 1 января 1963 г.)[2]

Донбасс и Приднепровье	9,7	млн. человек
Московская область ...	9,6	,, ,,
Урал[3]	10,3	,, ,,
Ленинград с пригородами	3,6	,, ,,
Кузбасс	2,4	,, ,,

Крупные узлы городского населения представляют собой также районы Киева, Харькова, Горького, Баку, Ташкента, Новосибирска, Куйбышева, Свердловска, Челябинска, насчитывающие свыше 1 млн. городского населения каждый.

[1] Объем крупных межрайонных миграций в дореволюционной России за период с XVI по начало XX в., т. е. примерно за 400 лет, составил, по подсчетам В. В. Покшишевского, почти 30 млн. человек. В США за 100 лет (1840—1940 гг.) переселилось из-за океана 38 млн. человек. В. В. Покшишевский. География миграций населения в России. Опыт историко-географического исследования (диссертация), М., 1949.

[1] В Московской области общая численность населения (вместе с Москвой) после 1926 г. увеличилась на 6,8 млн. человек. Значительно выросла также численность населения Горьковской и Куйбышевской областей.

В 2 раза (на 7 млн. человек) по сравнению с 1926 г. выросла общая численность населения Урала. Более чем в 2 раза (на 5 млн. человек) увеличилась общая численность населения южной угольно-металлургической базы страны (Донецкая, Луганская, Днепропетровская и Запорожская области УССР).

[2] Народное хозяйство СССР в 1962 г. Госстатиздат, 1963.

[3] В составе трех экономических районов: Западно-Уральского (Пермская область, Удмуртская АССР), Средне-Уральского (Свердловская и Тюменская области), Южно-Уральского (Курганская, Оренбургская и Челябинская области).

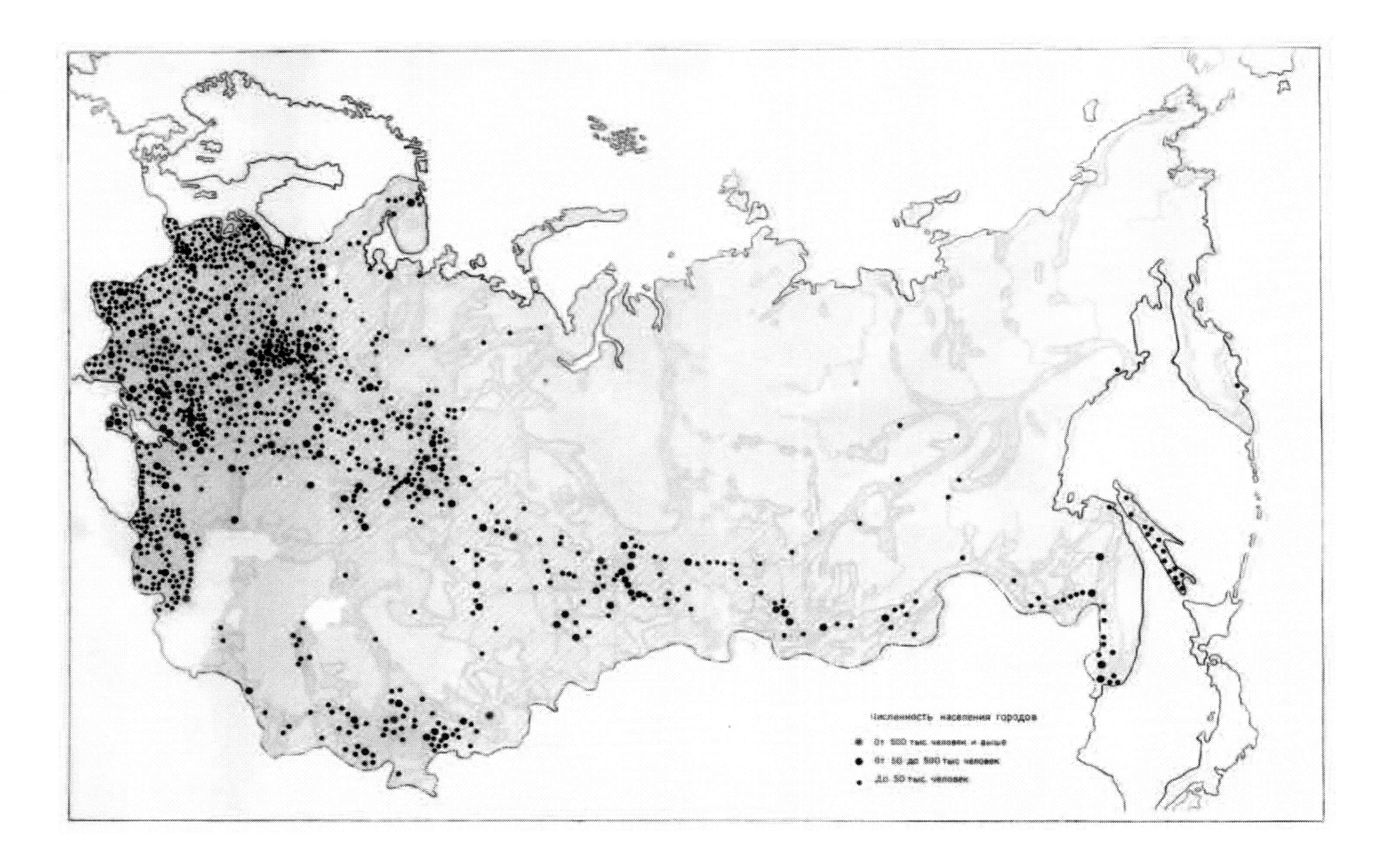
Численность населения городов
От 500 тыс человек и выше
От 50 до 500 тыс человек
До 50 тыс. человек

Рис. 1. Территория Европейской части Советского Союза имеет наиболее высокую в стране плотность населения и развитую сеть городов. В восточных районах страны сеть городов более редкая, причем наибольшее число городов расположено в зоне, прилегающей к транссибирской железнодорожной магистрали

Fig. 1. The territory of the European part of the USSR has the country's highest population density and an intensive network of towns. In the Eastern part of the country the network of towns is less dense and the most part of the towns is situated along the Transsiberian Railway

Рис. 2. Быстрый темп роста отличает многие старые города СССР. За период с 1926 по 1965 г. в городах ведущих промышленных районов численность населения увеличилась более чем в 6 раз

Fig. 2. Many old cities of the USSR are rapidly growing. Within 1926—1965 the urban population of the country's leading industrial regions increased more than 6-fold

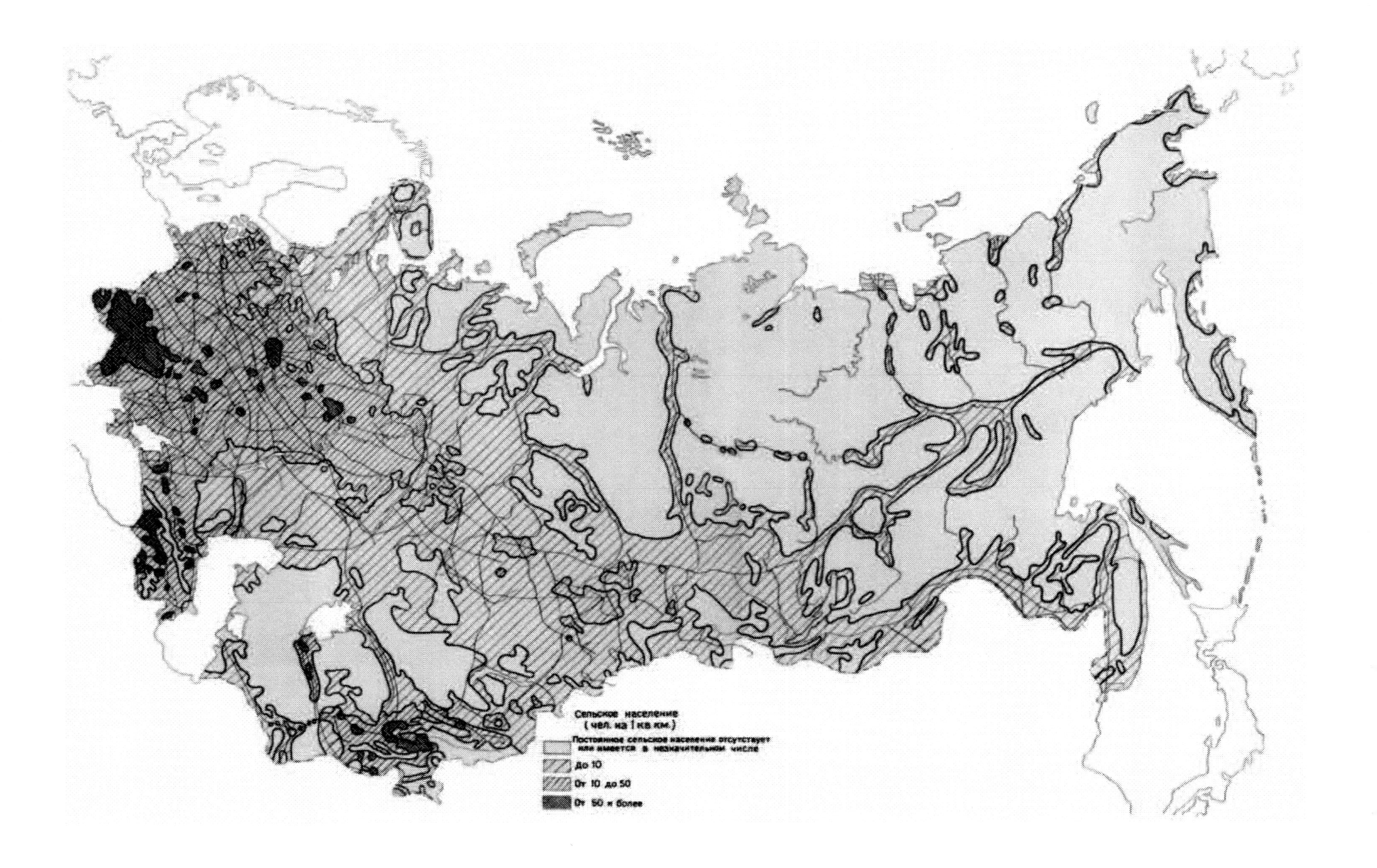
Сельское население
(чел. на 1 кв.км.)
Постоянное сельское население отсутствует или имеется в незначительном числе
До 10
От 10 до 50
От 50 и более

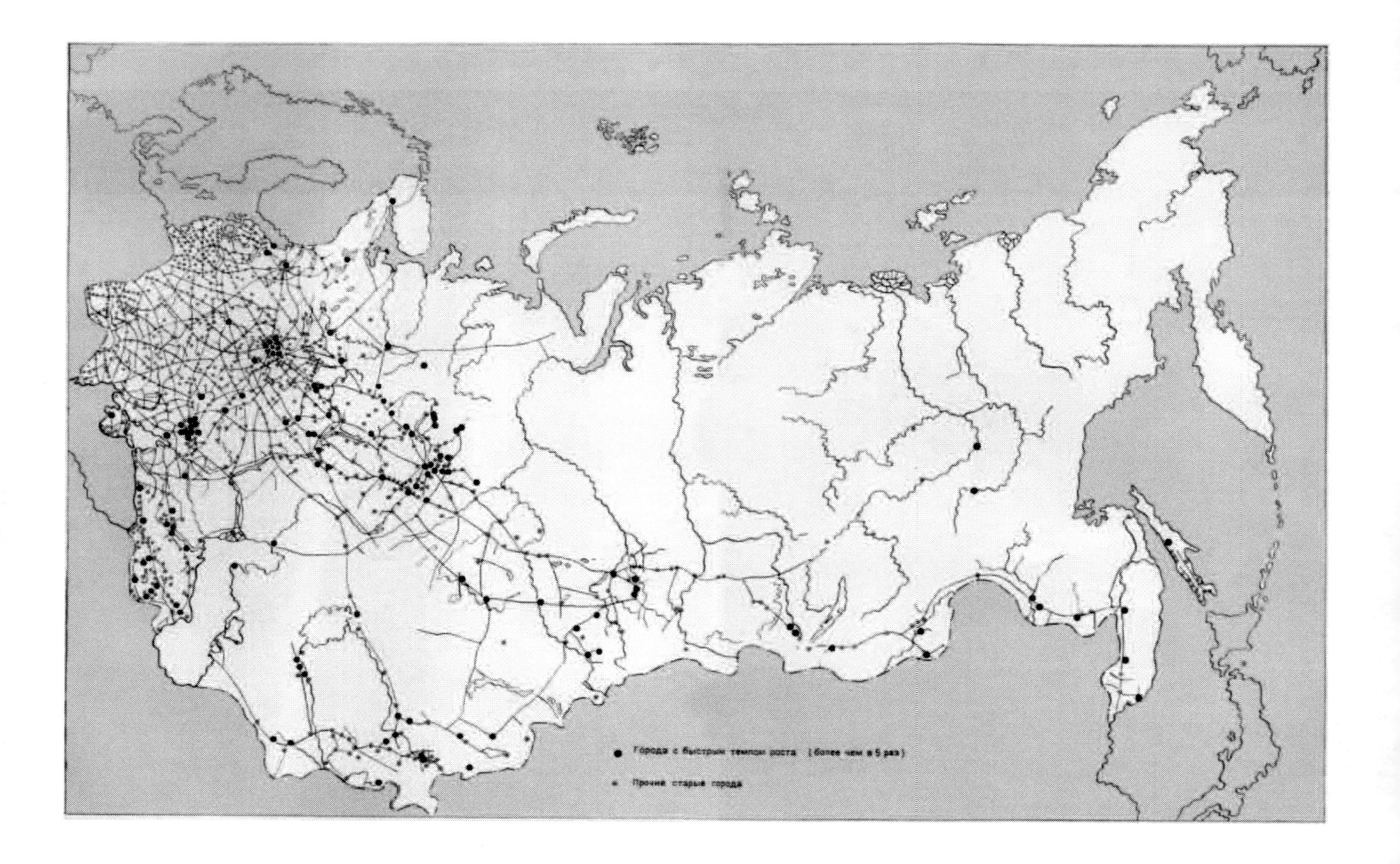
Города с быстрым темпом роста (более чем в 5 раз)
Прочие старые города

Районы преимущественно городского расселения формируются в малообжитых областях — Сахалинской, Мурманской, Магаданской, Хабаровской — и Приморском крае, где удельный вес городского населения составляет от 79 до 96%.

Экономические условия, в которых развивался до сих пор процесс индустриализации страны, способствовали интенсивному росту старых городов, с одной стороны, и образованию значительного числа небольших городов и поселков, с другой (рис. 2). Высокие темпы роста характерны для городов разной величины. Некоторые из них увеличились по численности населения с 1926 по 1959 г. в 10—15 раз: Нижний Тагил, Карпинск, Краснотурьинск и Первоуральск на Урале, Краматорск, Чистяково и Ясиноватая в Донбассе, Люберцы, Химки, Железнодорожный и Одинцово под Москвой и др.

Концентрация производства в ограниченном числе пунктов, выгодно расположенных географически и лучше подготовленных в материально-техническом отношении для промышленного строительства, обеспечила наиболее быстрые темпы индустриализации, что вызвало рост крупных городов.

По данным ЦСУ СССР, с 1926 по 1965 г. число крупных городов с населением более 500 тыс. человек увеличилось с 3 до 29, а число населения в них — с 4,1 до 31 млн. человек. За этот же период времени число небольших городов и поселков (с населением менее 20 тыс. жителей) увеличилось с 1699 до 4277, а число их населения — с 8,7 до 29,3 млн. жителей. Из общего прироста городского населения около 22,5% разместилось в крупных городах, 22% — в небольших городах и поселках и 55,5% — в остальных городах, занимающих среднее положение по величине. Распределение городов разной величины показано на рис. 1.

Среди крупных городов много новостроек советского времени: Караганда, Новокузнецк, Магнитогорск, Запорожье и др. Кроме того, многие крупные города развились из очень незначительных в прошлом городов. К ним принадлежат Челябинск, Алма-Ата, Кривой Рог, Горловка, Прокопьевск, Кемерово, Мурманск.

Рост некоторых крупных городов за последние 20 лет иллюстрирует табл. 2.

Ярким свидетельством значительного экономического и культурного подъема страны, наглядным показателем успехов, достигнутых в формировании социалистических наций, является быстрое развитие городов в союзных и автономных республиках, в первую очередь их столиц. Здесь некоторые крупные города возникли, буквально, на пустом месте или же выросли из очень незначительных в прошлом захолустных провинциальных городков[1].

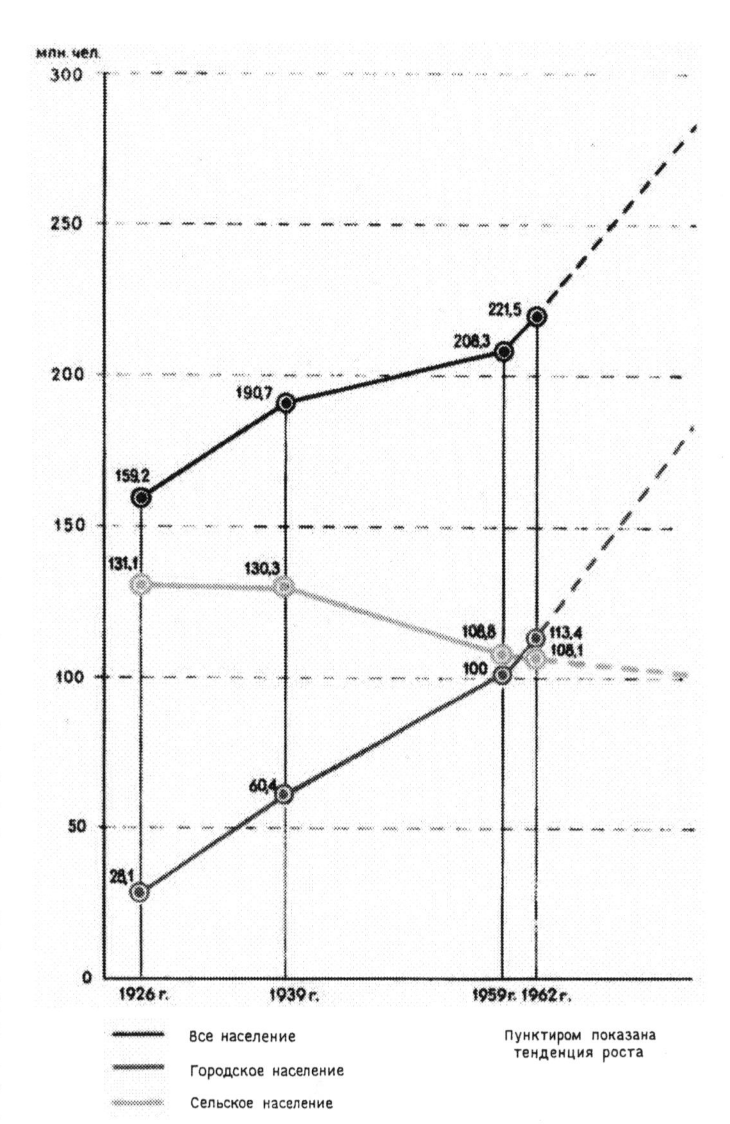

Рис. 3. Индустриализация страны вызывает быстрый рост городского населения. Эти тенденции сохранятся и в дальнейшем

Fig. 3. Industrialization accounts for the rapid growth of the urban population. These tendencies are going to be faced in the years to come

[1] Например, в Алма-Ате, облик и структура которой коренным образом изменились, увеличилась численность населения с 45 тыс. в 1926 г. до 623 тыс. человек в 1965 г. В 1914 г. в городе Пишпеке проживало 12 тыс. жителей. Сейчас в столице Киргизской ССР — городе Фрунзе (бывш. Пишпек) — 360 тыс. жителей. На месте административно-политического, культурного и промышленного центра Таджикской ССР — города Душанбе, в котором в 1965 г. проживало 316 тыс. человек, — был кишлак, имевший в 1926 г. всего 5,6 тыс. жителей.

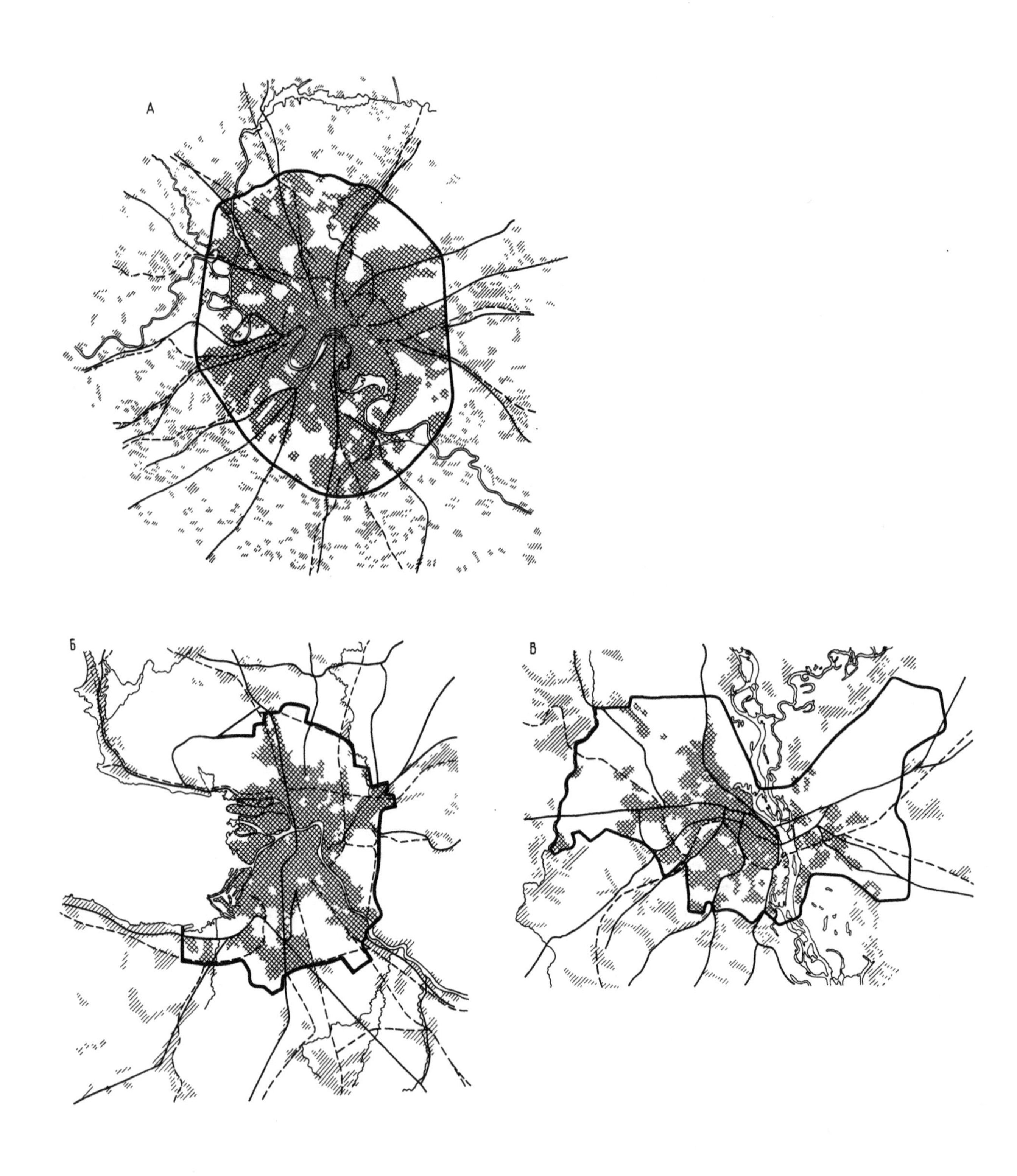

Рис. 4. Ряд городов СССР достиг значительной величины: Москва **(А)**, Ленинград **(Б)**, Киев **(В)**, Харьков **(Г)**, Горький **(Д)**, Баку **(Е)**, Новосибирск **(Ж)**, Ташкент **(З)**. Дальнейший их рост ограничивается. Схемы приведены к одному масштабу; клеткой показаны городские районы, косым штрихом — пригороды

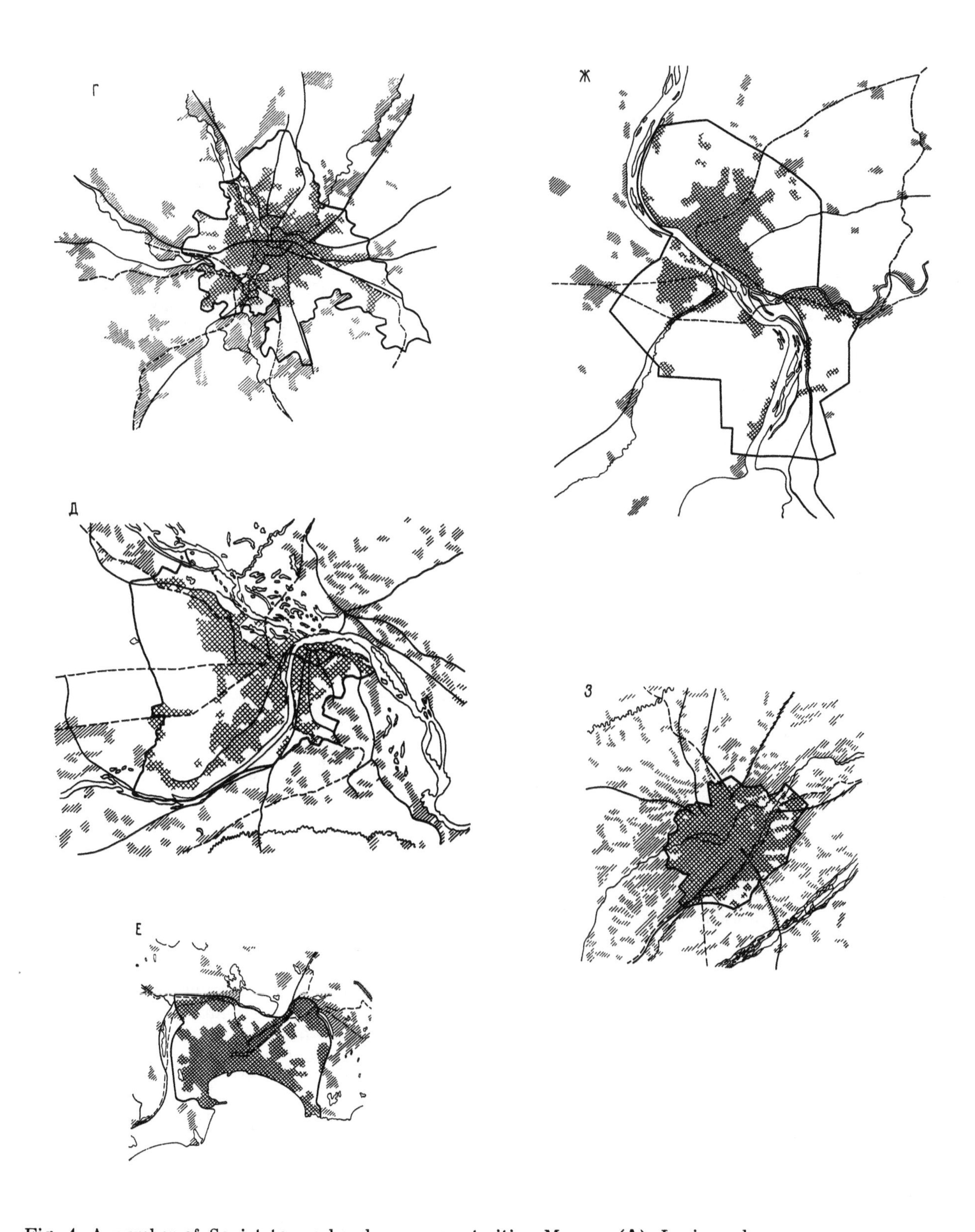

Fig. 4. A number of Soviet towns has become great cities. Moscow **(A)**, Leningrad **(Б)**, Kiev **(B)**, Kharkov **(Г)**, Gorky **(Д)**, Baku **(E)**, Novosibirsk **(Ж)**, Tashkent **(З)**. Their further growth is limited. The schemes are of similar scale. Grid shows town districts. Suburbs are shaded

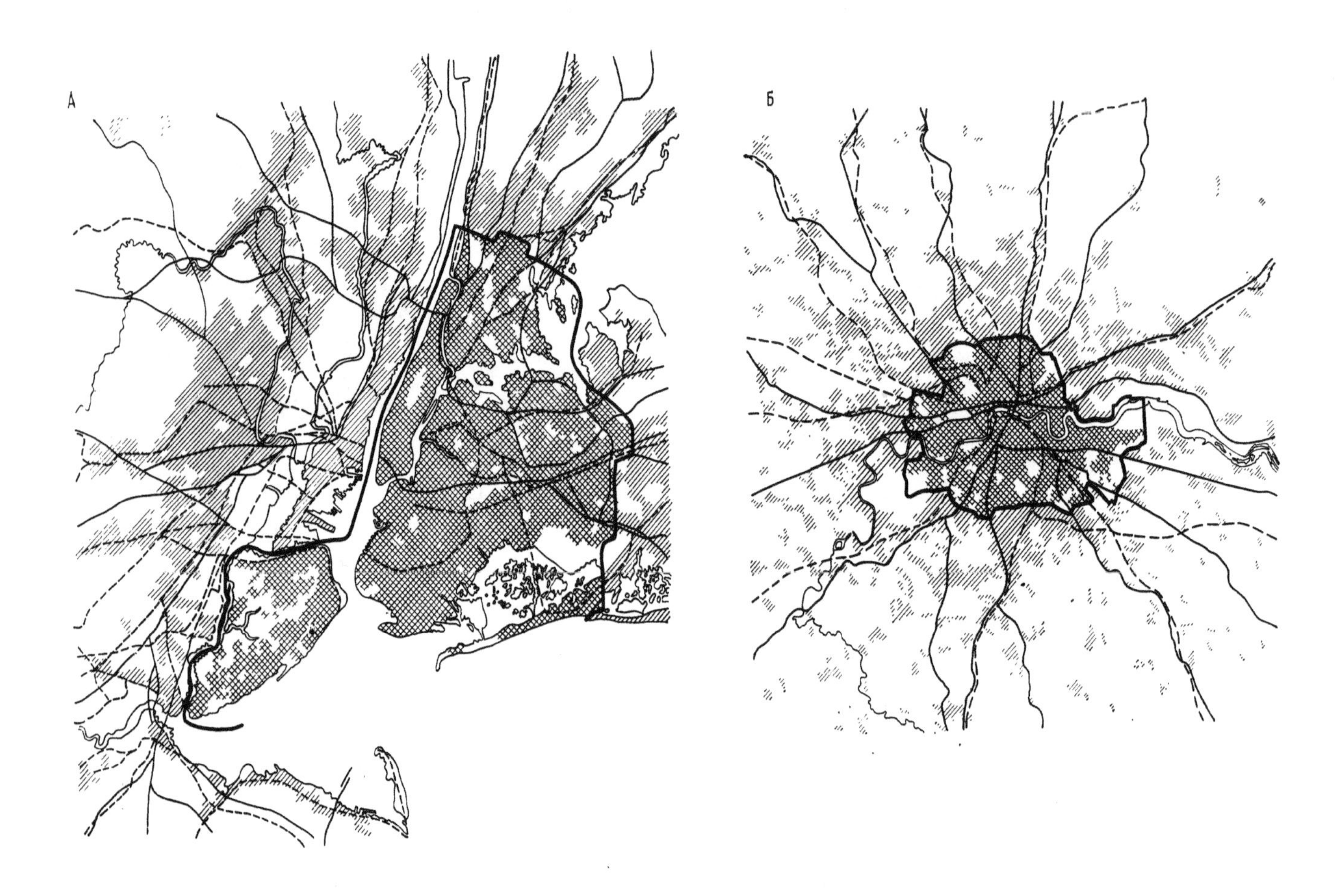

Рис. 5. Крупнейшие города капиталистических стран достигли огромных размеров: Нью-Йорк **(А)**, Лондон **(Б)**, Париж **(В)**, Токио **(Г)**. Стихийно разрастаясь, они срастаются с соседними городами и образуют гигантские конурбации. Схемы приведены к одному масштабу; клеткой показаны городские районы, косым штрихом — пригороды и смежные города

ТАБЛИЦА 2

Рост численности населения крупных городов СССР*

Город	Численность населения в тыс. человек		Рост за 1939—1965 гг.
	1939 г.	1965 г.**	
Ереван	204	633	в 3,1 раза
Челябинск	273	805	в 3, раза
Минск	237	717	в 3, раза
Новосибирск	404	1029	в 2,5 раза
Уфа	258	665	в 2,5 раза
Пермь	306	764	в 2,5 раза
Куйбышев	390	948	в 2,4 раза
Омск	289	729	в 2,3 раза

* В нашей стране происходит последовательное расширение сети крупных городов, «продвижение» их в новые районы. В восточных районах страны (Урал, Сибирь, Дальний Восток, Казахстан и Средняя Азия) с 1926 по 1959 г. число городов с населением более 100 тыс. жителей увеличилось с 9 до 66, а число проживающего в них населения — с 1,3 до 17,6 млн. человек.

** Народное хозяйство СССР в 1964 г. Статистика, 1965, стр. 20.

Среди крупных городов особое положение занимают города с населением более 1 млн. жителей. Их градостроительные проблемы являются особенно сложными. Количество таких городов на земном шаре составляет более 80 (рис. 4, 5). В Советском Союзе восемь городов, по данным на 1 января 1965 г., имели население, превышающее 1 млн. жителей (Москва, Ленинград, Киев, Баку, Горький, Ташкент, Новосибирск и Харьков). Кроме того, население еще двух городов приближается к этой цифре (Свердловск и Куйбышев).

Крупнейшие города формируют своеобразную систему расселения пригородного района и оказывают на него многообразное и мощное влияние. Они активно способствуют возникновению многочисленных населенных пунктов-спутников разных размеров и различного народнохозяйственного профиля, вызывают в своем окружении развитие интенсивных трудовых и культурно-бытовых связей. Тем самым крупнейшие города стано-

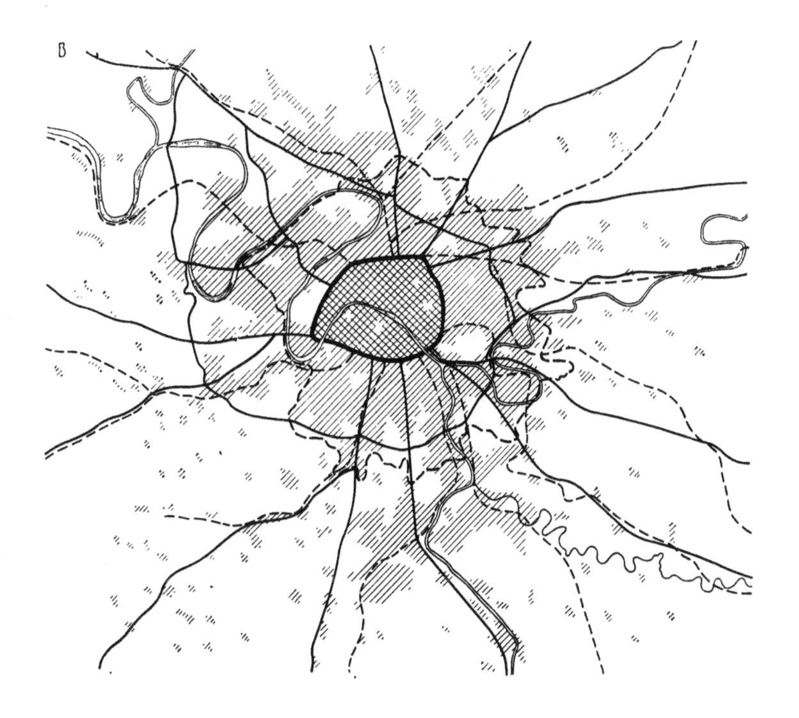

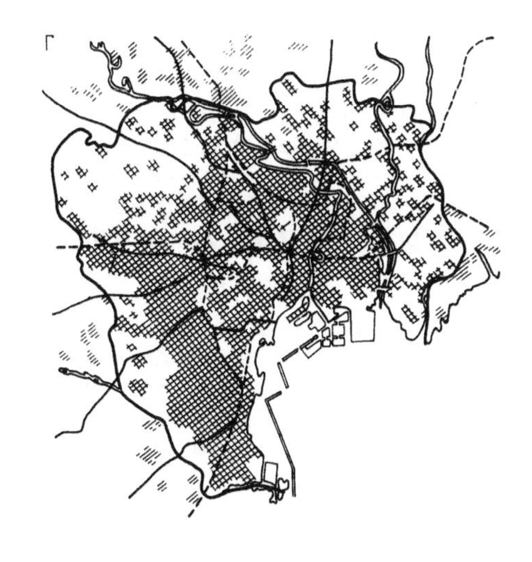

Fig. 5. The greatest cities of the capitalist countries have grown up enormously: New-York **(А)**, London **(Б)**, Paris **(В)**, Tokyo **(Г)**. Due to their unplanned development they are growing together with neighbouring towns and form gigantic conurbations. The schemes are of the similar scale. Town districts—grid, suburbs and neighbouring towns shaded

вятся центрами целой системы тяготеющих к ним населенных мест.

Развитие самых больших городов мира привело к образованию гигантских агломераций: Большого Нью-Йорка с населением более 14 млн. человек, Большого Лондона с населением 8,3 млн. человек[1], Большого Токио с населением более 11 млн. человек и др. К числу городских систем может быть отнесена и Москва с пригородами. Численность населения Москвы с ее пригородами и лесопарковым поясом достигла к 1 января 1963 г. 7,3 млн. человек.

Протяженность крупнейших городов вместе с ближайшими пригородами достигает 90 *км* (Лондон, Нью-Йорк).[2]

Специфическим для развития системы расселения в Советском Союзе является образование большого числа новых городов. На рис. 6 показано распределение новых городов на территории Советского Союза.

Образование новых, преимущественно не-

[1] Имеется в виду Большой Лондон в официальных границах полицейского округа. Население Большого Лондона в границах районной планировки превышает 10 млн. жителей.

[2] Необходимо заметить, что размеры главного города и его удельный вес в составе агломерации зависят от положения городской черты, которая нередко находится в противоречии с действительной экономической и планировочной структурой города и пригородных зон. Это относится к городам капиталистических стран, что может быть проиллюстрировано примерами Парижа, Лондона и Нью-Йорка, давно перешагнувшими свои административные границы. Если советские города имеют возможность по мере необходимости расширять свою черту, то капиталистические города при этом чаще всего наталкиваются на непреодолимые препятствия в виде имущественных интересов промышленников и землевладельцев. В связи с этим возникает особенно настоятельная необходимость рассмотрения и анализа крупных городов в комплексе с другими населенными пунктами соответствующих агломераций.

больших городов и поселков было необходимым условием быстрого расширения сырьевой, энергетической и топливной базы страны, обеспечивающей общий рост производства и экономический подъем Советского Союза.

За период с 1926 до начала 1965 г. в СССР был образован 814 новый город[1]. Число поселков городского типа увеличилось за этот период на 2039. Кроме того, 182 населенных пункта были отнесены к городам в первые годы Советской власти, до 1926 г.

Таким образом, с учетом происшедших в 1939 и 1944—1945 гг. изменений государственных границ сеть городских поселений СССР увеличилась более чем в 2,5 раза и состоит (на 1 января 1965 г.) из 1802 города и 3391 поселка[2].

В восточных районах страны обновление сети городов было гораздо более значительным, чем в западной части СССР. Особенно сильно изменилась сеть городов в республиках Средней Азии и Закавказья; это наглядно видно из соотношения в них старых и новых городов (табл. 3).

ТАБЛИЦА 3

Соотношение числа старых и новых городов в некоторых союзных республиках на 1 января 1963 г.

Республики	Число старых городов	Число новых городов	Доля новых городов от общего числа городов в %
Армянская	4	21	84
Киргизская	4	11	74
Таджикская	4	11	74
Азербайджанская	14	31	69
Туркменская	4	9	69
Грузинская	13	26	67
Казахская	19	36	65
Узбекская	12	23	65

Много новых городов появилось также в ведущих промышленных районах страны, где весьма интенсивно уплотнялась сеть городов (табл. 4).

В результате развития существующих городов и строительства новых произошло некоторое перераспределение населения между городами разной величины (табл. 5).

[1] Не считая городов, находившихся до 1940 г. на территории Западной Украины, Западной Белоруссии, Молдавии, Литвы, Латвии, Эстонии, а также городов, находившихся на территории, вошедшей в СССР в 1944—1945 гг. Народное хозяйство СССР в 1964 г. Статистика, 1965, стр. 32.

[2] 476 поселков имело на 1 января 1964 г. более 10 тыс. жителей каждый, т. е. превышают тот критерий, который в ряде союзных республик считается достаточным для отнесения населенного пункта к разряду городов. В РСФСР таким критерием является численность населения 12 тыс. жителей.

ТАБЛИЦА 4

Обновление сети городов в отдельных районах страны (на начало 1963 г.)

Районы и области	Число старых городов	Число новых городов
Донбасс (Донецкая и Луганская области)	5	65
Приднепровье (Днепровская, Запорожская и Кировоградская области)	8	31
Урал (Свердловская, Пермская, Челябинская, Оренбургская области, Удмуртская АССР, Тюменская и Курганская области)	25	97
Кузбасс (Кемеровская область)	1	17
Московская	18	50
Горьковская	9	14
Тульская	7	14

ТАБЛИЦА 5

Распределение населения СССР по городским поселениям разной величины (в % к общему числу городского населения страны)

Категория городских поселений по величине	1926 г.	1939 г.	1965 г.
Крупные города (более 500 тыс. жителей)	16	21	26
Городские поселения с населением от 20 до 500 тыс. жителей	51	54	50
Небольшие города и поселки (менее 20 тыс. жителей)	33	25	24

Из табл. 5 видно, что за прошедший период возрастал удельный вес в общей численности населения группы крупных городов, сокращался удельный вес малых городов и поселков.

Таковы в общих чертах изменения, происшедшие в расселении на территории Советского Союза. Их можно охарактеризовать как важный этап в процессе ликвидации унаследованных от капитализма недостатков размещения производительных сил и создания социалистических форм расселения. Распределение производства и населения по стране в общем стало более рациональным, но задача расселения применительно к потребностям нового этапа развития нашего общества еще требует своего решения. В частности, в первоначальной стадии находится решение задачи ограничения роста крупных городов и особенно перестройки сети сельских населенных пунктов, сложившейся во многих районах в эпоху господства феодально-помещичьего землевладения и отличающейся чрезмерным рассредоточением населения. Переписью 1959 г. в Советском Союзе были учтены 704,8 тыс.

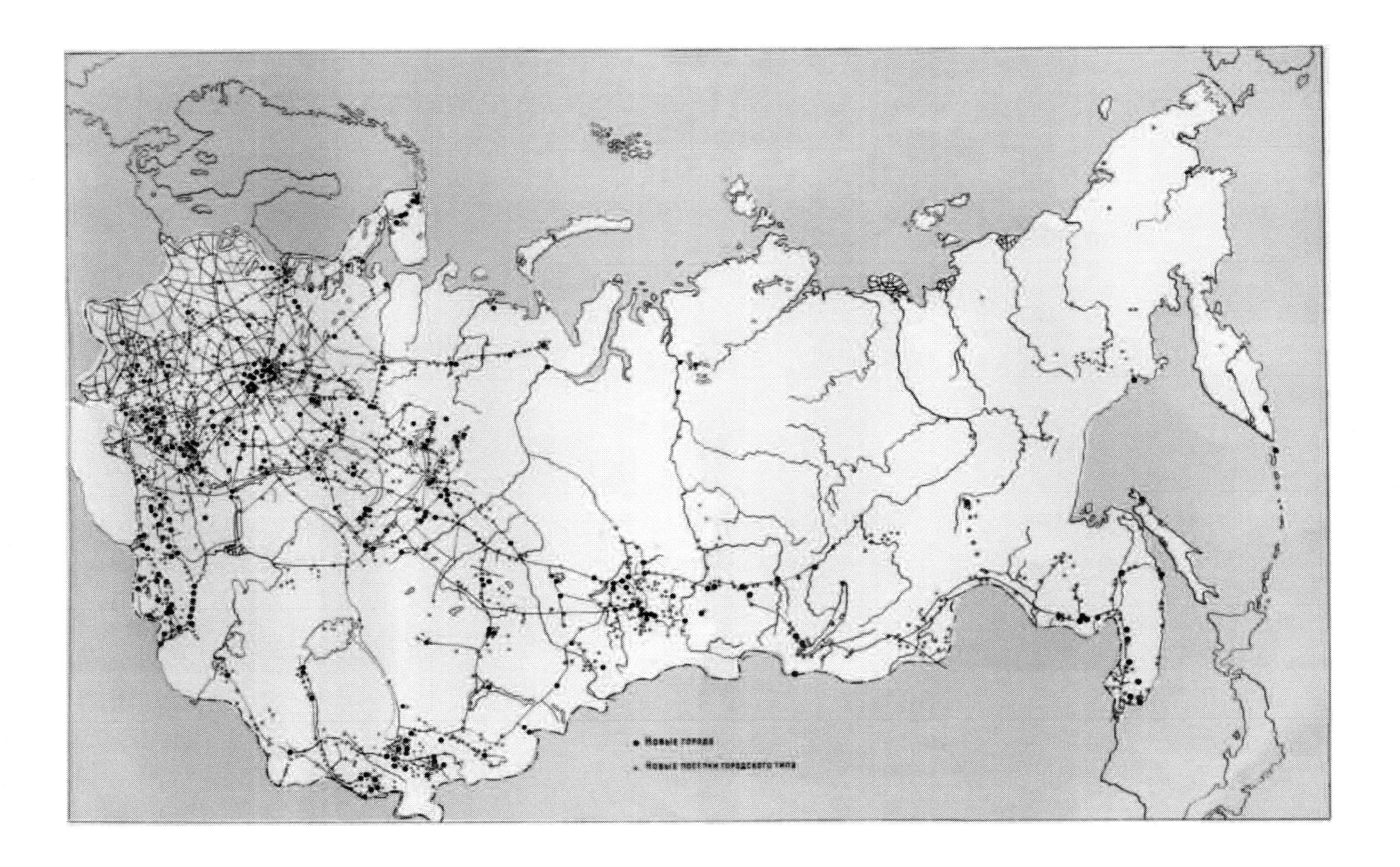
Новые города
Новые поселки городского типа

Рис. 6. За годы Советской власти во всех районах страны созданы сотни городов и поселков

Fig. 6. During the years of the Soviet power there sprang up hundreds of towns and settlements in all regions of the country

Рис. 7. Развитие промышленности в СССР и ее более рациональное размещение приведут к тому, что расселение в целом по стране станет более равномерным

Fig. 7. Development of the USSR industry and its rational location will provide a more even distribution of population

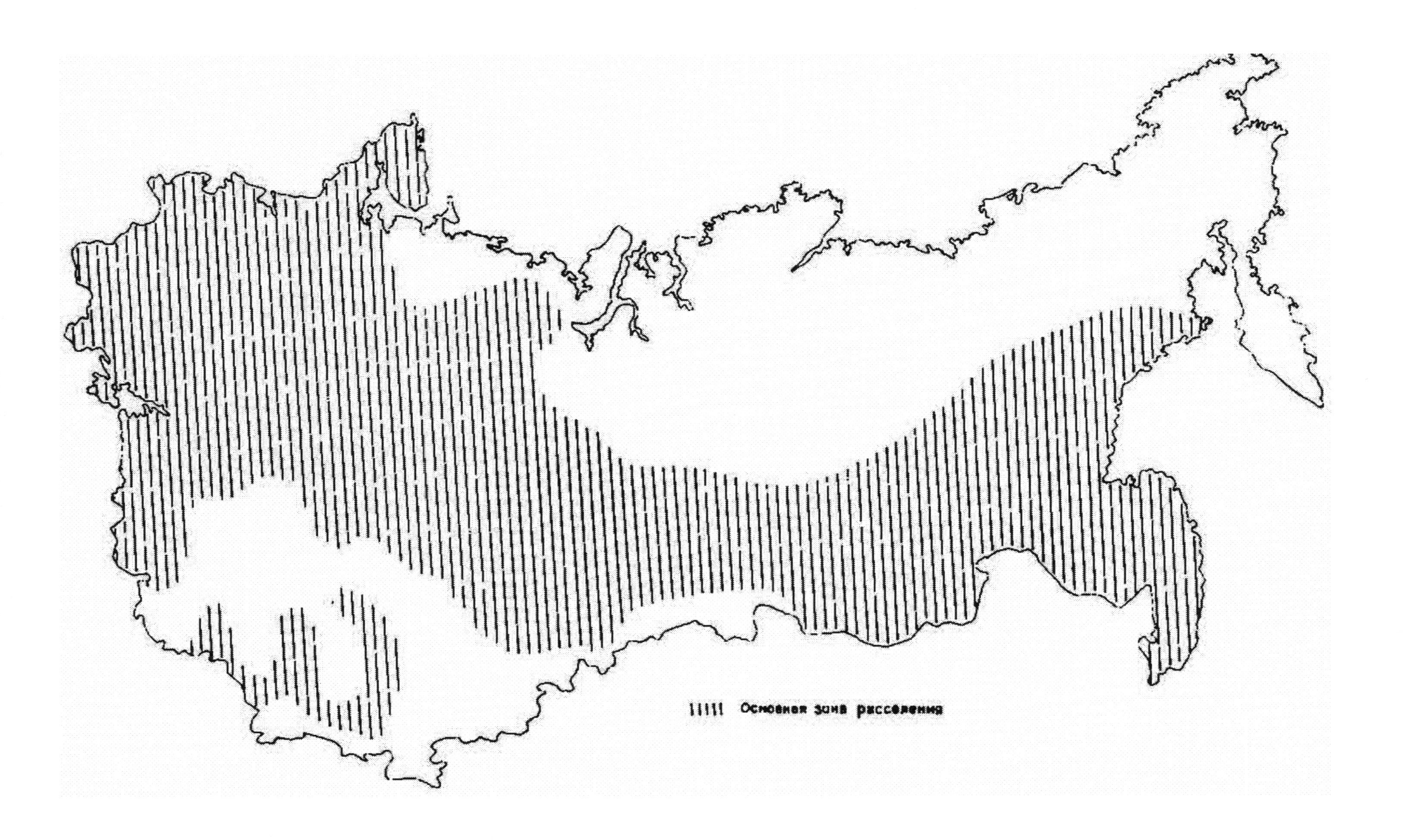
Основная зона расселения

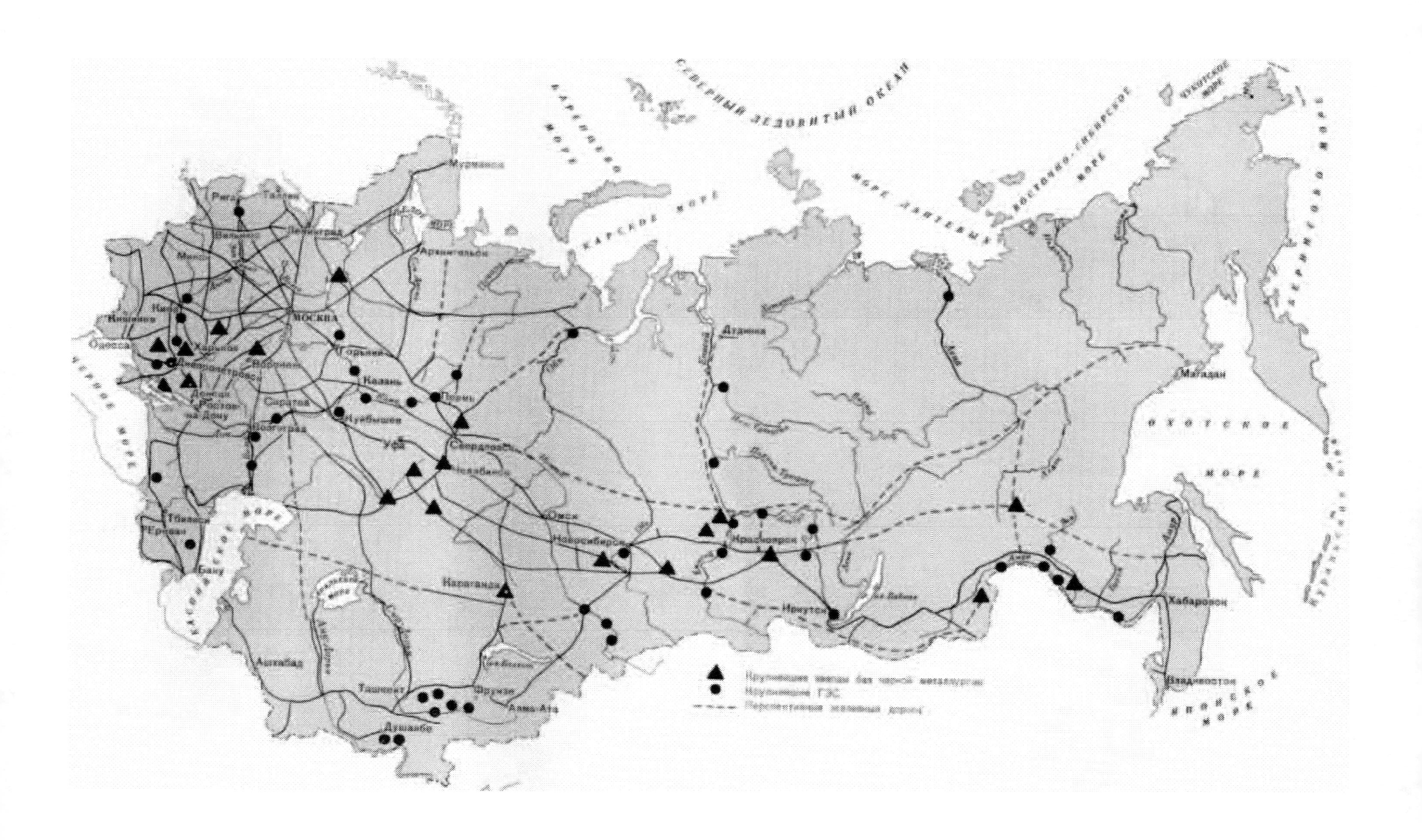
СЕВЕРНЫЙ ЛЕДОВИТЫЙ ОКЕАН
КАРСКОЕ МОРЕ
МОРЕ ЛАПТЕВЫХ
ВОСТОЧНО-СИБИРСКОЕ МОРЕ
ОХОТСКОЕ МОРЕ
ЯПОНСКОЕ МОРЕ
Мурманск
Архангельск
Рига
Таллин
Ленинград
Вильнюс
Минск
Киев
Кишинев
Одесса
Харьков
Днепропетровск
Ростов-на-Дону
Москва
Воронеж
Горький
Казань
Пермь
Саратов
Куйбышев
Волгоград
Уфа
Свердловск
Челябинск
Омск
Новосибирск
Красноярск
Иркутск
Караганда
Тбилиси
Ереван
Баку
Ашхабад
Ташкент
Фрунзе
Алма-Ата
Душанбе
Дудинка
Магадан
Хабаровск
Владивосток

сельских населенных пунктов, в том числе сел, деревень, хуторов, кишлаков, аулов, совхозных и прифермерских поселков и других населенных мест, обслуживающих собственно сельское хозяйство, — 627,3 тыс. с населением 97 млн. человек[1].

По размерам сельскохозяйственные населенные пункты распределялись в 1959 г. следующим образом.

ТАБЛИЦА 6

Группировка населенных пунктов по числу жителей

	10 чел.	10—50	50—200	200—1000	1000	Всего
Число сельскохозяйственных поселений (в тыс.)	255,3	117,9	139,2	96,3	18,6	627,3
	40,6%	18,8%	22,2%	15,4%	3%	100%
В них населения (в млн. человек) . . .	1	3,2	15	41,5	36,2	96,9
	1%	3,3%	15,4%	42,9%	37,4%	100

Из табл. 6 видно, что 2/3 сельского населения проживает в населенных пунктах, имеющих менее 1 тыс. жителей. К тому же расселение сельского населения является крайне неравномерным (см. рис. 1). Если в районах Прикарпатья и Молдавии плотность сельского населения превышает 200 человек на 1 *га*, то на обширных пространствах Центральной и Северной Сибири, Дальнего Востока, Центрального и Юго-Западного Казахстана, среднеазиатских пустынь имеются лишь разобщенные «пятна заселения» с плотностью населения менее 0,1 человека на 1 $км^2$.

В принятой на XXII съезде Программе Коммунистической партии Советского Союза определены пути развития нашего общества от социализма к коммунизму. Постепенное преобразование сложившейся системы расселения в систему коммунистического расселения стало насущным вопросом теории и практики градостроительства.

В Программе КПСС указывается, что коммунизм обеспечивает непрерывное развитие общественного производства и повышение производительности труда на основе быстрого научно-технического прогресса, вооружает человека самой совершенной и могущественной техникой, поднимает на огромную высоту господство людей над природой, дает возможность все больше и полнее управлять ее стихийными силами. При этом достигается высшая ступень планируемой организации всего общественного хозяйства, обеспечивается наиболее эффективное и разумное использование материальных богатств и трудовых ресурсов для удовлетворения растущих потребностей членов общества. При коммунизме исчезнут социально-бытовые различия между городом и деревней; все населенные места в стране будут городского типа.

Развивая ленинские принципы размещения производительных сил, Программа КПСС ставит в области расселения такие важные задачи, как устранение чрезмерной скученности населения в крупных городах, развитие небольших и средних городов, постепенное преобразование колхозных деревень и сел в укрупненные населенные пункты городского типа.

Все более рациональное размещение промышленности, дальнейшее развитие совхозов и колхозов, усиление их производственных связей между собой и с местными промышленными предприятиями приведут к созданию систем расселения, обеспечивающих дальнейшее быстрое развитие производства, всесторонний рост культуры всего общества, улучшение и оздоровление условий жизни.

[1] В республиках Прибалтики и в Белорусской ССР до сих пор распространенной формой сельского расселения являются хутора. Здесь на 1 января 1959 г. было 231,3 тыс. хуторов, в том числе 177,3 тыс. хуторов, имеющих менее 5 жителей. Число сельских поселений несельскохозяйственного профиля (поселки при небольших предприятиях, стройках, транспортных сооружениях, учреждениях обслуживания и т. д.) достигало 77,5 тыс. На их долю приходилось 10,1 млн. человек, или 9,5% всего сельского населения. Народное хозяйство СССР в 1961 г. Госстатиздат, 1962, стр. 50—51.

Глава 2

ПЕРСПЕКТИВНОЕ РАЗМЕЩЕНИЕ ПРОИЗВОДИТЕЛЬНЫХ СИЛ — ОСНОВА РАССЕЛЕНИЯ

Развитие и размещение производительных сил и преобразование расселения в нашей стране — взаимосвязанные процессы. Совершенствование территориальной организации народного хозяйства в Советском Союзе имеет целью повысить производительность общественного труда, увеличить объем производства, снизить транспортные расходы и обеспечить создание рациональной и удобной для жизни людей сети населенных мест.

Перспективное расселение будет складываться в условиях создания могучей материально-технической базы коммунизма.

1. ПРИНЦИПЫ РАЗМЕЩЕНИЯ ПРОИЗВОДИТЕЛЬНЫХ СИЛ В СССР

Планомерное и рациональное размещение производительных сил и в первую очередь промышленности — ведущей отрасли народного хозяйства — объективная закономерность развития социалистического производства. Она была обоснована в трудах основоположников марксизма-ленинизма. Фридрих Энгельс писал: «Только общество, способное установить гармоническое сочетание своих производительных сил по единому общему плану, может позволить промышленности разместиться по всей стране так, как это наиболее удобно для его развития и сохранения, а также и для развития прочих элементов производства»[1].

Планомерное и рациональное размещение производительных сил достигается проведением в жизнь принципов, основанных на экономических законах социализма, подтвержденных практикой социалистического строительства и сохраняющих свое значение на период построения коммунизма.

[1] Ф. Энгельс, Анти-Дюринг, Соч. К. Маркса и Ф. Энгельса, т. 20. Госполитиздат, 1961, стр. 307.

Еще в 1918 г. В. И. Ленин в «Наброске плана научно-технических работ» выдвинул принцип всемерного приближения промышленности к источникам сырья и энергии и к районам потребления продукции[1].

Развитие производительных сил на Востоке страны, вовлечение в хозяйственное использование угольных богатств Кузбасса, рудных месторождений Урала, Казахстана, Сибири и Дальнего Востока, создание мощных очагов обрабатывающей промышленности во всех экономических районах страны, освоение Крайнего Севера — все это является практическим осуществлением курса Коммунистической партии на всемерное приближение промышленности к источникам сырья и энергии.

В Программе КПСС сформулирован принцип первоочередного вовлечения в хозяйственный оборот наиболее богатых и выгодных по условиям освоения и эксплуатации природных ресурсов: «В целях выигрыша времени в первую очередь будут использоваться природные ресурсы, доступные для быстрого освоения и дающие наибольший народнохозяйственный эффект»[2].

Важнейший принцип социалистического размещения производительных сил — комплексное развитие и правильная специализация каждого крупного экономического района. Специализация района определяется отраслями, для развития которых в данном районе существуют наилучшие условия. Эти профилирующие отрасли образуют экономический стержень района, вокруг которого складывается многоотраслевой комплекс. Четкая и последовательно усиливающаяся специализация и комплексность хозяйства круп-

[1] В. И. Ленин. Соч., т. 27, стр. 288.

[2] Программа Коммунистической партии Советского Союза. Изд. «Правда», 1961, стр. 72.

ных экономических районов позволяют лучше и полнее использовать природные, трудовые и территориальные ресурсы каждого района.

Улучшение территориальной организации народного хозяйства происходит на основе комплексного использования сырья, комбинирования производства, группового размещения предприятий. Групповое размещение технологически связанных между собой предприятий, объединенных к тому же общей системой энергетики, транспорта, водоснабжения, создает наилучшие условия для полного использования сырья, уменьшает удельные затраты на строительство предприятий, снижает эксплуатационные расходы, дает значительную экономию общественного труда. Типичным для развития промышленности в СССР является формирование сложных территориально-производственных комплексов, таких как Чулымский, Братский, Павлодарско-Экибастузский, Кустанайский и др.

В Программе КПСС подчеркивается крайняя важность дальнейшего выравнивания уровней экономического развития районов страны. Это означает, что в каждом районе возникнут очаги крупной промышленности и будет обеспечен неуклонный и систематический подъем экономики и культуры. Унаследованное от прошлого отставание бывших национальных окраин будет окончательно ликвидировано — произойдет новый экономический, политический и культурный подъем равноправных социалистических республик.

Дальнейшее осуществление и развитие социалистических принципов размещения производительных сил создаст основу для устранения недостатков, свойственных современному расселению, и будет способствовать развитию прогрессивных форм расселения. Рациональное размещение производительных сил страны позволит ликвидировать чрезмерную скученность населения в крупнейших городах и обеспечить подъем малых и средних городов.

Внедрение промышленности в районы сельскохозяйственной специализации, а также дальнейшее повышение технического уровня и совершенствование организации сельскохозяйственного производства откроют широкие возможности для рационального преобразования системы сельского расселения. Основными центрами этой новой системы станут промышленные города и поселки, а также населенные пункты, развивающиеся на базе аграрно-промышленных объединений, в которых будут сосредоточены различные виды обслуживания населения и хозяйства. Развитию таких центров будут способствовать укрепление межколхозных производственных связей и строительство межколхозных культурно-бытовых учреждений, предприятий по первичной обработке, хранению и транспортированию сельскохозяйственных продуктов, по производству строительных материалов и конструкций и т. п.

2. ВЛИЯНИЕ НАУЧНО-ТЕХНИЧЕСКОГО ПРОГРЕССА НА РАЗМЕЩЕНИЕ ПРОИЗВОДИТЕЛЬНЫХ СИЛ

Условия, в которых будет складываться перспективная картина размещения производительных сил в стране в целом и в отдельных ее районах, будут существенно отличаться от современных.

Научно-технический прогресс расширит возможности освоения новых, более полного использования уже известных природных ресурсов, ускорит создание на их базе мощных промышленных комплексов.

Вовлечение в производство все более широкого круга материалов, разработка принципиально новых технологических схем получения промышленной продукции, создание новых механизмов заставят по-иному оценивать источники и виды сырья. В результате откроется возможность освоения месторождений полезных ископаемых, разработка которых до сих пор считалась ненужной или экономически невыгодной.

Например, разработка методов получения алюминия из нефелинов, алунитов, каолинов и других глиноземсодержащих пород в корне меняет географию сырьевых ресурсов алюминиевой промышленности. Новые виды сырья заменят ограниченные по запасам и числу месторождений бокситы. Будет резко улучшено размещение предприятий алюминиевой промышленности, произойдет их приближение к источникам электроэнергии и районам потребления.

Совершенствование технологии обогащения железных руд уже позволило вовлечь в производство железистые кварциты Криворожского бассейна[1] и начать на Урале освоение Качканарского месторождения железных руд с содержанием железа всего лишь 16%.

Получение высококачественного кокса из широкого круга каменных и даже бурых углей снимет многие трудности, возникающие при размещении предприятий черной металлургии.

Открытие экономически выгодных методов разработки богатейших месторождений полезных ископаемых на дне морей и океа-

[1] Первый горнообогатительный комбинат был пущен в Криворожском бассейне в 1955 г.

нов, разработка методов промышленного извлечения различных элементов из морской воды будут способствовать развитию приморских комплексов. Сейчас мировой океан недостаточно используется как колоссальный источник пищи и промышленного сырья. В будущем возможности такого использования океана чрезвычайно расширятся.

Развитие атомной энергетики расширит использование нефти, газа, угля, сланцев и торфа в качестве химического сырья. Особое значение будут иметь атомные электростанции для районов, плохо обеспеченных собственными энергетическими ресурсами[1], а также для освоения природных богатств в отдельных труднодоступных районах, располагающих особо ценными полезными ископаемыми (алмазы, золото, редкие элементы). Вслед за атомной энергией на службу обществу будет поставлена термоядерная энергия. Огромные возможности открывает непосредственное использование лучистой энергии солнца с помощью полупроводниковых батарей. Уже намечено освоение огромной энергии морских приливов[2].

На очереди также использование тепла недр, имеющее особенно большие перспективы в районах Кавказа, Средней Азии, Южной Сибири, Камчатско-Курильской области.

Важную роль в развитии и размещении производительных сил и в совершенствовании расселения сыграет химизация и автоматизация производства. С химизацией связано более полное использование сырья, получение новых видов материалов, в том числе материалов с заранее заданными свойствами, совершенствование технологических процессов (переход от механической к химической обработке) и, следовательно, повышение производительности труда. Химизация расширяет сырьевые ресурсы промышленности. Усилится роль химических производств в составе территориально-производственных комплексов.

Применение систем машин-автоматов означает переход к новому уровню развития машинной техники и составляет одну из главнейших особенностей материально-технической базы коммунизма. С этим связано всемерное развитие машиностроения как сердцевины тяжелой промышленности, продолжающего играть решающую роль в техническом перевооружении всех отраслей народного хозяйства.

Технический прогресс будет способствовать дальнейшему развитию и совершенствованию межрайонных связей. Энергетические сети соединятся в единую энергетическую систему Советского Союза. Сеть газопроводов и нефтепроводов свяжет крупнейшие месторождения нефти и газа со всеми основными экономическими районами страны, расширит и укрепит их сырьевую базу.

Межрайонные связи разовьются и вследствие перераспределения между районами водных ресурсов. Каналы большой протяженности и с большим пропуском воды обеспечат освоение маловодных, но обладающих богатыми недрами и плодородными землями районов, подобных Центральному Казахстану и Целинному краю. Привлечение водных ресурсов других районов позволит обеспечить водой Урал и Донбасс; тем самым будут преодолены «узкие места» в развитии этих крупнейших индустриальных районов. Осуществится переброска больших масс воды из северных районов Европейской части СССР в бассейн Волги.

В настоящее время освоению многих потенциально богатых районов СССР препятствует их недостаточная транспортная обслуженность при отдаленности от основных экономических центров. Прогресс в области транспортного строительства облегчит сооружение магистралей большой протяженности. Электрификация железных дорог, внедрение более эффективных типов локомотивов, ускоренное развитие всех видов транспорта — все это будет способствовать экономическому сближению различных районов и совершенствованию системы географического разделения труда. Применение ледоколов с атомным двигателем значительно удлинит сроки навигации в замерзающих морях, что чрезвычайно важно для северных районов СССР, выходящих к Ледовитому океану. Исключительно большое значение для создания и развития промышленных центров в отдаленных и труднодоступных районах будут иметь самолеты большой грузоподъемности, оснащенные совершенным навигационным оборудованием.

В горах, где трудно выбрать площадку для аэродромов, найдут применение большегрузные вертолеты, способные заменить такие массовые виды транспорта, как железнодорожный и автомобильный.

Технический прогресс откроет новые возможности освоения многих районов, обладающих весьма ценными сырьевыми и топливно-энергетическими ресурсами, но расположен-

[1] Первые крупные атомные электростанции были введены в строй в Центрально-Черноземной зоне (Нововоронежская) и на Урале (Белоярская имени Курчатова).

[2] Первая в СССР ПЭС (приливная электростанция) — Кислогубская — сооружается у берегов Кольского полуострова. Намечаемая на перспективу Лумбовская ПЭС будет иметь мощность 400 тыс. *квт*. Мощность ПЭС в Мезенской губе может составить 1,3—1,5 млн. *квт*, мощность Беломорской ПЭС — 14 млн. *квт*.

ных в суровых природных условиях. Человеческое общество получает в свое распоряжение все более могучие средства воздействия на природу. Прокладка каналов на многие сотни километров, сооружение огромных водохранилищ, строительство сложных ирригационных систем, возведение крупных сооружений на вечной мерзлоте, создание нефтепромыслов в открытом море — все это убедительно говорит о достигнутых в этой области успехах. Со временем будут найдены методы более глубокого воздействия на климат и пути претворения в жизнь проектов преобразования природы огромных районов.

3. ОСНОВНЫЕ ПЕРСПЕКТИВНЫЕ НАПРАВЛЕНИЯ РАЗВИТИЯ И РАЗМЕЩЕНИЯ ПРОИЗВОДИТЕЛЬНЫХ СИЛ В РАЙОНАХ ЕВРОПЕЙСКОЙ ЧАСТИ СССР

В Программе партии указывается: «Произойдет дальнейшее значительное развитие экономики районов Европейской части СССР, где сосредоточена основная масса населения страны и имеются большие возможности для расширения промышленного производства»[1].

Европейская часть Советского Союза отличается давностью освоения и высокой плотностью населения. В ее пределах расположена большая часть крупных городов. Хорошая обеспеченность трудовыми ресурсами, густая сеть транспортных путей, насыщенность разнообразной промышленностью — все это создает благоприятные предпосылки для дальнейшего развития производительных сил в большинстве районов Европейской части СССР.

В целом, за исключением отдельных районов, Европейская часть СССР обладает наиболее благоприятными условиями для жизни населения. Многочисленность городов облегчает выбор мест для нового промышленного строительства. Отсутствуют многие трудности, с которыми приходится встречаться на Востоке страны при создании промышленных комплексов и строительстве городов.

Основные сдвиги в территориальной организации производительных сил на территории Европейской части СССР выразятся в следующем.

Здесь сосредоточены крупнейшие города страны, на базе которых образовались сильно развитые промышленные узлы.

Ведущие промышленные районы и узлы (Московский, Ленинградский, Горьковский, Харьковский и др.), опирающиеся прежде всего на высококвалифицированный труд, будут наращивать производственную мощь путем реконструкции существующих предприятий, их технического перевооружения. Строительство новых предприятий здесь целесообразно в основном лишь в целях завершения незаконченных производственных циклов и усиления комплексности производственной структуры районов.

В рассматриваемых районах особенно сильно проявляется объединение науки с производством; большое развитие получают системы научно-производственных центров. Тем самым значительно усиливается роль этих районов как важнейших баз технического прогресса страны.

Значительные изменения в народнохозяйственной основе расселения произойдут в связи с усилением комплексности народного хозяйства всех районов при сохранении и углублении их главной специализации. Так, например, традиционные районы текстильного производства (Ивановский) получат отрасли тяжелой промышленности, в частности квалифицированное машиностроение. В Донбассе и на Урале должны получить большое развитие отрасли пищевой и легкой промышленности. Кроме того, комплекс ведущих для этих районов производств тяжелой промышленности (черная и цветная металлургия, основная химия, металлоемкое машиностроение), вероятно, будет дополнен такими отраслями промышленности, как точное машиностроение, радио- и электротехника, тонкая химия.

В ряде районов Европейской части страны территориально-производственные комплексы могут быть дополнены недостающими элементами или усилят недостаточно развитые в настоящее время звенья (передельная металлургия в Белоруссии и Прибалтике, производство искусственного волокна в Центральном районе и т. д.).

Освоение сырьевых ресурсов Европейской части СССР[1] вызовет появление новых промышленных районов и узлов и будет содействовать равномерному распределению городов. В одних районах освоение новых ресурсов приведет к дальнейшему развитию традиционных отраслей, иногда вызывая территориальное расширение промышленных райо-

[1] Программа Коммунистической партии Советского Союза. Изд. «Правда», 1961, стр. 73.

[1] Железных руд Кременчугского и Керченского бассейнов, месторождений титана на Украине и Кольском полуострове, месторождений калийных солей в Белорусском Полесье, солей Сиваша, нефти и газа в Поволжье, на Северном Кавказе, на Украине, лесных массивов Западной Карелии и бассейна р. Мезени и т. п.

нов[1]. В других районах на базе вовлечения в хозяйственный оборот природных ресурсов возникнут новые профилирующие отрасли, которые существенно изменят общесоюзную специализацию района. Намечаемые масштабы разработки железных руд КМА и строительство металлургических заводов превратят Центрально-Черноземный район в одну из основных металлургических баз страны. Вслед за Новолипецким металлургическим комбинатом в строй войдет комбинат в районе Льгова.

Дальнейшее развитие нефтедобычи и на ее базе нефтехимии в Поволжье, на Северном Кавказе и в Закавказье усилит ведущее значение нефтехимических комплексов в промышленной структуре этих районов.

Определенным своеобразием среди районов Европейской части СССР отличается Европейский Север (Архангельская, Вологодская, Мурманская области, Карельская и Коми АССР)[2]. По уровню экономического развития, условиям освоения, характеру природных ресурсов, специализации народного хозяйства Север сходен со многими районами Сибири. Здесь получат дальнейшее развитие отрасли добывающей промышленности и разработка лесных богатств.

Главные сдвиги в системе расселения будут связаны с развитием промышленности. В то же время интенсификация сельского хозяйства, сельскохозяйственное освоение новых районов (Полесье, Мещера, Волго-Ахтубинская пойма, Северный Крым, Колхида, Куринская и Сарпинская низменности, Заволжье), развитие пищевой промышленности, перерабатывающей разнообразное сельскохозяйственное сырье, укрепят экономическую основу перестройки сельского расселения.

Совершенствованию территориальной организации народного хозяйства и расширению сети промышленных центров будет способствовать развитие межрайонных связей: единой энергетической системы, единой газовой системы, новых железнодорожных и водных транспортных магистралей.[3]

[1] Примером может служить расширение границ Донбасса в связи с освоением новых угольных месторождений.

[2] Кольский полуостров и Тиманский кряж (в Коми АССР) принадлежат к числу геохимических узлов, наиболее богатых по разнообразию и качеству полезных ископаемых.

Добыча коксующихся углей, медно-никелевых и железных руд, нефти и газа, апатитов и нефелинов, а также разработка лесных богатств получат здесь дальнейшее развитие.

[3] Например, прямой железнодорожный выход с Кольского полуострова и из Карелии в Центр, водное соединение Черного и Балтийского морей и т. д.

Важное значение для преодоления узких мест некоторых районов будет иметь перераспределение водных ресурсов.

Намечаемое Программой КПСС создание Камско-Двинско-Вычегодского соединения и переброска воды северных рек на юг через систему Камы и Волги позволит стабилизировать уровень Каспийского моря, развернуть работы по орошению Заволжья и дополнительно выработать десятки миллиардов киловатт-часов электроэнергии на уже построенных гидростанциях.

Недостаточность энергетической базы — узкое место большинства районов Европейской части[1]. Как правило, районы, сосредоточивающие наибольшую долю обрабатывающей промышленности, лишены сколько-нибудь значительных собственных источников энергии. Завершение строительства каскадов электростанций на Волге, Каме, Днепре, Куре, Немане и других реках и строительство атомных и тепловых (на газе) электростанций в районах, страдающих дефицитом энергии, позволят расширить энергетическую базу.

Развитие производительных сил районов Европейской части Советского Союза будет сопровождаться значительными изменениями в территориальной организации производства, что сыграет большую роль в совершенствовании системы расселения и, в частности расширит возможности для более равномерного размещения производства и на этой основе развития малых и средних городов.

4. ПЕРСПЕКТИВНОЕ РАЗМЕЩЕНИЕ ПРОИЗВОДИТЕЛЬНЫХ СИЛ В ВОСТОЧНЫХ РАЙОНАХ СТРАНЫ

Программа Коммунистической партии Советского Союза намечает новый подъем производительных сил на Востоке страны: «Большое развитие получит промышленность в районах **восточнее Урала,** обладающих неисчислимыми природными богатствами, сырьевыми и энергетическими источниками»[2].

Первоочередное развитие на Востоке страны должна получить основная зона размещения хозяйства, образующая широкую полосу вдоль трансконтинентальных магистралей. Полоса охватит наиболее благоприятную в природном отношении широтную зону и будет состоять из системы наиболее полно развитых

[1] На долю Европейской части СССР в целом приходится всего лишь 9% топливно-энергетических ресурсов страны, но 80% общесоюзного потребления топлива и энергии.

[2] Программа Коммунистической партии Советского Союза. Изд. «Правда», 1961, стр. 72.

территориально-производственных комплексов.

По мере развития производительных сил, достижений в преобразовании природы, успехов научно-технического прогресса эта полоса будет последовательно расширяться, присоединяя к себе все новые и новые районы.

Одновременно усилится значение полосы как базы освоения природных ресурсов на Крайнем Севере, в зоне среднеазиатских пустынь и в горных районах юга Сибири.

За пределами основной зоны размещения хозяйства разовьются отдельные промышленные узлы, связанные с ней железными дорогами. Их базой послужат гигантские ГЭС, ценные месторождения железных руд и коксующихся углей, комбинаты черной и цветной металлургии, важнейшие месторождения полиметаллических руд, лесоперерабатывающие комбинаты. В наиболее отдаленных районах получат развитие производственные очаги, связанные с освоением месторождений особо ценных полезных ископаемых (алмазов, золота, олова, слюды, редкоземельных элементов и т. п.).

Основной зоне размещения хозяйства восточных районов будет соответствовать главная полоса расселения, а крупным промышленным узлам и промышленным очагам вне основной зоны более или менее обособленные районы расселения различных размеров.

В настоящее время роль главной экономической оси восточных районов играет Транссибирская железнодорожная магистраль. На ней расположены крупнейшие города, здесь же преимущественно сосредоточилась обрабатывающая промышленность. Зона влияния магистрали, в которой проживает основная часть населения, четко рисуется на карте плотности населения и городов (см. рис. 1). Завершение строительства и сооружение новых широтных магистралей (Южно-Сибирской, Средне-Сибирской и Северо-Сибирской) значительно расширит основную зону расселения, повысит ее емкость. Уплотнению территориальной структуры хозяйства в пределах зоны будут способствовать железнодорожные линии меридионального направления, соединяющие главные магистрали[1].

Транспортное строительство выявит новые точки важного перспективного значения (в частности, в местах пересечения больших рек широтными магистралями), где, по всей вероятности, возникнут города — крупные промышленные узлы и административно-хозяйственные центры обширных районов.

[1] Такие как Ачинск—Абалаково, Решоты—Богучаны, Барнаул—Омск и др.

Главную полосу расселения можно условно разделить на четыре части, располагающиеся в Западной Сибири с Северным Казахстаном, в Восточной Сибири, Забайкалье и на Дальнем Востоке.

В пределах Западной Сибири и Северного Казахстана крупнейшими промышленными районами явятся Кустанайский, Павлодарско-Экибастузский, Алтайский и Кузбасс.

В качестве примера можно привести Кустанайский район. Его горнорудные комбинаты огромной мощности служат рудной базой металлургических заводов Урала. Предполагается, что после завершения строительства Соколовско-Сарбайского, Качарского и Лисаковского горнорудных предприятий Кустанайский район будет давать более 80 млн. *т* руды.

Кустанайская руда обеспечит работу заводов новой металлургической базы, создающейся в Казахстане. Один или два из намечаемых заводов возникнут в Кустанайском районе. Перерабатывая бурые железняки Аятского и Лисаковского месторождений, металлургические заводы помимо металла дадут ценное фосфорное удобрение сельскому хозяйству. Энергетические угли Тургайского буроугольного бассейна, превосходящего по общим запасам Карагандинский бассейн, послужат основой развития мощных тепловых электростанций и дадут сырье химическим комплексам. В Кустанайском районе уже развернулось строительство одного из крупнейших в стране асбестовых комбинатов в районе Джетыгары. Начали разрабатываться бокситы Амангельдинского месторождения. Кустанайский район войдет в систему межрайонного разделения труда не только как район тяжелой промышленности, но и как район товарного зернового хозяйства. Промышленное развитие района вызовет к жизни новые города. Так уже возник на берегу Тобола при Соколовско-Сарбайском комбинате город Рудный. Получит дальнейшее развитие Кустанай как центр машиностроения, химической промышленности и переработки сельскохозяйственного сырья.

Важное значение в территориальной структуре хозяйства Западной Сибири сохранят Омский и Новосибирский промышленные узлы обрабатывающей промышленности. Увеличив свою производственную мощь, эти узлы изменят характер размещения промышленности и расселения: на базе Омска и Новосибирска получат развитие системы городов — производственных центров обрабатывающей промышленности. В схеме районной планировки Приобского промышленного района Новосибирский узел решен в виде взаимосвязанной системы городов, расположенных в радиусе 50—70 *км*. Запроектированные города-спутники Новосибирска дадут возможность предотвратить дальнейшую чрезмерную концентрацию населения в главном городе. Крупные узлы с ведущим значением машиностроения сложатся в Кургане, Петропавловске, Тюмени, где уже имеется достаточно развитая промышленность. На базе разведанных мефтяных месторождений широкие перспективы промышленного развития открываются в Тюменской области.

В Восточной Сибири основу территориальной структуры хозяйства в границах главной полосы расселения составят пять мощных территориально-производственных комплексов сложной отраслевой структуры: Красноярский, Нижне-Ангарский, Южно-Енисейский, Иркутско-Черемховский и Средне-Ангарский. Их развитие будет обусловлено мощными энергетическими источниками. В Нижне-Ангарском и Средне-Ангарском (Тайшет-Братском) районах крупнейшие ГЭС притянут к себе энергоемкие производства. В Красноярском, Южно-Енисейском и Иркутско-Черемховском районах мощные ГЭС сочетаются с тепловыми электростанциями на углях Канско-Ачинского, Хакасского и Черемховского бассейнов. Поэтому здесь, вероятно, сосредоточатся энерго-, топливо- и теплоемкие производства. Все эти районы имеют разнообразную и достаточно разведанную сырьевую базу промышленности, хорошие условия для развития сельского хозяйства, отличаются красотой природы и здоровым климатом.

Представление о профиле и масштабах развития новых промышленных районов на юге Восточной Сибири можно получить на примере Чулымского района, входящего в состав Красноярского территориально-производственного комплекса.

Здесь получают развитие энергоемкие и топливоемкие производства на базе Канского бассейна, запасы углей которого исчисляются в 1,3 триллиона *т*. Добываемый на крупных разрезах бассейна самый дешевый в стране уголь будет питать сверхмощные ГРЭС, такие как Назаровская и Ирша-Бородинская. В крупных масштабах возникает производство алюминия из нефелинов с попутным получением дешевого цемента и содопродуктов; получит развитие комплекс химических предприятий, в частности на базе переработки древесины.

Развитию Чулымского района благоприятствуют положение на Транссибирской магистрали и удобство связей с Нижне-Ангарским и Южно-Енисейским районами. Так, например, на базе встречающихся здесь железных руд Заангарья и коксующихся углей Кузбасса, вероятно, возникнет черная металлургия. Угледобыча и электроэнергия, черная металлургия и машиностроение, глиноземно-алюминиевое производство, нефтехимия послужат экономической основой формирования системы городов, которые разместятся в полосе протяженностью около 100 *км* вдоль изгибающегося петлей и превращаемого в каскад водохранилищ Чулыма.

В Забайкалье промышленные узлы возникают у месторождений ценных полезных ископаемых, главным образом цветных, благородных и редких металлов (золото, олово, вольфрам, молибден, свинец, цинк), обычно небольших по запасам. Вследствие этого забайкальские промышленные узлы отличаются некрупными размерами. Пересеченность рельефа, нередкие трудности с водоснабжением, так же как и рассредоточенность месторождений, ведут к рассредоточенности промышленных центров.

Основой развития крупных узлов послужат железорудная промышленность, черная металлургия полного цикла и разнообразная обрабатывающая промышленность.

В пределах Дальнего Востока главная полоса расселения почти полностью охватывает бассейн Амура и все Южное Приморье[1]. Расположенные здесь районы обладают богатыми природными ресурсами в виде разнообразных полезных ископаемых, ценных пород деревьев, обширных массивов плодородных земель[2], рыбных богатств. Месторождения полиметаллических и оловянных руд имеют всесоюзное значение. Районы хорошо обеспечены углем и гидроэнергией[3], располагают сырьевой базой для черной металлургии.

Тихоокеанское побережье приобретает все большее значение как место размещения приморских комплексов, развивающихся на основе использования богатств океана и сырьевых ресурсов прибрежных районов. Здесь может получить развитие переработка сырья, доставляемого морским путем с Колымы, Чукотки, Камчатки, где из-за суровых природных условий нецелесообразно развивать обрабатывающую промышленность.

Освоение районов, расположенных к северу и югу от главной полосы расселения, обусловлено потребностями народного хозяй-

[1] Наиболее перспективные промышленные комплексы Дальнего Востока: Зейский, Буреинский, Хинганский, Средне-Амурский, Южно-Приморский.

[2] Широкие возможности для создания развитой сельскохозяйственной базы имеются в Зейско-Буреинском, Биробиджанском и Приханкайско-Уссурийском районах, призванных умножить роль житниц Дальнего Востока.

[3] Суммарная установочная мощность гидроэлектростанций на Амуре и его основных притоках может быть определена 10—15 млн. *квт*.

ства и растущими нуждами технического прогресса. Это относится к алмазоносным районам Западной Якутии, олово- и золотоносным районам Яно-Индигирской области, Колымы и Чукотки, слюдяным месторождениям Рудного Алтая, Салаира, Саян и Сихоте-Алиня, месторождениям редких и благородных металлов в Забайкалье.

Наметившийся путь очагового развития хозяйства в трудных по условиям для жизни людей районах СССР сохранится и впредь. По этому поводу акад. В. С. Немчинов писал: «Современная техника позволяет создать даже в самых трудных природных условиях вполне нормальные условия для жизни людей. Однако районы Севера будут осваиваться и в дальнейшем только в порядке очагового расселения, приуроченного к местам концентрации наиболее ценных природных ресурсов. В более отдаленной перспективе, несомненно, предстоит провести на базе будущей техники ряд мероприятий по преобразованию природы северных районов»[1].

Здесь получат применение самые совершенные системы автоматизации. Важную роль может сыграть атомная энергетика, не требующая подвоза или добычи на месте большого количества топлива.

К числу наиболее перспективных промышленных районов относится Норильско-Дудинский промышленный комплекс. Он развивается на базе Норильского рудного района, выдающегося по запасам никеля, кобальта и платиноидов и обладающего также значительными запасами меди, селена, серебра и теллура. Район уже сейчас идет впереди других районов Севера по темпам и масштабам развития. Месторождения высококачественных (в том числе и коксующихся) углей служат энергетической базой, которая еще более усилится с освоением Таймырского угольного бассейна. Уголь добывается также для кораблей, плавающих по Енисею и Северному морскому пути. В районе скрещиваются важные транспортные пути — водные, сухопутные и воздушные.

Суровость горного климата, сложность строительства, труднодоступность, рассредоточенность месторождений полезных ископаемых — таковы общие условия освоения природных богатств горных районов на юге Сибири. Развивающиеся здесь промышленные узлы в значительной степени служат сырьевыми дополнениями территориально-производственных комплексов, расположенных в основной полосе размещения хозяйства. Масштабы развития горных промышленных узлов зависят от вида полезных ископаемых, характера сочетания природных ресурсов, условий строительства и условий жизни, возможностей организации транспортной связи. Среди районов данного типа — Тувинский район. Он имеет благоприятное сочетание полезных ископаемых (кобальто-никелевые и свинцово-цинковые руды, месторождения нефелиновых сиенитов, асбеста), лесных массивов и энергетических ресурсов (каменный уголь и энергия горных рек). Это один из оптимальных в СССР районов по сближенности месторождений железных руд и коксующихся углей. На сырьевых ресурсах Тувы может получить развитие промышленный район в зоне мощной (около 5 млн. *квт*) Саянско-Шушенской ГЭС, которая будет сооружена на Енисее при выходе его из пределов Саянских гор. Здесь возникнет ряд электроемких производств.

Очаговый характер развития промышленности сохраняется в основном и в Южном Забайкалье, что обусловлено и характером полезных ископаемых (небольшие по запасам месторождения благородных и редких металлов) и условиями их освоения (гористый рельеф, трудность водоснабжения).

В других условиях развиваются районы Центрального Казахстана. Они имеют железнодорожные магистрали и со всех сторон окружены освоенными и достаточно плотно заселенными районами страны, в них уже созданы мощные очаги промышленности. Здесь возникнут комплексы тяжелой промышленности, призванные, в частности, сыграть роль опорной базы дальнейшего экономического подъема среднеазиатских республик. Их развитие предопределено характером полезных ископаемых (каменный уголь, руды цветных металлов, железные руды)[1], удобным сочетанием железных руд с коксующимися углями, наличием мощной энергетической базы в виде Карагандинского бассейна, преимуществами транспортно-географического положения на путях в Среднюю Азию из Европейской части страны, Урала и Западной Сибири.

Промышленные очаги Центрального Казахстана — это в большинстве случаев узлы горнорудной промышленности, металлургии

[1] В. С. Немчинов. Теоретические вопросы рационального размещения производительных сил. «Вопросы экономики», 1961, № 6.

[1] Центральный Казахстан — уникальный в стране район по запасам и качеству медных руд. Здесь также имеются крупнейшие в стране запасы редких и рассеянных элементов. По запасам свинца и цинка Центральный Казахстан не уступает Алтаю. К. И. Сатпаев. Минеральные ресурсы Центрального Казахстана. (Труды Карагандинской объединенной научной сессии 17—22 января 1958 г., Т. I. Пленарные заседания), Алма-Ата, 1958.

цветных и редких металлов, формирующиеся на основе полного извлечения из сырья всех ценных компонентов.

Важнейшее место среди них занимает Карагандинский территориально-производственный комплекс с ведущим значением угледобычи, черной металлургии, химии. Развитие производительных сил Центрального Казахстана сдерживается сейчас недостатком воды. Сооружение канала от Иртыша обеспечит дальнейший подъем хозяйства этого района. В результате интенсивно ведущихся в Центральном Казахстане разведок на питьевую воду обнаружены значительные запасы подземных вод. Их использование существенно улучшит условия освоения богатств Центрального Казахстана. Получат дальнейшее развитие комплексы Большого Джезгазгана, Прибалхашья, Приаралья, Мангышлака.

5. ПЕРСПЕКТИВНОЕ РАЗМЕЩЕНИЕ ПРОИЗВОДИТЕЛЬНЫХ СИЛ В РАЙОНАХ СРЕДНЕЙ АЗИИ, ЮЖНОГО И ВОСТОЧНОГО КАЗАХСТАНА

Средняя Азия с прилегающими к ней районами Южного и Восточного Казахстана — это территория резких контрастов природы, хозяйства, расселения. Оазисы с самой высокой в СССР плотностью населения чередуются с обширнейшими редконаселенными пустынями и высокогорными областями, используемыми главным образом для животноводства и имеющими лишь отдельные очаги земледелия и промышленности разных территориальных размеров.

Народное хозяйство специализировано на производстве, наконец, теплолюбивых культур (в первую очередь хлопка) на орошаемых землях.

Потенциальные возможности экономического развития Средней Азии огромны: например, в Туркмении в 1961 г. орошалось только 14% территории, вполне пригодной для орошения. По имеющимся подсчетам, в отдаленной перспективе в результате рационального использования всех водных ресурсов Средней Азии и Казахстана — речных и подземных вод и атмосферной влаги — под земледелие в зоне пустынь может быть освоено до 20 млн. *га*. Это составляет 10% общей площади пустынь Средней Азии и Казахстана и в 5 раз превысит площадь имеющихся сейчас в этих районах оазисов (около 4 млн. *га*). Средняя Азия — один из богатейших в мире нефте- и газоносных районов. По размерам потенциальных гидроэнергетических ресурсов Средняя Азия занимает в СССР второе место после Восточной Сибири. Огромные возможности таит в себе использование лучистой энергии солнца, которое может внести существенное дополнение в энергетический баланс этой части страны.

Преобразование природы в корне изменит условия жизни. При радикальном решении проблемы воды, самой насущной для Средней Азии, здесь появятся новые районы значительной концентрации населения, которые возникнут на основе сооружения мощных гидроэлектростанций и крупных водохранилищ, развития орошаемого земледелия[1] и освоения разведанных месторождений полезных ископаемых.

Сооружение мощных ГЭС на Вахше, Нарыне и других реках явится главным рычагом нового экономического подъема Средней Азии. Оно создаст надежную базу для развития всех отраслей народного хозяйства и укрепит связи между тяжелой промышленностью и сельским хозяйством. Будет решена важнейшая проблема орошения, а также снабжения сельского хозяйства минеральными удобрениями. В свою очередь, рост сельскохозяйственного производства создаст условия для развития пищевой и легкой промышленности. Тем самым будет создана основа для формирования разнообразных систем новых городов.

Значительный «прилив» населения испытает зона Большого Каракумского канала, который открыл путь аму-дарьинской воде в Мургабский, Тедженский и Прикопетдагский оазисы.

При осуществлении пропуска воды из Аму-Дарьи в Юго-Западную Туркмению здесь откроется возможность развития наиболее крупного в СССР района сухих субтропиков площадью около 600 тыс. *га*, в котором могут культивироваться особо ценные субтропические растения[2].

Вероятно, возрастет численность населения в горных долинах Киргизии (Чуйской, Иссык-Кульской), Узбекистана (Сурхан-Дарьинской) и Таджикистана (Вахшской, Гиссарской, Кызылсу). Здесь могут возникнуть развитые индустриально-аграрные комплексы[3]. Крупные электростанции на стремительных реках обеспечат энергией сооружаемые в этих районах предприятия цветной металлургии и химические комбинаты.

[1] В качестве примера можно указать на огромную работу по освоению Голодной степи, располагающей пригодными для орошения землями общей площадью 1470 тыс. *га*.

[2] Цитрусовые, чай, оливковые и миндальные деревья и т. п.

[3] Основу для создания таких комплексов создадут Нурекская и Рогунская ГЭС на р. Вахше, Уч-Курганская, Тогузтороусская и Токтогульская гидростанции на р. Нарыне и др.

6. ОСНОВНЫЕ ТЕНДЕНЦИИ В ПЕРСПЕКТИВНОМ РАЗВИТИИ СЕТИ ГОРОДОВ

Размещение производительных сил в ближайшие два десятилетия будет происходить в условиях дальнейшего роста численности населения страны в целом и в особенности городского населения. По предварительным расчетам численность городского населения достигнет в течение указанного периода 190—200 млн. человек. Увеличение численности городского населения и рост его удельного веса явятся результатом нового перераспределения трудовых ресурсов между промышленностью и сельским хозяйством, что станет возможным благодаря дальнейшему значительному повышению производительности сельскохозяйственного труда.

В предшествующих разделах главы были охарактеризованы в общих чертах наиболее вероятные перспективные изменения в размещении производства. Наиболее существенным является то, что они создают предпосылки для более равномерного размещения производительных сил и, следовательно, для более равномерного расселения (рис. 7). Опираясь на достижения науки и техники, можно будет значительно улучшить природные и экономические условия районов, развитие которых до сих пор шло замедленными темпами из-за неблагоприятных особенностей природной среды, недостаточного развития транспортной сети и слабости энергетической базы.

Равномерность расселения не следует понимать в геометрическом смысле, вне зависимости от конкретного сочетания природных и экономических факторов, которые в пределах обширной территории СССР так заметно меняются от места к месту.

Усиление равномерности в расселении лишь означает, что значительно расширится территория, активно используемая в хозяйстве и поэтому имеющая достаточно высокую плотность населения и развитую сеть населенных пунктов.

Сдвиги в сторону более равномерного расселения произойдут и вследствие дальнейшего освоения новых, сейчас слабозаселенных районов, подобных Заангарью, Северному Уралу, Туве, и в результате преодоления неблагоприятных сторон природной среды и подъема экономики некоторых районов Европейской части страны, таких как Белорусско-Украинское Полесье или Мещерская низменность.

Более равномерным станет также расселение в районах, еще не раскрывших в достаточной мере свои потенциальные возможности. Дальнейший подъем хозяйства Целинного края, Приморья и Приамурья, Центрально-Черноземного района, Европейского Севера, Восточного Предкавказья, западных областей Украины и Белоруссии вызовет здесь на основе новых отраслей промышленности и интенсификации сельского хозяйства развитие более плотной сети городов, образующих оптимальные системы расселения.

Нужно ожидать изменения соотношения городов разной величины, что явится существенным показателем равномерности расселения: увеличится удельный вес (в общей численности городского населения) городов средней величины при ограничении роста крупных городов.

Хотя научно-технический прогресс сильно «раздвинет» границы территории, благоприятной для развития сети городов и поселков, различия в природных условиях, оказывающие большое влияние на расселение, сохранятся.

Опыт строительства городов и поселков в разных районах страны убедительно показывает, что нет таких районов и мест, в которых нельзя было бы создать населенных пунктов и обеспечить живущим и работающим там людям возможность трудиться, отдыхать, иметь бытовой комфорт. Однако если рассматривать проблему территориального распределения больших масс населения, то надо принять во внимание, что для обеспечения высокого уровня жизни очень важно использовать в наибольшей степени районы, благоприятные в климатическом отношении.

Нельзя недооценивать то обстоятельство, что создание определенных условий для быта и отдыха населения в суровых районах Крайнего Севера требует очень высоких затрат, но и они не устранят многих неудобств, обусловленных особенностями природной среды. Особенно неблагоприятными оказываются эти районы для детей. Поэтому можно предполагать, что в ближайшие десятилетия заселение трудных по условиям жизни районов будет ограничено теми контингентами населения, которые необходимы только для развития профилирующих, основных отраслей народного хозяйства.

Целесообразность возможно более полного учета и использования различий природных (особенно климатических) условий предопределяет сохранение существенных различий в формировании систем расселения в разных районах. Особенно велики эти различия будут в Азиатской части СССР.

В пределах главной полосы расселения, имеющей наиболее благоприятные условия для размещения хозяйства, возникают предпосылки для развития сети городов разной величины, в том числе и значительных центров промышленности, науки и культуры, сосредоточивающих высшие ступени обслуживания прилегающих обширных районов. Особую роль в формировании таких центров сыграют гигантские ГЭС, которые «притянут» развитые комплексы энергоемких и электроемких производств, комбинаты черной металлургии и сопутствующие им вспомогательные и обслуживающие предприятия, а также пункты, наиболее выгодные по удобствам транспортно-географического положения.

Сложившиеся к настоящему времени в основной полосе расселения крупные города, в первую очередь Новосибирск, Омск, Иркутск, Красноярск, получили за последние годы мощную народнохозяйственную базу. Эта база еще не завершила своего формирования, хотя названные города уже достигли размеров, обусловливающих целесообразность ограничения их роста.

Не менее остро, чем в Европейской части СССР, стоит в Сибири проблема развития малых и средних городов вследствие особенно заметного разрыва в размерах, уровне благоустройства и обслуживания между областными центрами и остальными городами. Во многих районах Сибири решающая роль в формировании систем расселения будет принадлежать строительству новых городов.

За пределами основной полосы расселения, в районах, характеризующихся нарастанием трудностей освоения, следует ожидать развития локальных систем расселения в виде групп населенных пунктов, возглавляемых более крупными организующими центрами. Иногда в этих условиях возникает необходимость в создании достаточно больших городов, служащих форпостами освоения северных районов, подобных Норильску и Магадану.

Значительные размеры добычи полезных ископаемых могут вызвать развитие крупных промышленных центров, которые будут выполнять роль сырьевых и энергетических дополнений по отношению к центрам обрабатывающей промышленности, расположенным в районах с более благоприятными для жизни условиями. Таковы, например, Воркута по отношению к Череповцу, Кировск по отношению к сети центров промышленности искусственных удобрений, Березово по отношению к Свердловску и т. д.

Совершенствование транспортной техники и автоматизация производства позволят в ряде случаев отказаться от создания населенных мест в непосредственной близости к промышленным предприятиям, расположенным в весьма суровых условиях, преобразование которых будет невыгодно даже с точки зрения экономики будущего. Найдут применение такие формы организации труда, которые позволят устанавливать значительные расстояния между местами жительства и местами приложения труда, если это окажется необходимым для создания наилучших условий жизни населения.

Научно-технический прогресс вызовет также изменение градообразующей основы городов. В этом отношении уже достаточно четко определились некоторые тенденции.

Прежде всего формирование производственных комплексов обусловливает более развитую экономическую структуру городов и усиливает отход от узкой специализации, свойственной в прошлом многим промышленным центрам страны, возрастает роль машиностроения и химических производств как градообразующих факторов.

Характерной чертой развития производительных сил нашей страны является постоянное увеличение размеров промышленных предприятий, мощности агрегатов, объемов производства и в связи с этим, как правило, увеличение промышленных территорий в городах[1].

Но укрупнение размеров промышленных объектов не повлечет за собой обязательного пропорционального увеличения численности градообразующих кадров, что имеет существенное значение для роста городов. Так, например, сверхмощная Конаковская ГРЭС (2800 тыс. *квт*), каждый агрегат которой превосходит по мощности Днепрогэс, потребует меньше обслуживающего персонала, чем Шатурская электростанция (мощностью в 10 раз меньше, чем Конаковская).

В градообразовании сильно возрастает роль научных учреждений. Намечаемое Программой партии укрепление связи науки с производством выразится во все более тесном соединении научных учреждений с промышленными и сельскохозяйственными предприятиями. Сочетание научно-исследовательского и проектного институтов, органически связанных с ними опытных предприятий и, наконец, высших и среднетехнических учебных заведений явится закономерно развивающейся и повсеместной основой образования многочисленных новых городов.

Получит также развитие сеть центров сельскохозяйственной науки, располагающих собственными крупными хозяйствами и своей материально-технической базой.

[1] Металлургические комбинаты сегодня рассчитываются на годовое производство 10—12 млн. *т* чугуна (мощность существующих наиболее крупных комбинатов 3—4 млн. *т*). Цементные заводы увеличивают выпуск цемента до 2 млн. *т* в год (мощность существующих заводов 500—600 тыс. *т*). Угольные разрезы позволят добывать 20—30 млн. *т* угля в год против 5—6 млн. *т*, получаемых на самых крупных разрезах.

Технический прогресс облегчит создание лучших условий проживания в городах. Осуществление принципа получения большого количества продукции из меньшего количества сырья и связанное с этим полное использование отходов резко снизят уровень вредности промышленных предприятий и предотвратят порчу природы, позволят лучше решить проблему расселения и оздоровления населенных мест. Этому будут способствовать также газификация городов и полная электрификация быта.

Таким образом, перспективная картина расселения в СССР будет складываться в условиях нарастающего прогресса техники, когда человечество сможет применить все более могучие технические средства в борьбе за преобразование природы, за оздоровление условий жизни.

Расширение сырьевой базы, овладение новыми видами энергии, развитие и укрепление межрайонных связей, автоматизация и химизация производства, прогресс в области транспортного строительства, преобразование природы в районах, неблагоприятных для жизни человека, — все это откроет новые возможности в создании рациональных систем расселения.

Хотя реализация этих возможностей будет происходить по-разному в отдельных районах СССР, но в целом будут созданы объективные предпосылки для более равномерного размещения производительных сил и концентрации производства в необходимых размерах без чрезмерной концентрации рабочей силы и населения в отдельных пунктах страны.

На этой основе можно будет направить процесс формирования градообразующей базы городов таким образом, чтобы основной формой расселения стал город оптимальной величины, в котором найдут гармоническое сочетание интересы производства и удобства жизни населения, красота архитектуры и высокая экономическая эффективность строительства и ведения городского хозяйства. Так будет положено начало созданию системы расселения коммунистического общества, отвечающей высшим идеалам человечества.

Глава 3

ПРАКТИКА РЕШЕНИЯ ВОПРОСОВ РАССЕЛЕНИЯ

Советские градостроители имеют обширную и многообразную практику решения вопросов расселения. Не говоря уже о тех случаях, когда вопросы расселения выделялись в особую стадию работ или разрабатывались как важнейшая задача в составе проектов районной планировки промышленных, сельскохозяйственных, пригородных и курортных районов, эти вопросы в той или иной мере затрагивались при выборе площадок для строительства промышленных предприятий и поселков, определении направления территориального развития существующих городов, размещении первоочередного жилищного строительства, строительном зонировании городской территории и т. п. Изучение этого опыта, его обобщение и анализ представляют огромный интерес для дальнейшего развития теории и практики советского градостроительства, поскольку это позволяет выяснить условия применения основных принципов социалистического расселения к различным случаям строительства городов, предостеречь от повторения ошибок, допущенных в размещении и планировке некоторых городов и поселков. Ниже дается краткая характеристика практики решения вопросов расселения в проектах районной планировки и проектах планировки и застройки городов.

1. РЕШЕНИЕ ВОПРОСОВ РАССЕЛЕНИЯ В ПЛАНИРОВКЕ ПРОМЫШЛЕННЫХ РАЙОНОВ

Наибольшее место вопросам расселения до сих пор отводилось в проектах районной планировки. Еще в тридцатых годах, в начальный период индустриализации, когда в стране в больших масштабах развернулось строительство новых промышленных предприятий, приходилось решать общие вопросы расселения для большой группы или нескольких групп промышленных предприятий, определяя размещение и величину создаваемых на базе промышленных предприятий городов и поселков. В некоторых случаях, когда ставилась задача построить промышленные предприятия в чрезвычайно короткие сроки и обеспечить их быстрый ввод в эксплуатацию, объем работ по районной планировке сокращался до минимума и сводился к составлению одной лишь схемы расселения, которая служила основой для выбора площадок под жилищное, культурно-бытовое и коммунальное строительство. Таким образом, практика подтвердила, что вопрос расселения составляет ядро районной планировки и должен решаться в комплексе с выбором промышленных площадок.

Главным условием правильного решения задачи расселения должно быть наиболее рациональное размещение производства и создание наибольших удобств для населения. Это условие, как показала практика, обеспечивается при соблюдении следующих основных положений, которыми руководствуются при составлении проектов районной планировки:

плановое и взаимоувязанное осуществление всех видов строительства;

максимальное использование природных условий в интересах производства и для обеспечения наибольших удобств населения;

объединение промышленных предприятий в производственные комплексы на основе целесообразного комбинирования и кооперирования предприятий, строительства общих населенных мест, организации общей системы дорог, инженерных сетей и сооружений, создания общих баз строительной индустрии;

обеспечение наилучшей связи жилищ с местами труда и отдыха;

предохранение населенных мест от вредного в санитарном отношении влияния производства (загрязнения воздушного бассейна, водоемов и почвы);

выбор для промышленного и жилищного строительства площадок, требующих наименьших затрат на освоение и инженерное оборудование, в особенности для первоочередных работ.

Эти положения специфичны для советского градостроительства, так как они направлены на достижение высокой эффективности социалистического производства, обеспечение удобств и здоровых условий жизни населения, а также на комплексное осуществление и экономичность строительства. В единстве этих условий заключается социально-экономическая основа социалистического расселения.

В практике районной планировки между требованиями рациональной организации производства, обеспечения удобств для населения и экономики строительства иногда возникают противоречия, разрешение которых и отыскание оптимального решения становятся в этом случае центральным вопросом проекта районной планировки. Имеющийся опыт проектирования доказал, что главными средствами разрешения этих противоречий являются разработка и анализ разных вариантов размещения промышленности и населенных мест и использование соответствующих технических средств для преодоления возникающих трудностей (инженерная подготовка территории, организация скоростных транспортных связей, создание районных систем водоснабжения, канализации и т. п.). Такого рода трудности чаще всего встречаются в районах добывающей промышленности.

Работа по районной планировке районов добывающей промышленности, и прежде всего угольной промышленности, получила в Советском Союзе широкое развитие[1]. Задолго до войны была начата работа по районной планировке Донбасса. После войны она была возобновлена и завершилась в 1947 г. составлением генеральной схемы районной планировки Донбасса на 15-летний срок (рис. 8). За последнее десятилетие на основе указанной схемы были разработаны проекты районной планировки Донецко-Макеевского, Горловско-Енакиевского, Лисичанско-Рубежанского и других отдельных промышленных районов и узлов бассейна. В 1945—1946 гг. были закончены работы по Криворожскому промышленному району, имеющему богатые залежи бурых углей, железных руд и других полезных ископаемых. Из других районов добывающей промышленности, для которых разрабатывались проекты районной планировки, можно назвать Кузнецкий бассейн, Карагандинский, Кустанайский и Иркутско-Черемховский промышленные районы, Эстонский сланцевый бассейн, Александрийско-Новогеоргиевский буроугольный район и др.

Опыт районной планировки показал, что обычные трудности в решении вопросов расселения в таких районах создаются чрезмерным рассредоточением мест труда, строго фиксированных к тому же в своем размещении границами месторождений полезных ископаемых и условиями их разработки, а также неудобным расположением и ограниченными размерами площадок, которые можно использовать для строительных целей.

История освоения почти всех угольных месторождений развивалась в борьбе между двумя тенденциями: строительством мелких поселков при каждой шахте и созданием крупных «центральных» поселков для группы шахт. Эта борьба осложнялась нередко тем обстоятельством, что для осуществления самого промышленного строительства закладывались поселки строителей при каждой шахте, которые становились ядром будущего пришахтного поселка. Обособленные пришахтные поселки неизбежно получались небольшими, так как численность работающих на шахте при современном уровне производительности труда редко превышает 1000 человек[1]. В перспективе эта цифра, по-видимому, станет еще меньше. Отсюда численность населения обособленных пришахтных поселков имеет в качестве максимального предела 3—5 тыс. человек, что и определяет чрезмерное рассредоточение населения с вытекающими отрицательными последствиями для организации культурных условий жизни и экономики строительства. Результаты сложившейся децентрализации расселения в районах добывающей промышленности можно проиллюстрировать примером того же Донбасса. В границах Донецкой и Луганской областей, охватывающих основную массу городов и поселков бассейна, в 1959 г. числилось 308 городских поселений, из них 103 (33%) имели менее 5 тыс. жителей. Фактический уровень рассредоточения населения в Донбассе значительно выше, чем это отражено в статистических материалах. Большое число шахтерских поселков вошло в состав городов. Хотя формально такие поселки объединены городской чертой, но образованные на их основе города в большинстве своем сохранили рас-

[1] Д. И. Богорад. Районная планировка. Вопросы планировки промышленных районов. Госстройиздат, 1960.

[1] Районная планировка экономических административных районов, промышленных районов и узлов. Госстройиздат, 1962, стр. 136—137.

средоточенную структуру, а следовательно, и рассредоточенный характер расселения. В составе самого крупного города бассейна — Донецка — имеется большое число отдельных поселков. Такую же специфическую рассредоточенную планировочную структуру имеют многие города других угольных бассейнов — Прокопьевск, Ленинск-Кузнецкий, Караганда и др. (рис. 9).

В тридцатые годы в Донбассе была сделана попытка заменить сложившуюся децентрализованную систему расселения группой достаточно крупных городов, связанных скоростным транспортом с окружающими шахтами и другими промышленными предприятиями. Это предложение не было реализовано, так как оно не учитывало имевшихся в то время возможностей. Поэтому в дальнейшем для улучшения сложившегося расселения в Донбассе были намечены следующие меры:

укрупнение отдельных поселков путем размещения вблизи них новых промышленных предприятий в допустимом радиусе;

группировка небольших поселков вокруг более крупного поселка, развиваемого как культурный центр для всей группы;

планомерное объединение небольших по-

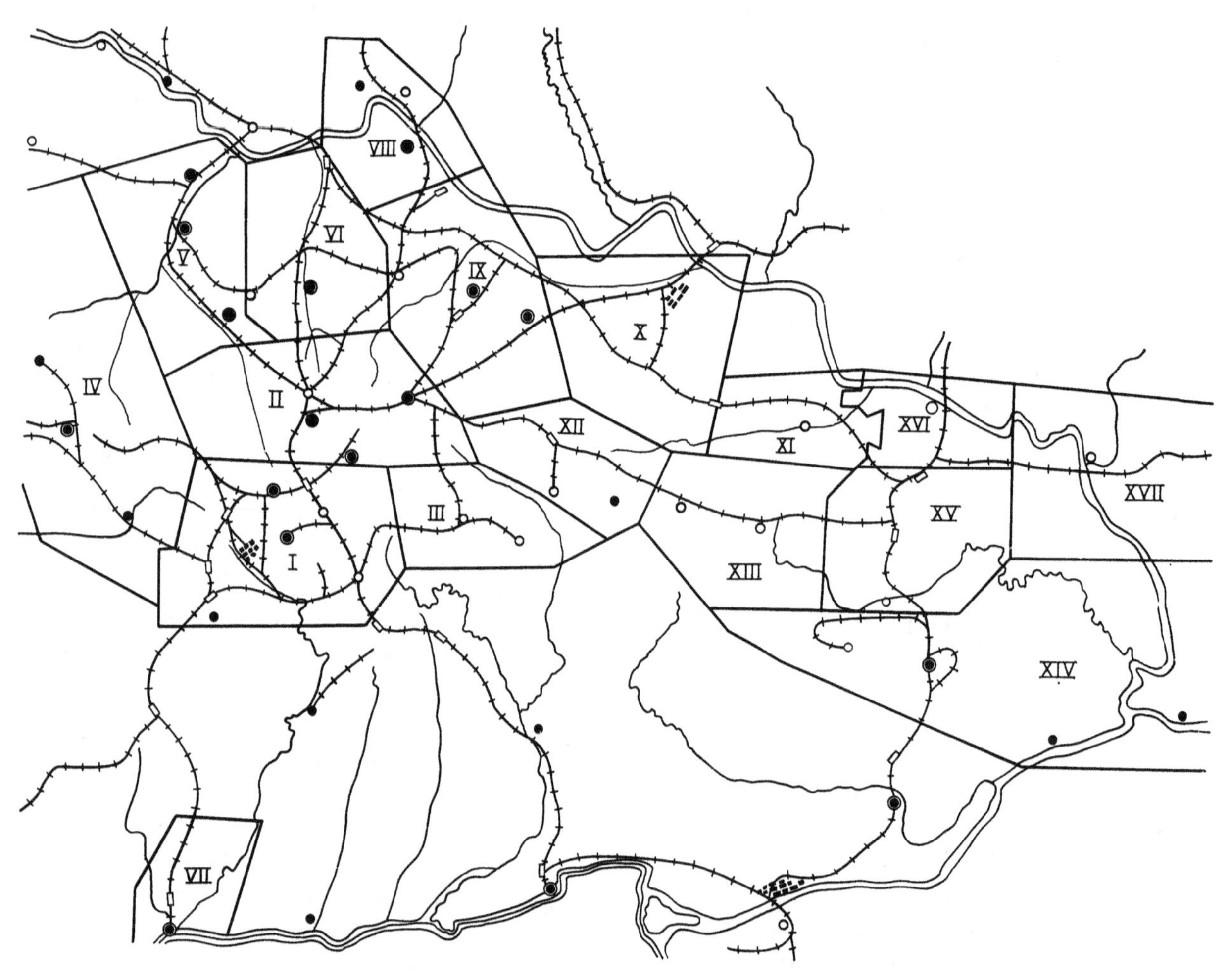

Рис. 8. В схеме районной планировки Донбасса были выделены 17 промышленных районов, для которых в дальнейшем разрабатывались проекты районной планировки: **I** — Донецко-Макеевский; **II** — Горловско-Енакиевский; **III** — Чистяково-Снежинский ; **IV** — Красноармейский; **V** — Приторецкий; **VI** — Артемовский; **VII** — Ждановский; **VIII** — Лисичанско-Рубежанский; **IX** — Кадиевско-Коммунистический; **X** — Луганский; **XI** — Краснодонский; **XII** — Боково-Хрустальский; **XIII** — Свердлово-Ровенецкий; **XIV** — Шахтинско-Несветаевский; **XV** — Гуково-Сулинский; **XVI** — Гундоровско-Каменский; **XVII** — Белокалитвенский

Fig. 8. In the draft regional plan of Donbass there were picked out 17 industrial regions for which regional plans were later worked out

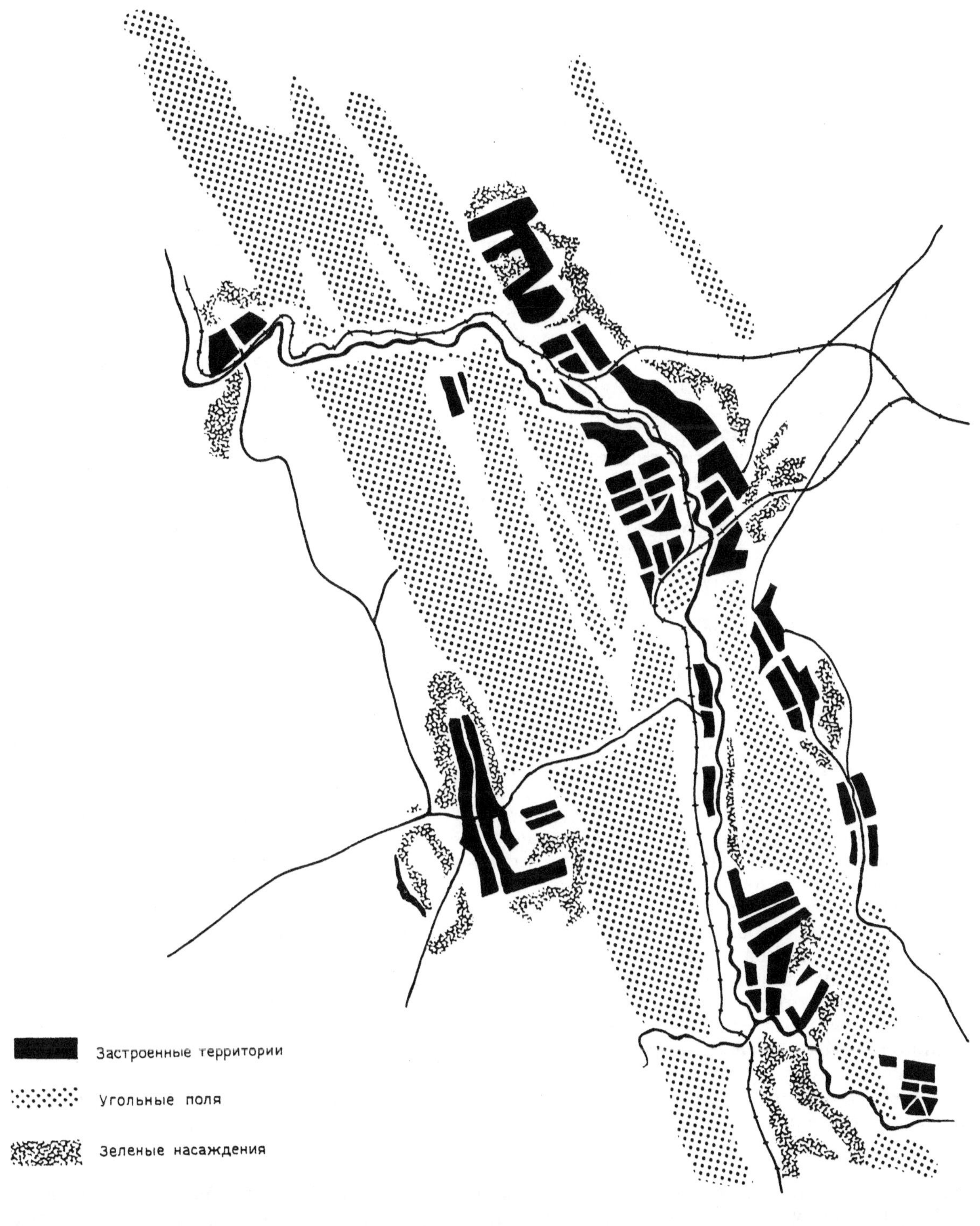

Рис. 9. В районах добывающей промышленности места приложения труда (шахты, рудники) размещаются в зависимости от расположения полезных ископаемых. Участки, занятые полезными ископаемыми, исключаются из застройки. Расселение принимает сложный характер и приводит к рассредоточенной структуре города

Fig. 9. In the areas of industries the location of work-places (mines, pits) depends upon the location of mineral deposits. Sites rich in them are not to be built up. The distribution of population becomes a complicated matter and the town acquires a dispersed structure

селков, расположенных на небольшом расстоянии, в одно компактное населенное место более крупной величины путем застройки разделяющих эти поселки свободных пространств. Аналогичные предложения были выдвинуты при районной планировке Криворожского бассейна; это можно видеть на рис. 10.

Проведенные в последние годы на Украине изучение и анализ опыта реализации схем районной планировки Донбасса и Криворожья показали эффективность разработанных предложений по расселению. Положительные результаты были достигнуты в строительстве объединенных поселков для групп шахт, рудников и заводов, хотя практика создания малых обособленных поселков не прекратилась. В некоторых случаях строительство объединенных поселков и жилых районов осуществлялось разобщенно, отдельными предприятиями, что препятствовало созданию целостного населенного места.

Не менее сложную задачу представляет расселение трудящихся в нефтепромысловых районах, где приходится считаться с особенно рассредоточенным характером размещения мест труда. Исследование этого вопроса на примере районной планировки Бугульминского нефтепромыслового района Татарской АССР показало, что в таких районах невозможно ориентироваться на значительную концентрацию населения, так как это влечет за собой чрезмерное удлинение расстояний от мест жительства до мест приложения труда (до 30—35 *км*). Поэтому для Бугульминского района было принято решение, предусматривающее развитие главного промышленного и культурного центра района — города Альметьевска с населением до 90—120 тыс. жителей; остальные населенные пункты были запроектированы небольших размеров — на 20—30 тыс. жителей и меньше.

В практике районной планировки районов добывающей промышленности встречаются особенно сложные случаи расселения, когда в дополнение к рассредоточенному размещению мест труда существуют еще исключительные трудности в подыскании площадок, пригодных для размещения населенного места. Ярким примером данной ситуации может служить Междуреченск (рис. 11), строящийся в пойме р. Томь на низком затопляемом и заболоченном месте. Такое размещение нового города было принято в связи с отсутствием других, более удобных площадок в этом гористом районе, имеющем богатые залежи угля. Если подходить к оценке осваиваемой под строительство Междуреченска площадки с обычной меркой, то ее пришлось бы признать непригодной. Но в силу необходимости она используется для размещения города с проведением крупных работ по инженерной подготовке территории.

Обрабатывающая промышленность имеет более свободные условия размещения по сравнению с добывающей, и поэтому возникает гораздо меньше трудностей для рационального решения вопросов расселения. Именно размещение обрабатывающей промышленности является главным средством регулирования роста городов и формирования оптимальных систем расселения. Однако практика районной планировки знает ряд случаев, когда вопрос осложняется, например, из-за природных условий, которые ограничивают возможность выбора площадок, обладающих нужными строительными качествами, хорошо обеспеченных водой для промышленных и хозяйственно-питьевых целей, удобно расположенных по отношению к железным дорогам, водным путям сообщения, источникам получения энергии и т. п. С подобной ситуацией приходится нередко сталкиваться при решении вопросов районной планировки в Восточной Сибири, где преобладает горный рельеф. Во многих районах Восточной Сибири наблюдается «дефицит» строительных площадок для промышленного строительства, что накладывает определенный отпечаток на проектируемое расселение. В качестве примера можно привести показанный на рис. 12 район, где локализация промышленного и жилищного строительства в речной долине вдоль транспортной магистрали и отсутствие глубинных площадок представляют основную черту градостроительной характеристики района, повлиявшую на принятое в проекте районной планировки решение вопроса расселения.

Влияние требований, выдвигаемых со стороны промышленности, на расселение можно видеть также на примере Кустанайского промышленного района, характеризующегося недостаточностью водных ресурсов. Именно по этой причине вопрос о размещении металлургического комбината здесь органически связан с решением вопроса о создании водохранилища на р. Тоболе. Предварительное изучение проблемы выявило два возможных варианта створа плотины водохранилища. Поэтому было принято своеобразное в практике районной планировки решение о фиксации двух равноправных вариантов размещения металлургического комбината и города при нем (т. е. практически главный вопрос расселения не был решен до конца). Особенностью этого проекта было также варьирование расселения в нескольких других промышленных узлах с целью отыскания наилучших решений связи строящихся и проек-

Рис. 10. В Криворожском бассейне улучшение сложившегося расселения может быть достигнуто путем размещения предприятий обрабатывающей промышленности в отдельных поселках, что позволяет осуществить планомерное их укрупнение

Fig. 10. In the basin of Krivoy Rog the present day distribution of population may be bettered by way of placing manufacturing enterprises in settlements thus permitting to realize their planned growth

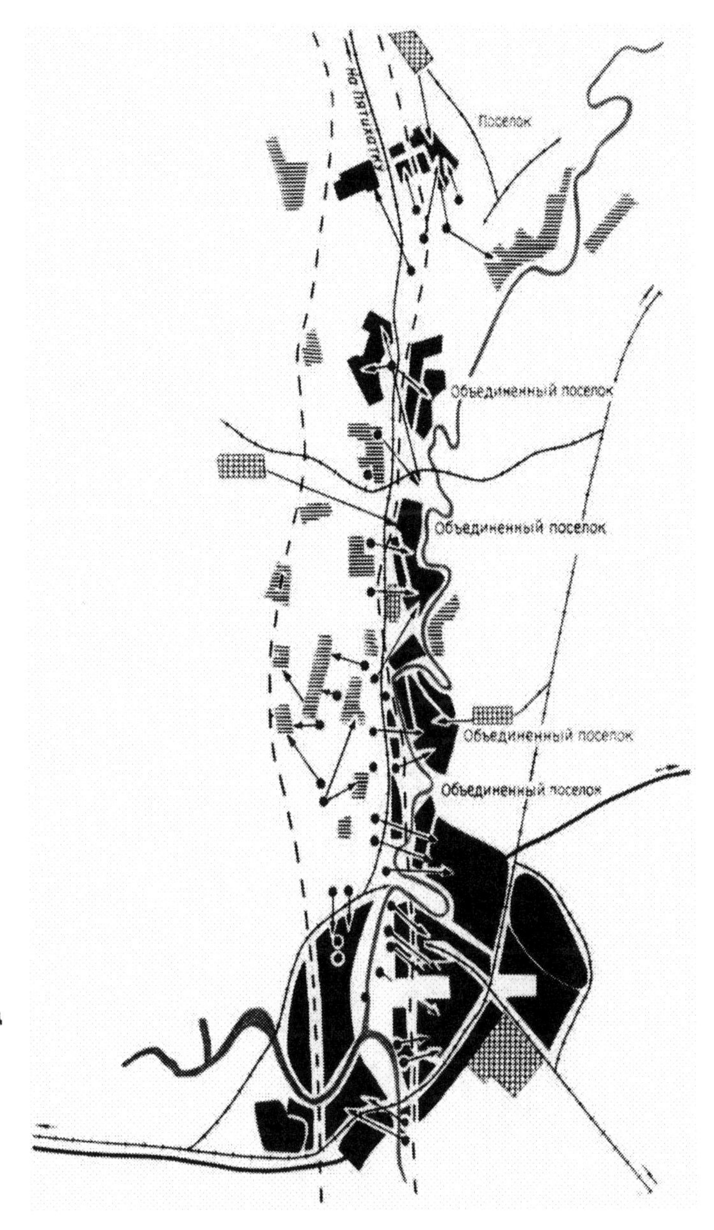

тируемых населенных мест с рассредоточенными местами труда.

Из работ, в которых наиболее полно и разносторонне были изучены условия и определены возможности создания рациональной системы расселения и где в равной мере нашли отражение как требования промышленного строительства, так и требования формирования целесообразной системы городов, можно назвать районную планировку одного из промышленных районов Восточной Сибири (рис. 13). Анализ территории показал, что здесь имеются довольно большие возможности в отношении выбора строительных площадок, хотя условия водоснабжения вынуждали ориентироваться в размещении промышленных предприятий и населенных мест на территорию, прилегающую к реке. По своему характеру промышленность не определяла тот или иной обязательный уровень концентрации производительных сил. Здесь можно было создать один крупный город с населением 500—600 тыс. человек, возглавляющий группу небольших городов, или же построить не-

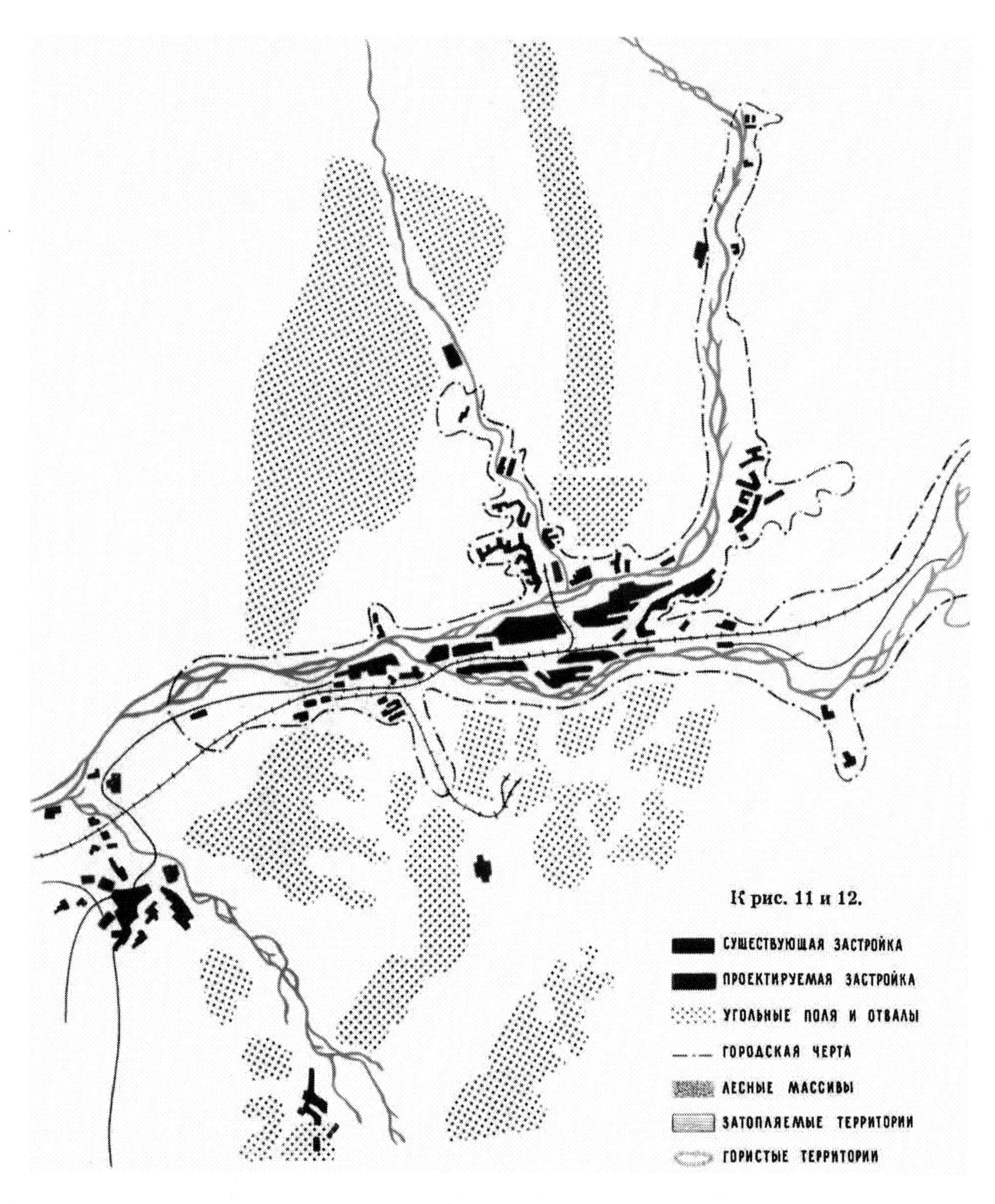

Рис. 11. При наличии ценных сырьевых и топливных ресурсов возникает необходимость создания городов в местах, не пригодных в своем естественном виде для строительства. Для освоения таких площадок проводятся крупные работы по инженерной подготовке территории. Например, местоположение города в пойме реки требует обвалования, подсыпки и осушения территории

Fig. 11. In case of valuable raw materials and fuels being extracted in the places naturally unfit for town development, extensive preparatory engineering work is usually carried out in the sites to enable their development

Рис. 12. Недостаток строительных площадок для промышленного строительства и размещения городов влияет на характер расселения. Населенные пункты располагаются на площадках с необходимыми строительными качествами. Этим объясняется линейное расположение городов и поселков в некоторых районах Восточной Сибири

Fig. 12. Distribution of population may be influenced by shortage of construction sites for plants and towns. Settlements are usually located with adequate construction qualities. The matter accounts for linear town and settlement location in some East-Siberian areas

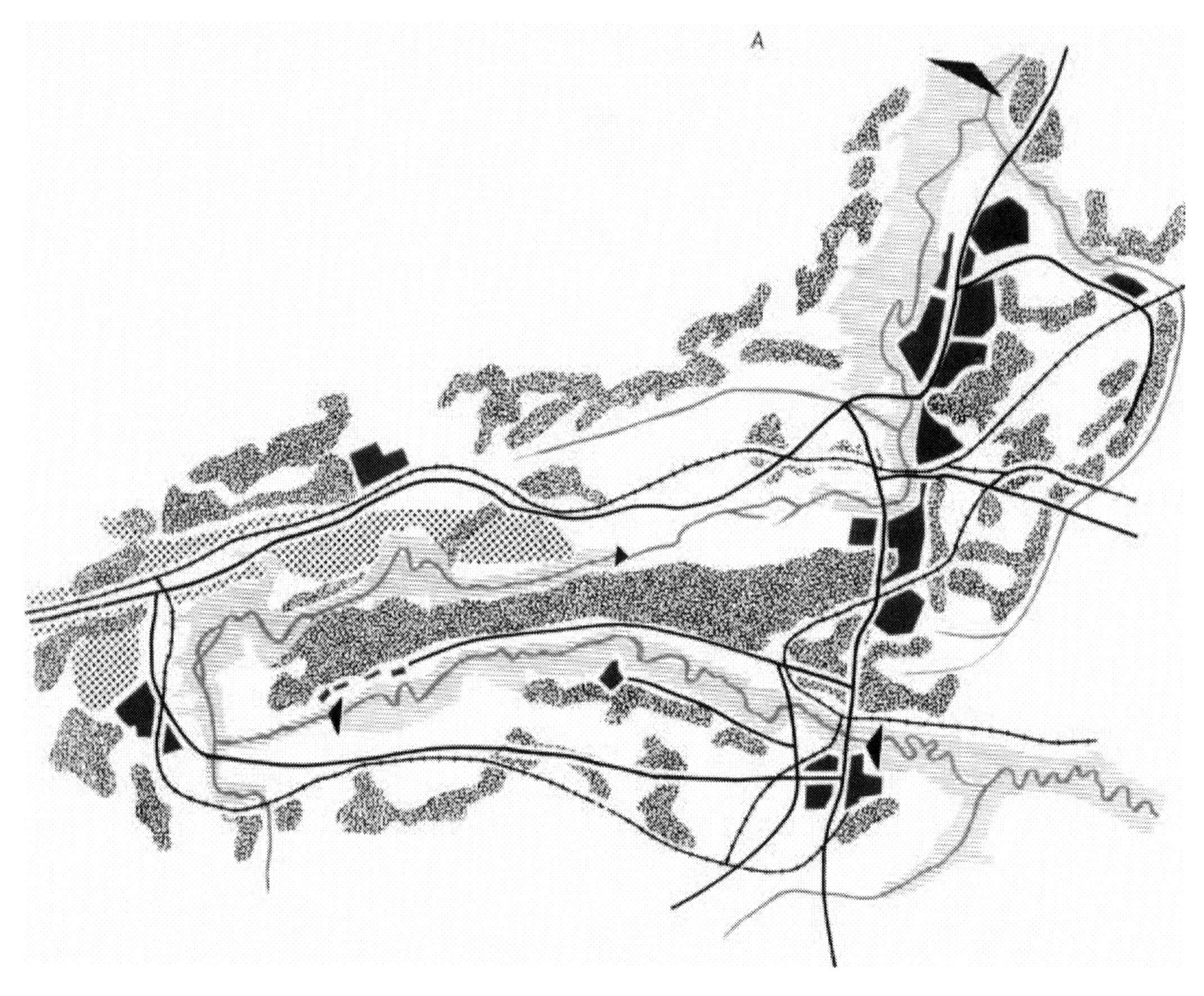

Рис. 13. В ряде случаев сосредоточение промышленности и населения в одном крупном городе **(А)** не встречает практических препятствий. Однако наиболее правильным является стремление к равномерному расселению и созданию городов оптимальной величины **(Б)**

сколько городов, не столь сильно отличающихся по своей величине. Проект районной планировки был разработан по второму варианту. Следует сказать, что указанная работа совпала с исследованием вопроса о допустимых пределах концентрации промышленности и населения в городах. Поэтому данный пример в известной мере послужил материалом для определения оптимальной величины города по условиям формирования градообразующей базы. Запроектированные здесь города не превышали по численности населения 250 тыс. человек, что соответствовало записанным в «Правилах и нормах планировки и застройки городов» рекомендациям по численности населения городов. Таким образом, практика районной планировки вплотную подошла к решению принципиального вопроса об оптимальных формах расселения, имеющего в настоящее время огромное научное и практическое значение. Существенный прогресс в решении вопросов расселения достигнут в разработанных в последнее время схемах районной планировки ряда областей и краев СССР. В них большое внимание уделено более равномерному размещению производства и развитию малых и средних городов.

Подытоживая опыт решения вопросов расселения в проектах районной планировки,

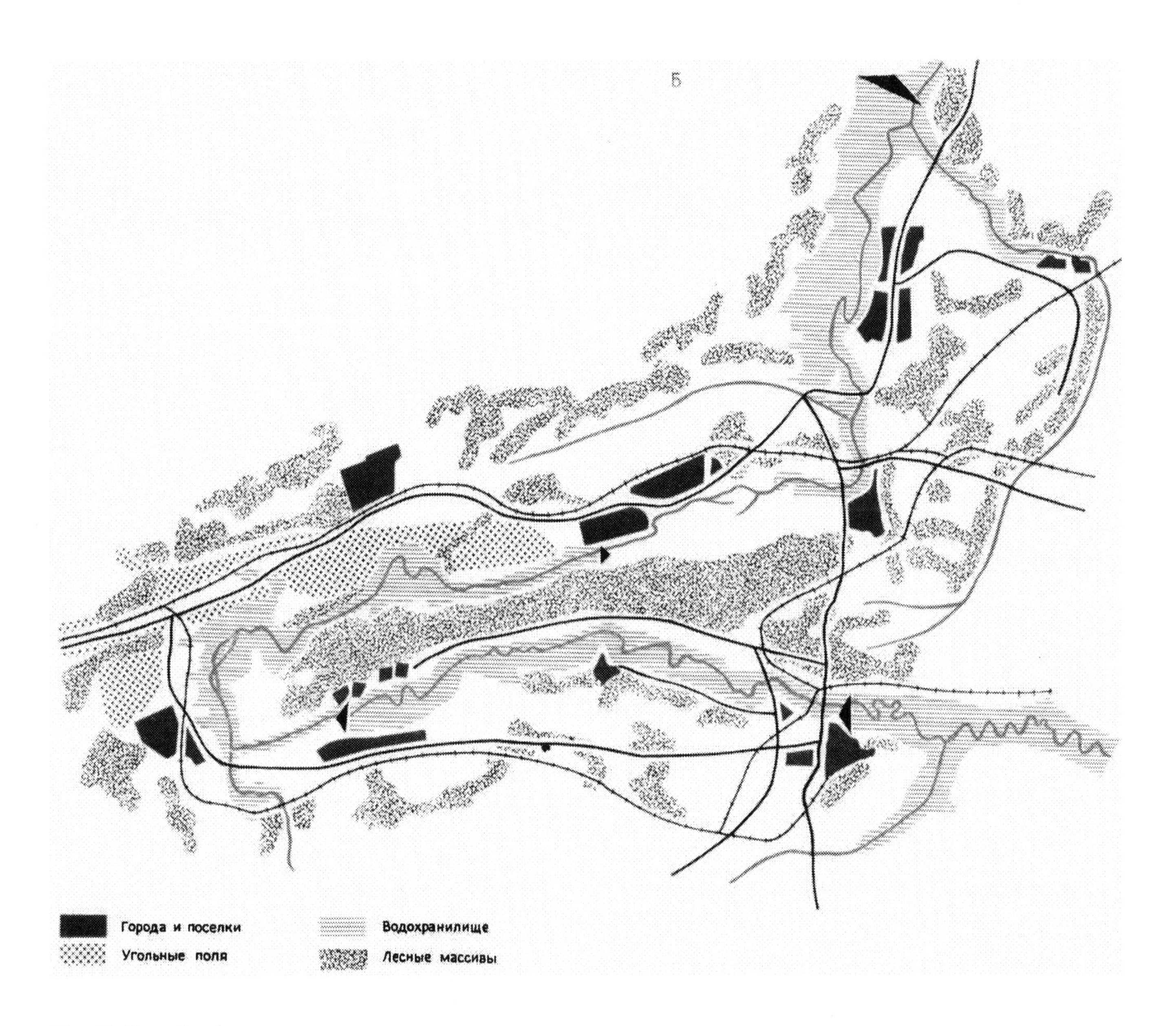

Fig. 13. Sometimes the concentration of industries and population within one big city **(A)** encounters practically no hindrance. But the right thing to do is to strive for even distribution of population and creation of towns of optimum size **(Б)**

можно отметить следующие положительные результаты:

всестороннее изучение территории и хозяйства, проведенное в связи с районной планировкой, позволило создать хорошую основу для решения вопросов размещения промышленности и населения во многих районах крупного промышленного строительства;

взамен узковедомственного подхода к размещению отдельных промышленных объектов начал внедряться в практику групповой принцип размещения промышленности, основывающийся на формировании производственных комплексов;

при размещении промышленности стали в большей мере учитываться требования создания рациональных систем расселения;

разработана методика вариантных решений вопросов расселения и комплексной их оценки, положившая начало всестороннему экономическому обоснованию проектных предложений по расселению;

достигнуты известные успехи в преодолении чрезмерной рассредоточенности населения в районах добывающей промышленности.

В связи с созданием материально-технической базы коммунизма перед районной планировкой встают новые задачи.

Это прежде всего относится к внедрению в жизнь оптимальных форм расселения. В самом деле, ни выбор удобных площадок для населенных мест, ни правильное взаимное расположение промышленных и жилых районов, ни показатели экономической эффективности строительства еще не определяют оптимальных условий расселения с точки зрения социальных задач, поставленных Программой КПСС.

Слишком малые населенные места, равно как и чрезмерно крупные города, обладают существенными недостатками и создают большие трудности для целесообразной организации жизни людей. Тем не менее в проектах районной планировки этому обстоятельству стали придавать большое значение только в самое последнее время. Например, в проекте районной планировки зоны влияния Красноярской ГЭС не предусмотрено ограничение роста Красноярска. На 1 января 1963 г. Красноярск имел 483 тыс. жителей. Проектом районной планировки предусмотрен дальнейший значительный рост города, что может привести к чрезмерной скученности населения, которую в дальнейшем будет гораздо труднее преодолеть, чем предупредить эту возможность сегодня. В Павлодарском промышленном районе наблюдается обратное положение — в проекте районной планировки не были приняты надлежащие меры, ограничивающие чрезмерное рассредоточение населения. Достаточно сказать, что в этом районе половина городских поселений проектировалась из расчета расселения в каждом из них менее 10 тыс. жителей. Таким образом, в перспективе здесь предполагалось сохранить ряд поселений, неполноценных в экономическом и культурно-бытовом отношениях.

Такой же недостаток имело проектируемое расселение в Кустанайском промышленном районе, где 30% городских поселений намечались каждое величиной менее 20 тыс. жителей.

Но самый существенный недостаток практики районной планировки состоит в том, что задачи расселения до сих пор решались отдельно для промышленного и сельского населения. В самом деле, типическими для районной планировки промышленных районов до сих пор были следующие задачи по расселению:

сравнение конкурирующих площадок, выбираемых для размещения промышленных предприятий и населенных мест;

отыскание оптимального решения в части группировки промышленных предприятий;

определение наиболее целесообразного размещения городов и поселков и масштабов их развития исходя из принятой группировки промышленных предприятий и наилучшего использования местных условий.

В то же время многие районы страны являются комплексными по структуре хозяйства: здесь имеется промышленность и сельское хозяйство. Чтобы можно было создать оптимальные условия для жизни людей во всех населенных местах, городских и сельских, очевидно, необходимо вопросы расселения решать путем создания единой системы населенных мест, находящихся в определенной взаимосвязи между собой в трудовом и культурно-бытовом отношении. Структура сети населенных мест должна вытекать из пропорционального развития всех отраслей народного хозяйства и высокого уровня культурно-бытового обслуживания всего населения. Такую задачу нельзя решить в рамках отдельных промышленных районов и узлов. Для этой цели нужна разработка схем перспективного размещения производительных сил экономических районов или крупных административно-территориальных подразделений, устанавливающих основные принципы формирования систем расселения применительно к местным условиям и на общей социальной основе.

2. РЕШЕНИЕ ВОПРОСОВ РАССЕЛЕНИЯ ПРИ ПЛАНИРОВКЕ И ЗАСТРОЙКЕ ГОРОДОВ

Практика решения вопросов расселения в отдельных городах имеет свою специфику. В особенности это относится к существующим городам, где приходится считаться с исторически сложившейся структурой города, в которой нередко встречаются серьезные недостатки размещения мест труда и жительства.

Обычно при решении вопросов расселения в существующих городах стремятся:

сохранить в процессе развития города органическую связь между местами труда и жительства;

использовать для расселения участки, наиболее благоприятные в природном и санитарном отношении, а также обеспечивающие наибольшую экономичность строительства;

повысить эффективность использования городской территории путем интенсификации застройки;

вывести население из районов, не благоприятных в санитарном отношении, затопляемых в связи с созданием крупных водохранилищ и т. п.

Вопросы расселения в существующих городах лучше всего решаются в тех случаях, когда одновременно с промышленными районами создаются крупные жилые районы или когда не обеспеченные местами труда существующие жилые районы подкрепляются новым промышленным строительством, располагающимся поблизости. Это положение может быть проиллюстрировано примером Курска. В нем крупное промышленное строительство началось перед самой войной и было продолжено после войны. Постепенно сформировались три основных промышленных района: Завокзальный, Рышковский и Юго-Западный. В связи с образованием Завокзального промышленного района получила развитие прилегающая к нему часть города, расположенная за линией железной дороги. Рышковский промышленный район, расположенный на некотором расстоянии от существующего города, был предназначен для предприятий с большой санитарной вредностью. При нем был образован жилой район, обособленный от других городских районов. Для того чтобы уравновесить трудовую и селитебную емкость старой части города, был создан новый промышленный район — Юго-Западный. Таким путем было достигнуто органическое единство в размещении мест труда и расселения, обеспечивающее удобства для населения и благоприятные санитарные условия.

Несколько иначе решалась задача расселения в проекте планировки Кемерова. Первоначально почти вся промышленность сложилась в одной части города. Некоторые изменения в функциональную организацию города внесла угледобывающая промышленность, на базе которой возникли селитебные образования поселкового типа. По мере развития города зона расселения расширялась все дальше, удаляясь от промышленных районов. В итоге сложилось такое положение, при котором дальнейшая концентрация промышленности в одной западной половине города, а населения в другой могла создать серьезные неудобства. Поэтому в проекте планировки города было принято решение образовать новый промышленный район и таким путем резко улучшить условия расселения, приблизив места труда к населению. Кроме того, было внесено предложение о перемещении административного и общественного центра, существующее положение которого по мере расширения застройки принимало все более смещенный характер.

Стремление сохранить органическое единство функциональной структуры города и тем самым обеспечить наибольшие удобства в расселении можно видеть также на примере планировки Тулы. В планировочной структуре Тулы каждый крупный городской район имеет пропорционально развитые жилые и промышленные районы и вместе с тем располагает возможностью дальнейшего расширения. Наиболее вредные в санитарном отношении промышленные предприятия отнесены на некоторое расстояние от города и на их основе построен обособленный жилой район, который в будущем может соединиться с основной частью города. Удачно расположился около Тулы его город-спутник Косая Гора, который по условиям формирования градообразующей базы автономен и вместе с тем имеет удобную связь с Тулой. Таким образом, население города-спутника имеет возможность пользоваться крупными культурно-просветительными, медицинскими и другими учреждениями находящегося поблизости большого культурного центра. На рис. 14 показаны некоторые типичные случаи решения вопросов расселения в практике планировки городов.

Наряду с положительными примерами в градостроительной практике встречаются ошибки в решении вопросов расселения. Наибольшие осложнения возникают в тех случаях, когда неудачное расположение промышленных, транспортных и складских территорий препятствует пропорциональному расширению селитебной территории или затрудняет дальнейшее развитие города. Это неизбежно приводит к чересполосице в функциональной структуре города с вытекающими отсюда отрицательными последствиями для санитарного состояния города и для сообщения с местами труда. Одним из типичных примеров может служить планировка Таганрога. Промышленные районы здесь закрыли возможность беспрепятственного расширения жилой застройки вдоль берега моря в обоих направлениях, а для развития города в глубину также была создана серьезная помеха. Следствием подобных ошибок является уродливое формирование селитебной территории города.

В аналогичном положении находится еще один город. Этот город занимает площадку, окруженную с трех сторон речными поймами. После того как на узком водораздельном плато разместилась группа заводов, единственный свободный выход для расширения города был закрыт, и развитие его структуры пошло по пути чересполосного размещения промышленных и жилых районов.

На рис. 15 показаны два примера неправильного решения вопросов расселения.

Большую роль в формировании большинства советских промышленных городов сыграло строительство поселков при промышленных предприятиях. Распространение такой формы расселения было связано с организационным объединением промышленного и жилищного строительства в ведомствах, руководивших соответствующими отраслями промышленности и отвечавших за осуществление строительства. В планах этих ведомств капитальные вложения в промышленное строи-

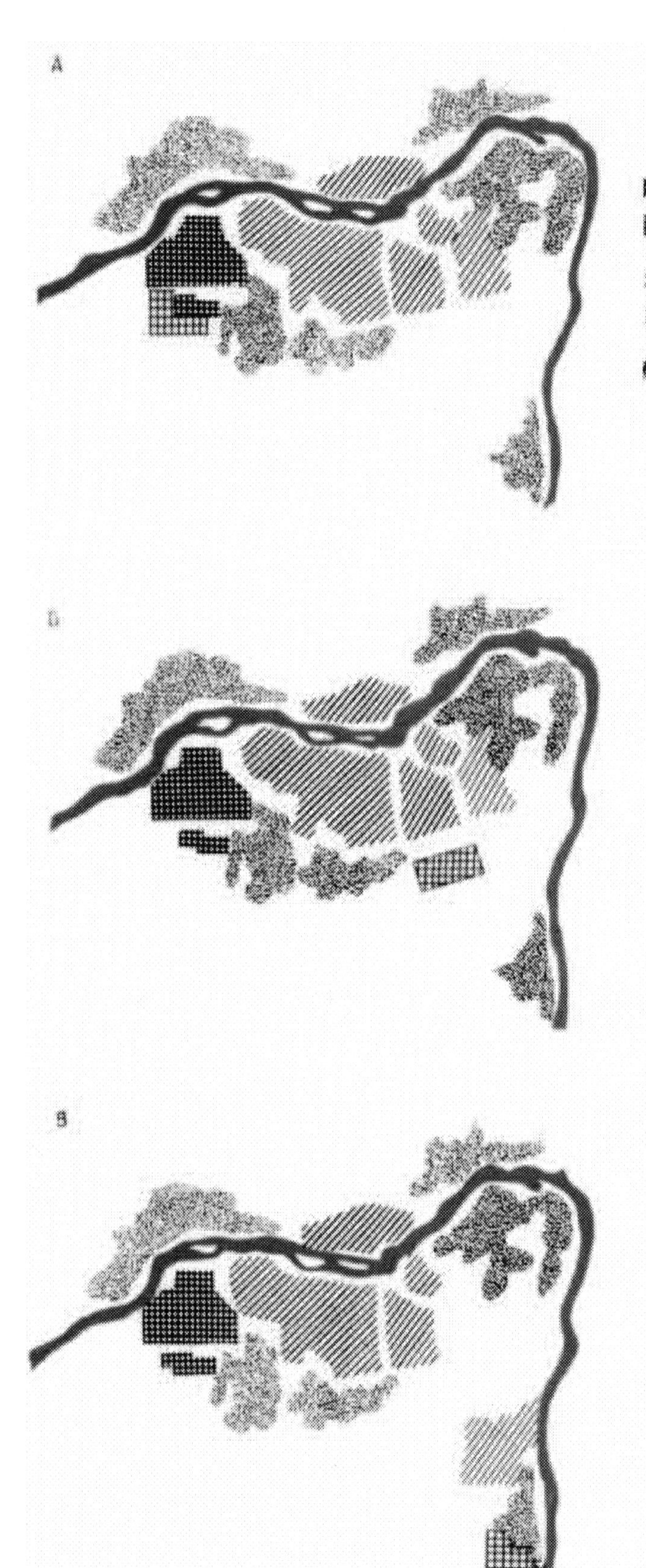

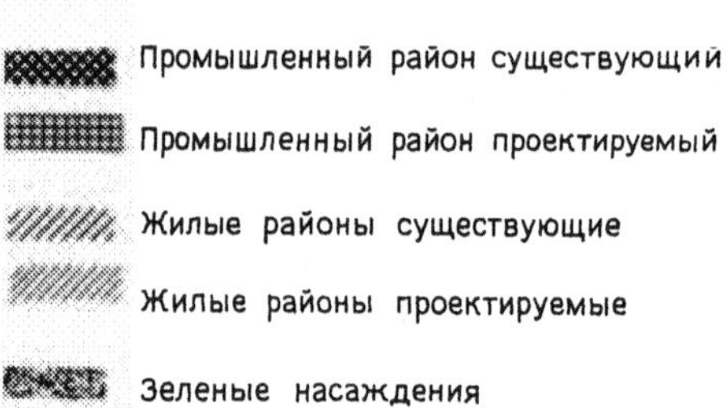

Рис. 14. Практика решения вопросов расселения многообразна. Типичными случаями
являются: расширение селитебной территории в сторону от развиваемого промышленного
района, что допустимо лишь при небольшой
величине города **(А)**; расширение селитебной
территории с образованием поблизости нового промышленного района **(Б)**; образование обособленного городского района или
города-спутника с собственными местами приложения труда **(В)** (показано условно)

Fig. 14. The population distribution problems
may be solved by many different means; here
are the typical ones: extension of residential
areas away from the industrial region which is
solely feasible in case of a small size town **(A)**;
extension of residential area with formation in
its proximity of a new industrial district **(Б)**;
construction of a separate district in a city or a
self-contained satellite town **(B)** (is shown appro-
ximately)

Рис. 15. Встречаются случаи неправильного решения вопросов расселения: размещение промышленности на узкой водораздельной площадке препятствует планомерному расширению селитебной территории (А); чересполосное размещение промышленных и жилых районов разрушает целостность структуры города и ухудшает его санитарное состояние (Б)

Fig. 15. There occur wrong solvations of population distribution problems: locating industries on the narrow watershed sites hinders future adequate extension of residential area (А); alternative way of location of industrial and housing regions ruins the integrity of the city structure and deteriorates its future sanitation (Б)

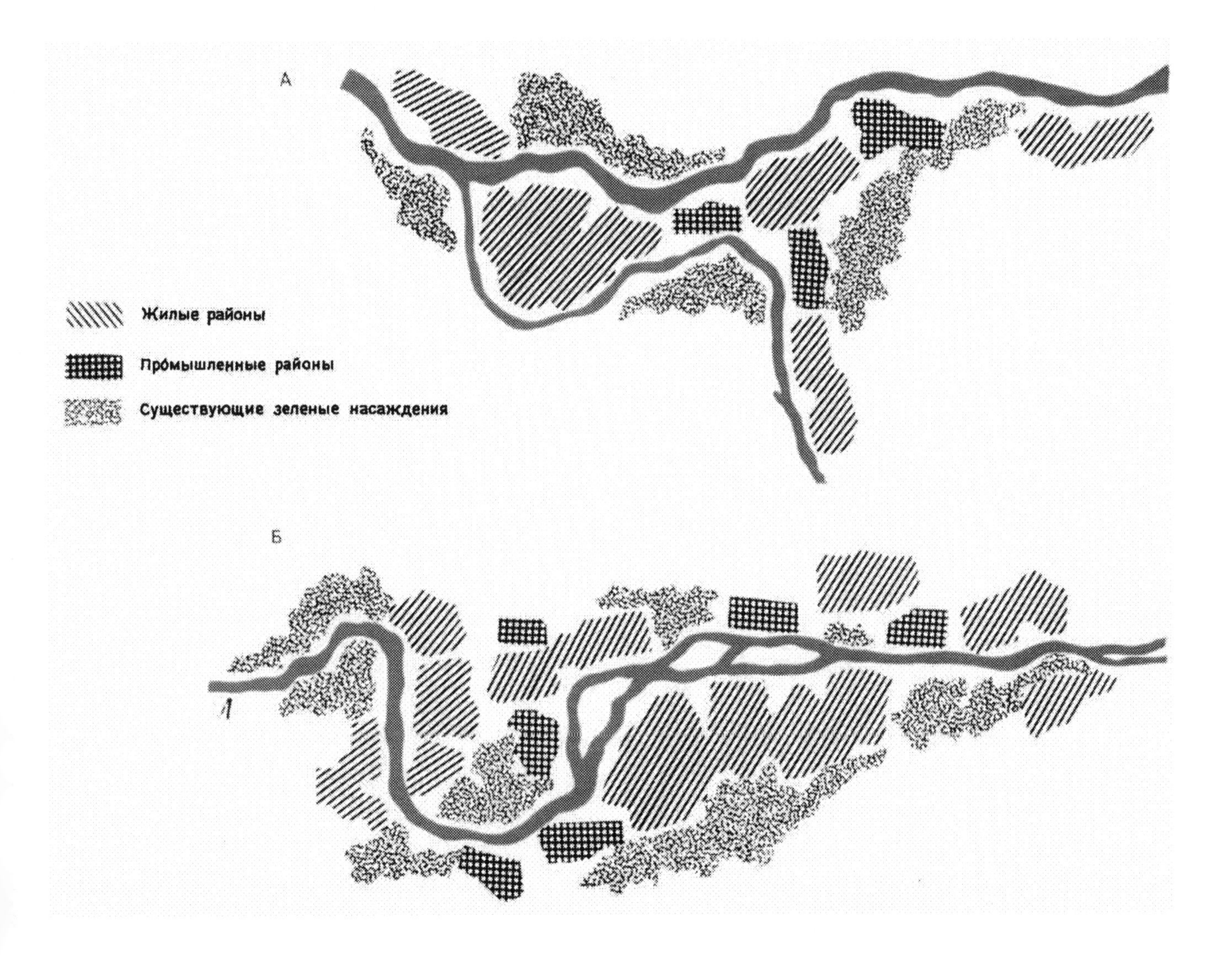

тельство намного превышали вложения в жилищное, культурно-бытовое и коммунальное строительство, так как в их задачу входило материальное обеспечение расселения только части рабочих и служащих, а бытовое устройство остальной части возлагалось на горисполкомы. Так, например, в первые годы после Великой Отечественной войны из общей суммы затрат на капитальное строительство на долю жилищного, культурно-бытового и коммунального строительства приходилось:

по металлургическим заводам	9—15%
по заводам цветной металлургии	10—14%
по машиностроительным заводам	16—35%
по текстильным предприятиям	22—24%

При таких условиях строительство поселков обычно во всем равнялось на промышленное строительство: в отношении размещения, инженерного оборудования, организации культурно-бытового обслуживания. При крупных промышленных предприятиях возникали и крупные жилые массивы (поселки Челябинского тракторного завода, Харьковского тракторного завода, Уралмашзавода, Горьковского автозавода, Ростсельмаша и др.). Такие жилые массивы были прогрессивным явлением на первоначальном этапе развития советского градостроительства. Но поселкового типа застройки придерживались также и небольшие предприятия, создавшие на территории некоторых городов и в их окрестностях мелкие поселки, разделенные свободными территориями, неполноценные в культурно-бытовом отношении и плохо связанные с общественными центрами города. Это создавало для населения неудобства, приводило к расточительному использованию территории и нерациональному расходованию средств, выделенных на капитальное строительство. Примерами могут служить Орск, в составе которого имеется более десятка мелких заводских поселков, перемежающихся с промышленными площадками, или Красноярск, где такой порядок строительства привел к неудачной застройке новой правобережной части города.

Распылению жилищного строительства способствовали и строящие организации, которые для своих нужд создавали «временные» поселки около объектов строительства, строительных баз и транспортных сооружений. Так было начато строительство Магнитогорска. Постепенно временные поселки строителей обстраивались и сохранялись на многие годы. При быстрых темпах роста городов-новостроек и недостаточных темпах наращивания постоянного жилого фонда временные поселки помогали в какой-то степени ликвидировать острую нужду в жилищах и тем самым становились постоянными, захламляя новый город, нарушая целостность его планировочной структуры и требуя несоразмерно больших расходов на свое поддержание.

Поселковый тип расселения, получивший развитие в тридцатые и сороковые годы, в период ведомственного строительства в существующих городах, с течением времени претерпевал изменения. Поселки, расположенные в самом городе или рядом с ним, постепенно сливались со смежной застройкой. При этом они или «растворялись» в окружающей застройке, или же сохраняли свою структуру, образуя ядро соответствующего городского района. Этот процесс можно проследить на примере Челябинска.

В 1926 г. Челябинск был небольшим городом с мелкой промышленностью. Выгодное географическое положение города, наличие богатых запасов бурых углей Копейского каменноугольного бассейна, удобная связь с сырьевыми базами и созданная в 1928 г. энергетическая база в виде Челябинской ГРЭС создали исключительно благоприятные условия для строительства в городе крупных промышленных предприятий, которые расположились широкой дугой. Жилищное строительство размещалось около соответствующих предприятий на свободных территориях, на которых образовались новые большие районы. Только 10% всего жилищного строительства разместилось в черте старой застройки. В числе первых заводских поселков, появившихся в Челябинске, можно назвать поселок тракторного завода (1930—1940 гг.). Он разместился в непосредственной близости к старой части города и к заводу, вдоль улиц Спартака и Горького. В поселке была создана развитая сеть культурно-бытового обслуживания, придавшая ему характер вполне самостоятельного населенного пункта. Рядом с капитальным поселком был также создан крупный временный поселок, состоявший из построек барачного типа. Близость к старой части города и хорошая связь с ней вызвали быструю трансформацию постоянного поселка в обычный городской район со смешанным характером расселения. В настоящее время район продолжает интенсивно застраиваться.

В годы Великой Отечественной войны возник на базе металлургического завода новый Металлургический район города. Здесь в настоящее время живут около 130 тыс. человек. Район имеет капитальную застройку, высокий уровень благоустройства и развитую сеть культурно-бытового обслуживания населения. От остальной части города район отделяется широкой полосой свободных пространств и промышленными площадками ряда заводов.

Хотя в административном отношении Металлургический район является частью Челябинска, но по своему размещению, структуре и связи с местами труда он первоначально стал формироваться как своеобразный город-спутник Челябинска. В настоящее время Металлургический район соединен с другими районами города трамваем. Благодаря этому первоначально складывавшийся здесь поселковый тип расселения стал видоизменяться, превращаясь в городской тип расселения. Некоторая часть населения Металлургического района работает в центре и других частях города, затрачивая на поездку к местам труда в среднем около 45 *мин*.

Формирование Челябинска на основе поселкового типа расселения не обеспечило необходимых пропорций в размещении мест труда и населения главным образом вследствие того, что территориальные размеры поселков не были скоординированы с потребностями развития соответствующих промышленных районов. Об этом красноречивее всего говорят существующие диспропорции в распределении по районам города градообразующих кадров и населения. Эти диспропорции не только сохраняются на перспективу, но еще усиливаются в связи с тем, что город имеет единственное направление для своего расширения к северо-западу. Для преодоления этих диспропорций намечается использовать скоростной транспорт.

Процесс трансформации и срастания заводских поселков зависит от близости их расположения к основным городским районам и степени развития транспортной связи. Если расстояния между отдельными поселками велики, а городской транспорт развит слабо, то этот процесс задерживается. Само собой разумеется, что эта задержка является временной.

Яркой иллюстрацией может служить город Миасс. Зажатый отрогами Уральских гор и заболоченной поймой р. Миасс, город сформировался в виде цепочки поселков, вытянувшейся с севера на юг на 20 *км*. Старая часть города располагается вокруг Миасского пруда и из-за отсутствия достаточной производственной базы очень слабо развивается. Развитие города пошло главным образом по линии образования новых поселков, возникших около промышленных предприятий. Самым крупным из них сегодня является Октябрьский поселок, заложенный в годы войны на основе Уральского автозавода. Поселок имеет капитальную застройку, развитое культурно-бытовое обслуживание и инженерное оборудование. Построенный на свободной территории поселок за 15 лет превратился в большой жилой район с населением около 30 тыс. человек.

Отдельные части Миасса плохо связаны между собой в транспортном отношении. Поэтому здесь все еще сохраняется поселковый тип расселения.

В 1957 г. наступил новый этап в развитии и строительстве советских городов. На смену рассредоточенному ведомственному строительству поселков пришло строительство крупных жилых массивов, предназначенных для расселения трудящихся, связанных с разными предприятиями и учреждениями. Такие массивы сразу формируются как полноценные городские районы и микрорайоны. Переход на новые способы жилищного строительства стал возможен также потому, что за прошедшие годы во многих городах значительно укрепилась материальная база строительства и коммунального хозяйства. Но такое решение вопроса расселения требует вместе с тем кардинального улучшения транспортного обслуживания городов, так как создание новых жилых районов, имеющих смешанный характер расселения, в больших и даже средних городах может быть успешно осуществлено только на хорошей, технически совершенной транспортной основе. Конечно, в этом деле нельзя допускать другой крайности — чрезмерного сосредоточения жилищного строительства в одном месте, если это ухудшает условия связи жилищ с местами труда. На новом этапе формирования советских городов не должны быть забыты как успехи, достигнутые нашей градостроительной практикой за прошедший период, так и ошибки в решении задач расселения, которые теперь сказываются на жизни отдельных городов.

Глава 4

ОСНОВНЫЕ ФОРМЫ, ТИПЫ И СИСТЕМЫ РАССЕЛЕНИЯ

Расселение принимает разные формы в зависимости от развития производительных сил, характера производственной базы и степени концентрации средств производства.

1. ОСНОВНЫЕ ФОРМЫ РАССЕЛЕНИЯ

Исторически первое крупное разделение труда привело к отделению промышленного и торгового труда от труда земледельческого. Так возникли две основные формы расселения — город и деревня. В процессе своего диалектического развития эти основные формы изменялись и возникали все новые разновидности. Так появились города разной величины и разного экономического профиля, разнообразные поселки и сельские населенные места. История взаимоотношений двух основных форм расселения — города и деревни — характеризуется углублением противоположности их интересов, которая достигла наивысшей степени в эпоху капитализма. Противоположность между городом и деревней стала важнейшей социальной проблемой нашего времени, не разрешимой в условиях антагонистического классового общества.

Социалистическое общество унаследовало исторически сложившиеся формы расселения, но вместе с тем уничтожило социально-экономические корни их противоположности. В результате обобществления средств производства, коллективизации сельского хозяйства и создания крупных государственных сельскохозяйственных предприятий (совхозов) значительно повысился уровень концентрации средств производства в земледелии. Изменился самый характер земледельческого труда: по своему техническому оснащению он приблизился к труду промышленному. Постепенно стал утрачивать прежние коренные различия уклад жизни городского и сельского населения. Все это создало предпосылки для сближения основных форм расселения и последующего их слияния в одну форму коммунистического расселения, соединяющую в себе положительные качества города и деревни.

Для решения градостроительных проблем существенное значение имеет вопрос об оптимальных формах расселения. Оценивая города разной величины с этой точки зрения, можно сказать, что слишком крупные города, равно как и мелкие поселения, имеют столь значительные недостатки, которые не позволяют рассматривать эти населенные места как формы расселения, удовлетворяющие потребности дальнейшего развития нашего общества. Преимущества крупного города отсутствуют в малых городах, а преимущества малого города — в крупных. Малый город имеет человеческие масштабы и не требует перенапряжения жизненных сил. Все необходимое для жизни находится в малом городе, как правило, поблизости, в зоне пешеходной доступности. Но если населенное место слишком мало по своей величине и находится далеко от крупных центров науки и культуры (это касается как городских поселений, так и сельских населенных мест), то создать в нем благоприятные условия для жизни очень трудно. Главная причина заключается в более ограниченной возможности, которую могут дать изолированно расположенные небольшие населенные места для всестороннего развития способностей человека, удовлетворения его непрерывно растущих духовных и культурных запросов, рационального использования трудовых ресурсов.

Крупные города не имеют указанных выше недостатков малых населенных мест, но для того чтобы создать в них удобную для жизни структуру и столь же благоприятные гигиенические условия, как в малых населенных местах, нужно вкладывать в строительство и эксплуатацию городского хозяйства огромные дополнительные средства.

Недостатки крупных городов прежде всего заключаются в сильном загрязнении воздушного бассейна дымом, пылью и газами, выбрасываемыми из труб многочисленных промышленных предприятий, теплоцентралей и коммунальных котельных. Загрязнение воздуха промышленностью может быть и в малых городах, но в этом случае можно улучшить положение более простыми и дешевыми средствами, например располагая вредные в санитарном отношении объекты с подветренной стороны относительно жилых районов и мест отдыха, что трудно осуществить в крупных городах при большом числе промышленных районов, располагающихся в разных местах города. Специфическим для крупных городов является сильное загрязнение воздуха выхлопными газами автомобилей. В пунктах особенно интенсивного движения автомобильного транспорта концентрация в воздухе окиси углерода превышает 100 *мг/м*^{3}, т. е. в десятки раз выше допустимой санитарной нормы. Вследствие переполнения транспортом улицы крупного города шумны и опасны для пешеходов; наибольшее количество несчастных случаев, вызванных движением городского транспорта, имеет место именно в крупных городах и за рубежом, и у нас. На улицах Лондона (в границах Лондонского графства) ежегодно погибает от несчастных случаев около 600 человек и получают ранения и увечья свыше 40 тыс. человек. Кроме того, общеизвестно, что в жилых домах, расположенных на транспортных магистралях, население сильно страдает от городского шума и пыли.

Для сообщения с местами приложения труда население крупных городов вынуждено преодолевать значительные расстояния, непроизводительно растрачивая время, силы и средства. В Ленинграде, по данным обследования 1958 г., третья часть всех пассажиров городского транспорта передвигалась на расстояние от 5 до 15 *км*. По проекту планировки Ленинграда средняя дальность поездки в перспективе должна увеличиваться с 3,7 до 5,3 *км*, т. е. в 1,4 раза. Утомительные передвижения на большие расстояния понижают работоспособность людей и лишают их нормального отдыха. Удлинение расстояний между местами труда и жительства в существующих крупных городах является следствием не только больших территориальных размеров города, но и неравномерного распределения мест труда по районам города. В центральных районах крупнейших городов обычно работает значительно больше рабочих и служащих, чем проживает. И наоборот, во многих периферийных районах и особенно в пригородных емкость мест труда мала по сравнению с численностью проживающих. Это относится прежде всего к Москве и Ленинграду. Для улучшения положения требуется перераспределение мест труда, что не всегда осуществимо и требует дополнительных затрат.

С течением времени диспропорция в расселении и трудовой занятости населения увеличивается, так как трудовая емкость промышленных районов, деловых, торговых, культурных и общественных центров чаще всего возрастает, а селитебная емкость соответствующих городских районов непрерывно уменьшается в результате повышения уровня жилищной обеспеченности.

Конечно, могут быть и такие случаи, когда в результате автоматизации производства трудовая емкость отдельных городских районов стабилизируется и даже уменьшится, но скоординировать эти изменения с уменьшением селитебной емкости соответствующих районов практически нельзя.

Возрастающая дальность передвижений при увеличивающейся подвижности населения приводит к перегрузке транспортом уличной сети города, что увеличивает потери времени на сообщение с местами труда и обслуживания, затрудняет обеспечение безопасности движения по городу, ограничивает возможности использования технической скорости передвижения, которой можно было бы достигнуть с помощью современных транспортных средств.

Чтобы преодолеть эти недостатки крупных городов и поддерживать их санитарное состояние на должном уровне, приходится значительно повышать требования к их оборудованию и благоустройству, затрачивать огромные дополнительные средства на строительство и ведение сложного городского хозяйства. Этим самым значительно повышается удельная стоимость строительства и благоустройства города в расчете на одного жителя. Ориентировочные подсчеты показали, что удельная величина капитальных вложений (на одного жителя) в инженерное оборудование, благоустройство и транспорт в городах с населением 1 млн. человек на 30% больше, чем в городах с населением 50—100 тыс. человек[1].

В существующих крупных городах требуются огромные дополнительные средства на неизбежное переустройство исторически сложившихся улиц в соответствии с меняющимся

[1] Стоимость строительства и эксплуатации различных типов городов. НИИ градостроительства АСиА УССР, Киев, 1962.

характером городского движения: спрямление и расширение существующих улиц, пробивка новых улиц, перепланировка перекрестков, строительство сложных транспортных развязок, путепроводов, туннелей, пешеходных переходов и т. п. Такие крупнейшие города, как Москва и Ленинград, имеют исключительно высокую стоимость городского хозяйства. Например, в Москве стоимость инженерной подготовки территории, подземных коммуникаций, дорог, транспортных сооружений (включая стоимость сноса старой застройки) составляет 100—150 тыс. руб. на 1 *га*. Некоторые отрицательные черты жизни в крупных городах сохраняются и даже усиливаются, например отрыв жителей таких городов от природы. Отдых в окружении природы, на чистом воздухе и в спокойной обстановке является важнейшим фактором сохранения здоровья городского жителя. Такой отдых в какой-то мере восполняет недостатки жизни в крупном городе, вызванные его перенаселенностью. Однако жители внутренних районов крупного города отдалены от окружающих лесов и полей многокилометровой толщей городской и пригородной застройки, а жители дальних пригородов, находясь близко к природе, не могут по-настоящему пользоваться этим преимуществом, так как им приходится бóльшую часть времени тратить на повседневные поездки в город. Таковы в общих чертах основные недостатки крупных городов, которые необходимо учитывать при рассмотрении перспектив развития советского градостроительства.

Проблема крупных городов представляет одну из важнейших социальных проблем современности.

Маркс и Энгельс связывали проблему крупных городов с задачей уничтожения противоположности между городом и деревней. Решение этой проблемы они видели в равномерности распределения крупного производства по стране в полном соответствии с собственным развитием общества, сохранением и развитием прочих элементов производства и в отказе от крупных городов как формы расселения, считая, что практическое осуществление такой задачи будет посильно обществу, способному гармонически приводить в движение свои производительные силы согласно единому плану.

В. И. Ленин, давая отпор критикам Маркса, указывал, что этот путь решения задачи отнюдь не равносилен отказу от сокровищ науки и искусства, сосредоточенных в крупных городах. В работе «Аграрный вопрос и ,,критики" Маркса» В. И. Ленин писал: «И в настоящее время, когда возможна передача электрической энергии на расстояние, когда техника транспорта повысилась настолько, что можно при меньших (против теперешних) издержках перевозить пассажиров с быстротой свыше 200 верст в час, — нет ровно никаких технических препятствий тому, чтобы сокровищами науки и искусства, веками скопленными в немногих центрах, пользовалось все население, размещенное более или менее равномерно по всей стране»[1]. Таким образом, В. И. Ленин видел пути решения задачи приобщения широких масс населения к сокровищам науки и культуры не в сосредоточении всего населения в крупных городах, а в создании такой системы расселения, которая бы при помощи современных технических средств сделала центры науки и культуры доступными для прилегающих к этим центрам равномерно заселенных районов страны.

2. ТИПЫ И ЗАКОНОМЕРНОСТИ РАССЕЛЕНИЯ

Каждая из основных форм расселения и каждая из ее разновидностей, имея общие черты, отражающие характер труда и уклад жизни, вместе с тем может складываться по-разному в зависимости от того или иного сочетания местных факторов, определяющих расселение. Поэтому принадлежность населенного пункта к тому или иному классификационному виду еще не дает конкретной характеристики расселения и не вскрывает закономерностей, которым расселение в том или ином случае подчиняется. В одном случае город формируется исключительно компактно (Минск), в другом — рассредоточенно (Орск), а в третьем приобретает линейную форму (Волгоград, Пермь). Своеобразную картину расселения представляет Москва с пригородами, вытянувшимися на большом протяжении вдоль железных дорог. Города складываются так под влиянием разных причин; среди них особая роль принадлежит трудовым связям. Поэтому возникает практическая необходимость рассмотреть вопрос о типах расселения, понимая под типом расселения особенности размещения населения, зависящие от той или иной системы трудовых и культурно-бытовых связей, специфичной для данного города и находящей свое градостроительное выражение в его планировочной структуре.

Расселение в населенном пункте обусловлено прежде всего природными условиями. Строительные качества грунтов, рельеф, уровень стояния грунтовых вод и другие природные факторы, которыми определяется воз-

---

[1] В. И. Ленин. Соч., т. 5, стр. 150—151.

можность использования территории для строительных целей, так или иначе влияют на расселение. Они сказываются или непосредственно, или через основные элементы структуры города, которые размещаются с учетом особенностей природной среды.

Однако какими бы высокими строительными или санитарными качествами ни отличался тот или иной участок городской территории, он не может быть признан пригодным для расселения, если при этом не обеспечиваются удобства для жизни людей. Более того, практика градостроительства показывает, что в некоторых случаях участки, удобные для расселения, могут быть освоены под жилую застройку даже при отсутствии необходимых строительных качеств.

Понятие удобства расселения очень широкое. Оно определяется: хорошей связью с местами труда, близостью школ, магазинов, детских и других обслуживающих учреждений, уровнем благоустройства территории, качеством транспортного обслуживания, привлекательностью места жительства в отношении озеленения, близостью к реке или водоему, достаточной изоляцией жилищ от шума и пыли, связанных с городским движением, и т. п.

Среди всех этих общих условий на первом месте находится удобство связи с местами труда и общественного обслуживания.

Главное условие удобного расселения состоит в таком размещении жилищ, при котором жители города могут без большой потери времени, сил и средств посещать места труда и культурно-бытового обслуживания ежедневно или периодически (в зависимости от вида труда и обслуживания). Посещение этих мест жизненно необходимо и является важнейшим фактором, определяющим планировочную структуру города.

Чем меньше времени затрачивается на передвижение к пунктам массового посещения или, другими словами, чем ближе к местам труда и обслуживания располагаются жилища, тем удобнее жить в городе. Объективная необходимость ежедневного или систематического передвижения населения к местам труда и обслуживания связывает весь город в его жизнедеятельности воедино и обусловливает целесообразность выбора для жилищного строительства, промышленных предприятий и общественных центров таких мест, взаимное расположение которых позволяет населению затрачивать наименьшее количество времени на общественно необходимые передвижения.

Следовательно, рациональным является такое расселение, при котором в конкретных условиях каждого города обеспечиваются наименьшие затраты времени на необходимые для жизни населения передвижения к пунктам массового посещения.

В настоящее время недостаток жилищ вносит элемент случайности в расселение жителей наших городов. Но такое явление носит временный характер. В ближайшее двадцатилетие в нашей стране будет полностью решен жилищный вопрос, и каждая семья, включая семьи молодоженов, получит благоустроенную квартиру, соответствующую требованиям гигиены и культурного быта. Следовательно, будут созданы широкие возможности выбора места жительства в полном соответствии с имеющимися потребностями и вкусами. Таким образом, на пути рационального расселения не будет препятствий, связанных с недостатком жилищ. При хорошей планировке города все его жители будут расселяться так, как это представляется для них наиболее удобным.

Таким образом, пункты массового посещения образуют основу планировочной структуры города, а величина их посещаемости представляет собой количественное выражение связи жилища с местами приложения труда и обслуживания.

Различные пункты массового посещения оказывают неодинаковое влияние на расселение и формирование планировочной структуры города.

Пунктами массового посещения, которые имеют решающее значение для расселения (как места приложения труда), являются промышленные предприятия, крупные государственные учреждения и такие объекты производственного назначения, как железнодорожные станции, морские и речные порты и т. п. Посещение этих пунктов города объективно необходимо: они, как правило, незаменимы в отношении посещаемости, и их положение в плане города диктуется не только требованиями равномерного распределения по территории. В особенности это относится к промышленным предприятиям, которые составляют основу развития и формирования структуры большинства советских городов.

Чем меньше город и чем крупнее промышленные предприятия, тем сильнее влияние последних на расселение и формирование планировочной структуры. Как уже говорилось, крупные промышленные предприятия почти всегда вызывают образование вблизи них новых больших жилых районов. Расширение города обычно происходит сильнее в тех направлениях, где сосредоточено больше промышленности и, следовательно, находится большое скопление пунктов массового посещения, хотя на практике бывают отступления от этого правила.

Появление в городе новых промышленных районов сопровождается существенными изменениями планировочной структуры города. Менее заметны перемены, происходящие в результате изменений численности кадров промышленных районов в сложившихся частях города. Однако, если изучить вопрос глубже, то можно и в этом случае обнаружить существенные изменения в расселении людей и распределении функциональных связей между местами жительства и труда. Вообще всякое крупное изменение численности кадров промышленных районов города только в редких случаях вызывает изменения локального характера. Обычно повышение или снижение удельного веса промышленного района в составе прочих градообразующих факторов сопровождается внутренней перестройкой функциональных связей и расселения на всей территории или значительной части города независимо от того, сохраняется или изменяется сложившаяся планировочная структура.

В зависимости от характера взаимосвязей жилища с местами труда в существующей

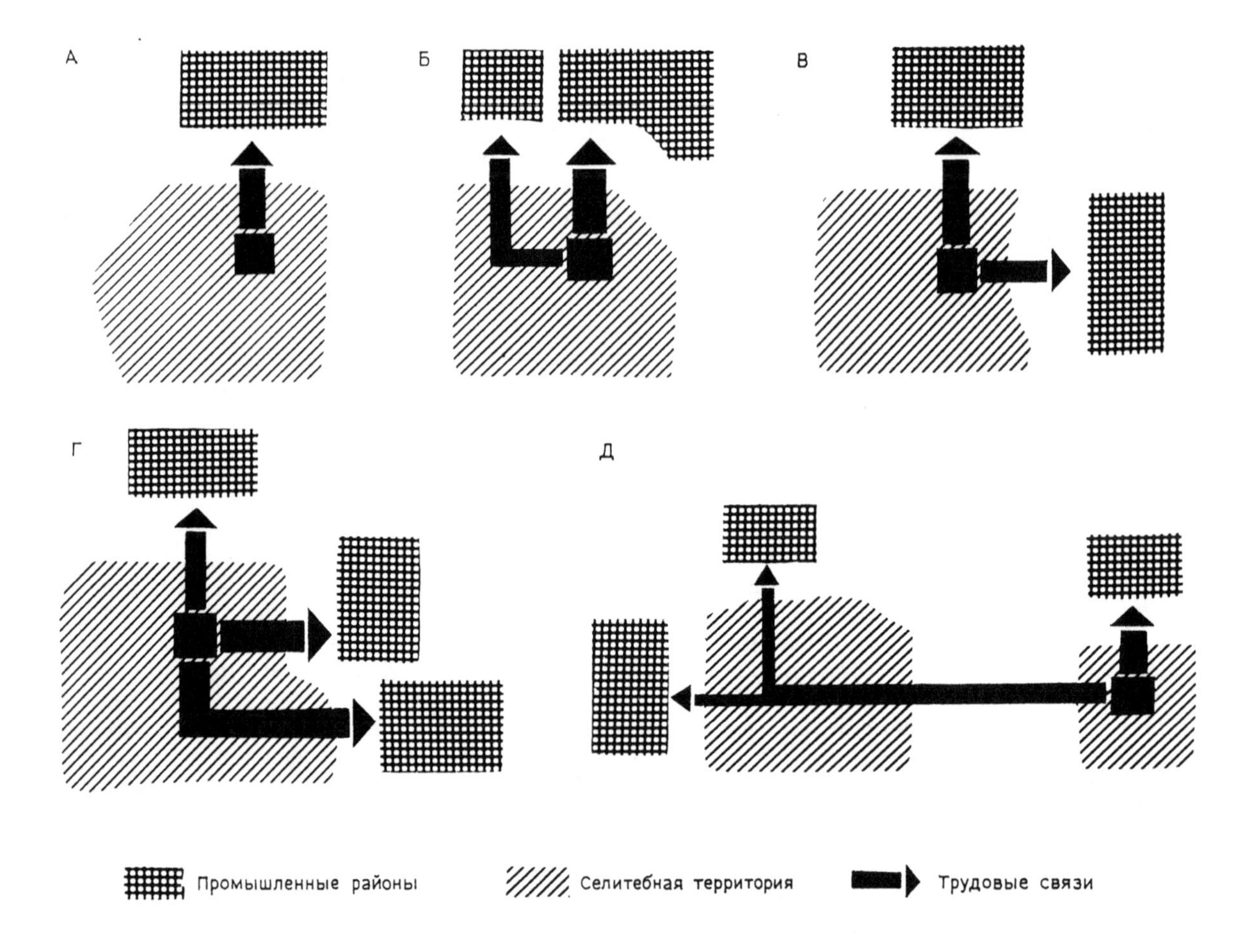

Рис. 16. Характер взаимосвязи жилища с местами приложения труда в градостроительной практике определяет три основных типа расселения: поселковый **(А)**; городской **(В и Г)** и межселенный **(Д)**. При строительстве в населенном пункте поселкового типа второго промышленного предприятия рядом с существующим **(Б)** общая схема взаимного расположения мест труда и жилищ не меняется, но тип расселения приближается к городскому

Fig. 16. The three main types of population distribution existing in the townbuilding practice depend upon the connection between residence and work-places. They are: inherent to settlements **(A)**; to towns **(B and Г)** and to interrelated communities **(Д)**. If a new industrial enterprise is being built near the existing one **(Б)** in a community of settlement type mutual location of work-places and residence remains unaltered but the population distribution type approaches that of a town

практике выявляются три основных типа расселения: поселковый, городской и межселенный (рис. 16)[1].

Поселковый тип расселения характеризуется преобладанием простейшей связи жилищ с одним основным местом труда, расположенным преимущественно в зоне пешеходной доступности относительно жилых районов. Таким основным местом приложения труда могут быть завод, шахта, железнодорожная станция, карьер, крупное учреждение, производственный центр колхоза, совхоза и т. п.

При поселковом типе расселения действует единственная закономерность, определяющая удобство расселения: чем ближе жилище к основному месту труда, тем лучше и проще организуются трудовые связи (конечно, при соблюдении соответствующих санитарных разрывов, определяемых характером производства). В отдельных случаях поселковый тип расселения бывает основан на транспортных связях из-за невозможности расположить поселок непосредственно у места труда по природным условиям (в районах добывающей промышленности). Поселковый тип расселения типичен для небольших населенных мест. Он встречается и в поселках, и в городах. Как временное явление такой тип расселения встречается даже в отдельных районах крупных городов (поселки при промышленных новостройках)[2]. Под влиянием развития промышленности и транспорта поселковый тип расселения трансформируется в другие типы расселения, хотя первичная планировочная структура (группа жилых домов, микрорайон) при этом остается неизменной, поскольку она одинакова для всех видов населенных мест. Изменения происходят путем перестройки системы связей населения с местами труда и общегородского обслуживания. Перспективность поселкового типа расселения в нашей стране определяется прежде всего тем, что по этому типу будет формироваться большинство сельских населенных пунктов при их укрупнении и преобразовании в поселения городского типа. Кроме того, еще многие десятки лет в нашей стране будет происходить освоение обширных необжитых пространств, где возникнут сотни новых населенных мест. Значительное число новостроек будет формироваться по этому типу или пройдет через стадию поселкового расселения к городскому. В то же время в дальнейшем полностью исключается образование в городах мелких ведомственных поселков, получивших в свое время широкое распространение.

[1] Тип расселения не означает тип населенного места. Критериями для определения типа населенного места служат его величина, народнохозяйственное значение, характер занятий населения, но не его структурные особенности и функциональные взаимосвязи, которые определяют тип расселения.

[2] Формирование всего города в целом по поселковому типу неизбежно приводит к неудобствам, которые подтверждают неприменимость данного типа расселения к городам значительной величины.

Городской тип расселения характеризуется значительно более сложной системой трудовых связей. Каждая группа жилищ (квартал, микрорайон) при этом типе расселения связана одновременно с несколькими основными местами труда, расположенными в границах города (в разных его частях). Если основные места труда по числу работающих не очень велики и город небольшой, то все трудовые связи складываются в пределах пешеходной доступности. В средних и тем более крупных городах с промышленными предприятиями, насчитывающими многие тысячи рабочих, трудовые связи обеспечиваются при помощи транспорта, роль которого с величиной города возрастает. В таких крупнейших городах, как Москва, в районах, наиболее обеспеченных общественным транспортом, около 20% передвижений к местам труда совершается пешком, а все остальные — с использованием тех или иных видов транспорта. Процент пешеходных сообщений неодинаков в разных районах города и зависит от расстояния до мест труда и уровня транспортного обслуживания.

Городской тип расселения имеет другие закономерности, чем поселковый тип, что необходимо учитывать при решении вопросов расселения.

При городском типе расселения функциональные связи жилища строятся не по формуле «жилище – единичное место труда — главный общественный центр», а по более сложной формуле: «жилище — места труда — места обслуживания общегородского значения». При этом зависимость между расселением и расположением мест труда обычно складывается в условиях:

диспропорции в трудовой и селитебной емкости ряда районов города при отсутствии возможности устранить эти диспропорции из-за препятствий, ограничивающих территориальные размеры некоторых районов;

существования жилых районов, имеющих равные условия связи с несколькими местами труда;

наличия в большинстве семей двух и более членов семьи, работающих в разных местах[1].

[1] Исследования по Москве показали, что только 30% трудящихся принадлежат к семьям, имеющим одного работающего члена семьи. Такой состав семей имеют и поселки, но это не влияет на формирование системы трудовых связей, поскольку здесь существует одно основное место труда.

Изучение городского типа расселения позволило установить следующую типичную для него закономерность: вероятность расселения трудящихся в любом пункте города прямо пропорциональна посещаемости мест труда и уменьшается с увеличением расстояния от них. Кроме того, на расселение в городах оказывают влияние также пространственные условия размещения жилой застройки.

При городском типе расселения центр города как пункт массового посещения занимает особое положение. В городском центре сосредоточены разнообразные обслуживающие учреждения и устройства общегородского значения, а также бóльшая часть административных, культурных, хозяйственных и общественных учреждений и организаций. В некоторых случаях эти учреждения и предприятия не имеют прямого отношения к общественным функциям городского центра или появились здесь в процессе исторического развития города. Все это в совокупности предопределяет большую посещаемость центральной части города как с целью труда или выполнения общественных обязанностей, так и для пользования теми или иными видами обслуживания или просто для отдыха и развлечения.

Ярким свидетельством большой посещаемости общегородского центра служит оживленное движение на центральных улицах и площадях. В Москве суточный пассажирооборот городского транспорта в центральном районе города (в границах Садового кольца) составляет свыше 30% всего пассажирооборота по городу в целом.

Изучение вопроса показало, что в современных условиях посещаемость центров крупных городов может достигать 20—30% общей численности городского населения (включая посещаемость центра населением пригородов). Таким образом, центр города по величине посещаемости превосходит крупнейшие промышленные районы города. Однако в отличие от промышленных районов городской центр посещается неравномерно в отдельные дни недели и в разные сезоны. Например, проведенное в Волгограде обследование позво-

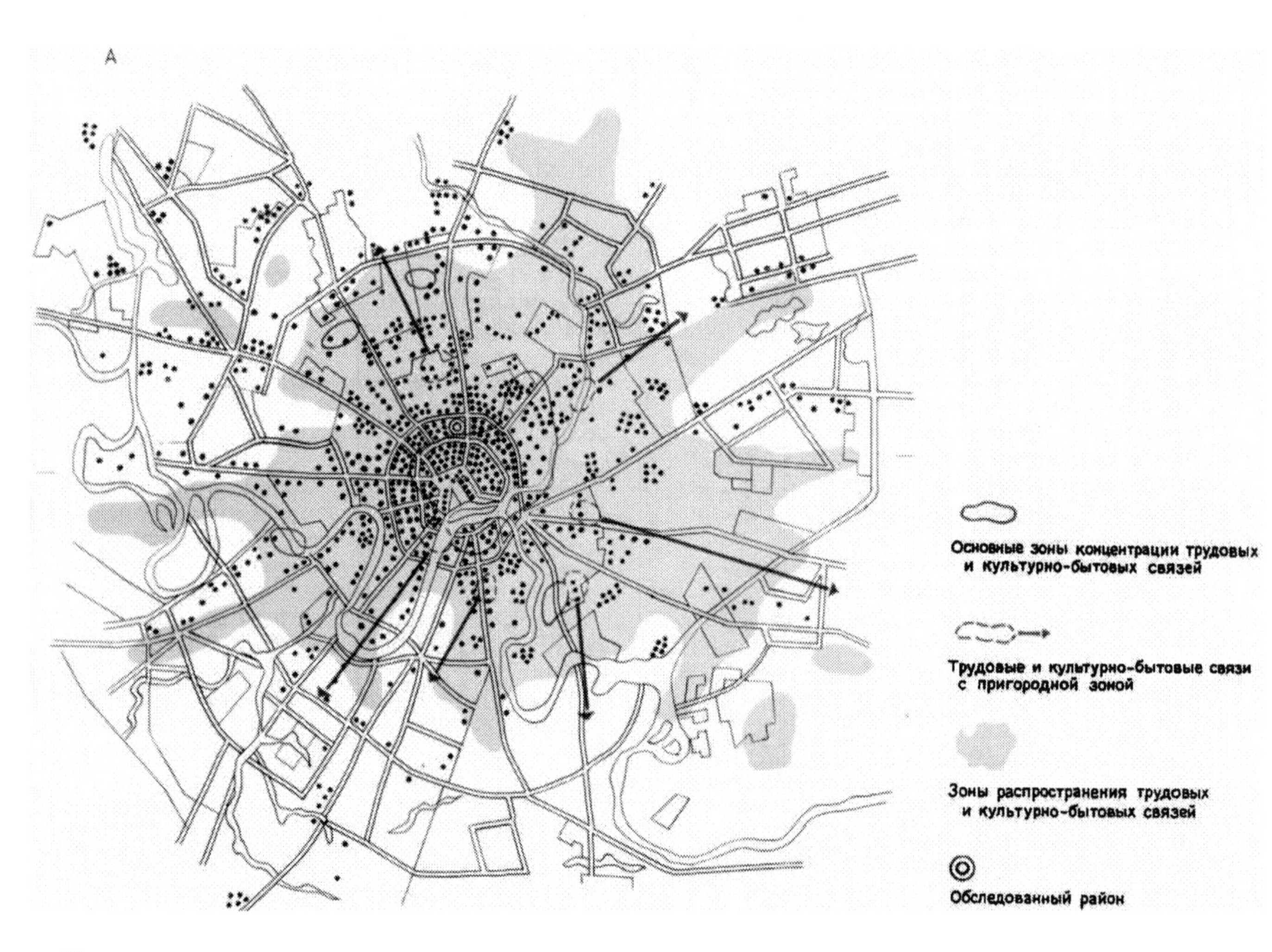

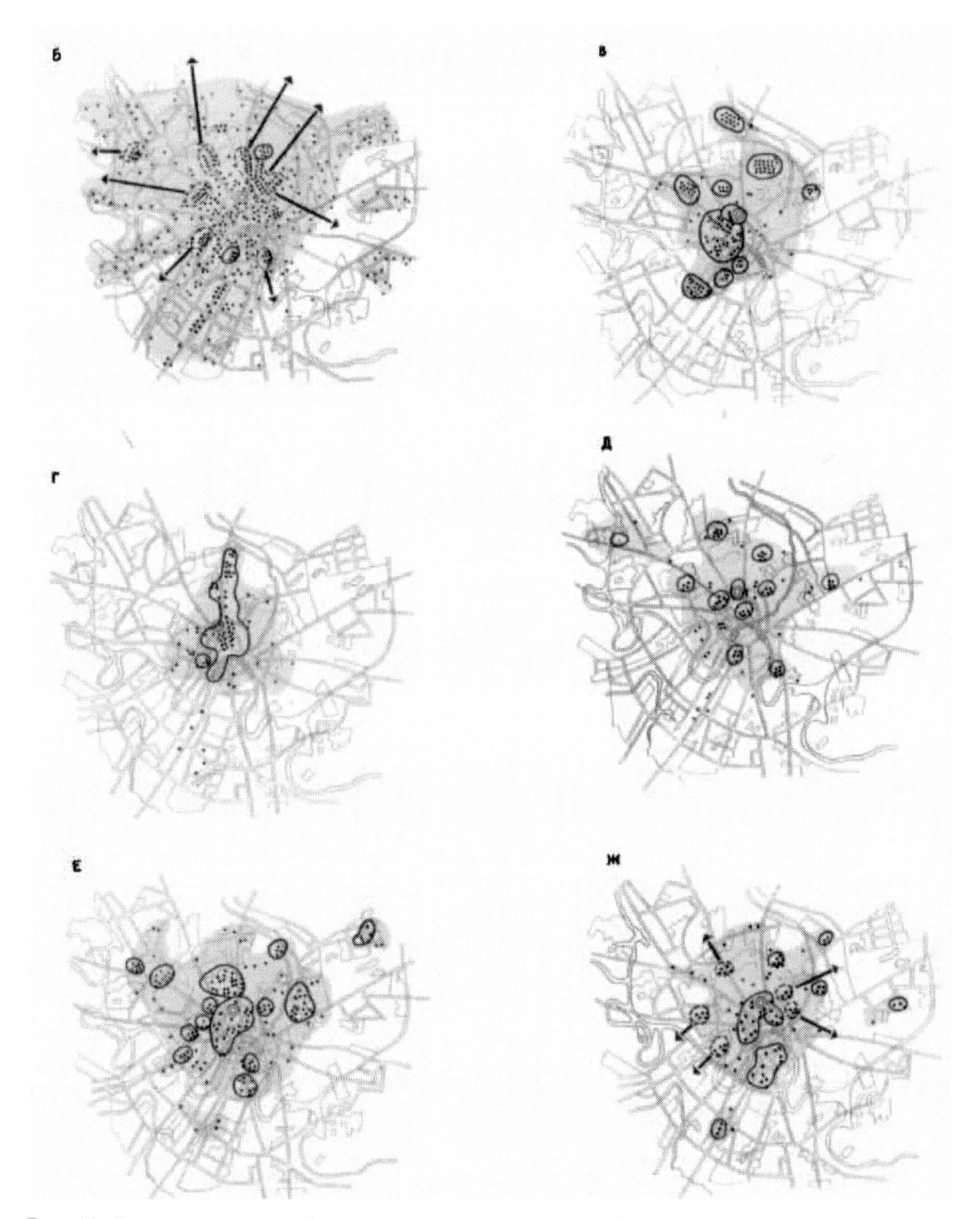

Рис. 17. В городе существующие трудовые связи населения любой группы кварталов или микрорайона распространяются на весь город или значительную его часть **(А)**. Далеко выходят за пределы места жительства связи населения с местами отдыха **(Б)**, культурными учреждениями **(В)**, лечебными учреждениями **(Д)**, учреждениями воспитания и образования **(Е)**, прочими учреждениями **(Ж)**. Меньшую зону имеет распространение связей с предприятиями торговли и общественного питания **(Г)**

Fig. 17. In a city existing employment connexions of the population in any group of blocks or in a neighbourhood cover the whole city or its larger part **(A)**. The population is connected with some places situated far from home, such as: **(Б)** rest facilities; **(В)** cultural facilities; **(Г)** shopping and eating places; **(Д)** medical establishments; **(Е)** educational and training premises; **(Ж)** other institutions

лило выявить, что колебания посещаемости центра по дням недели достигают 15—20%, причем максимум приходится на воскресные дни, а минимум — на понедельники. Зимой посещаемость центра Волгограда падает по сравнению с летним сезоном на 30—40%. Периодические изменения величины посещаемости городского центра подтверждают преобладание в центре города функций культурно-бытового обслуживания населения.

Перспективное развитие центра города можно представить себе в направлении его разгрузки от излишних общегородских учреждений путем создания децентрализованной районной и микрорайонной сети повседневного обслуживания населения. Это касается прежде всего торговых объектов, которые в дальнейшем могут быть рассредоточены по городским районам в большей мере, чем сегодня. Однако с уменьшением продолжительности рабочего дня и увеличением свободного времени у трудящихся роль центра как места развлечений и удовлетворения различных культурно-бытовых потребностей не будет уменьшаться, не говоря уже о том, что неизбежно появятся новые виды обслуживания, которые первоначально или на длительное время будут иметь общегородской характер.

Таким образом, центр многих городов в настоящее время представляет собой самый крупный пункт массового посещения и поэтому имеет важнейшее значение для расселения и формирования планировочной структуры города. Такое положение, по-видимому, сохранится и в ближайшие 20 лет. Во всяком случае можно с уверенностью сказать, что в будущем посещаемость городского центра будет во многом зависеть от значения данного города для окружающего района. В то же время нужно иметь в виду, что развитие культурно-бытового обслуживания в отдельных городских районах позволит освободиться от необходимости пользоваться центром для таких потребностей, которые можно удовлетворить на месте, не затрачивая времени и сил на поездку в центр города.

Множественность связей жилища с пунктами массового посещения определяет единство функциональной структуры города и позволяет уяснить действительное взаимоотношение всех его частей между собой.

Изучение трудовых и культурно-бытовых связей населения Москвы показало, что трудовые связи населения любой группы кварталов фактически распространяются на весь город и даже на пригороды (рис. 17). То же самое можно сказать о связи с местами отдыха. Связь с культурными учреждениями определяется расположением крупных объектов культурного обслуживания, которые преимущественно находятся в центре города. В системе обслуживания магазинами, рынками и столовыми четко выделяются три зоны обслуживания: местное обслуживание около места жительства, ближайший районный торговый центр и центр города. Прочие виды культурно-бытовых связей распространяются на значительную часть города. Это подтверждает известное положение, что каждое крупное место труда или общественный центр общегородского значения имеет зону тяготения, распространяющуюся на весь город или на его значительную часть. Таким образом, зоны расселения, соответствующие отдельным промышленным районам, не разделяют территорию города на четко разграниченные части, тяготеющие исключительно к соответствующим промышленным районам, а переплетаются между собой. Радиус каждой зоны расселения определяется временем, которое на данном уровне развития градостроительства допустимо затрачивать на передвижение к местам труда. В обычных условиях таким пределом являются средние затраты времени 25—30 мин. В некоторых крупных городах этот предел превышен, но он может быть обеспечен в перспективе.

На рис. 18 показаны результаты графического анализа условий транспортной связи с местами труда в городе с населением 250 тыс. жителей. Они подтверждают, что в таком городе средние затраты времени на сообщение с местами труда (при использовании обычных видов общественного транспорта) не выходят из указанных выше пределов и что рассредоточение мест труда несколько сокращает затраты времени и выравнивает их по районам города. В крупных городах уложиться в эти лимиты очень трудно, что является подтверждением нерациональности такой формы расселения. Равномерным распределением основных мест труда можно улучшить условия расселения в крупных городах, но нельзя совсем исключить в них случаи далекого расселения от мест труда.

Следует иметь в виду, что для расселения имеет значение не геометрическая равномерность размещения мест труда, а равномерность их распределения по трудовой емкости, которую в крупных городах трудно обеспечить. Случаи дальнего расселения могут быть и в некоторых городах меньшей величины, создаваемых на базе добывающей промышленности (угледобывающей, нефтедобывающей).

В условиях существования множественности связей жилища с пунктами массового посещения показателем удобства расселения служит не только удаленность от отдельно взятых пунктов, но и средняя удаленность (выраженная в затратах времени на передви-

жение) от совокупности пунктов массового посещения. Методы подсчета этой величины разработаны[1], и это позволяет для каждой точки города получить объективный показатель удобства расселения с учетом всей суммы функциональных связей с пунктами массового посещения.

Так как дальность расселения от пунктов массового посещения определяется затратами времени на проезд, то распределение населения по городской территории и планировочная структура города зависят от скорости передвижения.

В малом городе, в котором все расстояния невелики и легко преодолеваются пешком, движение по всем направлениям совершается с одинаковой скоростью (скоростью пешехода — примерно 4 *км/ч*, что соответствует первому уровню скорости). Соответственно для малого города наиболее целесообразным является компактное расположение застройки, так как оно обеспечивает в этих условиях наименьшие затраты времени на передвижение к промышленным предприятиям, городскому центру и другим пунктам массового посещения.

Иное положение складывается в малом городе с сильно рассредоточенным размещением мест труда. В этом случае невозможно обеспечить всем удобство расселения без применения уличного транспорта, позволяющего значительно повысить скорость передвижения (второй уровень скорости) на направлениях, ведущих к удаленным местам труда. Следовательно, условия расселения и формирования планировочной структуры в таком городе будут также иными. Здесь будут иметь значение пешеходные и транспортные связи, причем в некоторых случаях может возникнуть необходимость организации скоростного транспорта. Поэтому в зависимости от конкретных условий наиболее целесообразной может оказаться в одном случае компактная форма плана города, в другом — рассредоточен-

[1] М. О. Хауке. Новый метод расчета и применения изохронограмм для решения вопросов расселения в проектах планировки городов. «Известия АСиА СССР», 1961, № 3.

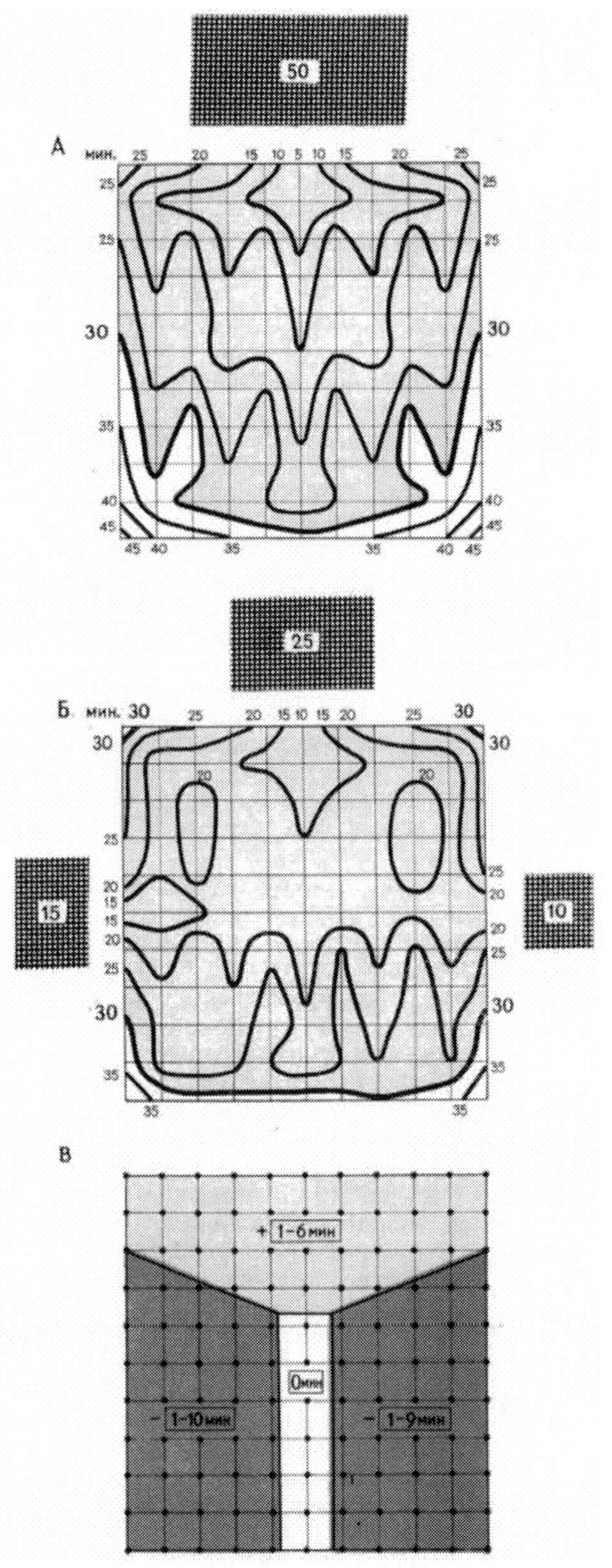

Рис. 18. В городе с населением 250 тыс. человек средние затраты времени на сообщение с местами труда, как правило, не выходят за пределы 30 мин даже при сосредоточенном размещении мест труда **(А).** При рассредоточенном расположении основных мест труда можно всю территорию города разместить в указанных пределах **(Б).** Рассредоточение мест труда изменяет в отдельных пунктах города величину средних затрат времени на сообщение с местами труда **(В)**

Fig. 18. In a town with the population of 250 thousand inhabitants the average time of work journeys does not exceed 30 minutes, even if the enterprises are concentrated in one place **(A).** It is possible to site the whole build-up area in these time limits **(Б).** Dispersion of work-places alters in some points of the city the average time of the population's trips to work-places **(B)**

ная, а в третьем — вытянутая, линейная форма плана, если только она не противоречит требованиям экономики.

Крупные города вследствие своих значительных территориальных размеров не могут обеспечить нормальных условий жизни без городского транспорта. Чем больше город по своей величине, тем бо́льшая скорость движения должна быть обеспечена. Поэтому в крупнейших городах появляется необходимость в таких видах городского транспорта, которые позволяют населению передвигаться с большой скоростью (третий уровень скорости). Для расселения имеет значение не столько эксплуатационная скорость, развиваемая транспортом в городе, сколько фактическая средняя скорость передвижения людей, включающая время на подходы к остановкам транспорта, время ожидания транспорта и задержки движения на перекрестках улиц, время, затрачиваемое на пересадки с одного вида транспорта на другой.

В результате применения различных видов транспорта на разных направлениях крупных городов обеспечиваются разные скорости движения, и это играет не менее важную роль в расселении и формировании планировочной структуры города, чем расположение основных пунктов массового посещения.

Рассматривая городской тип расселения с точки зрения перспектив дальнейшего развития систем расселения в нашей стране, следует признать, что он может рассматриваться как лучший тип расселения для промышленных городов и районов.

Межселенный тип расселения характеризуется связью жилищ с местами труда, расположенными не только в данном населенном пункте, но и в смежных населенных пунктах. Такой тип расселения специфичен для крупнейших городов и их пригородных зон. Он возможен только в условиях существования развитого районного транспорта, что является одной из его главных предпосылок. На рис. 19 показаны трудовые связи пригородов Москвы с предприятиями и учреждениями столицы.

Особенности расселения в пригородной зоне крупного города вызывают сегодня образование специфических видов населенных мест. Можно назвать четыре основных типа пригородных населенных мест:

города-спутники и пригородные рабочие поселки с собственными местами приложения труда (в промышленности и в учреждениях градообразующего значения) для большей части населения;

жилые пригороды, не имеющие мест приложения труда градообразующего значения;

дачные и курортные поселки, используемые преимущественно для загородного отдыха;

промышленные пригороды, имеющие собственную промышленность градообразующего значения и используемые одновременно для расселения загородников.

Существенным является то, что между отдельными типами населенных мест пригородной зоны нет четко различимых граней.

Если развитие пригородных населенных мест должным образом не регулируется, они срастаются в сплошные массивы застройки, тянущиеся непрерывной лентой вдоль транспортных коммуникаций.

В начале XX в. Москва по расположению застройки была исключительно компактным городом. По генеральному плану реконструкции Москвы городские районы продолжали расширяться более или менее равномерно во всех направлениях. Но вместе с тем сильное развитие получила пригородная застройка, распространившаяся лучами вдоль железных дорог. Такому формированию плана Москвы способствовала разница в скорости сообщения на улицах города и на линиях пригородного транспорта. В современных условиях пригородные железные дороги и линии метрополитена Москвы обеспечивают скорость передвижения на радиальных направлениях, в 2—3 раза бо́льшую, чем скорость движения массового уличного транспорта (трамвая, автобуса и троллейбуса). В связи с недостаточным развитием скоростного транспорта внутри города многие пригороды, прилегающие к железным дорогам, сегодня находятся в равноценных и даже лучших условиях по сравнению с периферийными городскими районами, обслуживаемыми обычным уличным транспортом. В Москве такие районы, как Октябрьское поле, Лихоборы, Коптево, Лефортово, Богородское, по затратам времени на сообщение с центром города занимают одинаковое положение с Мытищами, Бирюлево, Химками и другими пригородами столицы. Это можно видеть на рис. 20, где показана фактическая транспортная доступность центра Москвы из периферийных и пригородных районов. Особенно стимулирует лучевое развитие застройки расположение промышленных районов города близ электрифицированных железных дорог, которыми пользуются рабочие и служащие этих промышленных районов для сообщения с местами труда.

Межселенный тип расселения в своей основе имеет закономерности, общие с городским, но система трудовых связей при этом приобретает исключительно сложный характер.

При межселенном типе расселения особенно сильно выражены диспропорции в размещении мест труда и жительства. Во всех

Рис. 19. Трудовые связи населения пригородов с крупным городом с увеличением расстояния до города ослабевают. Существование интенсивных трудовых связей пригородов и города свидетельствует о том, что в данном случае проявляются отрицательные черты межселенного типа расселения

Fig. 19. The suburban population's ties with the city itself weaken as the distance to the city grows. The existence of intensive labour bonds between the suburbs and the city testifies to the presence of negative qualities of distribution of population among interrelated communities

Рис. 20. Транспортная доступность центра крупного города и его отдельных районов зависит от скорости сообщения. Скорость сообщения на внеуличных транспортных магистралях резко отличается от скорости сообщения на уличной сети, поэтому, например, в Москве пригороды, расположенные на транспортных радиусах, получают разные условия доступности с некоторыми внутренними районами города, не обслуженными скоростным транспортом

Fig. 20. Accessibility of the big city centre and its districts for transport depends upon the speed of the traffic. Traffic speed in the offstreet roads is quite different from that in the street network; that is why in Moscow, for example, the suburbs situated along the traffic radius have the same accessibility as some inner districts of the city which are not equipped with high-speed transport

районах города, в том числе и в имеющих огромный избыток мест труда, трудовые связи населения распространяются на всю территорию города и выходят за его границы, в пригородную зону. В центральной части Москвы численность работающих намного превышает число живущих здесь рабочих и служащих, и тем не менее жители центрального района работают во всех городских районах и даже за городом. Обследованием установлено, что из общего числа рабочих и служащих, проживающих в районе Сретенки, 8,7% затрачивает на поездки к местам труда от 1 до 2 ч; за городом работает 3,3%. Столь же сложную структуру трудовых связей имеют и пригородные населенные места независимо от их величины[1].

Оценивая межселенный тип расселения с точки зрения перспективных задач советского градостроительства, следует отметить, что он имеет серьезные недостатки, свойственные крупным городам вообще, но воспроизведенные на более широкой пространственной основе пригородного района.

Если в пределах крупного города расстояния от жилищ до мест труда достигают 10—12 *км* (в линейных городах эти расстояния значительно больше), то в пригородных районах они возрастают до 30—40 *км*. При этом перенаселенность крупного города увеличивается за счет прибывающих сюда на работу и по другим делам жителей из всех частей пригородного района. В особенности это относится к центральному району крупного города, где сконцентрировано больше всего мест труда и общественного обслуживания. Население Москвы увеличивается днем за счет приезжих более чем на четверть миллиона человек, а всего в течение суток в Москве бывает более миллиона жителей пригородов. Большая часть приезжающих направляется в центральную часть города. Так, например, в пределах бульварного кольца Москвы население днем увеличивается на 150 тыс. человек, или на 54%.

Большие противоречия возникают и в пользовании местами отдыха. Рост пригородов сопровождается ухудшением санитарного состояния наиболее доступных мест загородного отдыха или даже их уничтожением. Загородные леса, лесопарки и пляжи все больше отдаляются от жилищ.

В районах наиболее интенсивного развития пригородов под натиском застройки не остается достаточной площади парков даже для обслуживания местных потребностей отдельных пригородных населенных мест. Одним из ярких проявлений противоречий в организации отдыха населения является быстрое развитие дачного строительства, которое буквально «затопило» пригородные зоны крупнейших городов и принесло большой ущерб пригородным лесам.

При всем этом экономические показатели городского строительства не улучшаются вследствие его распространения в пригороды и прежде всего из-за того, что сохраняется центральное перенаселенное ядро и усиливаются диспропорции в размещении мест труда и жительства, увеличивающие нагрузку на транспорт.

Таким образом, задача состоит в том, чтобы воспрепятствовать дальнейшему распространению межселенного типа расселения и сформировать такие системы населенных мест, которые не будут создавать объективных предпосылок для развития данного типа расселения.

3. СИСТЕМЫ РАССЕЛЕНИЯ

Наряду с рассмотрением вопроса о типах расселения необходимо также исследовать вопрос о системах расселения. В современных условиях существование изолированных населенных мест исключено. Каждое населенное место находится в определенной взаимосвязи с другими. Именно развитие этих взаимосвязей, дополняющих и расширяющих экономические и культурные возможности отдельно взятого населенного места, является одним из непременных условий социального прогресса. Поэтому важно знать не только закономерности формирования основных типов расселения, но и более общие закономерности возникновения и развития культурных и экономических связей между населенными пунктами, формирующих те или иные системы расселения.

Система расселения в период перехода нашего общества к коммунизму не может рассматриваться только как результат воздействия производства на расселение. В системе расселения наряду с требованиями производства должны найти отражение требования оптимальной организации жизни населения. Взаимодействие этих двух начал является

[1] Например, по данным обследования 1957 г. в подмосковном городе Реутове 38% самостоятельного населения работало в Москве. Кроме того, небольшая часть населения связана в трудовом отношении с другими пригородами (Балашиха, Карачарово, Кучино, Салтыковка и др.). В свою очередь, трудящиеся местных предприятий расселяются не только в самом Реутове, но и за его чертой. Так, например, 10% работающих на Реутовской фабрике расселяется в соседних населенных пунктах в радиусе до 15 *км* от предприятия. Небольшое число трудящихся приезжает в Реутово из Москвы.

главным условием формирования прогрессивных систем расселения.

Этот вопрос был подробно рассмотрен в главе 3.

В зависимости от местных природных условий и развития транспортных связей система расселения получает тот или иной «рисунок» (расселение по долинам рек, вдоль железнодорожных магистралей и т. п.), который, однако, не изменяет самого существа системы.

В условиях нашей страны с ее исключительным многообразием природных условий и хозяйства трудно проанализировать все случаи формирования систем расселения. Поэтому остановимся лишь на самых распространенных. Такими системами являются:

системы равномерно рассредоточенного расселения с развитым главным центром системы;

системы расселения в районах крупнейших городов;

системы расселения в районах добывающей промышленности;

очаговые системы расселения.

В отдельных районах страны системы расселения находятся на разных стадиях формирования и развития. Одни системы сложились очень давно и постепенно преобразуются в соответствии с новыми условиями жизни и на новой производственной основе, другие только начали складываться, третьи занимают промежуточное положение. Задача состоит в том, чтобы правильно определить пути дальнейшего развития и совершенствования систем расселения.

Системы равномерного рассредоточенного расселения с развитым главным центром системы. Разреженная сеть городов и поселков городского типа, равномерно охватывающая обширную территорию, присуща давно освоенным и плотно заселенным областям, в которых вся основная промышленность сосредоточена в одном месте, а на остальной территории ведущей отраслью производства являются сельское хозяйство и развивающаяся переработка на месте собственного сельскохозяйственного сырья.

Рассредоточенный характер на территории области основного производства, сравнительно мало или во всяком случае весьма постепенно изменяющаяся от места к месту структура хозяйства, отсутствие резких переходов в природной среде на больших пространствах способствовали развитию сети небольших по размерам районных центров городского и сельского типа.

Районные центры, в которых сосредоточены основные хозяйственные, административные, общественно-политические и культурные функции, представляют в этих областях главное звено в организации системы расселения. В большинстве своем они имеют также те или иные производственные предприятия, складские и транспортные базы, питомники, опытные станции и т. п. Среди населенных пунктов области резко выделяется областной центр, который, как правило, имеет больше жителей, чем все остальные города области, вместе взятые.

Некоторое представление о структуре расселения в районах с равномерно рассредоточенным расселением дает табл. 7, составленная по данным Всесоюзной переписи населения 15/I 1959 г.

ТАБЛИЦА 7

Области	Города		Поселки городского типа		Население областного центра в % от городского населения
	количество	средняя численность населения города в тыс. человек*	количество	средняя численность населения поселка в тыс. человек	
Белгородская	9	13,5	9	6,1	30
Орловская ...	7	9,8	4	3,5	68
Курская	8	8,7	10	4,3	64

* Без учета областного центра.

Система расселения указанного типа создает хорошие предпосылки для создания рационального расселения в будущем. Основные ее недостатки сегодня — диспропорция в промышленном развитии областного центра, собравшего на своей территории почти всю крупную промышленность. Гипертрофия областного центра в некоторых случаях выражена очень резко, например в Омской области[1], а в других является умеренной (Белгородская область). Поэтому по отношению к областным центрам стоит задача в первом случае принять решительные меры по ограничению роста областного центра, а во втором случае регулировать рост в разумных пределах.

Большим недостатком системы расселения этого типа является недоразвитость местных центров. Среди них мало поселений городского типа. По своему расположению они большей частью хорошо связаны с окружающими колхозами и совхозами и находятся от них на расстоянии не более 15—20 *км*. Однако многие из них имеют недостаточное экономическое и культурное развитие, что ослабляет их роль в жизни населения. Таким образом, важным условием дальнейшего развития системы расселения в этих областях должен явиться экономический и культурный подъем

[1] В Омске сосредоточен 81% городского населения области.

А. Существующее расселение

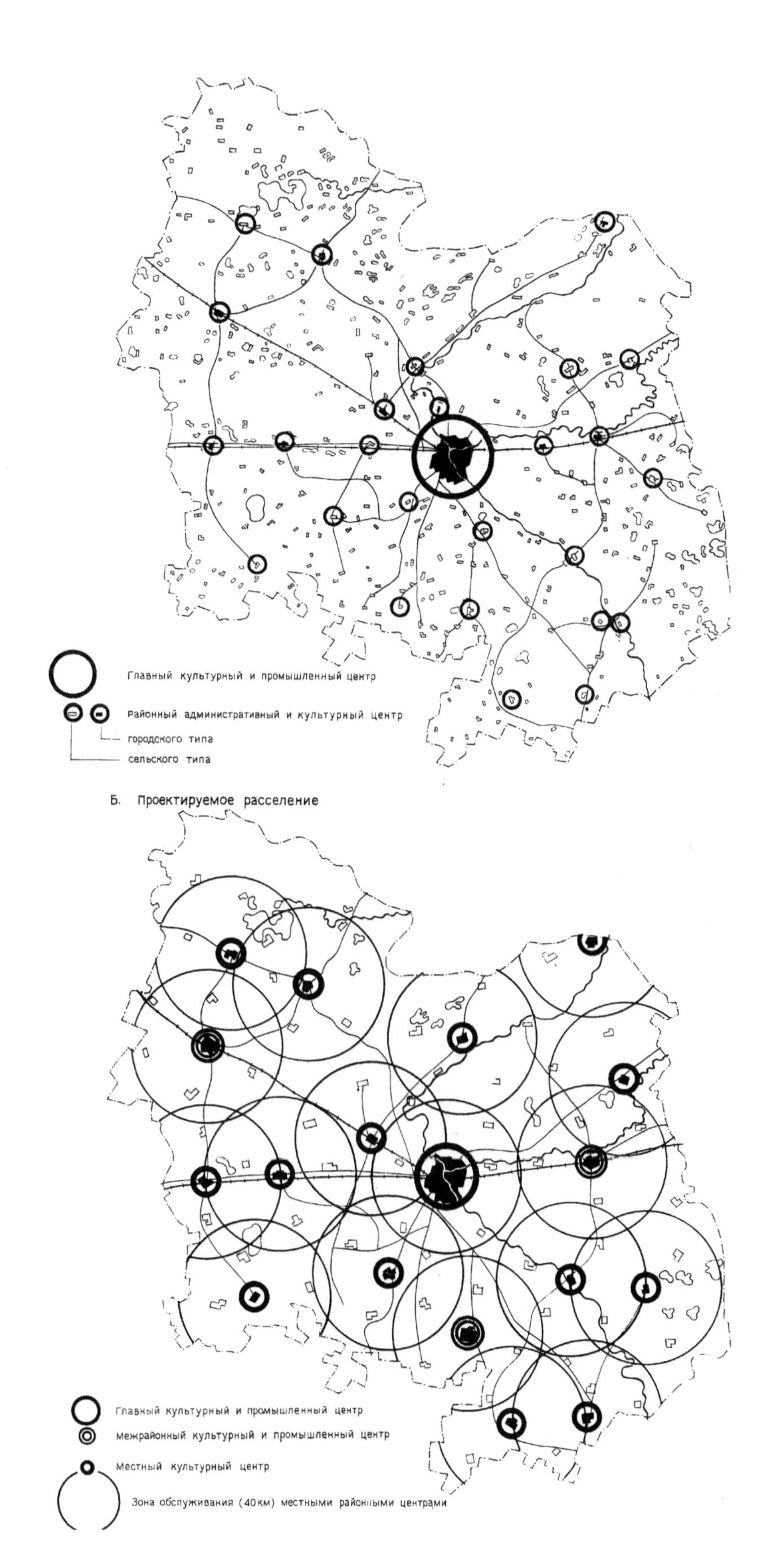

Рис. 21. Чрезмерное развитие областного центра в ряде областей Советского Союза наблюдается за счет замедленного роста местных центров **(А)**. Преобразование системы расселения в таких областях должно ограничить рост областного центра, упорядочить размещение и развитие местных и межрайонных центров, укрупнить сельские населенные места **(Б)**

Fig. 21. In some administrative districts of the Soviet Union excessive growth of the districts centre is observed to be detrimental to the local centres growth **(A)**. Improvement of the population distribution system in such administrative districts should aim at limiting the district centre growth, bringing to order the growth and location of local and intra-regional centres, enlarging rural settlements **(Б)**

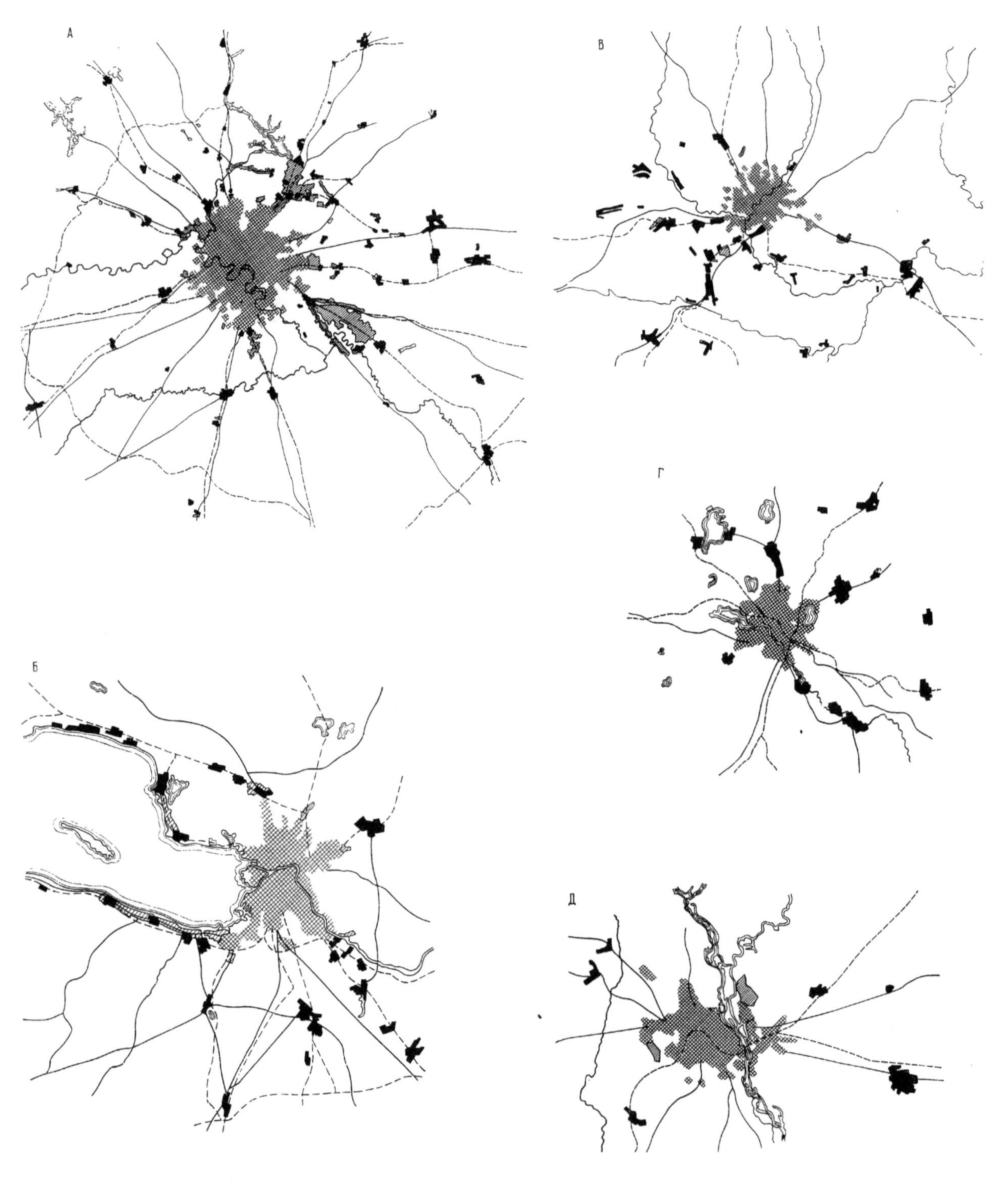
А
В
Г
Б
Д

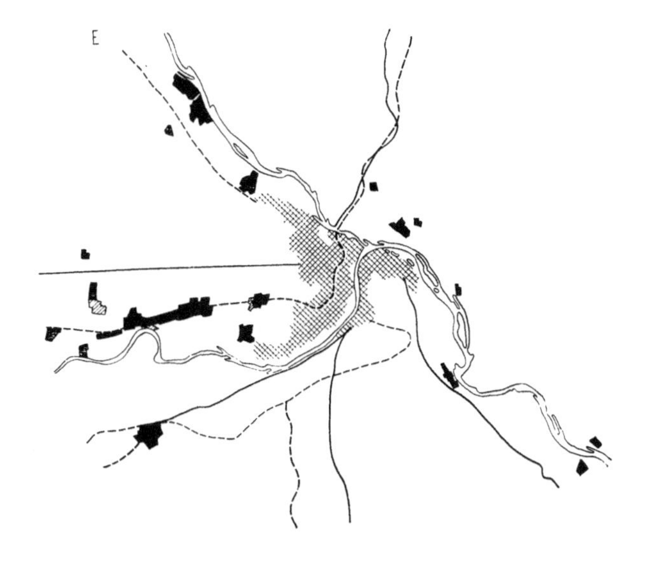

Рис. 22. Система расселения в районах крупнейших городов характеризуется развитием пригородов и городов-спутников, сосредоточенных на основных железнодорожных магистралях. Такое явление наблюдается в большей степени в районах Москвы (**А**), Ленинграда (**Б**), Харькова (**В**), Свердловска (**Г**) и в меньшей степени в районах Киева (**Д**) и Горького (**Е**)

Fig. 22. In the city areas the population distribution system is carried out through the development of suburbs and town-satellites concentrated along the chief railway lines. This is being observed in case of Moscow (**A**), Leningrad (**Б**), Kharkov (**B**), Sverdlovsk (**Г**) and to a lesser extent in Kiev (**Д**) and Gorky (**E**)

местных центров с преобразованием сельских райцентров в поселения промышленного и аграрно-промышленного типов. В зависимости от местных условий в этих областях может появиться необходимость в дополнении местных центров межрайонными центрами. На рис. 21 показана примерная схема преобразования системы расселения указанного типа.

Системы расселения в районах крупнейших городов. Первое место среди таких систем занимает Московская, затем идут Ленинградская, Киевская, Горьковская, Харьковская, Свердловская (рис. 22). В табл. 8 представлены характеристики основных систем расселения.

ТАБЛИЦА 8

Основные системы расселения, развивающиеся на базе крупного города

Система	Число городских поселений		Число городов в 1959 г.	Число поселков в 1959 г.	Численность городского населения в тыс. человек		Население центрального города в тыс. человек
	в 1926 г.	в 1959 г.			в 1926 г.	в 1959 г.	
Московская*	34	79	35	44	2250	7000	5046
Ленинградская	29	48	14	34	1790,6	3554,3	2887,9
Киевская	8	16	6	10	560,8	1257,5	1101,6
Горьковская	14	41	12	29	273,5	1513	942,1
Харьковская	8	38	5	33	462,9	1234,3	980,3
Свердловская	4	24	6	18	159,2	1010,3	776,8

* В пределах 50-*км* зоны.

Крупнейшие города, отличающиеся особо благоприятным транспортно-географическим положением, вырастают как ведущие центры обрабатывающей промышленности, а также как центры культуры, науки, народного образования. В процессе своего развития они постепенно обросли многочисленными городами-спутниками и поселками различного функционального назначения. Два фактора играли при этом ведущую роль: во-первых, мощные трудовые связи главного города и, во-вторых, подготовленность строительных баз, благоприятные условия транспортного обслуживания, энергоснабжения, производственного кооперирования, связи с научными учреждениями и т. п., что делает выгодным размещение некоторых видов новой промышленности в непосредственном окружении главного города.

Для указанной системы расселения характерно разнообразие функциональной структуры спутников крупного города.

Ведущее значение, как правило, принадлежит обрабатывающей промышленности. Города, входящие в систему и возглавляемые крупным городом, дополняют и развивают производственный комплекс главного города, как бы разгружая его от части производства, в основном от производств с повышенной вредностью, опасных в пожарном отношении, требующих весьма обширных площадок и т. д.

Так, например, близ крупных городов обычно возникают значительные центры химической, в частности нефтеперерабатывающей, промышленности. Около города Горького нефтеперерабатывающий завод образовал один из самых молодых его спутников — город Кстово. Второй спутник Горького, специализирующийся на химической промышленности, — город Дзержинск. Вблизи города Куйбышева возник на базе нефтехимии город Новокуйбышевск.

В крупных городах, являющихся важными центрами ответственного машиностроения, характерно образование городов-спутников, имеющих в качестве своей специализации производство качественных металлов. Таковы Электросталь под Москвой и Колпино под Ленинградом. Обычными также являются города-спутники и поселки при электростанциях, мебельно-сборочных комбинатах, заводах железобетонных изделий, стройдеталей и т. п.

Развивающаяся в промышленности специализация создает объективные предпосылки для перемещения некоторых производств из основного города. Так, например, с московского автозавода имени Лихачева производство самосвалов было перенесено на Мытищинский машиностроительный завод, а производство городских автобусов — в подмосковный город Ликино-Дулево. Производство дизелей с Горьковского автозавода вынесено на специально сооруженный вблизи Горького завод в пос. Заволжье и т. п.

Разнообразие производства, высокий технический уровень промышленности, наличие квалифицированных кадров, наличие научных учреждений стимулируют возникновение и развитие в близи крупнейших городов научно-производственных центров, представляющих собой сочетания научно-исследовательских институтов, конструкторских бюро и опытных производств.

Доля главного города в системах рассматриваемого типа очень высока, хотя со временем и обнаруживается тенденция к ее уменьшению благодаря более быстрому росту прочих элементов системы. Ориентация всех городов и поселков системы на главный город и в производственном отношении и, что особенно характерно, в части связей населения, проявляется чрезвычайно отчетливо.

Жилыми дополнениями большого города и его промышленными спутниками является также значительная часть сельских населенных пунктов, население которых в прошлом было занято в основном сельским хозяйством. О доле и размерах так называемого «скрытого городского» населения можно судить по следующим данным, относящимся к Московской области: по материалам Всесоюзной переписи населения 1959 г. в сельском хозяйстве здесь было занято лишь 27% сельского населения, в промышленности — 32%.

Как уже было сказано выше, в рассматриваемых системах расселения наибольшее распространение получил межселенный тип расселения со свойственными ему недостатками и противоречиями. Поэтому дальнейшее развитие этих систем можно представить только в направлении их преобразования с устранением неудачно сложившихся между населенными пунктами трудовых связей и диспропорций между ростом главного города системы и прочих связанных с ним городов и поселков. Этот вопрос подробно освещается в главе 5, где приведены примерные схемы регулирования роста крупных городов.

Системы расселения в районах добывающей промышленности. В этих районах характер производства обусловливает систему рассредоточенных городов и поселков — центров добычи полезных ископаемых. Размеры населенных пунктов определены условиями разработки, качеством и мощностью месторождений.

В «чистом виде» системы городов и поселков — центров добывающей промышленности — складываются в районах, отличающихся трудными природными условиями. Здесь развитие промышленности ограничивается в основном добычей высокоценных полезных ископаемых, уникальных по качеству и вообще не встречающихся в других районах страны: золота, олова, алмазов, редких земель, слюды и т. д. Добыче сопутствует в какой-то мере обогащение, имеющее целью повысить транспортабельность сырья, вывозимого для переработки в другие районы страны. Развитие здесь обслуживающих отраслей (энергетика, ремонт машин и механизмов) также максимально ограничивается концентрация значительных масс населения нежелательна вследствие суровости климата, отдаленности, трудной доступности и высоких затрат средств на создание удовлетворительных условий проживания.

Системы расселения преимущественно состоят из небольших по размерам поселков узкой производственной специализации (добыча основного вида полезного ископаемого, энергетика, ремонт, транспортно-складское хозяйство), объединенных сетью транспортных путей, преимущественно автомобильных, дополняемых воздушными авиалиниями, а летом сообщением по рекам; в редких случаях имеются внутренние линии узкоколейных и ширококолейных железных дорог ограниченной протяженности.

Наиболее характерные примеры системы описываемого типа дают системы горнопромышленных поселков Центральной Колымы, поселений Печорского угольного бассейна, сложившихся вокруг Воркуты, поселений Бодайбинского района, специализирующихся на добыче золота и слюды.

Более сложную структуру имеют системы расселения в районах, в которых кроме добычи полезных ископаемых постепенно образовался сложный комплекс предприятий тяжелой промышленности на собственной сырьевой и энергетической базе.

В отличие от только что рассмотренных эти системы складываются в районах в основном с благоприятными или во всяком случае с не чрезмерно суровыми климатическими условиями, нередко в районах давно и плотно заселенных.

Горнопромышленные центры образовали здесь первичную сеть, которая затем стала изменяться с развитием новых отраслей промышленности, дополняющих производственный комплекс. Наиболее сложные и развитые системы сложились в угольных районах, поскольку уголь служит мощным индустриальным фундаментом для разнообразных отраслей. Здесь получают развитие энергетика (производство электроэнергии для передачи в другие районы) и комплекс энергоемких производств в виде черной и цветной металлургии, разнообразной химии, цементной промышленности, тяжелого машиностроения. В результате не только уплотняется сеть городов и поселков, но происходит их качественное изменение: усложняется градообразую-

Рис. 23. Донбасс — крупнейшая агломерация, сформировавшаяся на основе добывающей и обрабатывающей промышленности, характеризуется сочетанием большого числа городов и поселков разной величины, располагающихся группами

Fig. 23. Donbass is the biggest agglomeration which grew on the basis extracting and manufacturing industries. It possesses a great number of towns and settlements of varying sizes located in clusters

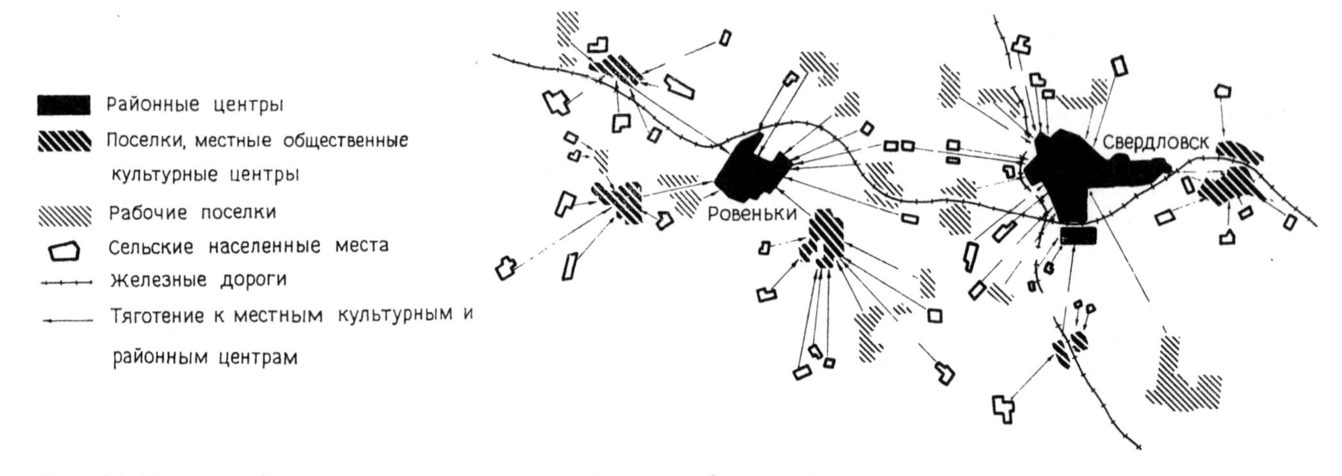

Рис. 24. При преобразовании расселения в районах добывающей промышленности возникает сложная система центров нескольких ступеней

Fig. 24. While improving the population distribution in the mineral industry areas there appears a complicated system of centres of several stages

щая база, увеличиваются размеры городов. В Донбассе до революции не было городов с числом жителей свыше 100 тыс. человек. По данным на 1 января 1962 г., здесь десять городов имели более 100 тыс. жителей каждый. Близко расположенные города Донецк (809 тыс. жителей) и Макеевка (399 тыс. жителей) со своим окружением образуют крупнейшую в Донбассе группу городов (рис. 23).

Для рассматриваемых систем характерно сочетание большого числа поселков и малых городов с большими городами-центрами разнообразной промышленности, науки, конструкторского и проектного дела, культуры, образования.

Взятая в целом система явственно распадается на отдельные группы городов и поселков. Расстояния между поселками одной группы иногда составляют всего 2—5 *км*.

Эти особенности территориальной структуры Донбасса были учтены при определении границ его отдельных планировочных районов при разработке схем районной планировки.

Групповое размещение городов и поселков свойственно и другим угольным районам страны. Наличие многочисленных узкоотраслевых центров, группирующихся вокруг более крупных городов, отличающихся большим разнообразием мест приложения труда, в условиях разветвленной системы транспортных сообщений предопределяет, как уже говорилось выше, развитие в группах городских поселений интенсивных трудовых межселенных связей населения.

Важным объединяющим фактором в этих системах служит создание районных инженерных сооружений и коммуникаций. Таков, например, канал Северный Донец—Донбасс для городов и поселков Донбасса, канал Днепр—Кривой Рог для городских поселений Криворожского бассейна. Большую роль в формировании карагандинской системы городов и поселков должен сыграть канал Иртыш—Центральный Казахстан. Получают все большее развитие районные сети энергоснабжения, в частности газовые.

В наиболее развитых системах расселения, складывающихся на базе добывающей промышленности, к недостаткам, вызванным неупорядоченным развитием сети городов и поселков в прошлом, добавляются трудности, связанные с чрезмерным ростом крупных городов и сложными условиями промышленного и жилищного строительства. Тем не менее задача коренного улучшения расселения здесь может быть решена путем более рационального размещения новых предприятий обрабатывающей промышленности и использования транспорта для укрупнения первичных элементов системы расселения. При этом к числу местных центров кроме районных административных центров должны быть отнесены также крупные промышленные поселки, занимающие центральное положение в первичных группах населенных мест. Это можно видеть на примере Свердловско-Ровенецкого промышленного района Донбасса (рис. 24). Особое значение приобретают мероприятия по созданию вокруг городов и групп населенных мест зеленых поясов, препятствующих беспорядочному разрастанию застройки и слиянию соседних городов.

Очаговые системы расселения. Очаговое расселение городского населения представлено обособленно стоящими городами или поселками, расположенными на большом расстоянии от основных экономических центров. Экономической основой таких очаговых форм расселения чаще всего служат горнодобывающая, лесная и рыбная отрасли промышленности, а также транспортные функции. Очаговый тип городского расселения встречается в отдаленных районах страны, обычно труднодоступных, суровых по своим климатическим условиям, но в то же время обладающих значительными природными богатствами.

Представителями названного типа являются Салехард со спутником Лабытнанги, Березово, Ханты-Мансийск, Тура, Туруханск, Тикси и другие города и поселки Крайнего Севера.

Для этих районов, удаленных от основных жизненных центров страны, типично чрезмерное рассредоточение населения по мелким населенным пунктам, что определяется характером производства и суровым климатом, препятствующим сосредоточению населения в значительных по величине населенных пунктах. Выбор для этих районов рациональных систем расселения, которые будут соответствовать местным условиям и вместе с тем обеспечат наибольшие удобства для жизни, — задача, требующая решения в каждом отдельном случае.

В качестве метода комплексного решения всех вопросов, связанных с размещением производительных сил, во всех районах должна быть использована районная планировка.

Глава 5

ПУТИ РЕШЕНИЯ ПРОБЛЕМЫ РАССЕЛЕНИЯ ГОРОДСКОГО НАСЕЛЕНИЯ

Создание материально-технической базы коммунизма приведет к коренным изменениям в размещении производительных сил на территории страны. В Программе КПСС указывается: «Развернутое строительство коммунизма требует все более рационального **размещения** промышленности, которое обеспечит экономию общественного труда, комплексное развитие районов и специализацию их хозяйств, устранит чрезмерную скученность населения в крупных городах, будет содействовать преодолению существенных различий между городом и деревней, дальнейшему выравниванию уровней экономического развития районов страны»[1].

Выполнение этих социальных и экономических задач вызывает необходимость преобразования сложившихся форм расселения. Проведенный выше анализ этих форм показал, что они имеют историческую обусловленность. На базе этих форм можно было успешно решить задачу строительства социализма, но некоторые из них в значительной мере исчерпали свои возможности и выявили в процессе развития столь существенные противоречия, которые не позволяют ориентироваться на них в период построения коммунистического общества. Это прежде всего относится к крупным городам. Некоторые из них уже переросли разумные пределы, и хотя их рост пока еще продолжается, они не могут бесконечно концентрировать промышленность, не вступая в противоречие с требованиями экономики и социальными задачами формирующегося коммунистического производства.

В условиях изобилия материальных и культурных благ для всего населения, которое будет достигнуто в результате построения коммунистического общества, крупные города потеряют свои временные преимущества, и тогда еще резче выявятся их гигиенические, бытовые и экономические недостатки. Поэтому устранение чрезмерной скученности населения в крупных городах становится важнейшей предпосылкой развития коммунистических форм расселения.

Жизнь доказала также, что слабо развивающиеся и оторванные от крупных культурных центров небольшие города и поселки представляют собой неполноценные в социальном и экономическом отношении формы расселения. Подтверждением может служить тот факт, что именно в группе городских поселений с населением, не превышающим 10 тыс. человек, в ряде случаев наблюдается не рост, а отлив населения. Например, в РСФСР насчитывается около 30 малых городов и поселков, которые в период с 1926 по 1959 г. уменьшились по численности населения или стабилизировались на одном уровне*; на Украине таких городских поселений имеется около 60, а в Белоруссии — 24**.

В то же время быстро развивающиеся в промышленном отношении области Советского Союза, например Московская, Донецкая, Луганская, Кемеровская и т. п., совсем не имеют городов и поселков с уменьшающимся населением.

В еще большей мере выявилась бесперспективность такой формы расселения, как небольшая деревня. Сегодня во многих областях Советского Союза в составе одного колхоза насчитывается 15—20 таких деревень, а иногда и больше. Такое противоречие между организацией производства и расселением не

[1] Программа Коммунистической партии Советского Союза. Изд. «Правда», ,1961, стр. 72.

* В этом, бесспорно, сказываются последствия войны. Однако более крупные населенные пункты уже давно преодолели вызванный войной спад.

** Без учета западных областей.

может существовать долго и будет, несомненно, изжито на основе укрупнения сельских населенных мест и преобразования их в поселения городского типа.

Таким образом, строительство коммунизма требует создания новых форм расселения, преобразования всей сети населенных пунктов страны. Какие формы и системы расселения должны быть созданы? Очевидно, такие, которые соответствуют требованиям организации современного производства и в максимальной степени могут удовлетворить потребности всего населения. В этом смысле они могут быть названы оптимальными. Отсюда возникает проблема оптимальной величины городов — научная и практическая задача, связанная с преобразованием нашего общества.

1. ОПТИМАЛЬНАЯ ВЕЛИЧИНА ГОРОДА

Оптимальной является такая величина города, которая в данных конкретных природных и экономических условиях позволяет обеспечить наилучшие условия для организации производства и жизни людей при наименьшей удельной величине затрат на строительство и последующую эксплуатацию зданий, сооружений, инженерного оборудования и благоустройства.

При огромном разнообразии условий размещения производительных сил, которое характерно для Советского Союза с его обширнейшей территорией, расположенной в разных климатических зонах (от субтропиков до Заполярья), невозможно, да и нет необходимости назвать какую-либо одну величину, отвечающую требованиям оптимальности. Можно лишь наметить верхний и нижний пределы, между которыми помещается ряд величин, подходящих к указанному выше определению в конкретных условиях строительства и развития того или иного города.

Поскольку основой развития большинства советских городов является промышленность, формирование их градообразующей промышленной базы имеет решающее значение для определения оптимальной величины города. Многообразие видов промышленных предприятий по характеру производства, величине и требованиям к размещению приводит в конечном итоге к созданию городов разного размера. С течением времени меняется характер производства, появляются новые виды промышленных предприятий, изменяется величина существующих. Наиболее существенными являются тенденции к укрупнению промышленных предприятий, поскольку это дает определенные экономические преимущества. В связи с этим именно крупные предприятия скорее всего могут быть отнесены к оптимальным, так как они обеспечивают наименьшие общественные издержки производства. Предел укрупнения предприятий зависит от многих факторов, например от величины транспортных издержек на доставку сырья и топлива или перевозку готовой продукции в районы потребления. В то же время прогресс техники, повышая транспортабельность сырья и топлива, а также совершенствуя транспортные средства, постоянно раздвигает пределы концентрации производства.

Существенным для градообразования является тот факт, что укрупнению производства не всегда будет сопутствовать увеличение численности занятых рабочих. Рост кадров, занятых в промышленности, будет все сильнее сдерживаться повышением производительности труда, которое будет происходить нарастающими темпами в результате комплексной механизации и автоматизации производства. Все это необходимо иметь в виду при решении проблемы оптимальной величины города.

Опыт промышленного строительства доказывает что отдельные обособленно расположенные предприятия все реже будут служить основой для образования населенных мест. Типичной для предстоящего этапа развития производства следует считать такую пространственную централизацию размещения промышленности, при которой предприятия, дополняющие друг друга в производственном отношении и экономически взаимосвязанные, будут соединяться в производственные комплексы, поскольку такое соединение обеспечивает наибольший экономический эффект; таким образом, в качестве производственного модуля при определении оптимальной величины города следует принять не оптимальное предприятие той или иной отрасли промышленности, а типичные производственные комплексы. Из таких типичных производственных комплексов можно, для ближайших десятилетий, например, назвать[1]:

объединение предприятий горнодобывающей промышленности с производством по использованию вскрышных и боковых пород и отходов обогатительных фабрик;

объединение предприятий черной металлургии с производствами по переработке отходов (доменных шлаков, коксовых газов и других продуктов коксохимии), производством труб, метизов и др.;

---

[1] Районная планировка экономических административных районов, промышленных районов и узлов. Госстройиздат, М., 1962, стр. 24—25, 64—68.

объединение алюминиевой промышленности с производством глинозема, цемента и алюминиевого проката;

объединение других видов цветной металлургии с извлечением сопутствующих редких элементов, а также с производством серной кислоты;

объединение группы производств по нефтепереработке (производство высококачественного топлива, смазочных масел, продуктов и полупродуктов для производства синтетического каучука, пластиков и т. п.);

объединение химических производств по электролизу поваренной соли с производствами, потребляющими хлор (хлорирование нефтяных углеводородов с дальнейшей их переработкой в хлорорганические продукты);

объединение химических производств на базе переработки серной кислоты (производство серной кислоты, фосфорных удобрений и искусственного волокна);

объединение резинотехнических производств (производство каучука, шин, регенератора, резинотехнических и асбестовых изделий, сажевое производство);

объединение производств по переработке древесины (лесопиление, домостроение, производство фанеры, мебели, стройдеталей, гидролизного спирта, целлюлозы, бумаги, картона и др.);

объединение машиностроительных производств с созданием общих баз по массовому изготовлению литья, поковок и штамповке однородных габаритов;

объединение пищевых производств (молочноконсервных, мясоконсервных, овощеконсервных, сахарных и других заводов);

объединение хлопкоочистительных заводов с производствами по переработке хлопковых семян;

объединение предприятий разных отраслей промышленности на базе строительства общей ТЭЦ, объединенного водозабора и других инженерных и транспортных сооружений, общих ремонтных и вспомогательных цехов, общей строительной базы.

На основе указанных производственных комплексов могут возникать города с населением: в промышленности черной металлургии 120—200 тыс. человек, в промышленности цветной металлургии 50—120 тыс. человек, в нефтеперерабатывающей и нефтехимической промышленности 30—80 тыс. человек, в химической промышленности 60—100 тыс. человек, в тяжелом и транспортном машиностроении 80—120 тыс. человек, в среднем машиностроении 60—100 тыс. человек, в станкостроении и приборостроении 60—80 тыс. человек, в деревообрабатывающей и лесохимической промышленности 30—80 тыс. человек[1]. В соответствии с местными условиями может появиться необходимость размещения в одном населенном пункте нескольких комплексов предприятий, что приводит к образованию городов, величина которых зависит от типа объединяемых комплексов. Дополнение комплекса предприятий, возникающего на основе черной металлургии, другими крупными комплексами, например тяжелого и транспортного машиностроения, может привести к образованию городов с населением 300 тыс. и более жителей.

Около крупных городов и ГРЭС размещение комплекса энергоемких производств может вызвать образование городов с населением 100 и даже 200 тыс. жителей.

В добывающей промышленности происходит группировка однородных предприятий на базе кооперированного строительства объединенных поселков. Например в районах угольной промышленности при небольшой толщине угольных пластов и создании шахт средней производственной мощности возможно строительство объединенных поселков на 10—20 тыс. жителей для 4—12 шахт; при значительной толщине пластов и 3—5 крупных шахтах — поселков на 15—20 тыс. жителей и даже городов на 30—50 тыс. человек при большем числе шахт и при разрезов.

В нефтепромысловых районах закономерно формирование городов с населением 25—60 тыс. человек (при размещении предприятий нефтеперерабатывающей и химической промышленности до 100 тыс. человек).

В районах добычи железной руды у крупных месторождений могут возникать города с населением 50 тыс. жителей и более, а также поселки с населением до 20 тыс. человек.

Наиболее рассредоточенный характер принимает расселение в районах лесной промышленности, где по условиям организации производства возможно строительство поселков леспромхозов с населением порядка 2—3 тыс. жителей и поселков меньшей величины на отдельных лесных участках.

Поскольку добывающая промышленность в ряде случаев приводит к чрезмерной децентрализации расселения, появляется необходимость дополнять градообразующую базу населенных мест, возникающих на основе добывающей промышленности.

Увеличение численности населения городов и поселков добывающей промышленности может быть достигнуто путем строительства в

[1] В указанных цифрах учитываются все градообразующие факторы, в том числе внешний транспорт, строительство, административные и другие учреждения градообразующего значения.

них предприятий обрабатывающей промышленности или же размещения здесь других предприятий и учреждений градообразующего значения.

Так как требования организации самого производства не выдвигают каких-либо препятствий к размещению в одном пункте нескольких производственных комплексов с образованием городов очень крупных размеров (в этом случае лимитировать могут главным образом территориальные или водные ресурсы), то верхний предел оптимальной величины города не может быть определен только лишь на основе производственного модуля. В то же время практика районной планировки убеждает в том, что при решении вопросов расселения в районах нового промышленного строительства не возникает условий, вызывающих необходимость создания городов с населением более 300 тыс. человек. Интересы целесообразной пространственной концентрации производства могут быть на современном этапе развития полностью соблюдены в пределах указанного уровня.

Для обеспечения полноценных условий жизни необходимо рационально организовать культурно-бытовое обслуживание населения. Индивидуальные культурные запросы и бытовые потребности каждого члена общества должны быть удовлетворены полностью вне зависимости от того, в каком населенном пункте он проживает. Это требование имеет непосредственное отношение к определению оптимальной величины города.

Современные культурно-бытовые учреждения и предприятия имеют разные организационные формы.

Прежде всего существует сеть учреждений и предприятий массового повседневного и периодического обслуживания. Основное требование к размещению отдельных объектов этой сети состоит в максимальном их приближении к населению. Рациональная организация этой сети требует определенных контингентов обслуживаемого населения для отдельных видов обслуживания разных ступеней.

Во-вторых, существует сеть учреждений, организационное построение которых связано с профессиональным составом трудящихся и в меньшей степени зависит от численности обслуживаемого населения. Сюда относятся, например, клубы промышленных предприятий и общественных организаций.

В-третьих, можно назвать сеть учреждений, деятельность которых непосредственно связана с административно-территориальным делением страны и зависит от административного, культурного и политического значения населенного пункта. Сюда могут быть отнесены все учреждения, выполняющие административно-хозяйственные функции, местные учреждения общественных организаций, а в ряде случаев также театры, музеи, библиотеки и т. п.

Наконец, существуют уникальные культурные учреждения государственного значения, расположение которых в том или ином населенном пункте определилось или исторически, или в силу специфических природных условий, или по каким-либо другим особым причинам. Такие учреждения обычно входят в состав градообразующих и чаще всего совершенно не зависят от величины населенного пункта.

Очевидно, для определения оптимальной величины города имеет значение организация сети учреждений и предприятий, относящихся только к первой группе и прежде всего связанных с такими структурными подразделениями, как жилой район и микрорайон (первая и вторая ступени обслуживания).

Опыт советского градостроительства доказывает, что в составе жилого района должны быть следующие учреждения и предприятия культурно-бытового обслуживания: клуб, кинотеатр, спортивный зал, зал универсального назначения, стадион и физкультурные базы, открытые бассейны, продовольственные и промтоварные магазины, столовые, ресторан, кафе, учреждения бытового обслуживания, парикмахерские, аптеки, детские сады и ясли для дневного и круглосуточного пребывания детей, общеобразовательные школы, школы с интернатами, родильный дом, поликлиники, консультации, жилищно-эксплуатационные конторы, отделения связи, сберегательные кассы, гаражи для легковых автомобилей, бани, душевые и т. п.

В интересах удобств для населения максимальные радиусы доступности учреждений повседневного обслуживания не могут превышать 300—400 *м* и для учреждений периодического обслуживания — 800—1000 *м*. Это определяет численность обслуживаемого населения: в первом случае 6—8 тыс. человек (при 4—5-этажной застройке) и во втором 25—35 тыс. человек. Увеличение в перспективе жилой нормы до 15 $м^2$ на человека приведет в дальнейшем к сокращению указанной величины соответственно до 3,5—5 тыс. и 15—20 тыс. человек. Таким образом, население в 20 тыс. человек можно принять в качестве нижнего предела оптимальной величины населенного места по условиям организации культурно-бытового обслуживания населения.

При меньшей величине населенного места рациональная организация обслуживания населения возможна только на основе отделения учреждений периодического пользования от учреждений повседневного пользования, т. е.

на основе организации группы населенных пунктов, в каждом из которых общественное обслуживание формируется на базе микрорайона. Типичными учреждениями микрорайона являются: помещение для клубной работы, физкультурные площадки, сад для отдыха населения вблизи жилища, детский сад-ясли, школа, столовая, домовая кухня, продовольственный магазин, предприятия бытового обслуживания (ремонт обуви и одежды, прием белья в стирку, выдача хозяйственного инвентаря на прокат и т. п.). Как было указано выше, такой комплекс первичного обслуживания можно рационально организовать при перспективном населении 3,5—5 тыс. человек, что согласуется с величиной населенных пунктов, создаваемых на основе добывающей промышленности, а также на основе укрупненных сельскохозяйственных предприятий. Но при этом обязательным условием является организация для каждой такой группы населенных мест (в одном из них) объединенного общественного центра, в состав которого должны войти учреждения периодического пользования (клуб, поликлиника, стадион и т. п.). Здесь же могут находиться больница, школа-интернат и другие учреждения, нужные для обслуживания всей группы населенных пунктов. Если такой центр расположен не далее 8—10 *км* от населенных пунктов, входящих в состав данной группы, то при хорошем транспортном обслуживании можно обеспечить пользование учреждениями объединенного центра с затратой времени не более 15—20 *мин*, т. е. примерно в тех же пределах, какие принимаются для обычного жилого района (при пешеходном сообщении).

Из сказанного следует, что для обеспечения нормальных условий культурно-бытового обслуживания каждая группа небольших населенных пунктов, объединяемая учреждениями периодического пользования, в совокупности должна иметь население не менее 20 тыс. человек, что позволит создать для нее полноценный первичный комплекс общественного обслуживания.

Предел численности населения по условиям рациональной организации всех видов обслуживания, включая медицинские и культурные учреждения общегородского значения, — 100—120 тыс. человек[1].

Одним из важнейших условий, влияющих на формирование городов и определение их оптимальных размеров, является транспортное обслуживание. Во многих городах только при помощи транспорта может быть достигнута нормальная связь жилищ с местами труда и общественного обслуживания. Чем больше город, тем больше потребность в развитии транспорта, так как удобство расселения в конечном итоге определяется затратами времени на передвижение к местам труда и общественным центрам города. Исследования показали, что оптимальные условия расселения обеспечиваются в том случае, если средниезатраты времени на передвижение к указанным выше пунктам не превышают 25—30 *мин*. Это требование может быть соблюдено, если места труда распределены по территории города достаточно равномерно и максимальная протяженность города не превышает расстояния, которое при имеющихся или проектируемых видах транспорта может быть преодолено за 1 ч. Как показывают расчеты (см. рис. 18), приведенным условиям отвечает города с населением не более 250 тыс. человек. Город такой величины может быть с успехом обслужен обычными видами массового общественного транспорта — автобусом, троллейбусом или трамваем, обеспечивающими среднюю скорость сообщения порядка 16—18 *км/ч* при движении по улицам города. Дальнейшее увеличение города за пределы 250—300 тыс. человек неизбежно приводит к необходимости введения скоростного транспорта, а при росте города до 1 млн. жителей приходится прибегать к сооружению метрополитена. Таким образом, чрезмерный рост города не только создает неудобства для сообщения с местами труда и общественного обслуживания, но и отражается неблагоприятно на экономике строительства города и эксплуатации городского хозяйства. Расходы, связанные с транспортным обслуживанием населения, обычно являются той главной статьей капитальных вложений и эксплуатационных затрат, которая резко ухудшает экономические показатели крупных городов[1].

Экономическая сторона рассматриваемого вопроса определяется также организацией систем инженерного оборудования города. Связь между величиной города и экономичностью строительства и эксплуатации различных инженерных сооружений очень сложна. Многое здесь зависит от местных условий. В практике советского градостроительства встречаются случаи, когда строительство го-

[1] Н. В. Баранов. Современное градостроительство. Главные проблемы. Госстройиздат, М., 1962, стр. 84

[1] По подсчетам Института градостроительства АСиА УССР стоимость внутригородского транспорта на 1000 жителей составляет в городах на 50—100 тыс. человек 57 900 руб., а в городах с населением свыше 1 млн. человек 278 000 руб., т. е. в 4,8 раза больше; по эксплуатационным расходам — в 2,1 раза больше. Стоимость строительства и эксплуатации различных типов городов. АСиА УССР, Киев, 1962.

родов обходится значительно дороже вследствие необходимости нести крупные расходы по обеспечению городов водой из-за отсутствия поблизости достаточных по своей мощности водных источников или вести строительство на площадях, требующих проведения сложных мероприятий по инженерной подготовке территории. В общем можно сказать, что удельная стоимость головных сооружений (теплоэлектроцентралей, водозаборных сооружений, очистных сооружений, станций перекачки и т. п.) понижается по мере увеличения их мощности или пропускной способности. Но в крупнейших городах удельная стоимость головных сооружений может резко возрастать, например, при получении воды из очень удаленных источников. Что касается распределительной сети, то ее стоимость зависит от многих факторов и больше всего от интенсивности использования территории под застройку.

Экономические показатели строительства и эксплуатации инженерных сооружений резко изменяются, когда город кооперируется с промышленными предприятиями в отношении устройства водопровода, канализации, теплоснабжения или же когда создается районная система инженерного оборудования, обслуживающая группу населенных мест.

По расчетам Института градостроительства АСиА УССР наиболее экономичными по строительной стоимости являются города с населением 20—250 тыс. человек, а по эксплуатационным расходам — города с населением до 50 тыс. человек. Это видно из следующих цифр. Если принять за 100% стоимость транспорта, инженерного оборудования и благоустройства (на 1000 человек) города с населением 20—50 тыс. человек, то города с населением до 20, 50—100, 100—250, 250—500 и 500—1000 тыс. человек характеризуются следующими показателями (в %): 107, 103, 100, 109 и 115.

Сравнивая те же города по величине эксплуатационных расходов на те же виды оборудования и благоустройства, получаем соответственно (в %): 99,5, 116, 137, 145 и 157.

На основании приведенных соображений и опыта советского градостроительства можно сказать, что в настоящее время требованиям оптимальности по комплексу основных условий в наибольшей степени отвечают города с населением от 20 до 300 тыс. человек. Это положение подтверждается практикой составления генеральных планов городов. Если город не превышает названного выше верхнего предела, он в структурном отношении получает наиболее четкую и целесообразную организацию и, в частности, удобную непосредственную связь жилых районов с промышленными районами и общегородским общественным центром.

Само собой разумеется, что приведенные цифры являются ориентировочными и требуют уточнения на основе дальнейшего научного исследования проблемы и обобщения опыта строительства городов.

2. РАЗВИТИЕ МАЛЫХ И СРЕДНИХ ГОРОДОВ

В соответствии с Программой КПСС основным направлением в преобразовании сети городских поселений Советского Союза на ближайшие два десятилетия будет развитие небольших и средних городов, что позволит улучшить и оздоровить условия жизни городского населения. Полная электрификация всей страны, ускоренное развитие всех видов транспорта, значительное расширение сырьевой базы, общий рост промышленного производства и, в частности, быстрый рост промышленности по переработке сельскохозяйственных продуктов и производству строительных материалов, а также других видов местной промышленности создают эконемическую базу для подъема малых и средних городов. История советского градостроительства учит, что именно на основе промышленного развития многие небольшие, захолустные в прошлом города сегодня превратились в крупные индустриальные центры и стали опорными пунктами в системе народного хозяйства и культуры. Развитие еще многих сотен малых и средних городов вызвано продолжением той же градостроительной политики, которую Коммунистическая партия последовательно проводила с первых лет социалистической индустриализации страны. Сейчас эта политика будет проводиться на более широкой материально-технической базе.

Таким образом, вопрос об экономическом и культурном развитии малых и средних городов для создания оптимальных условий расселения — это не теоретическая проблема, а реальная программа, которая будет осуществлена в определенной последовательности в зависимости от степени подготовленности отдельных городов для промышленного строительства. Одним из существенных условий такой подготовленности является обеспеченность малых городов и поселков железнодорожной связью. В настоящее время 860 малых городов и поселков (или 23% общего их числа) расположены на железных дорогах, в дальнейшем этот процент значительно увеличится. То же относится к энергетическим и водным ресурсам. Если сегодня отсутствие источников воды и энергии задерживает промышленное развитие ряда городов, то в будущем положение резко изменится.

Обеспечение малых и средних городов энергетическими ресурсами в ближайшие два десятилетия перестанет быть сложной проблемой в связи с развитием единой общегосударственной сети электропередач. Лимитирующим фактором в некоторых случаях является дефицит водных ресурсов, но решение этой задачи уже сегодня выходит за рамки местных интересов и связано с проблемой обводнения засушливых районов страны, которая также будет разрешена в процессе создания материально-технической базы коммунизма.

Как уже говорилось в главе 2 рациональное распределение трудовых ресурсов между промышленностью и сельским хозяйством приведет к тому, что городское население к 1980 г. возрастет примерно на 80 млн. человек, т. е. на столько же, на сколько городское население возросло за прошедшие 35 лет. Если половина прироста городского населения разместится в небольших городах и поселках, это позволит поднять их среднюю величину с 6,8 тыс. человек в настоящее время до 16—17 тыс. человек. Тем самым подавляющая часть небольших городских поселений будет иметь не менее 20 тыс. жителей, т. е. получит оптимальные размеры, при которых, как уже было сказано, есть возможность, опираясь на более крупные культурные центры в отношении некоторых видов обслуживания, создать хорошие условия жизни.

Развитие на базе промышленности малых городов и поселков будет способствовать усилению производственных связей колхозов и совхозов с местными промышленными предприятиями и образованию аграрно-промышленных объединений, в которых сельское хозяйство органически сочетается с промышленной переработкой его продукции при рациональной специализации и кооперировании сельскохозяйственных и промышленных предприятий и при наиболее полном использовании трудовых ресурсов.

Многие из укрупненных городов и поселков будут также выполнять роль районных культурных центров для окружающей сельской местности. Это имеет огромное значение для формирования системы расселения, так как сельские населенные места, расположенные в стороне от больших городов, даже после укрупнения, перестройки и группировки, в большинстве своем будут нуждаться в систематическом обслуживании достаточно крупными культурными центрами. В Программе КПСС говорится: «Партия считает необходимым равномерно размещать культурные учреждения по территории страны с тем, чтобы постепенно поднять уровень культуры деревни до уровня города, обеспечить быстрое развитие культурной жизни во вновь осваиваемых районах»[1]. Эта задача может быть осуществлена на основе развития системы районных культурных центров.

Поскольку систематическое обслуживание населения учреждениями культурного центра может быть обеспечено в радиусе до 30—40 *км* (при использовании современных транспортных средств), то зона обслуживания каждого такого центра будет иметь площадь порядка 1000—1500 *км*^{2}, а в ряде районов меньше[2].

Это означает, что каждый местный культурный центр будет в среднем обслуживать кроме городского населения:

в районах с низкой плотностью населения (исключая малообжитые районы очагового заселения) 10—15 тыс. человек сельского населения;

в районах средней плотности (преимущественно в Европейской части СССР) 15—75 тыс. человек;

в районах высокой плотности (юго-запад Европейской части СССР, Грузия, Чувашская АССР, Ферганская область Узбекская ССР и др.) более 75 тыс. человек в зависимости от фактической плотности размещения городских поселений.

Развитие малых и средних городов как центров обрабатывающей промышленности будет иметь особенно большое значение для улучшения территориальной структуры хозяйства Европейской части СССР и для улучшения тем самым распределения населения по ее территории. Являясь традиционными местными центрами, удобно расположенными по отношению к окружающему и экономически тяготеющему к ним району, малые города все в большей степени будут становиться местом переработки сырья своего района. В результате следует ожидать, что подавляющее количество довольно равномерно рассредоточенных в Европейской части СССР малых городов увеличит свои размеры и войдет в категорию оптимальных.

В настоящее время в ряде районов Европейской части Союза сильно преобладают малые города, очень незначительные по своей величине. Так, например, доля городов с

[1] Программа Коммунистической партии Советского Союза. Изд. «Правда», 1961, стр. 131.

[2] Указанная плотность размещения городских поселений типична для ряда развитых и хорошо освоенных районов СССР, например для Белорусской ССР, где на каждое городское поселение приходится от 1000 до 1300 *м*^{2} территории республики; Украинская, Азербайджанская, Грузинская, Литовская и Латвийская союзные республики имеют высокую плотность размещения городских поселений.

численностью населения менее 10 тыс. человек в общем количестве городов на начало 1959 г. составляла: в Прибалтике 80,6%; в Черноземном центре — 30,1%; на Западной Украине 67,4%. Доля городов, имеющих менее 20 тыс. жителей каждый, составляла: в Прибалтике 91,1%; в Черноземном центре 63,5%; на Западной Украине 81%.

Наилучшие перспективы развития имеют такие малые и средние города Европейской части СССР, как Балашов, Борисоглебск, Новохоперск, Ртищево, Поворино, Старый Оскол, Льгов и др.

Преобразование сети городов и поселков Советского Союза по линии приближения их к оптимальным размерам потребует длительного времени. За прошедшие годы уже выявилась тенденция к уменьшению доли населения, проживающего в недостаточно развитых городах и поселках. В главе 1 было указано, что в 1926 г. в небольших городах и поселках (с населением менее 20 тыс. жителей) проживало 33% городского населения СССР, а в 1964 г. этот процент уменьшился до 24%. Однако только для того чтобы создать в стране рациональную систему районных культурных центров в границах обжитой территории страны (9,5 млн. *км*^{2}), понадобится расширить сеть городских поселений примерно до 7000 населенных пунктов оптимальной величины; сегодня же сеть городских поселений Советского Союза состоит из 5193 городов и поселков, большинство которых имеет численность населения менее 20 тыс. жителей.

Расширение сети городских поселений будет происходить путем строительства большого числа новых городов. Они будут созданы главным образом в районах освоения новых сырьевых, топливных, энергетических ресурсов и целинных земель. Размеры большинства новых городов будут зависеть от конкретных условий формирования соответствующих производственных комплексов при соблюдении изложенных выше общих требований оптимальности.

Образование новых городов будет происходить и за пределами второго десятилетия, поскольку будет продолжаться освоение все новых и новых месторождений полезных ископаемых и дальнейшее расширение системы местных, районных и межрайонных культурных, индустриальных и аграрно-промышленных центров. Наряду со строительством новых городов возможно возникнет необходимость ликвидировать некоторые из существующих небольших городов, неудобно расположенных по природным условиям и малоперспективных в отношении промышленного развития.

3. РЕГУЛИРОВАНИЕ РОСТА КРУПНЫХ ГОРОДОВ

Развитие существующих крупных городов обусловлено размещением, развитием и расширением в городах промышленных предприятий, внешнего транспорта (железнодорожного, водного, воздушного, автомобильного), высших и специальных учебных заведений, научно-оздоровительных и общественных учреждений внегородского значения, строительных организаций и т. п. Влияние отдельных градообразующих факторов на рост и величину города зависит от исленности кадров, занятых на предприятиях и в учреждениях градообразующего значения. В подавляющем большинстве крупных городов среди всех градообразующих факторов по своему значению на первом месте стоит промышленность.

Расширение существующих промышленных предприятий и строительство новых являются основными источниками роста крупных городов. В некоторых крупных городах (Новосибирске, Уфе, Омске, Ярославле, Красноярске и др.) есть строящиеся промышленные предприятия, которые еще не введены в эксплуатацию или не достигли своей проектной мощности. Завершение строительства предприятий в таких городах также вызывает прирост городского населения.

Расширение существующих промышленных предприятий — закономерное явление в развитии производства. Во многих случаях это оказывается более выгодным, чем строительство новых аналогичных предприятий, поскольку таким путем достигается наибольший прирост продукции на каждый затраченный рубль капитальных вложений и сокращаются сроки окупаемости этих вложений.

Реконструкция предприятий сопровождается приростом производственных мощностей и значительным ростом производительности труда. Поэтому рост промышленных кадров в связи с реконструкцией предприятий, как правило, не может быть значительным. Практически вызванный этой причиной рост населения, например в Москве или Ленинграде, в ближайшие годы укладывается в пределах естественного прироста и не требует привлечения промышленных кадров из других районов страны.

Еще меньше оснований ожидать прироста городского населения на основе расширения существующих предприятий в ближайшее двадцатилетие. В этом убеждает простой расчет. Программой КПСС намечено увеличить в течение 20 лет объем промышленной продукции не менее чем в 6 раз и поднять при этом производительность труда в промышленности в 4—4,5 раза. Не будет преувеличением предположить, что не менее одной трети перспективной промышленной продукции дадут новые предприятия, большая часть которых разместится в новых городах и существующих небольших городских поселениях. Такое распределение производства, как уже говорилось выше, объективно обусловлено необходимостью дальнейшего выравнивания уровней экономического развития районов страны с освоением природных богатств Сибири и Казахстана. Таким образом, на существующих предприятиях производство должно быть расширено ориентировочно в среднем в 4 раза при таком же среднем увеличении производительности труда. Если же участие новых предприятий в действительности будет больше, чем нами предположено, тогда увеличение объема производства на существующих предприятиях будет происходить при опережающем росте производительности труда. Это означает, что расширение действующих предприятий в перспективе 20 лет может осуществляться при стабильной и уменьшающейся численности кадров. Тем самым многие существующие промышленные предприятия в перспективе могут быть исключены как фактор роста населения крупных городов, даже если эти предприятия будут реконструированы и значительно расширены.

Строительство новых промышленных предприятий при отсутствии в городе достаточных резервов кадров рабочих неизбежно связано с притоком населения извне. Рост производительности труда может сократить размеры притока, но не может исключить его совсем. Только при очень небольших объемах строительства новых промышленных объектов, ограниченного внутренними потребностями данного района, можно рассчитывать на то, что укомплектование этих новых предприятий кадрами может быть обеспечено за счет собственных трудовых резервов.

Необходимо заметить, что строительство новых промышленных предприятий в крупных городах, которое увеличивает скученность населения, зачастую ухудшает условия жизни в этих городах и не всегда эффективно в экономическом отношении. Вопрос об эффективности капитальных вложений в промышленное строительство обычно решается путем сравнения разницы в себестоимости продукции с разницей между соответствующей величиной капитальных затрат при разных вариантах строительства, имея в виду определенные, установленные для каждой отрасли промышленности нормативные сроки окупаемости капитальных вложений. Однако этот показатель не характеризует действительной народнохозяйственной эффективности капитальных вложений, связанных с полным комплексом строительных работ. Всякому промышленному строительству соответствует определенный объем капитальных вложений в строительство жилищ, культурно-бытовых учреждений, инженерных сооружений и всего того, что нужно для жизни людей, связанных с данным производством. Оба вида строительства теснейшим образом связаны между собой: жилищное и сопутствующие ему другие виды строительства непроизводственного назначения в своих объемах предопределяются объемами промышленного строительства; наоборот, капитальные вложения в промышленное строительство могут дать полезный результат, только если они подкрепляются определенным объемом жилищного, культурно-бытового и коммунального строительства.

А. Существующие тенденции в расселении

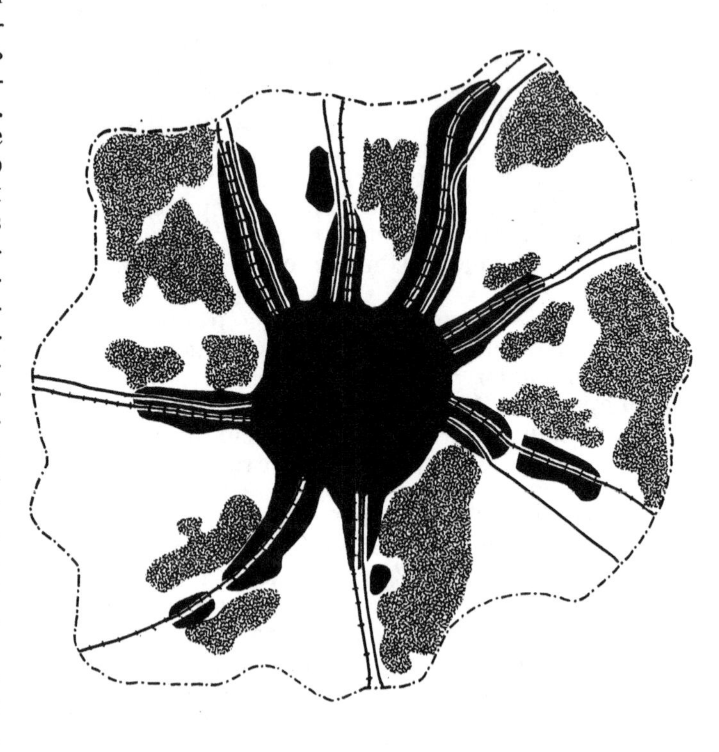

Рис. 25. Вокруг крупных городов образуются пригороды, вытягивающиеся полосами сплошной застройки вдоль транспортных магистралей **(А)**. Более прогрессивным решением задачи расселения является образование городов-спутников **(Б)**

Б. Проектируемое расселение

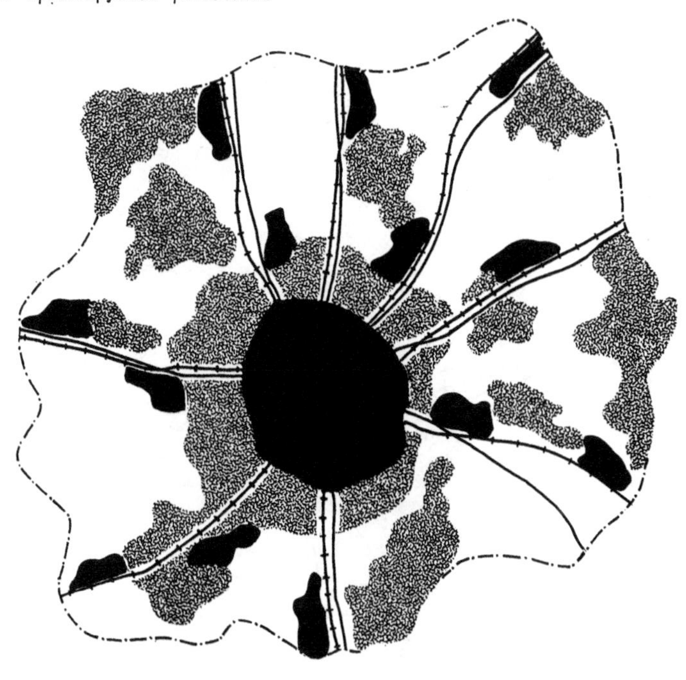

Застройка

Места массового отдыха и лесопарковый пояс

Граница пригородной зоны

Fig. 25. Around large cities there form suburbs which stretch by densely built ribbon development along traffic lines **(A)**. Construction of town satellites is a more progressive solvation of the population distribution problem **(Б)**

Это подтверждается практикой промышленного строительства СССР. В общей сумме капиталовложений, ассигнуемых на эти цели, всегда выделялась определенная доля, которая была нужна для выполнения работ, связанных с бытовым устройством постоянного производственного персонала строящегося промышленного объекта.

Исходя из этих соображений, действительный народнохозяйственный эффект может быть получен только в том случае, если экономия, полученная в промышленном строительстве, не поглощается целиком перерасходом средств по сопутствующему строительству объектов непроизводственного назначения и если рентабельность построенного промышленного предприятия не сводится к нулю из-за дополнительных эксплуатационных расходов чрезмерно дорогого городского хозяйства. Именно такое положение может иметь место, когда промышленное строительство ведется в крупных городах, имеющих более высокую удельную стоимость городского хозяйства и более высокую норму эксплуатационных расходов[1].

Таким образом, прекращение строительства новых предприятий в крупных городах не только явится реальным средством ограничения их дальнейшего роста, но и может повысить экономическую эффективность капитальных вложений в строительство.

Вопрос о широком развитии общественного обслуживания имеет не меньшее значение для определения перспектив роста крупных городов.

Как и в развитии производства, здесь существуют две тенденции, сохраняющие свое значение и на будущее: первая — это расширение общественного обслуживания, вторая — его рационализация (механизация отдельных процессов, введение автоматов, переход на самообслуживание).

Первая тенденция будет увеличивать потребность в обслуживающем персонале, а вторая — сокращать ее. В общем можно ожидать, что развитие общественного обслуживания даст определенный прирост населения крупных городов.

В целях еще большего ограничения роста крупных городов необходимы более решительные меры по сокращению градообразующей базы крупных городов. Такими мерами могут быть вынос из крупных городов предприятий, экономически нерентабельных, вредно воздействующих своими выбросами в атмосферу и шумом на санитарное состояние окружающих жилых районов или испытывающих большие трудности в модернизации производства из-за неприспособленности занимаемых зданий и помещений и затесненного расположения среди городской застройки. Такие предприятия есть в каждом крупном городе и тем более в тех крупных городах, которые получили промышленное развитие еще в дореволюционные годы и поэтому сохранили многие недостатки планировки и застройки капиталистического периода.

Важным средством борьбы с перенаселенностью крупных столичных городов является также разгрузка этих городов от тех

[1] По ориентировочным расчетам величина эксплуатационных расходов у городов с населением 1 млн жителей на 11% выше, чем у городов с населением 50—100 тыс. человек. Стоимость строительства и эксплуатации различных типов городов. НИИ градостроительства АСиА УССР, Киев, 1962.

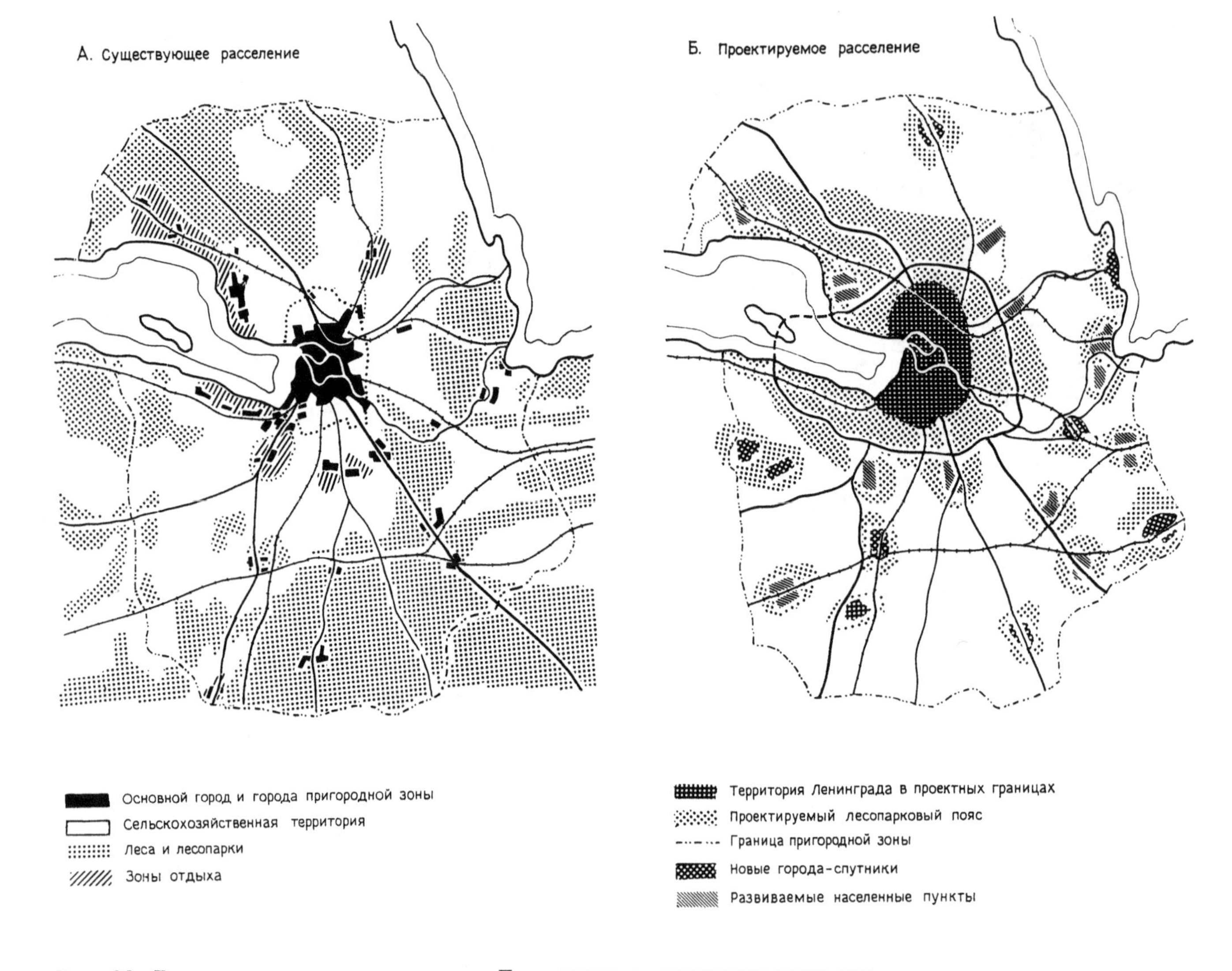

Рис. 26. В проектных предложениях по Ленинграду предусматривается преобразование существующего расселения. Пригородные населенные пункты преобразуются в города-спутники, проектируется строительство новых городов-спутников

Fig. 26. The pilot project concerning Leningrad envisages the improvement of the existing picture of the population distribution. Existing settlements are being converted into satellite-towns, the projects of more such towns are under way

высших учебных заведений, научных и проектных организаций, которые по роду своей деятельности и условиям связи с практикой не нуждаются в обязательном размещении на территории данного города.

В связи с тем что освоение природных богатств в необжитых районах страны приведет к необходимости образования многочисленных новых городов и поселков, регулирование роста этих населенных мест представляет собой не менее важную задачу, чем регулирование роста уже сложившихся городов.

Практика показывает, что при отсутствии регулирования роста новых городов могут возникнуть крупные промышленные узлы с чрезмерной концентрацией промышленности и населения.

Удержать новые города в пределах оптимальной величины — одна из важных задач регулирования роста городов. Для этого следует при формировании комплекса градообразующих предприятий обеспечить необходимые пропорции в развитии отдельных градообразующих факторов и предусмотреть резервы для дальнейшего расширения размещаемых предприятий. Если градообразующая основа проектируемого нового города формируется почти полностью из предприятий по производству средств производства и не содержит резервов, то можно заранее предвидеть, что город превысит установленные для него предельные размеры. Поэтому градообразующая база новых городов должна содержать резервы в размере не менее 25—30% численности градообразующих кадров.

•

Как уже говорилось выше, недостатки крупных городов заключаются не только в чрезмерном росте их населения, но и в противоречиях их планировочной структуры и структуры всей системы населенных мест, возникающей на базе крупного города.

Эти противоречия по мере увеличения площади городской застройки усиливаются, в частности увеличиваются расстояния от мест жительства до мест труда и общественного обслуживания. Исключительно сложными становятся и другие градостроительные проблемы крупных городов. Ограничить в

Рис. 27. Приемы взаимосвязи города с пригородной зоной; создание вокруг города лесопаркового пояса; развитие системы городов-спутников во внешнем поясе пригородной зоны

Fig. 27. Ways of connection a city with suburbs. Creation of a green belt, development of a system of satellite-towns in the outer belt of the suburban area

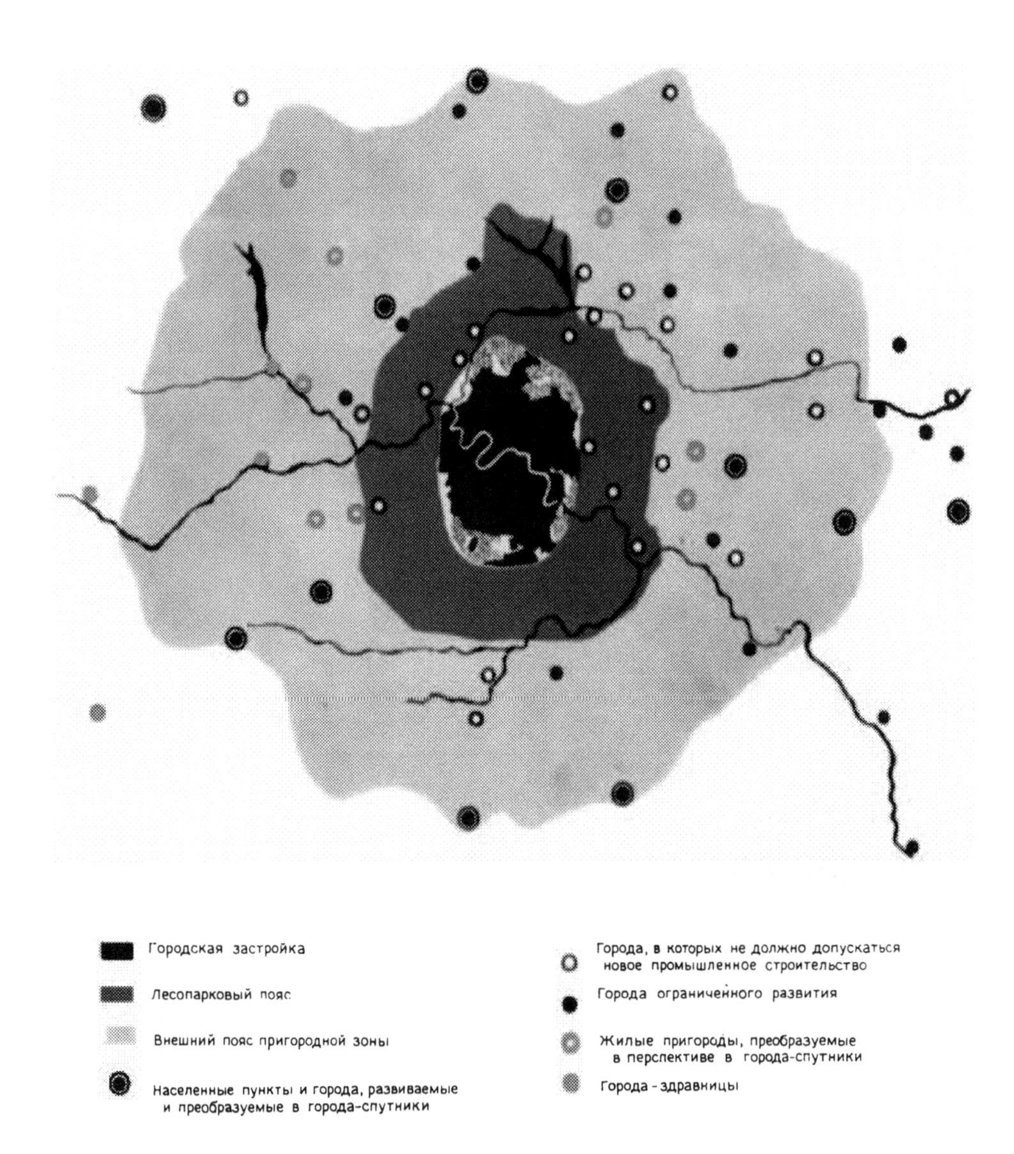

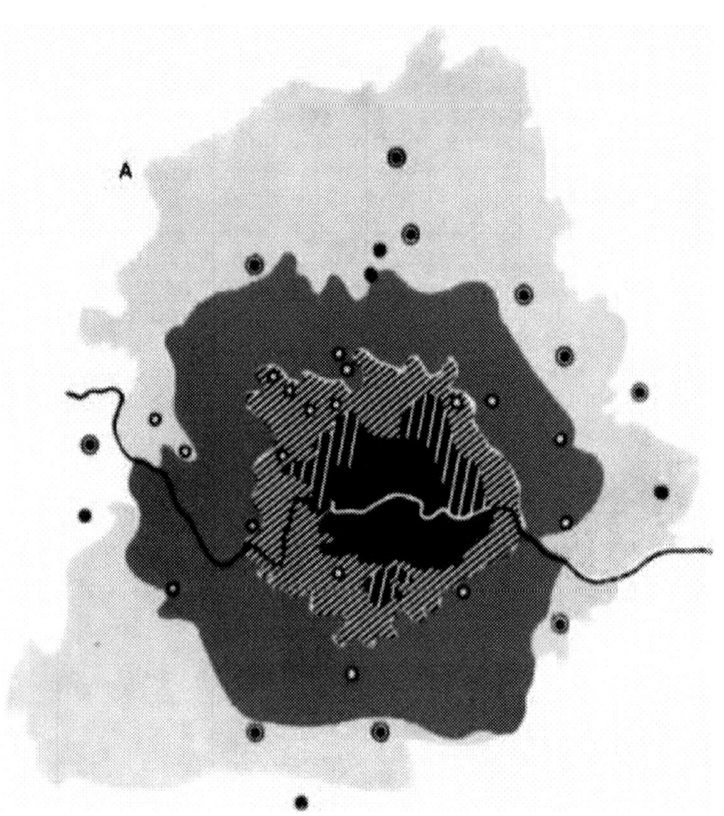

Территория Лондонского графства

Городские районы, находящиеся за чертой Лондонского графства

Пригородный пояс

Зеленый пояс

Сельскохозяйственный пояс

Участки, выбранные для городов-спутнико

Строящиеся города-спутники

Загородные жилые районы

Рис. 28. В зарубежной практике прием ограничения города зеленым поясом и создания городов-спутников принят в плане Большого Лондона **(А)**. В проекте планировки Копенгагена предусмотрено расселение вдоль транспортных магистралей с сохранением между ними зеленых клиньев **(В)**; промежуточное решение дано в предложениях по планировке Берлина **(Б)**

Fig. 28. Abroad this principle of limiting a city by means of a green belt and creation of satellite-towns is adopted in the Greater London Plan **(A)**. The scheme for Copenhagen envisages the distribution of population along the traffic line with green wedges being left between them **(B)**. Suggestions on the planning scheme of Berlin outline an intermediate solution **(Б)**

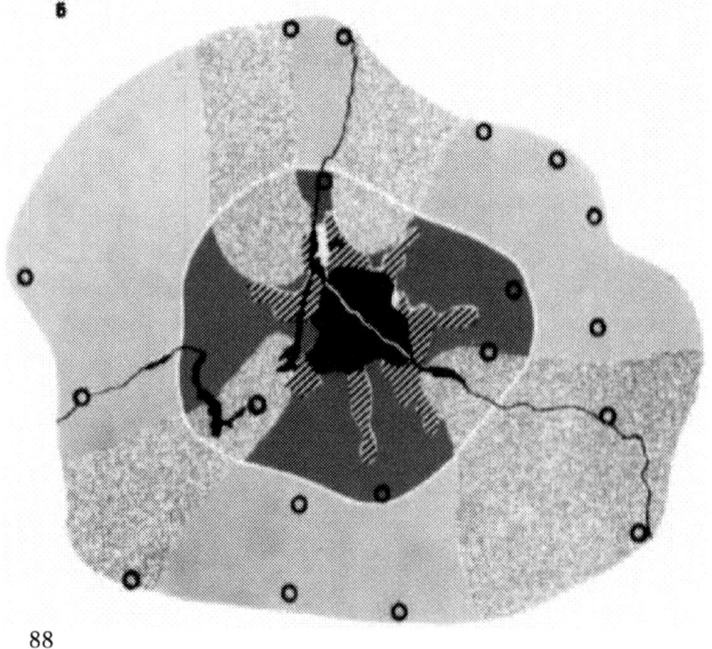

Городская застройка

Пригородная застройка

Сельскохозяйственный пояс

Зеленый пояс

Зоны отдыха

Местные и районные центры

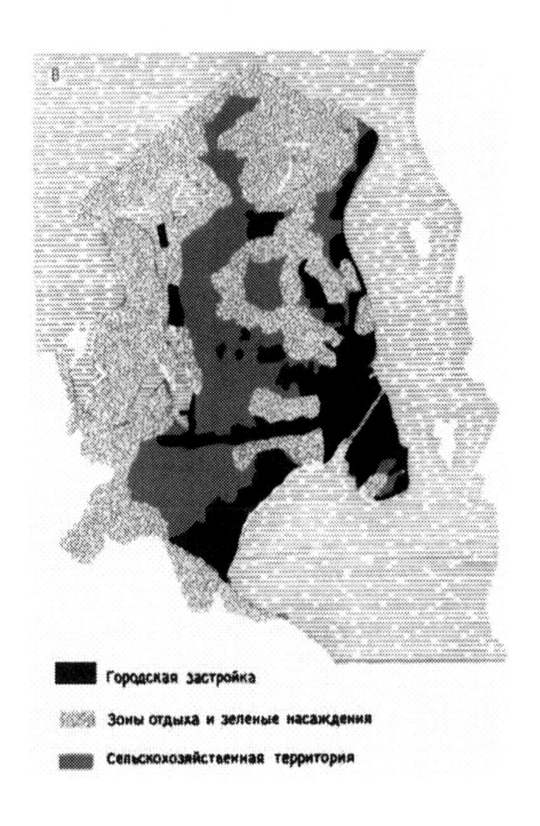

какой-то мере территориальное расширение ряда крупных городов можно повышением плотности жилого фонда. Многие наши крупные города имеют низкую плотность жилого фонда брутто — порядка 400—600 *м²/га*. В редких случаях плотность поднимается до 700 *м²/га* и выше. Исключениями являются Ленинград, Москва, Рига и некоторые другие города со старой многоэтажной застройкой, где плотность застройки намного превышает современные санитарные нормы. В таких городах потребность в расширении площади застройки помимо других причин обусловлена также необходимостью разуплотнения старых городских районов.

В большинстве крупных городов в результате замены малоэтажных, преимущественно небольших домов усадебного типа многоэтажными благоустроенными домами можно будет поднять плотность жилого фонда брутто в старых районах примерно в 2—2,5 раза. В то же время даже при применении очень радикальных мер по ограничению роста численности населения городов их жилой фонд в течение 20 лет нужно будет увеличить в 3—3,5 раза. Это значит, что даже в тех городах, которые располагают наибольшими внутренними резервами для размещения новой застройки (путем реконструкции старых кварталов), неизбежно нужно будет расширять селитебную территорию в 1,4—1,5 раза. В плотно застроенных городах придется расширять селитебную территорию в 2,5—3 раза, даже в том случае, если численность их населения будет стабилизирована на современном уровне. В то же время основные места труда в крупных городах сохраняются в тех пунктах, где они расположились много лет назад, когда город был намного меньше по своим размером.

В современном градостроительстве получила широкое признание идея рассредоточения населения крупного города при помощи строительства городов-спутников (рис. 25). Существо этой идеи, как известно, заключается в том, чтобы постепенно вынести из внутренних городских районов часть промышленных предприятий и учреждений на некоторое расстояние от города и в этих пунктах построить на их базе небольшие города. Таким образом, часть населения должна будет переселиться из центрального города в города-спутники, благодаря чему численность населения центрального города стабилизируется или же будет уменьшаться при одновременном улучшении общих условий расселения. В городах-спутниках могут быть также построены новые промышленные предприятия, связанные с обслуживанием хозяйства, строительства и населения крупных городов. Это даст возможность избежать размещения указанных предприятий в самом городе и, следовательно, ограничить дальнейший рост численности населения.

Масштабы строительства городов-спутников зависят от конкретных условий развития каждого крупного города. Если город располагает большими ввутренними резервами в отношении реконструкции существующей застройки и имеет благоприятные условия для расширения в тех направлениях, где сосредоточены основные места труда, задача расселения может быть решена без строительства городов-спутников. В более сложных случаях потребуется частичное расширение некоторых существующих пригородных населенных мест, куда следует направить строительство новых промышленных предприятий, предназначенных для обслуживания потребностей населения и городского хозяйства.

Наибольших масштабов строительства городов-спутников требуют крупнейшие города СССР, имеющие переуплотненную застройку и не располагающие достаточными земельными резервами. К их числу в первую очередь относятся Москва и Ленинград (рис. 26).

Темпы строительства городов-спутников могут наращиваться лишь постепенно, так как они зависят от возможного объема строительства в пригородной зоне новых промышленных предприятий обслуживающего назначения, а также от реальных условий выноса из центрального города заводов, государственных учреждений, строительных баз и т. п.

Градообразующие факторы городов-спутников должны формироваться только путем разгрузки центрального города. При этом под разгрузкой центрального города следует понимать не только вынос существующих предприятий, отдельных цехов и учреждений, но и размещение вне центрального города новых объектов, которое в данном пункте страны обусловлено экономическими и другими причинами. Искусственное привлечение в пригородный район новых предприятий и учреждений только для того, чтобы создать градообразующую основу развития городов-спутников, противоречит самому смыслу их строительства. Такое решение вопроса не только не способствовало бы рассредоточению населения крупного города, но вызвало бы новый прилив населения в пригородную зону и соответственно в крупный город.

По вопросу о размерах городов-спутников среди боляшинства специалистов нет принципиальных расхождений. В необходимых слу-

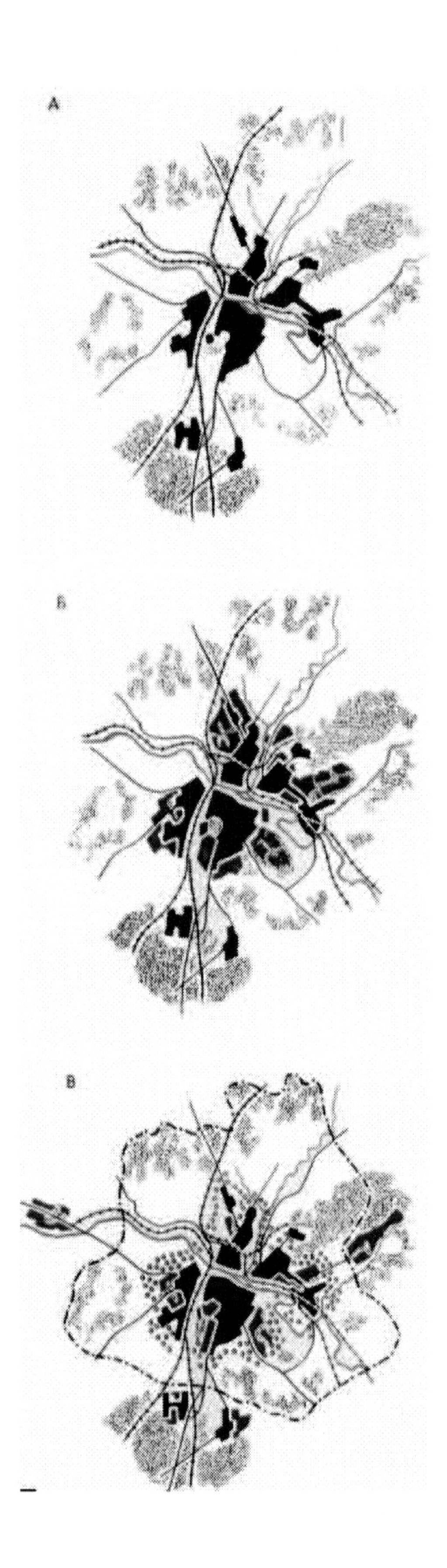

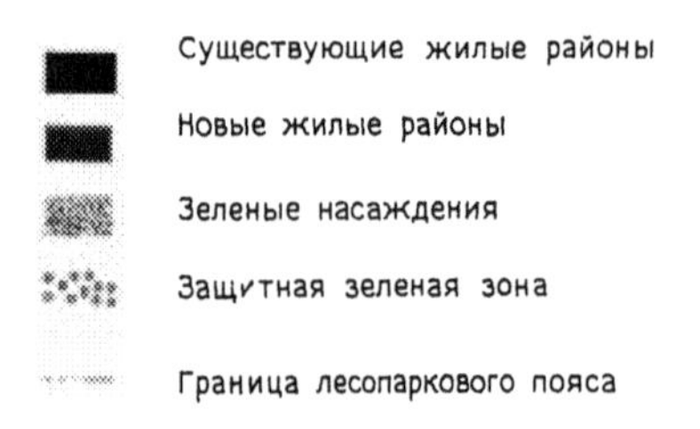

Рис. 29. Существующий город с населением 400 тыс. человек **(А)** предлагается развивать до 600—700 тыс. человек **(Б)**. Возможный путь — ограничение его роста и осуществление нового промышленного строительства в городах-спутниках **(В)**

Fig. 29. The present day town with 400 thousand population **(А)** has to grow to that with the population of 600—700 thousand people **(Б)**. A possible way is to limit its growth and to implement new industrial construction in the satellite-towns **(В)**

чаях эта цифра может достигать 80—100 тыс. человек, но нет оснований также возражать против того, чтобы отдельные города-спутники имели всего 20 тыс. человек населения, так как указанная величина в условиях близости к крупному городу позволяет организовать хорошее обслуживание населения.

Перерастание населения городов-спутников за 100 тыс. человек нецелесообразно, так как это ухудшает условия связи города-спутника с природным окружением и не позволяет обеспечить пешеходную доступность всех основных пунктов города-спутника (центра, промышленных районов, парков).

Наиболее целесообразный путь в строительстве городов-спутников — развитие существующих небольших городов и поселков пригородной зоны. Такой метод строительства позволяет лучше сохранить лесные массивы и пригородный ландшафт городских окрестностей и вместе с тем снижает многие трудности, связанные с первоначальным освоением площадки и обеспечением прибывающего в строящийся город населения необходимым культурно-бытовым обслуживанием. Богатый опыт наших промышленных новостроек подтверждает это положение. К тому же выводу пришли и английские архитекторы

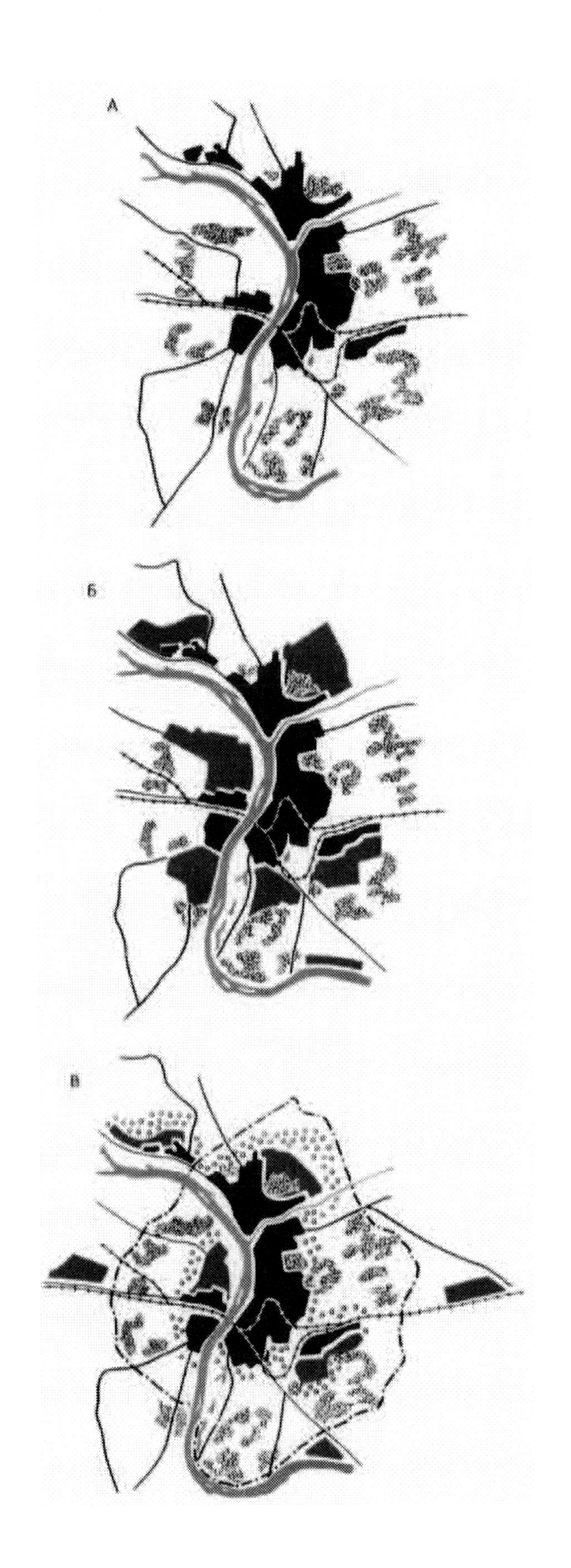

Существующие жилые районы

Новые жилые районы

Зеленые насаждения

Защитная зеленая зона

Граница лесопаркового пояса

Рис. 30. Существующий областной центр с населением 600 тыс. человек **(А)** предполагается развивать до 800—900 тыс. человек **(Б)**. Возможный путь — ограничение его роста **(В)** и осуществление нового промышленного строительства в малых городах и поселках области (см. рис. 21), а также в городах-спутниках

Fig. 30. The existing centre of an administrative district with the population of 600 thousand people will grow up to that with 800—900 thousand population. A possible way is to limit its growth and to implement new industrial construction in the small cities and settlements of the region (see Fig. 21) and also in satellite-towns

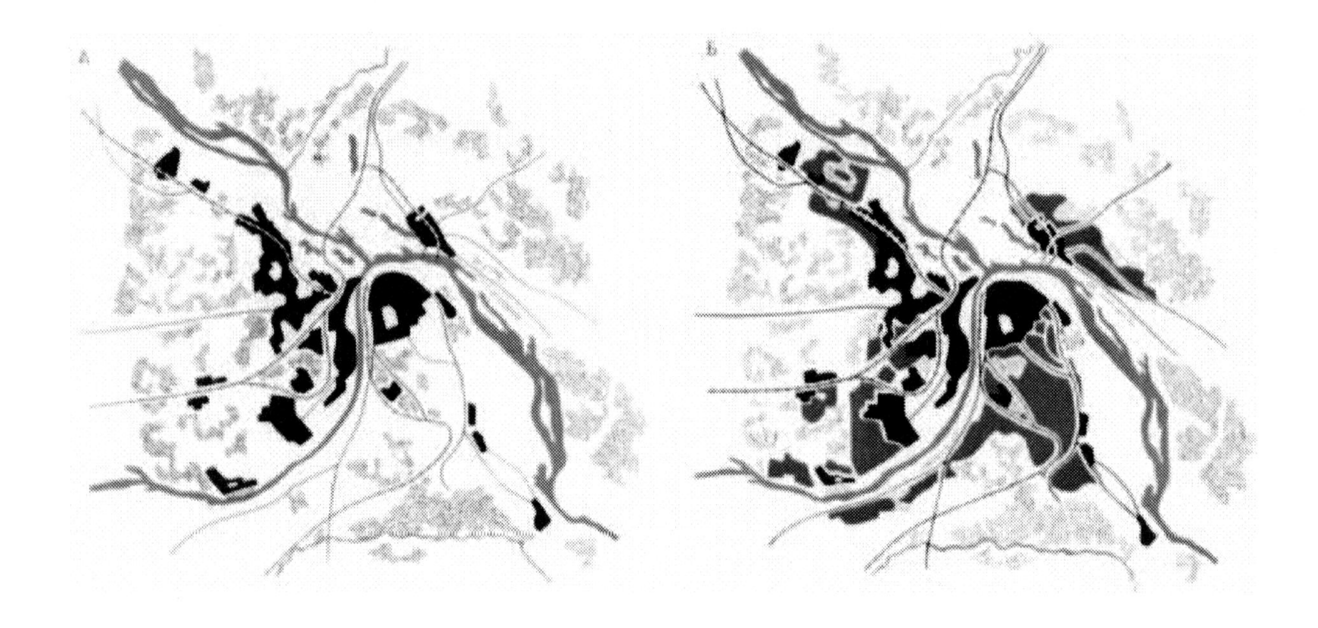

Рис. 31. Крупнейший промышленный город с населением 1 млн. человек **(А)** предполагается развивать до 1,5 млн. человек **(Б)**. Возможный путь — ограничение роста такого города и развитие городов-спутников частично за счет вывода из крупного города некоторых предприятий и учреждений **(В)**

Fig. 31. The biggest industrial cities with 1 million population **(A)** has to grow up to 1.5 million **(Б)**. A possible way is to limit the development of such a city making up for it partially by the development of satellite-towns and partially by removing some enterprises and establishments from the city **(B)**

на основе опыта строительства своих новых городов.

В пригородных зонах наших крупных городов, как правило, имеются небольшие городки и поселки, вполне пригодные для того, чтобы на их базе можно было создать полноценные города-спутники.

Развитие некоторых существующих городов и поселков пригородной зоны в связи с децентрализацией промышленности и населения крупного города поможет упорядочить расселение в пригородной зоне. В настоящее время среди пригородных населенных пунктов многие недостаточно развиты: имеют слабую материальную базу, плохой жилой фонд, низкий уровень благоустройства и общественного обслуживания. Поэтому жители пригородов вынуждены интенсивно пользоваться предприятиями и учреждениями центрального города для удовлетворения своих культурно-бытовых потребностей, затрачивая на это много времени и перегружая пригородный транспорт. Существуют еще чисто жилые пригороды, имеющие места труда в виде немногих объектов местного обслуживания. Перенесение части предприятий и учреждений в пригородную зону и размещение здесь дополнительных объектов жилищного, культурно-бытового и коммунального строительства позволят резко улучшить условия жизни пригородного населения.

Если строительство городов-спутников будет осуществляться в достаточно больших масштабах, это позволит избежать чрезмерного расширения застройки крупного города и создать вокруг него стабильный зеленый пояс, который будет служить физической границей крупного города.

Идея создания вокруг города зеленого пояса была заложена в Генеральном плане реконструкции Москвы 1935 г. Этим зеленым поясом является лесопарковый пояс Москвы (рис. 27). Лесопарковый пояс Москвы предназначен служить резервуаром чистого воздуха для столицы и местом отдыха москвичей. Аналогичное решение было принято по Ленинграду и ряду других городов СССР.

Идея ограничения территориального расширения крупных городов и создания вокруг городов зеленого пояса получила признание

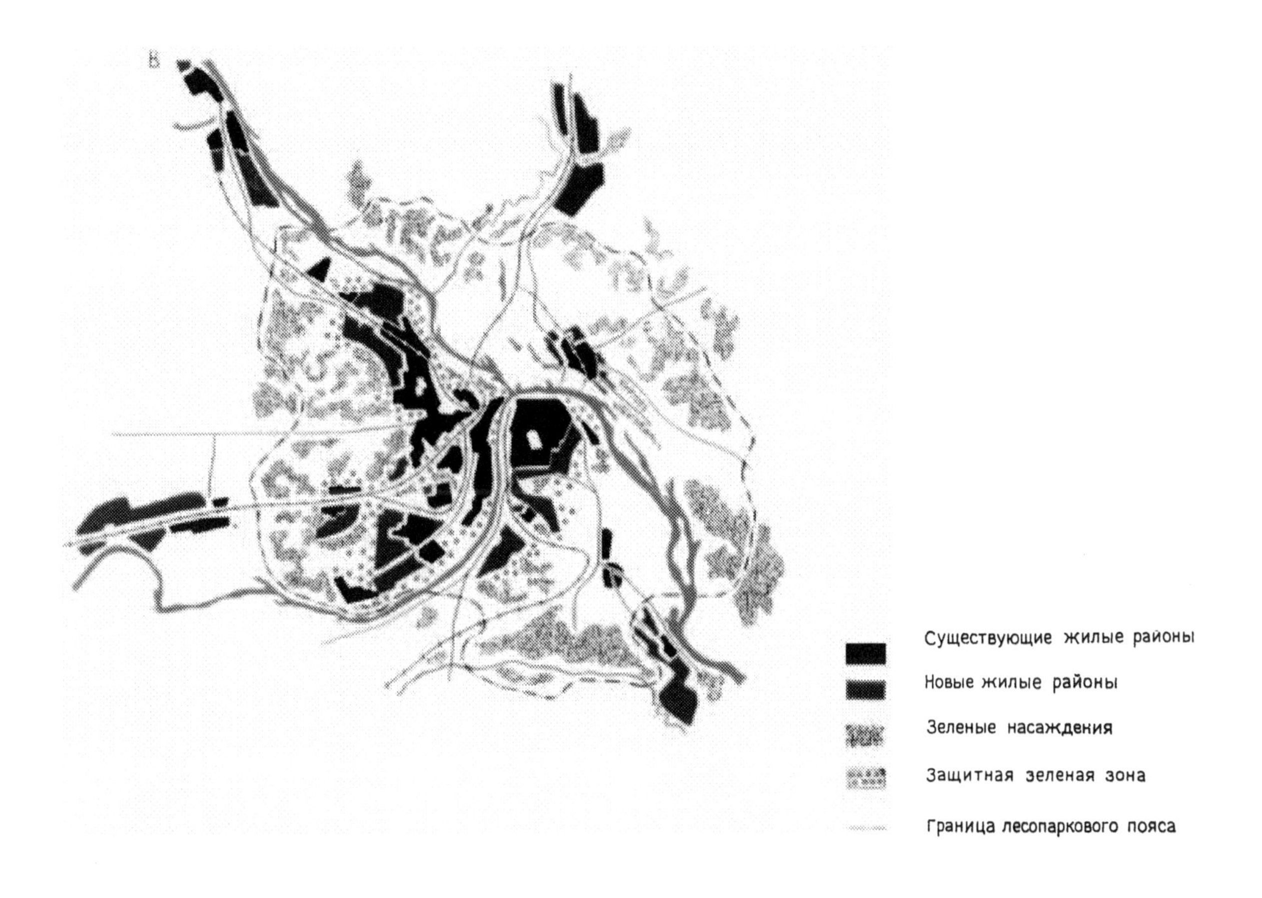

и в зарубежных странах. Это прежде всего относится к Англии. При планировке английских городов, начиная с первых городов-садов, почти неизменно ставится вопрос о сохранении около города значительной площади зеленых насаждений и открытых пространств, предназначенных в основном для отдыха и спортивных занятий городского населения. В ряде случаев площадь зеленых насаждений и открытых пространств зеленого пояса включается в общую норму зеленых насаждений города.

Этот принцип заложен, в частности, в плане Большого Лондона (рис. 28), разработанном в военное время.

Однако перспективы его осуществления оказались в условиях капиталистической Англии весьма слабыми. Значительная часть зеленого пояса Лондона уже застроена. Среди некоторых английских специалистов существует мнение, что зеленый пояс Лондона не сможет и в дальнейшем противостоять напору пригородного строительства, если не будут осуществлены радикальные мероприятия по рассредоточению крупных городов Англии в масштабе всей страны, а такие мероприятия непосильны для капиталистических стран.

По вопросу о формах развития крупных городов существует и другая точка зрения, которая исходит по существу из признания целесообразности естественных тенденций в развитии застройки крупных городов. Она может быть проиллюстрирована на примере Копенгагена, застройка которого исторически сложилась в виде лучей, между которыми сохранились большие клинья зеленых насаждений и открытых пространств.

План развития Копенгагена основан на предположении о неограниченном росте города на той же структурной основе. Размещение застройки соответствует построению радиальных маршрутов общественного транспорта, пригородных железных дорог и проектируемых скоростных автомобильных дорог. Застройка вытягивается вдоль транспортных линий в виде пальцеобразных отростков. Проектом планировки намечено создать новые промышленные районы в основании каждого отростка. Свободные пространства между полосами застройки сохраняются для того, чтобы обеспечить хороший контакт жилых районов с природным окружением[1].

Промежуточное положение между двумя рассмотренными концепциями планировочного регулирования роста крупных городов занимают предложения по Берлину, опубликованные Германской академией строительства. В этом предложении принят радиально-кольцевой принцип организации территории пригородного района Берлина. В составе пригородной зоны выделены два пояса. Первый пояс, примыкающий к городу, охватывает территории, которые находятся под непосредственным влиянием города. Второй пояс является преимущественно местом размещения пригородного сельского хозяйства и в значительной мере предназначается для отдыха населения.

Вдоль радиальных магистралей пригородного и скоростного городского транспорта располагаются промышленные предприятия, жилая застройка и коммунальные сооружения. С нескольких сторон в пределы первого пояса клиньями врезаются зеленые массивы, которые местами доходят до границы городских районов.

Сравнивая между собой приведенные концепции, нужно сказать, что они больше основываются на жизненном опыте, чем на глубоком научном исследовании. Сегодня ни у кого не вызывает сомнений, что непрерывное периферийное расширение крупных городов — неприемлемая форма их развития. Но следует сказать, что идея развития крупного города вдоль транспортных магистралей с сохранением зеленых клиньев между ними не включает радикальных предложений по упоря-

[1] Жизнь не подтвердила достоинств пальцеобразного плана Копенгагена. В настоящее время этот план пересматривается; выдвинуто предложение о преимущественном развитии юго-западного радиуса, наиболее приближенного к основным промышленным районам города.

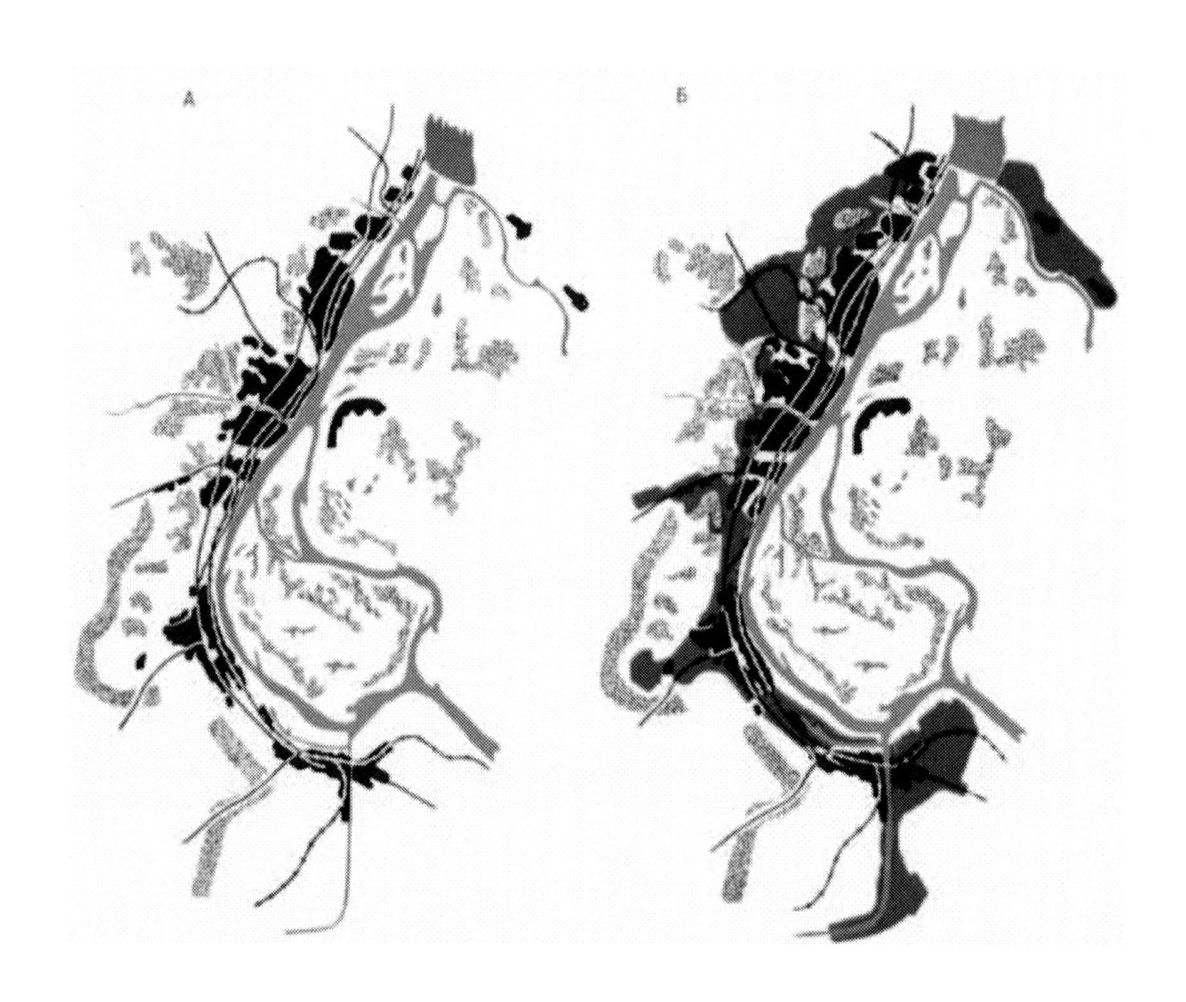

дочению расселения и улучшению структуры крупных городов. Она лишь узаконивает естественные тенденции стихийного роста городов, но служит плохим средством для спасения остатков природы, разрушенной вторжением пригородной застройки. По нашему мнению, целостное зеленое кольцо является более полноценным элементом планировочной структуры, чем клинообразные остатки этого кольца.

Кроме того, развитие пригородной застройки лучами вдоль транспортной магистрали не решает главной задачи расселения — улучшения связи с местами труда, так как при такой структуре города расстояния до мест труда растут особенно быстро. В плане Копенгагена была сделана попытка улучшить положение путем размещения в полосах пригородной застройки промышленных предприятий. Это неизбежно вызовет нежелательную чересполосицу в размещении промышленных и жилых районов и может окончательно погубить загородные места отдыха, расположенные в зеленых клиньях.

В ряде городов для реализации зеленого пояса предстоит преодолеть большие трудности. Главная из них — наличие в зеленом поясе существующей застройки. Но изучение вопроса показало, что жилой фонд здесь в основном малоценный, и поэтому значительная часть его может быть в перспективе ликвидирована так же, как и весь другой неполноценный жилой фонд, не отвечающий понятию культурного, благоустроенного жилища.

Что касается промышленных предприятий, осевших в ближайших окрестностях крупных городов, то наиболее крупные из них придется, конечно, оставить на месте, предусмотрев соответствующие санитарные зоны, чтобы свести к минимуму приносимый ими ущерб зеленому поясу, а остальные должны разделить участь тех предприятий самого города, вынос которых оправдывается интересами экономики и оздоровления города.

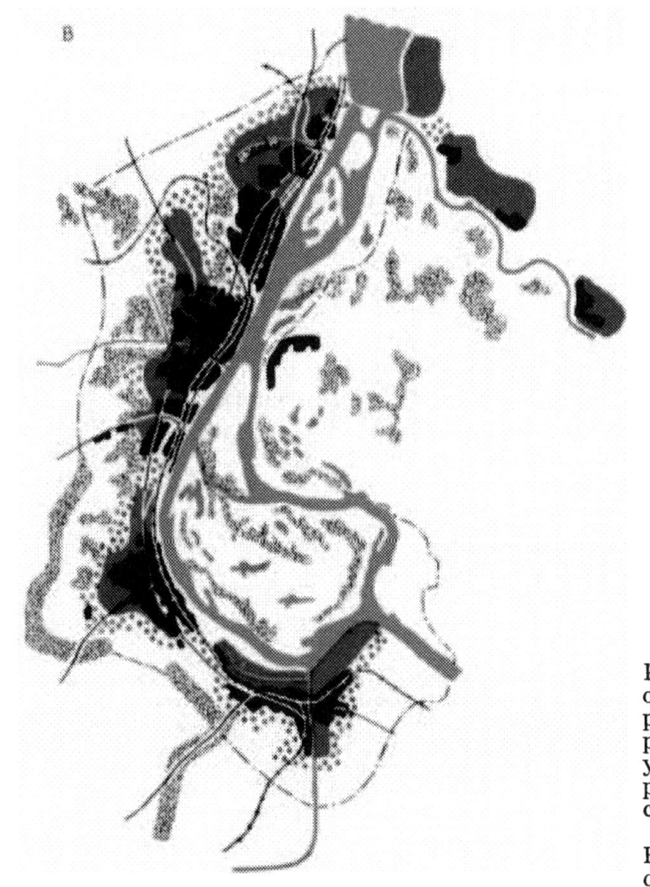

Рис. 32. Крупный город линейного типа, состоящий из обособленных городских районов **(А)**, предполагается развивать путем расширения этих районов и застройки разрывов между ними **(Б)**. Более целесообразный путь — умеренное расширение городских районов с сохранением разрывов между ними **(В)**. Условные обозначения см. на стр. 93.

Fig. 32. Big cities of a linear type comprised of separate districts **(A)** are supposed to be developed by way of extension of these districts and development of the unbuilt areas between them **(Б)**. A more expedient way is moderate extension of urban districts with preserving the unbuilt areas **(B)**

На рис. 29—31 показаны принципиальные схемы регулирования роста крупных городов. В практике советского градостроительства выявилась еще одна форма развития крупного города, которая требует также планировочного регулирования. Речь идет о рассредоточенных городах линейного расположения — Волгограде, Перми, Архангельске и т. п. (рис. 32). Природные условия предопределили размещение промышленных районов Волгограда длинной цепочкой вдоль берега Волги. Соответственно жилая застройка города расположилась крупными массивами, отделенными один от другого большими разрывами. При таком расположении крупный город распадается как бы на несколько городов средней величины — по 100—200 тыс. человек в каждом. В пределах каждого района обеспечивается удобная связь с местами труда и обслуживания. Продольные транспортные магистрали, проходящие вдоль всех городских районов, соединяют их между собой и с центральной частью города. В настоящее время в Волгограде связь периферийных районов с центром города затруднена. Приходится преодолевать значительные расстояния (20—30 *км* и более). Поэтому задача состоит в том, чтобы создать вдоль города магистрали скоростного движения: электрифицированную железную дорогу и скоростную автомобильную дорогу. Если это осуществить, удобная связь с центром города будет обеспечена.

Жизнь показала, что в развитии городов такого типа также есть свои нежелательные явления. В Волгограде, в частности, наблюдается тенденция к застройке разрывов между отдельными районами. Уничтожение этих разрывов и слияние городской застройки в непрерывную полосу, тянущуюся на десятки километров, резко снижает санитарно-гигиенические качества и удобства линейного города. Следовательно, сохранение и озеленение разрывов между городскими районами является обязательным требованием к линейной структуре города. Нельзя также не заметить, что ни один из городов линейного типа не достиг по численности населения 1 млн. человек. Преимущества линейного расположения при чрезмерном росте города могут быть утрачены. Поэтому здесь также стоит задача ограничения роста таких городов. В градостроительной теории существуют предложения о создании линейных городов, тянущихся на многие сотни километров, но они не имеют серьезных обоснований.

Линейные города возникают и развиваются в условиях определенной природной среды. Если такие условия отсутствуют, трудно доказать целесообразность искусственного создания линейного города.

Из изложенного выше следует, что крупные города в предстоящем десятилетии должны пройти сложный путь развития и изменения своей структуры. В ближайшее десятилетие, очевидно, неизбежен некоторый рост населения крупных городов в связи с завершением ныне осуществляемой реконструкции действующих промышленных предприятий, расширением общественного обслуживания и т. п. Строительство новых промышленных предприятий в них будет прекращено. Потребность же в новых видах производства, нужных для обслуживания данного района потребления, должна обеспечиваться путем расширения небольших периферийных городов и поселков соответствующего пригородного района с преобразованием их в благоустроенные города-спутники.

По мере создания материально-технической базы коммунизма будут появляться все бо́льшие возможности перехода от сдерживания роста крупных городов к более решительным мерам по выводу из них ряда производств в города-спутники и другие районы страны, а также к расчистке ближайших окрестностей от застройки, снижающей санитарно-гигиеническое значение прилегающих к крупным городам свободных пространств. Эти пространства образуют зеленый пояс крупного города.

Крупные города как форма расселения сохраняются, но они в конечном итоге могут быть сильно уменьшены в своих размерах. На этой основе можно будет преобразовать крупные города и тяготеющие к ним населенные места в целесообразные системы городов и поселков, в которых больше не будет противоречий, вызванных гипертрофией и перенаселенностью современных крупных промышленных центров.

Так будет в нашей стране достигнуто рациональное размещение производства и населения, отвечающее потребностям коммунистического общества.

Планировка новых городов

Раздел
Section II

Глава 1

ЗНАЧЕНИЕ ПРОБЛЕМЫ

Советское градостроительство с первых лет индустриализации страны развивалось по двум направлениям. Расширялись и реконструировались старые города и одновременно строились новые. Оба направления советского градостроительства ведут к одной цели — созданию наилучших условий труда, быта и отдыха населения. Но они ведут к ней разными путями. В новых городах применение прогрессивных приемов планировки позволяет с самого начала создавать планировочную структуру, отвечающую современным требованиям. В реконструируемых городах неизбежно приходится в большей или меньшей степени считаться с исторически сложившейся планировкой и застройкой. Поэтому обновление старых городов происходит последовательно путем замены устаревших материальных фондов и постепенного преобразования на этой основе планировочной структуры. В результате такого процесса старые города приобретают новые градостроительные качества и приближаются по своей планировочной структуре к новым городам.

Строительство новых городов в Советском Союзе осуществляется в небывалых по сравнению с другими странами масштабах. К 1962 г. в СССР было создано около 800 новых городов.

Строительство и быстрый рост новых городов в первую очередь обусловливаются огромными масштабами и стремительными темпами развития тяжелой индустрии и энергетики Советского Союза. Тесно связанное с решением проблемы рационального размещения производительных сил на территории СССР создание новых городов имеет огромное значение для быстрого экономического и культурного развития страны. Новые города строились и строятся главным образом в районах с недостаточно развитой промышленностью, где мало населенных мест, — в Сибири, на Дальнем Востоке, в Средней Азии и Казахстане.

В конце 20-х годов было начато строительство первых новых социалистических городов: Запорожья — у Днепровской гидроэлектростанции, Магнитогорска — у подножья горы Магнитной на Южном Урале, Комсомольска-на-Амуре — на Дальнем Востоке, Новокузнецка — в Западной Сибири в Кузнецком каменноугольном бассейне и др.

В настоящее время многие новые города, строительство которых было начато в годы первой и второй пятилеток, насчитывают сотни тысяч жителей и являются крупнейшими индустриальными и культурными центрами. Население Запорожья к 1965 г. достигло 550 тыс. жителей, Караганды — 482 тыс., Новокузнецка — 475 тыс., Магнитогорска — 348 тыс. и т. д. В послевоенные годы в связи с дальнейшим индустриальным развитием страны строились все новые и новые промышленные города. Так, в Азербайджанской ССР на базе металлургического и химического производства вырос новый город Сумгаит; в Эстонской ССР построен город Кохтла-Ярве; в Грузинской ССР вместе с Закавказским металлургическим заводом создан крупный промышленный центр республики — город Рустави; в Сибири, в междуречье Ангары и ее притока Китоя, быстро растет город Ангарск, строятся города Зима, Тайшет и др. Вместе со строительством мощных гидроэлектростанций возникли города Волжский, Братск, Каховка.

Первые крупные промышленные новостройки положили начало практическому осуществлению прогрессивных идей социалистического градостроительства. Коренным образом изменилась роль промышленных предприятий как основных мест приложения труда; в социалистическом городе промышленные предприятия приобрели значение одного из

Рис. 1. Бурное развитие восточных экономических районов связано со строительством новых городов в лесистых долинах мощных сибирских рек

Fig. 1. Rapid growth of Eastern economic regions calls for building new towns in the woody valleys of the powerful Siberian rivers

главных элементов структуры города. Возникли промышленные районы, отделенные защитными зелеными зонами от селитебных территорий. Радикальные изменения произошли в планировке и застройке жилых районов. Появились новые типы жилых домов и общественных зданий (дошкольные учреждения, дома и дворцы культуры, клубы, профилактории и др.). Изменились организация и приемы застройки жилых кварталов. Отсутствие частной собственности на землю позволило создать благоустроенные крупные кварталы, где жилые дома с учетом всех санитарно-гигиенических требований располагаются среди зелени в непосредственной близости к школам, детским учреждениям, столовым и другим зданиям культурно-бытового обслуживания. Они полностью отличались от мелких, раздробленных на отдельные домовладения и беспорядочно застроенных кварталов старых городов. Так начала формироваться новая структура социалистических городов.

Советское градостроительство прошло большой и сложный путь развития. Опыт строительства многочисленных новых городов и реконструкция Москвы, Ленинграда, Киева, Минска и других крупнейших городов оказали большое влияние на прогрессивное развитие советского градостроительства.

За последние годы в связи с большим ростом капиталовложений на жилищное и культурно-бытовое строительство и переходом на индустриальные методы возведения промышленных и гражданских зданий коренным образом изменились объемы и темпы строительства новых городов. Во многих новых городах уже пущены в эксплуатацию и строятся крупные домостроительные комбинаты. Создание мощной строительной индустрии дает возможность осуществлять застройку городов крупными комплексами жилых домов и зданий культурно-бытового обслуживания, обеспечить население удобными жилищами, соответствующими требованиям гигиены и культурного быта, создать благоприятные условия труда и отдыха.

Совершенствуется структура новых городов: более рациональным становится размещение промышленных предприятий, реализуется новый прогрессивный принцип строительства жилищ микрорайонами, на основе дифференциации видов движения более четкую организацию получает система транспортных магистралей, развивается система общественных центров, улучшаются санитарно-ги-

гиенические качества городов, новые черты приобретает их архитектурный облик.

Создание материально-технической базы коммунизма знаменует новый этап в развитии советского градостроительства. Новые города должны соответствовать поставленным Программой КПСС задачам — представлять собой материальную среду, позволяющую обеспечить самый высокий жизненный уровень в СССР по сравнению с любой страной капитализма.

Намеченное Программой КПСС освоение огромных природных богатств, сырьевых и энергетических ресурсов Сибири, Дальнего Востока и Средней Азии будет связано с созданием большого количества новых городов (рис. 1—7). В этих районах пока еще мало городов, но осуществляемое крупное промышленное строительство уже требует значительного притока населения, которое будет размещаться преимущественно в новых городах. Это можно видеть на примере районной планировки зоны влияния Красноярской ГЭС, Братской ГЭС и других промышленных районов Сибири.

Новые города и поселки будут строиться также на базе освоения особо ценных месторождений полезных ископаемых в отдаленных районах Крайнего Севера, северо-востока, в пустынях Казахстана, в горных местностях и на юге страны.

В Средней Азии новые города и поселки будут создаваться в зонах мощных гидроэлектростанций, крупных водохранилищ, в районах развития орошаемого земледелия и разработки месторождений полезных ископаемых.

В Европейской части СССР, имеющей издавна сложившуюся плотную сеть городов, еще не исчерпана потребность в строительстве новых городов, так как здесь продолжается процесс освоения новых месторождений полезных ископаемых и ценных для сельского хозяйства земельных массивов.

Не будет преувеличением сказать, что для решения стоящих перед страной грандиозных экономических и социальных задач нужно будет построить сотни новых городов.

По условиям расположения, величине, градообразующей базе, структуре и архитектурному облику новые города будут весьма разнообразны. Но при всем разнообразии они должны отвечать главному требованию — быть здоровыми и удобными для жизни людей и наряду с этим экономичными, наиболее рациональными в градостроительном отношении.

Рис. 2. Одно из мест строительства города в сибирской тайге

Fig. 2. New towns are being built in the Siberian taiga

Рис. 3 и 4. Новые города строятся в средней полосе Европейской части страны в связи с освоением вновь открытых природных ресурсов

Fig. 3—4. New towns are built in the temperate zone of the European part of the USSR due to newly discovered natural resources

На основе этого требования определяется оптимальная величина новых городов, регулируется их рост и формируется планировочная структура.

В разделе I был рассмотрен вопрос об оптимальной величине города; было установлено, что развитие производства и формирование типичных производственных комплексов не вызывает, как правило, необходимости образования городов с населением, превышающим 250—300 тыс. человек. С другой стороны, градостроительный опыт показывает, что даже в условиях весьма рассредоточенного производства есть возможность создать города с населением 20—25 тыс. человек, имеющие необходимое культурно-бытовое обслуживание и более экономичные по инженерному оборудованию и благоустройству, чем мелкие населенные пункты.

Анализ общих перспектив развития и размещения производительных сил позволяет наметить несколько основных типов новых городов, различных по характеру градообразующей базы и значению в системе расселения. Наиболее распространенным типом нового города можно считать промышленный город, развивающийся на базе разнообразных производственных комплексов с населением около 100 тыс. человек. Это обеспечивает потребности развития ряда важнейших от-

Рис. 5. Гигантские работы по орошению земель и гидротехническому строительству связаны с созданием новых городов на равнинах и речных долинах горных районов Средней Азии

Fig. 5. Gigantic scope of irrigation and hydro-construction is connected with building new towns in the deserts and along river-valleys of the Middle Asia

Рис. 6. Развитие экономики Урала вызывает здесь строительство новых городов

Fig. 6. The economic development of the Urals necessiates building new towns here

раслей промышленности: нефтеперерабатывающей и нефтехимической, химической, машиностроительной, станкостроительной, приборостроительной, деревообрабатывающей, лесохимической и др.

Образование особо крупных производственных комплексов на основе металлургической промышленности или энергоемких производств, развивающихся в районах строительства мощных электростанций, потребует строительства более крупных новых городов — на 150—200 и даже 300 тыс. жителей. Строительство городов такого размера вызывается также необходимостью дополнения сложившейся системы крупных экономических и культурных центров с целью более равномерного распределения их по территории страны. Потребность в таких центрах будет особенно остро чувствоваться в восточных районах по мере роста их населения и увеличения числа городов.

В районах добывающей промышленности наряду с городами с населением 20 и более тыс. человек нужно будет строить группы городов или поселков (включающие центральный город), приближенных к местам приложения труда. В этих районах уже получает распространение особый тип нового города, базирующегося на транспортных связях с удаленными, сильно рассредоточенными местами приложения труда (районы нефтедобычи, угледобывающей промышленности и т. д.).

При решении проблемы расселения в районах наиболее крупных реконструируемых городов возможно строительство новых городов-спутников, создаваемых на основе промышленных предприятий, научно-исследовательских центров и лечебно-оздоровительных учреждений.

Новые города различных типов и поселки городского типа будут также строиться в сельскохозяйственных районах в связи с преобразованием сети сельских населенных пунктов и созданием аграрно-промышленных комплексов.

Большие перспективы имеет строительство новых городов-курортов в самых различных районах страны.

Генеральная перспектива развития народного хозяйства, схемы перспективного размещения производительных сил и проекты районной планировки отдельных районов страны, определяющие размещение промышленности и населенных мест, являются основой для установления целесообразной величины отдельных новых городов и регулирования их роста. Правильное научно обоснованное предвидение перспектив развития новых городов имеет огромное значение для решения вопросов формирования их структуры и застройки.

Структура новых городов должна обеспечить создание условий труда, быта и отдыха населения, соответствующих новому, несравненно более высокому уровню развития советского общества и новым возможностям, создаваемым научно-техническим прогрессом. Это требует учета новых тенденций в организации труда, быта и отдыха.

В каждом городе имеются разнообразные виды труда. Трудоспособное население городов занято в промышленности, на транспорте, в научных институтах и лабораториях, в складском хозяйстве, административно-хозяйственных учреждениях, проектных организациях, а также в различных учреждениях и на предприятиях культурно-бытового и коммунального обслуживания. Наибольшее влияние на характер и формирование структуры большинства городов оказывает промышленность. Важная структурная роль промышленных предприятий сохранится и впредь, хотя по своему удельному весу в составе трудоспособного населения численность промышленных кадров по мере роста производительности труда и развития общественного обслуживания будет уменьшаться. Но при этом произойдут такие коренные изменения в характере самого промышленного производства, которые позволят решать по-новому и вопросы размещения промышленных предприятий, и их взаимосвязи с жильем и между собой.

Прежде всего следует рассмотреть вопрос о снижении вредности производства. Опыт советского градостроительства показал, что эта задача имеет первостепенное значение для создания здоровых условий жизни населения. Просчеты в решении данного вопроса самым отрицательным образом сказываются на санитарно-гигиеническом режиме городов. Основным средством является использование достижений технического прогресса для снижения санитарной вредности производства. На многих предприятиях она может быть уменьшена настолько, что становится допустимым более близкое расположение и даже непосредственное соседство предприятий с жилыми домами. Приближение промышленности к жилью позволяет более рационально решать вопросы структуры города в отношении взаимного размещения жилищ и мест приложения труда, организации удобной связи между ними и более экономичного использования городской территории. Опыт советского градостроительства доказывает, что при наличии нескольких промышленных районов организация санитарно-защитных зон обычно создает большие трудности для формирования рациональной структуры города, причем сами защитные зоны становятся бременем для города, так как их территории не могут быть вполне эффективно использованы. Уменьшение вредности производства позволит сократить ширину защитных зон, а в ряде случаев совсем отказаться от их устройства без ущерба для здоровья населения. Само собой разумеется, что такое приближение промышленных предприятий к жилью в новых городах может быть допущено не раньше, чем будет реально обеспечено снижение санитарной вредности производства и будет исключена возможность опасных последствий для населения в случае внезапных нарушений технологического процесса (взрывоопасность, пожарная опасность, высокая разовая концентрация вредных веществ в воздухе и воде при авариях).

Наряду со снижением санитарной вредности многих производств в развитии промышленности можно предвидеть дальнейшее укрупнение предприятий черной и цветной металлургии и создание мощных химических производств. В этих случаях возникает необходимость размещения таких предприятий на большом расстоянии от жилой застройки, что позволяет изолировать население от производственных вредностей. При решении этой проблемы большое значение будет иметь строительство предприятий-автоматов с дистанционным управлением, отнесенных на большое расстояние от города. Во всех случаях удаленного расположения мест приложения труда особое значение получает фактор времени.

Необходимость максимальной экономии времени населения при передвижениях в городе, а также между городом и пригородной зоной потребует в ряде случаев введения скоростного транспорта. Вследствие этого в структуре некоторых новых городов, особенно крупных или связанных с добывающей промышленностью, должны появиться такие новые элементы, как магистрали скоростного движения, позволяющие в наибольшей степени использовать технические возможности современного транспорта при обеспечении безопасности движения. Для экономии времени и повышения удобства сообщения потребуется использование новых видов транспорта — вертолетов, монорельсовых дорог и др. Необходимость введения в структуру города устройств для новых современных видов транспорта диктуется также особыми условиями формирования систем расселения, например в районах Крайнего Севера, где вертолет уже широко применяется как средство сообщения между населенными пунктами.

В организации быта тенденции развития направлены на всемерное повышение роли высокоорганизованного общественного обслуживания, вытесняющего непроизводительный труд в мелком домашнем хозяйстве. Программа КПСС предусматривает коренное улучшение и расширение всех видов обслуживания: сильно расширится, до полного удовлетворения потребности населения, сеть предприятий общественного питания при коренном улучшении обслуживания потребителей и качества продукции; будет обеспечено удовлетворение потребностей населения в яслях, детских садах и площадках, школах с продленным днем, в пионерских лагерях, а также расширение сети школ-интернатов с бесплатным содержанием детей; полностью будет удовлетворена потребность населения во всех

Рис. 7. Строительство портов, развитие рыбных промыслов и промышленности вызывает создание новых городов на тихоокеанском побережье

Fig. 7. Construction of ports and growth of fishery and fishing industry lead to building new towns on the Pacific Ocean Coast

видах высококвалифицированного медицинского обслуживания, значительно расширится сеть больниц, поликлиник, санаториев, учреждений отдыха; увеличится число кинотеатров, клубов, физкультурных сооружений; широко развернется сеть благоустроенных домов-интернатов для престарелых и инвалидов. Новую техническую базу получат предприятия бытового обслуживания.

Таким образом, общественное обслуживание будет иметь все большее значение в формировании структуры города. Особую актуальность приобретает создание наиболее удобных и экономичных типов жилых и общественных зданий и такая их группировка, которая находилась бы в полном соответствии с требованиями наилучшей организации и развития общественного обслуживания. Опыт строительства показывает, что решение этой задачи может быть достигнуто путем организации жилых районов, микрорайонов и общественных центров. Эффективная организация жилой застройки и общественного обслуживания связана и со все более широким применением в городах застройки смешанной этажности и новых типов домов повышенной этажности, имеющих в своем составе помещения общественного назначения.

Организация отдыха городского населения в современных условиях осуществляется в двух направлениях. С одной стороны, сады, парки, водоемы, открытые пространства играют все бо́льшую роль в структуре и застройке города. С другой стороны, все возрастающее значение приобретают разнообразные виды загородного отдыха. Опыт показывает, что проблема отдыха городского населения может быть успешно решена путем развития системы зеленых насаждений в городе и его пригородной зоне и создания крупных зон отдыха, расположенных за городом в наиболее живописных и здоровых местах. Выбор для городов мест, обладающих естественной привлекательностью, всемерное сохранение зеленых насаждений и наиболее выразительных участков природного ландшафта являются непременным условием, от которого зависит возможность эффективного и полноценного решения проблемы массового отдыха населения.

Одно из важнейших условий формирования рациональной прогрессивной планировочной структуры нового города — организация удобной связи между жильем, местами приложения труда, общественными центрами и местами отдыха в городе и на территории его пригородной зоны. В новых городах оптимальной величины не может быть транспортных трудностей, иногда неразрешимых, которые испытывают сегодня крупнейшие города за рубежом. Но задача обеспечения удобного транспортного обслуживания города остается в любых условиях. Она остается даже для небольших городов, где внутри города преобладает пешеходное движение, так как и в них на автомобильный транспорт ложится обслуживание всех грузовых перевозок, а также перевозка людей в отдаленные места приложения труда, к вокзалам, к местам загородного отдыха и в соседние населенные пункты. Для новых городов основными требованиями к транспортному обслуживанию являются: довести до минимума дальность трудовых и культурно-бытовых поездок, обеспечить их комфортабельность и безопасность при большой скорости сообщения. Это может быть достигнуто прежде всего путем ограничения величины города и удобного взаимного размещения жилья, мест приложения труда, общественных центров и мест отдыха. Большое значение имеют также создание коротких пешеходных связей между важнейшими пунктами массового посещения, пространственное разделение разнородных и пересекающихся потоков движения, изоляция от транзитного движения жилой застройки, общественных и торговых центров и мест массового отдыха.

Формирование рациональной структуры новых городов, выбор типов и приемов застройки теснейшим образом связаны с современными требованиями экономики строительства. Экономичность строительства новых городов имеет исключительно важное народнохозяйственное значение. Успешное экономичное решение закладывается уже при размещении нового города, так как большую экономию может дать выбор территории, наиболее благоприятной для ведения строительства. Этот источник экономии выявляется при помощи районной планировки, путем сравнения различных вариантов размещения новых городов в том или ином промышленном районе. Известно, что капитальные вложения в строительство городов обычно включают не только затраты на возведение зданий и оборудование территории, но и дополнительные затраты, удорожающие стоимость строительства (освоение участков, требующее особо сложных и дорогих мероприятий по инженерной подготовке территории, строительство в районах с высокой сейсмичностью, в условиях вечной мерзлоты и т. п.). Выбор площадок, пригодных для строительства в своем естественном виде, является главным средством, которое в большинстве районов Советского Союза позволяет в значительной мере освободиться от дополнительных затрат, связанных с подготовкой территории. Другими источниками экономии являются формирование рациональной планировочной структуры города и наиболее эффективное использование территории, что позволяет уменьшить стоимость инженерного оборудования города. Огромный опыт осуществленного жилищного строительства наглядно показывает, что основным средством снижения стоимости работ по возведению жилых и общественных зданий является правильная организация строительных работ, индустриализация строительства, применение новых эффективных строительных материалов и конструкций и т. п.

Важнейшей проблемой формирования нового города является его архитектура. Прогрессивная планировочная структура нового города создает основу для формирования его художественного облика. Создание наибольших удобств и здоровых условий жизни для всего населения и широкая индустриализация строительства, коренным образом меняющая традиционные методы возведения зданий и сооружений, использование при строительстве городов достижений современного научно-технического прогресса — вот основные факторы, под влиянием которых складывается архитектура нового города.

Условия формирования архитектурного облика новых городов имеют свои характерные особенности по сравнению со старыми реконструируемыми. В старых городах выразительность и индивидуальность архитектурного облика связаны в большей или меньшей мере с исторически сложившейся планировкой и сохранением ценных архитектурных ансамблей, созданных в прошлом. В новых городах решение этой проблемы больше зависит от природных условий расположения города и во многом именно от умения выявить и творчески использовать природные особенности местности, для того чтобы придать архитектуре нового города своеобразие и красоту. Поэтому при строительстве нового города исключительно ответственным является выбор места, обладающего наибольшими потенциальными возможностями для решения архитектурных задач. Такие потенциальные возможности дают строение рельефа, реки, озера или другие акватории, существующие лесные насаждения и характерные особенности местного ландшафта.

Неповторимая красота многих городов, как показывает опыт мирового градостроительства, создана в большой мере умелым использованием природных условий. Там, где приходится строить города в местностях со скудной растительностью, при отсутствии акваторий и плоском рельефе, преобразование природы путем устройства искусственных водоемов, озеленения территории становится одной из важных задач строительства нового города. Однако главным средством формирования выразительного и впечатляющего облика новых городов является создание крупных архитектурных ансамблей. Соединение природного ландшафта и архитектуры позволит создать в новых городах материальную и художественную среду, соответствующую новому быту и духовным запросам советского человека.

Строительство новых городов, отвечающих требованиям социального и научно-технического прогресса, представляет сложную задачу.

Для успешного решения проблемы нужно: правильно определить на научной основе прогнозы развития новых городов; обеспечить реализацию общего основного требования — создания наилучших условий жизни людей при наличии огромного разнообразия природно-географических условий, в которых ведется и будет вестись строительство новых городов; сочетать в сложном и противоречивом процессе развития каждого города требования настоящего и будущего; создать наиболее благоприятные условия для массового комплексного осуществления строительства на современной индустриальной основе; достигнуть высоких эстетических качеств архитектурного облика города.

Решение комплекса этих проблем требует глубокого анализа опыта прошедших десятилетий строительства новых советских городов. Такой всесторонний анализ помогает выявить прогрессивные тенденции в их планировке и застройке, имеющие значение для будущего, и вместе с тем позволяет предостеречь от повторения ошибок.

Глава 2

ПРАКТИКА СТРОИТЕЛЬСТВА НОВЫХ ГОРОДОВ

Для успешного решения задач планировки и застройки новых городов большое значение имеют изучение и анализ практики их строительства.

Новые города в Советском Союзе строятся небывалыми в истории мирового градостроительства темпами. Только в наиболее крупных новых городах (Магнитогорске, Запорожье, Новокузнецке, Рустави, Сумгаите и др.) уже живет свыше 5 млн. человек. Здесь построены сотни тысяч квартир, тысячи зданий культурно-бытового обслуживания, проведены крупнейшие работы по инженерной подготовке территории, санитарно-техническому оборудованию и озеленению.

Большой и разносторонний опыт строительства новых городов, проникнутый творческими поисками новых решений, сыграл важную роль в прогрессивном развитии советского градостроительства и имеет огромное значение для дальнейшего совершенствования планировки и застройки городов. В основу этой творческой деятельности было положено гуманистическое начало, являющееся главной движущей силой развития советского градостроительства.

При строительстве новых городов и новых жилых районов в старых городах были впервые разработаны и наиболее полно осуществлены меры по обеспечению благоприятных условий жизни всего городского населения. Выбор для новых городов территорий, удаленных от источников загрязнения воздуха, воды и почвы, обладающих высокими гигиеническими качествами (освещенность склонов, проветриваемость, защищенность от вредных ветров, низкий уровень стояния грунтовых вод, наличие пригодных источников водоснабжения и т. п.), а также устройство санитарно-защитных зон с самого начала стали законом советского градостроительства. На этих же требованиях охраны здоровья, соответствующих современным требованиям гигиены, были основаны нормы застройки городов в отношении плотности застройки, ориентации зданий и величины разрывов между ними, уровня озеленения и благоустройства.

Развитие и равномерное размещение сети учреждений культурно-бытового обслуживания обеспечивали удовлетворение насущных потребностей населения в общественном воспитании детей, образовании, общественном питании, лечении и отдыхе.

Водопровод, канализация, теплофикация, газификация и электрификация создавали необходимый комфорт, оздоровляли условия жизни населения.

Но путь строительства новых городов не был легким — их создание проходило в условиях преодоления многих трудностей. В первые годы социалистической индустриализации страны особенно сильно сказывался недостаток опыта. Застройка городов в дореволюционной России была стихийной, подчиненной интересам промышленников и домовладельцев. Не было кадров градостроителей, так как архитекторы решали частные локальные задачи проектирования и строительства отдельных промышленных, жилых или общественных зданий и сооружений.

Новые социальные условия требовали новых градостроительных решений. Нужно было, не ослабляя темпов строительства, находить новые приемы планировки и застройки городов, отвечающие потребностям социалистического строя.

Трудность строительства многих новых городов возрастала в связи с тем, что они рождались в совершенно необжитых местах, удаленных иногда от ближайших населенных пунктов на сотни километров.

В годы первых пятилеток реализация крупных творческих замыслов, вложенных в генеральные планы новых городов, сдерживалась недостаточным развитием материально-технической базы строительства.

Это имело место и после окончания второй мировой войны в связи с тем, что было разрушено огромное число предприятий строительной промышленности и строительных материалов. По этой причине большое распространение получили малоэтажная застройка и индивидуальное строительство одноквартирных домов с усадебными участками. В результате городские территории использовались неэкономично и возникли трудности их инженерного оборудования, благоустройства и обслуживания городским транспортом.

Кроме того, в этих условиях неизбежным было использование так называемого временного строительства — зданий упрощенного типа, рассчитанных на размещение строителей. Впоследствии это временное строительство предопределило необходимость реконструкции отдельных частей новых городов.

Ряд трудностей и противоречий в планировке и застройке новых городов был вызван ведомственными интересами организации строительства и наличием во многих городах многочисленных застройщиков. Ведомственный порядок ведения строительства приводил к распылению средств на жилищно-гражданское и коммунальное строительство, к ненужному дублированию инженерных сооружений и учреждений культурно-бытового обслуживания и в некоторых случаях к созданию вместо целостной застройки городов обособленных поселков при отдельных промышленных объектах. В условиях ведомственного строительства иногда трудно было обеспечить необходимую градостроительную дисциплину.

Наконец, неблагоприятное влияние на планировку и застройку новых городов оказала неверная направленность архитектуры, которая существовала в течение ряда лет.

Но эти трудности не определяли генеральной линии развития советского градостроительства. На основе экономических законов социализма и его гуманистических принципов строительство новых городов неуклонно совершенствовалось и быстро развивалось.

Одним из важнейших условий, позволяющим в короткие сроки успешно реализовать крупнейшие градостроительные задачи и избежать многих недостатков, свойственных развитию городов в предшествующие годы, явилось создание на основе бурно развивающегося народного хозяйства страны мощной индустриальной базы для строительства городов. Возведение жилых и общественных зданий индустриальными методами позволило резко увеличить объемы строительства и обеспечивать их быстро растущее население жильем и культурно-бытовыми учреждениями.

1. ОПРЕДЕЛЕНИЕ ПЕРСПЕКТИВ РАЗВИТИЯ НОВЫХ ГОРОДОВ

Новые города СССР являются, как правило, промышленными городами. Они создаются на базе различных отраслей добывающей и обрабатывающей промышленности. Поэтому перспективы роста каждого нового города и его величина прямым образом зависят от мощности предприятий, на основе которых город создается, и возможностей дальнейшего развития градообразующей базы. Расчетная численность населения новых городов с самого начала определялась в соответствии с численностью занятых в промышленности кадров по методу трудового баланса, который и в настоящее время применяется в градостроительной практике. Основанием для расчета, как правило, служило проектное задание на промышленное строительство, в котором исходя из мощности проектируемых предприятий устанавливалась потребная численность рабочих и служащих. Такой метод в большинстве случаев себя оправдал, и перспективная проектная величина многих новых городов была определена правильно. Это позволило уверенно формировать их структуру, планировать объемы жилищного, культурно-бытового и коммунального строительства.

Одним из положительных примеров является город Запорожье, строительство которого было начато в 1926 г. вместе со строительством Днепропетровской гидроэлектрической станции имени В. И. Ленина (рис. 8). В процессе развития города сохранились основные исходные положения генерального плана, в том числе расчетные его размеры, хотя по мере необходимости в планировку города вносились необходимые коррективы и дополнения. Сохранение основной концепции генерального плана способствовало планомерности развития города и созданию благоприятных условий труда, быта и отдыха населения.

Правильно были определены перспективы развития Новомосковска, Дзержинска, Ступина и ряда других новых городов. Но в некоторых случаях при определении проектной величины новых городов были допущены просчеты. В качестве примеров можно назвать такие города, как Магнитогорск, Салават, Волжский, Ангарск.

Магнитогорск, один из крупнейших в СССР центров черной металлургии, начал строиться вблизи залежей железной руды горы Магнитной. Численность населения города была первоначально определена в 80 тыс. человек с последующим увеличением до 120 тыс. человек. Город рос быстрыми темпами, что было вызвано последовательным расширением металлургического комбината и появлением других градообразующих факторов. Металлургический комбинат, строительство которого было рассчитано на выпуск значительного количества проката в год в конце прошлой семилетки выпускал уже вдвое больше проката, причем намечается в ближайшее время увеличить выпуск снова в 1,5—2 раза. Все это способствовало быстрому росту численности населения Магнитогорска, в котором в 1965 г. проживало 348 тыс. человек. Проектом планировки предусматривается увеличение населения города до 450 тыс. человек.

Город Волжский начал строиться после войны как поселок строителей Волгоградского гидроэнергетического узла. В дальнейшем встал вопрос о размещении здесь некоторых промышленных предприятий, в связи с чем в 1952 г. был разработан проект города на 60 тыс. жителей. Через 7 лет население города достигло проектной величины. Расположение города на удобной для строительства площадке, близость мощного источника электроэнергии, хорошая связь с речным портом и магистральной железной дорогой, наличие мощной строительной базы, созданной в связи с постройкой гидроузла — все это определяет предпосылки для еще большего развития Волжска. Поэтому проектом планировки 1961 г. было предусмотрено увеличить численность населения города до 150 тыс. жителей.

Анализ развития новых городов показывает, что во всех случаях недостаток в определении перспективной численности населения заключался в недооценке возможностей перспективного развития градообразующей базы города. Это в значительной степени было результатом того, что ведомства, которым поручалось первоочередное строительство города, учитывали размещение и последующее развитие только входящих в их ведение промышленных предприятий и не всегда были способны определить возможность размещения других отраслей промышленности. Там, где был осуществлен комплексный подход к формированию градообразующей базы, перспективная численность населения новых городов определялась правильно и была устойчива на весь расчетный срок.

Рис. 8. Постройка Днепрогеса положила начало строительству нового города Запорожье

Fig. 8. In connection with the Dnieper Hydro-Power Station the new town of Zaporozhye was built

В разделе I уже было сказано, что в настоящее время градообразующей базой все больше становятся производственные комплексы, объединяющие группы взаимосвязанных промышленных предприятий. Для рационального формирования таких комплексов нужно иметь соответствующую плановую и проектно-планировочную основу в виде перспективных планов размещения производительных сил для крупных территориальных подразделений и проектов районной планировки районов крупного промышленного строительства. Разработка генеральной перспективы развития народного хозяйства страны создает твердую научно-плановую основу для проведения указанных мероприятий.

Перспективные планы размещения производительных сил позволяют обосновать развитие населенных мест района и выявить потребность строительства новых городов. Размеры городов определяются целесообразной системой расселения в районе, т. е. должны решаться на основе проекта районной планировки. Планировка новых городов органически связана с планированием народного хозяйства. При отсутствии проекта районной планировки градообразующие основы нового города определяются путем сравнения возможных вариантов его размещения и дальнейшего развития.

2. ВЫБОР ТЕРРИТОРИИ ДЛЯ СТРОИТЕЛЬСТВА НОВОГО ГОРОДА

Для создания наиболее благоприятных условий труда, быта и отдыха населения и эффективного использования капиталовложений при строительстве новых городов важнейшее значение имеет правильный выбор площадок для промышленного и жилищно-гражданского строительства.

Размещение Днепровской, Каховской, Чирчикской, Братской и других гидроэлектростанций, залегание полезных ископаемых на Урале, у озера Балхаш, в Хибинах, Кузнецком угольном бассейне и в других местах определили районы размещения большинства новых городов. В пределах этих районов выбирались конкретные площадки для строительства города, размещения его промышленных и жилых районов.

Советскими градостроителями при проектировании первых новых городов были разработаны методы обследования и оценки территории, а также метод составления вариантов размещения, применявшийся в тех случаях, когда местные условия не подсказывали какого-либо определенного решения, обладающего неоспоримыми преимуществами. Метод сравнения вариантов был использован, например, при проектировании нового подмосковного города Ступина, при строительстве которого возникла необходимость сопоставить выгоды и недостатки его размещения непосредственно на берегу р. Оки или на некотором расстоянии от нее с сохранением существующего здесь леса. Развитие города подтвердило правильность принятого второго варианта размещения города, что позволило создать около него большую зону отдыха и снизить стоимость строительства благодаря расположению промышленной площадки на ровном плато.

Задачи выбора территории для многих новых городов решались при огромном разнообразии природно-климатических условий. В первый период значительные трудности при строительстве новых городов, особенно во вновь осваиваемых районах Крайнего Севера, Урала, Средней Азии, создавала слабая изученность климата и микроклимата, геологических и гидрогеологических условий, режима рек. Для решения вопросов планировки нужны были многолетние наблюдения, проводить которые, имея короткие сроки, выделенные на проектирование, естественно, не представлялось возможным. В этом отношении характерен пример проектирования Магнитогорска. Строительство жилых кварталов города было начато в 1930 г. на левом берегу р. Урала, где строился и металлургический комбинат. При отсутствии многолетних точных данных, характеризующих климат и микроклимат района строительства, не были полностью учтены сила и направление господствующих ветров, поэтому вся левобережная часть города оказалась в зоне задымления промышленностью. В 1934 г. было принято решение о переносе жилищного строительства на правый берег, где имелись крупные территориальные резервы и была возможность разместить жилищное строительство нового города на берегу водохранилища, созданного на р. Урал. К настоящему времени в правобережной части города построен большой селитебный массив (рис. 9).

Недоучет природных условий был допущен и при проектировании города Орска. Прошедший в течение двух лет подряд катастрофический паводок на р. Урал показал непригодность площадки старого города для перспективного строительства, и в связи с этим был решен вопрос о размещении основной части города на другом берегу реки.

Градостроительная практика показала, что правильный выбор территории для строительства нового города имеет огромное значение для планомерного развития его структуры и формирования архитектурного облика. Одним из положительных примеров является строительство города Душанбе. Столица Таджикской ССР — город Душанбе — начала строиться в 1932 г. на месте небольшого кишлака. Город расположен в живописной долине у подножия гор, на левом берегу реки. Быстро развивающаяся промышленная база города включает предприятия металлообрабатывающей, хлопкоочистительной, текстильной, пищевой промышленности. Для улучшения микроклимата и создания благоприятных условий жизни населения город получил хорошее озеленение, а в центре Душанбе, в долине реки, среди обширного парка создано большое искусственное озеро. Это озеро наряду с общественными зданиями административного, культурного и зрелищного назначения украшает город, подчеркивает его южный характер и придает своеобразие его архитектурному облику (рис. 10, 11).

Генеральный план Душанбе, разработанный в 1935—1937 гг., был осуществлен без существенных изменений. К настоящему времени, когда первый этап строительства города закончен, дальнейшее его расширение проектируется на правом берегу реки.

Процесс развития многих новых городов наглядно показывает важность выбора для строительства города площадки с крупными и удобно расположенными резервными территориями, обеспечивающими последующее органическое развитие структуры города. Такие резервы нужны каждому городу, как бы точно ни была определена при проектировании его градообразующая база. Земельные резервы нужны для возможного дополнения градообразующей базы новыми элементами, которые появляются в связи с научно-техническим прогрессом в области развития производства; они нужны также для дальнейшего улучшения жилищных условий и расширения культурно-бытового обслуживания.

В городе Ступине по генеральному плану были предусмотрены значительные резервы в западной части города. Это стало возможно потому, что выбор территории для строительства города был сделан с правильным учетом перспектив его дальнейшего роста.

Менее удачно решена эта задача в городе Волжском. Площадка, выбранная для строительства, была удалена от Волгоградского водохранилища, образовавшегося в результате постройки плотины электростанции. Город был запроектирован как законченное образование небольшой величины без учета значительного перспективного развития. Но рост численности населения Волжского быстро превзошел первоначальные предположения. И хотя территориальные резервы для расширения города существуют, ранее созданная планировочная структура города не отвечает намечаемым размерам.

Рис. 9. В 1930 г. началось строительство Магнитогорска. В 1964 г. оно было перенесено на правый берег водохранилища. Здесь созданы большие районы многоэтажных благоустроенных домов

Fig. 9. In 1930 housing construction in Magnitogorsk had began. In 1934 it was transfered to the right bank of the reservoir. Now it is huge districts of multistory flats with modern facilities

Рис. 10. На месте небольшого кишлака в живописной долине у подножья гор построен город Душанбе — столица Таджикской ССР

Fig. 10. On the site of a small kishlak in the green valley at the mountain-foot grew the town of Dushanbe, the capital of the Tajik SSR

Рис. 11. В Душанбе создано искусственное водохранилище — «Комсомольское озеро». Оно улучшает микроклимат, является прекрасным местом отдыха для населения, украшает город

Fig. 11. In the town of Dushanbe there was made a new artificial lake — The Komsomol lake, which improves the micro-climate, is the population's favourite recreation place and town's decoration

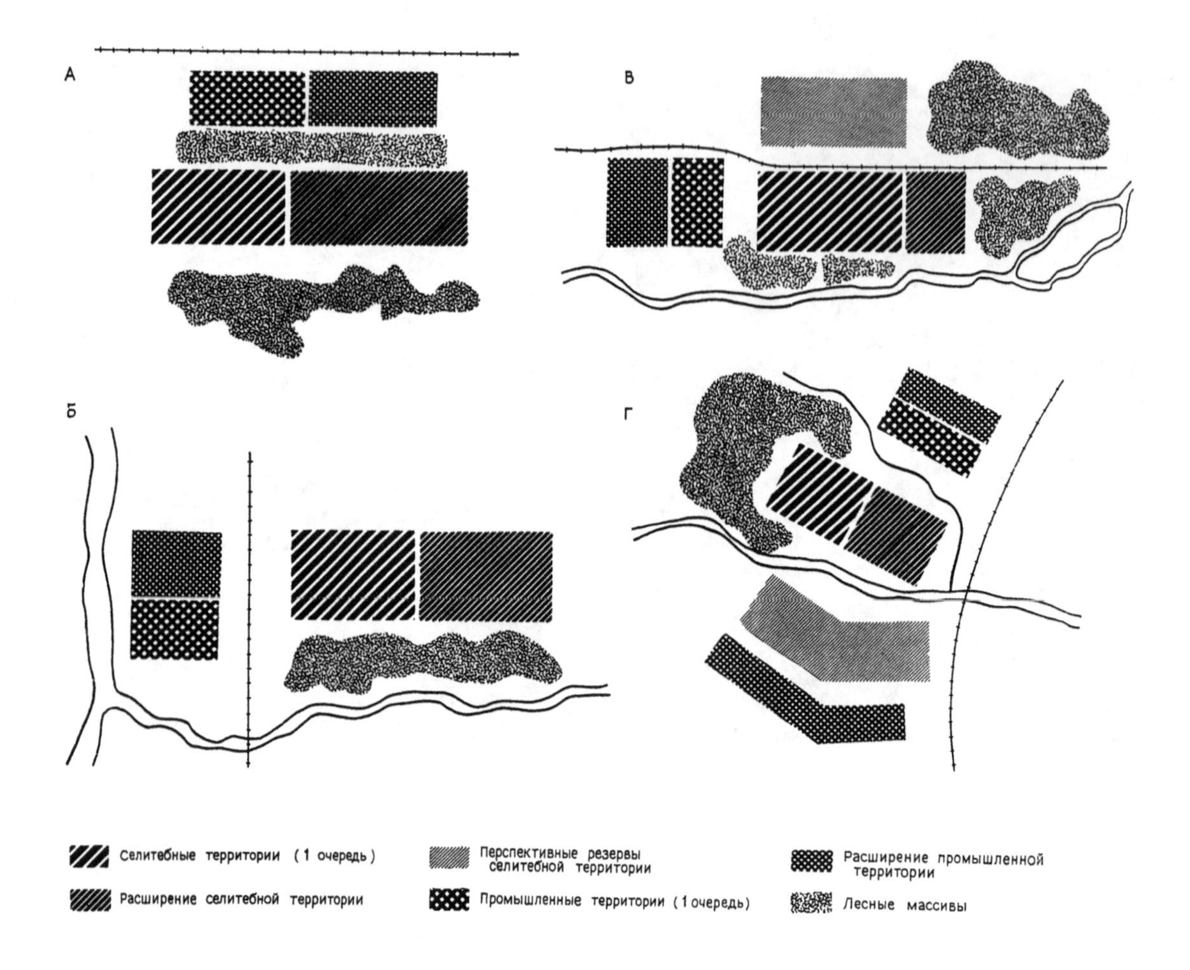

Аналогичное положение возникло и при планировке города Салавата. Развитие жилой застройки вдоль р. Белой, как это было намечено в первом генеральном плане, было рациональным при небольших размерах города. Но перспективы роста города изменились, его размеры резко увеличились. Дальнейшее развитие селитебной территории вдоль реки привело бы к чрезмерному удалению жилых районов от мест приложения труда. Поэтому пришлось проектировать и строить жилые массивы на территориях, удаленных от берега реки, что ранее не предполагалось. Это позволяет сохранить удобную связь жилья с производством, но существенно меняет структуру города, так как селитебная территория пересекается железной дорогой.

Для практики строительства новых городов характерны схемы развития, показанные на рис. 12. Наиболее удобной является схема параллельного размещения и развития промышленных и жилых районов (при сохранении компактности всего города). Схему планировки при развитии жилья и промышленности в противоположных направлениях нельзя признать удобной, так как по мере роста города все более затрудняются взаимосвязи между ними; схема расчлененной структуры города определяется размещением его в сложных природных условиях.

В практике советского градостроительства нередки и такие случаи, когда площадку для строительства города приходится выбирать в очень сложных условиях при отсутствии достаточных территориальных ресурсов. Характерным примером является город Кировск, промышленной базой которого являются предприятия по добыче и переработке апатитовых концентратов. Этот город, рассчитанный на 50 тыс. жителей, имеет из-за недостатка удобных территорий сложную структуру. Размещение необходимого жилищного строительства здесь возможно при применении застройки повышенной этажности или при расселении части населения в районе станции Апатиты, которая связана линией электрифицированной железной дороги с местами приложения труда.

◀ Рис. 12. Для практики строительства новых городов характерны следующие схемы их развития: наиболее удобное параллельное развитие промышленных и жилых районов при однородном характере промышленности и благоприятных топографических условиях **(А)**; развитие промышленных и жилых районов в различных направлениях. Это обеспечивает благоприятные условия для развития отдельных зон (промышленность у железной дороги и реки, жилье вдоль реки), но затрудняет удобные взаимосвязи между ними **(Б)**; особенности природных условий расположения городов (пересеченный рельеф, наличие лесов, пойменных территорий, рек) усложняют формы развития структуры города. Чрезмерную расчлененность территории города и обособленность отдельных его районов вызывает также недостаточный учет перспективного развития города **(В и Г)**

Fig. 12. All the new towns have some specific features as far as the development of their structure is concerned: — the most expedient parallel development of industrial and housing areas, all the industries being of uniform character and the topography — most favourable **(A)**; — different directions of industrial and housing development which favours the development of separate zones (industry — along railway lines and river; housing — along the river), but hinders the communication between them **(Б)**: — natural peculiarities of the town site (broken country, forests, flood lands, rivers) complicate the town structure. Overbroken character of the town territory as well as excessive isolation of its districts lead to the disregard of the towns future development **(В, Г)**

Пример Кировска показывает, что резервирование территорий при выборе площадки для строительства нового города не всегда возможно, и в сложных природных условиях необходимые земельные резервы могут отсутствовать или быть весьма ограниченными. В этих условиях особо важное значение приобретает твердое регулирование роста городов в разумных пределах, обеспечивающих возможность рационального решения их планировки и застройки.

Однако не всегда это удается осуществить. Примером чрезмерного развития города в неблагоприятных для размещения строительства условиях может служить Новокузнецк. Город начал строиться на базе Кузнецкого металлургического комбината. Позднее здесь появились на разведанных угольных месторождениях шахты и шахтерские поселки. Затем возникли предприятия машиностроительной промышленности, цветной металлургии строительной и пищевой промышленности. Намеченная в первом генеральном плане расчетная численность населения была превышена через десять лет. Город с начала строительства стал формироваться в виде отдельных промышленных и жилых районов, разобщенных санитарными зонами, р. Томь и угольными разработками. В природных условиях Новокузнецка не является возможным без крупных затрат на освоение пойменных и неудобных для застройки территорий создать, как это неоднократно пытались проектировщики, компактный город. Особенности расположения города и его градообразующей базы требовали формирования своеобразной структуры города из нескольких образований.

Практика показала важность использования для строительства новых городов площадок, обладающих высокими инженерно-строительными качествами и по своим размерам отвечающих перспективным возможностям развития городов. При выборе площадок для строительства городов необходимо находить территориальные резервы, обеспечивающие компактность и рациональную последовательность развития селитебных территорий, развитие промышленного строительства на удобных площадках, сохранение удобного функционального зонирования и благоприятного санитарно-гигиенического режима города. Правильный выбор площадки для нового города является важнейшей предпосылкой снижения общей стоимости его строительства и получения высокого архитектурного качества застройки.

3. ФУНКЦИОНАЛЬНАЯ ОРГАНИЗАЦИЯ ТЕРРИТОРИИ

Функциональная организация городских территорий заключается в рациональном разделении территории города на зоны, предназначенные для размещения промышленности, складов, транспортных сооружений, жилой застройки с соответствующими обслуживающими зданиями и устройствами, мест учебы, лечения, спорта, отдыха. Именно этот принцип организации территории был положен в основу планировки новых советских городов в противоположность исторически сложившемуся бессистемному размещению на одной и той же территории всех видов строительства, типичному для городов капитализма. Опыт показал, что правильное функциональное зонирование территории позволяет наиболее целесообразно решать проблему расселения, создать необходимые удобства для населения, обеспечить соблюдение санитарных требований и экономично использовать территорию.

Промышленные предприятия в новых городах, как правило, размещались на обособленных от жилья площадках, выбираемых с учетом требований того или иного вида производства и удобно связанных с жилыми районами. Жилые районы располагались на здоровых территориях у берегов рек, водохранилищ, зеленых массивов и т. д.

Практика строительства новых городов показывает большое разнообразие в решении функционального зонирования территории. Наиболее распространенным случаем является расположение основных предприятий данного города в одном промышленном районе и размещение близ него (со стороны входов на предприятия) селитебных районов. Формирование новых городов на базе нескольких промышленных районов чаще всего происходило в результате расширения градообразующей базы в процессе дальнейшего развития нового города.

На основе одного крупного промышленного района первоначально застраивались города Рустави, Салават, Новокуйбышевск, Ступино, Новомосковск. Взаимное расположение промышленного и жилых районов определялось направлением господствующих ветров, течением рек, размещением площадок, пригодных по своим строительным качествам, и шириной санитарно-защитной зоны, которая устанавливалась в соответствии с санитарным законодательством.

Предприятия машиностроительной, текстильной, пищевой и других отраслей промышленности, не имеющие большой санитарной вредности, размещались близ селитебной территории, отделяясь от нее санитарно-защитной зоной порядка 100—300 *м*. Предприятия химической, металлургической, нефтеперерабатывающей промышленности отделялись от жилых районов защитными зонами шириной 500—1000 *м* и более.

Развитие многих городов показывает, что по мере увеличения их размеров все труднее становится обеспечить удобную связь промышленности с жилыми районами при размещении всех предприятий в одном промышленном районе. Из расчетов, приведенных в разделе I, видно, что даже при компактной планировке и небольших санитарно-защитных зонах в городе с населением более 250 тыс. человек (если только промышленные и селитебные районы города не размещены параллельно) нельзя при помощи обычных транспортных средств обеспечить быстрое (в пределах 30 *мин*) передвижение населения к местам приложения труда, которые расположены в одном месте. Поэтому в части городов средней величины и во всех больших и крупных городах появляется необходимость образования двух и более промышленных районов. Там, где это не было предусмотрено, возникают большие трудности при росте города в отношении организации удобных транспортных связей жилья с производством.

Большие удобства для населения создает размещение не имеющих вредности промышленных предприятий в непосредственной близости от жилой застройки.

Показательным в этом отношении является строительство на Украине крупного трансформаторного завода и примыкающего к нему жилого района. Близость мест приложения труда, хорошие природные условия расположения района на высоком берегу реки, прекрасное озеленение, развитая сеть культурно-бытовых учреждений, удобная связь с другими районами города — все это создает здесь благоприятные условия для жизни населения. Умело застроенный типовыми домами и хорошо благоустроенный, этот район имеет и привлекательный архитектурный облик.

Наиболее сложной задачей при функциональном зонировании городов является обеспечение возможности последовательного расширения основных функциональных зон — жилой и промышленной — при сохранении в процессе развития между ними удобных взаимосвязей и благоприятного санитарно-гигиенического режима города.

Выше были рассмотрены схемы развития городов с различной производственной базой и в разнообразных природных условиях; эти же примеры показывают и изменение взаимного расположения отдельных функциональных зон в процессе роста всего города.

Практика дает ряд примеров рационального решения развития жилья и производства. Так, в новом индустриальном городе промышленность развивается путем расширения уже освоенной площадки параллельно растущим селитебным районам. См. схему *А* на рис. 15. При таком развитии основных зон города сохраняются зеленая защитная зона между жильем и промышленностью и правильное взаимное расположение основных частей города по отношению к господствующим ветрам. Новые жилые районы занимают благоприятные в природном отношении площадки и имеют удобную связь с местами приложения труда. Следует сказать, что подобное формирование планировочной городской структуры имело объективные предпосылки — однородный характер промышленности и сравнительно благоприятные качества территории города.

В формировании плана города наряду с промышленностью и селитебной территорией

Рис. 13. В новых городах зоны отдыха размещаются на берегах рек, озер и искусственных водоемов

Fig. 13. In the new towns leisure and recreation zones are usually located on the riverbanks and artificial reservoirs

важное значение имеет и зона отдыха. Размещение зоны отдыха органически связано с природными условиями, она включает естественные и искусственные водоемы, лесные и парковые массивы (рис. 13). Во многих новых городах (Волжский, Лисаковск, Джетыгора и др.) получила распространение схема функционального зонирования, удобная для жизни населения и хорошо использующая природные условия, при которой промышленная зона располагается с одной стороны от жилой, а зона отдыха — с другой стороны, при этом зона отдыха связана с берегами водоемов.

Такое же размещение функциональных зон принято в планировке научного городка около Новосибирска, где учтены особенности его расположения в лесном массиве на берегу Обского водохранилища. Лес, находящийся между жилыми районами и берегом водохранилища, сохранен в качестве зоны отдыха, к которой примыкает городской парк. На берегу водохранилища устроены пляжи и спортивная база. С другой стороны от жилой застройки размещены институты Сибирского отделения Академии наук, являющиеся градообразующей базой этого города.

Выполнение основных требований, которые в обычных условиях обеспечивают правильное решение функциональной организации территории нового города, в некоторых случаях сопряжено с большими трудностями, создаваемыми природными и другими факторами. Так, при планировке населенного пункта, возникшего на базе крупной химической промышленности, пришлось отнести жилую застройку города на значительное расстояние от основного производства для того, чтобы не только изолировать жилые районы от вредных загрязнений атмосферы, но и расположить их в более здоровом и привлекательном месте — рядом с лесным массивом и вне границ месторождений полезных ископаемых. Связь города с промышленностью в этом случае была решена при помощи глубокого ввода железной дороги, которой пользуется население для поездок на завод.

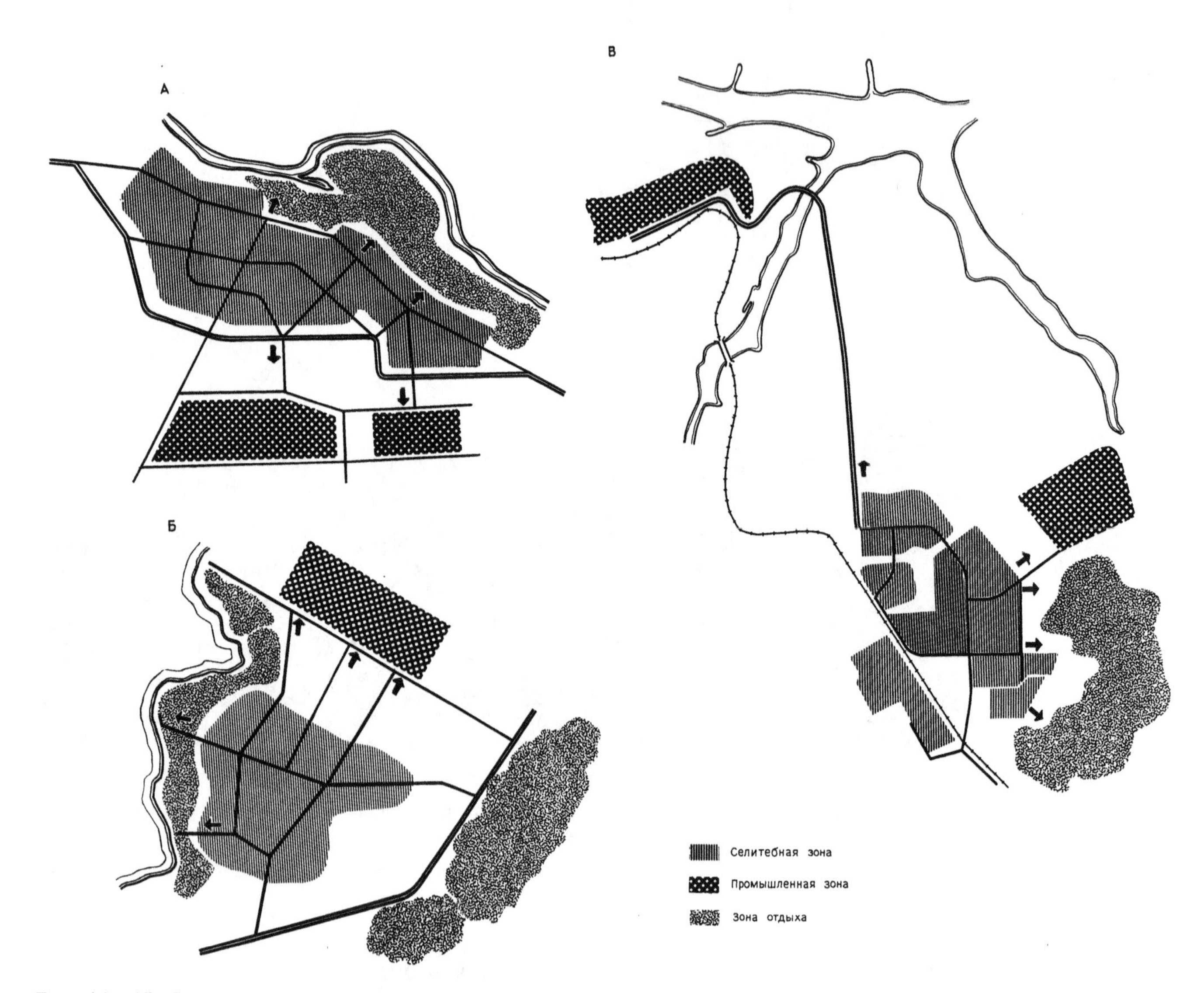

Рис. 14—15. Схемы планировки новых городов малой и средней величины характеризуется следующим функциональным зонированием: основные функциональные зоны — труд, жилище, отдых — размещаются параллельно **(А)**; основные места труда располагаются перпендикулярно к селитебной зоне **(Б)**; основные места труда удалены от жилища **(В)**

Fig. 14—15. The new towns display the following typical schemes of use zoning: — major use zones — work, residence, recreation — are located in parallel shape **(А)**; — major work places are sited perpendicularly to the residential area **(Б)**; — major work-places are remoted from the residential area **(В)**

На рис. 14—15 показаны типичные схемы функционального зонирования малых и средних городов, встречающиеся в практике советского градостроительства.

В схеме **А** промышленность располагается с одной стороны от селитебной зоны, а с противоположной стороны у реки находится зона отдыха. Жилые районы связаны по кратчайшим направлениям с местами труда и отдыха.

В схеме **Б** промышленность размещена на продольных связях с селитебной зоной, а зона отдыха — на поперечных; тем самым обеспечено удобное сообщение жилых районов с местами приложения труда и отдыха.

В схеме **В** основной промышленный район находится на значительном расстоянии от города и связан с ним железной дорогой и автомагистралью.

Второй промышленный район расположен поблизости от жилых районов. Зона отдыха непосредственно примыкает к селитебной территории. Такое решение является рациональным при большой санитарной вредности производства.

Разнообразие формирующих градообразующую базу предприятий, а также наличие на территории города рек, пойменных территорий и оврагов усложняет функциональное зонирование города. На рис. 16 показана схема функционального зонирования крупного города, расположенного в сложных природных условиях. В этой схеме промышленные предприятия размещены в четырех промышленных районах, а основная зона отдыха размещена вдоль берега реки.

Сложное функциональное зонирование и развитую систему зеленых насаждений и мест отдыха имеет Запорожье. Строительство города было начато в безлесной степи и тем не менее уже через несколько лет Запорожье славилось как один из самых зеленых городов-новостроек. В городе много парков и скверов, вокруг него создана обширная зеленая зона (площадью свыше 5 тыс. *га*). На острове Хортица устроен лесопарк. Здесь находятся пионерские лагеря и дома отдыха. На берегу Днепра расположены пляжи и водные станции. Все это создает хорошие условия для отдыха населения.

Понятно, что в различных климатических условиях проблему организации отдыха приходится решать по-разному. Особенно специфичны в этом отношении города Крайнего Севера.

Опыт решения вопросов функциональной организации территории показал, что в большинстве случаев для городов с населением порядка 50—80 тыс. человек с успехом может быть применена простая схема компактного и последовательного расположения основных зон. При этом оптимальные решения получаются в тех случаях, когда безвредный характер промышленности позволяет приблизить ее непосредственно к жилым районам.

При большей величине города обычно возникает необходимость в более развитой схеме размещения основных зон (образование нескольких промышленных и жилых районов), а также в зависимости от местных природных условий и более сложной системы мест отдыха населения. В некоторых случаях сложный характер принимает зонирование территории и в небольших городах, если этого требуют условия разработки полезных ископаемых или сложные топографические условия. Такое решение вопроса специфично для районов угледобывающей промышленности.

Особый характер получает функциональное зонирование территории городов с мощными промышленными предприятиями, имеющими большую санитарную вредность производства. В этом случае приходится удалять промышленную зону от жилой на значительное расстояние, что вызывает необходимость создания специальной скоростной транспортной связи между ними.

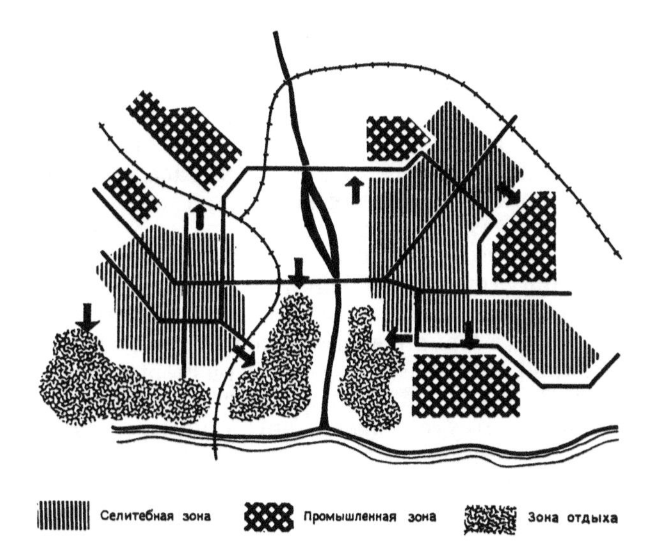

Рис. 16. В крупных городах функциональное зонирование усложняется, возникает несколько промышленных и жилых районов

Fig. 16. In the large cities use zoning becomes complicated, there appears a number of industrial and residential districts

Обширная практика градостроительства позволяет сделать вывод, что при функциональной организации территории важно иметь такое размещение основных зон, которое позволит свободно развивать город в пределах оптимальных размеров, не нарушая нормальной связи между местами приложения труда, жильем и местами отдыха. С этой точки зрения наибольшими преимуществами обладает схема параллельного размещения основных функциональных зон.

4. ПЛАНИРОВКА И ЗАСТРОЙКА СЕЛИТЕБНОЙ ТЕРРИТОРИИ

В Магнитогорске (на правом берегу), в Запорожье, Ангарске, Рустави, Сумгаите и многих других новых городах жилищное строительство размещалось концентрированно крупными массивами и осуществлялось мощными строительными организациями, как, например, Магнитострой и Запорожстрой, которые были пионерами широкого применения передовых индустриальных методов строительства.

Для современной советской градостроительной практики наиболее существенное значение имеет происшедший за последние годы переход от квартальной системы застройки к комплексной застройке новых городов и новых районов в старых городах по принципу организации жилых микрорайонов.

В Новокузнецке, Электростали, Новомосковске, Волжском и многих других новых городах квартал служил основной структурной единицей, на которые членилась селитебная территория. В тех городах, где преобладала двухэтажная застройка, размеры кварталов редко превышали 3—6 *га*. В районах с индивидуальной усадебной застройкой наиболее распространены были кварталы величиной 1,5—2 *га*. Крупнее были кварталы с многоэтажной застройкой — их размеры достигали 9—10 *га*. При квартальной системе застройки отсутствовала органическая связь между комплексами жилых зданий и сетью учреждений культурно-бытового обслуживания. Почти во всех новых городах, строительство которых было начато в довоенное время, а также в первые годы после войны, детские учреждения и школы, как правило, располагались внутри жилых кварталов; магазины и предприятия общественного питания — на улицах и площадях; общегородские общественные здания, клубы, театры, кинотеатры — на площадях, главных магистралях города, в парках и на набережных; больницы — в обособленных кварталах, преимущественно на периферии или рядом с зеленым массивом.

Жизнь показала существенные недостатки такой организации обслуживания. Прежде всего нельзя было обеспечить размещение учреждений повседневного пользования в пределах приемлемых радиусов доступности. В одних кварталах собиралась большая группа учреждений, в других они совсем отсутствовали. Детские учреждения и школы, расположенные внутри кварталов рядом с жилыми домами, нередко сильно затесняли дворовые пространства и сады; особенно это остро чувствовалось в небольших кварталах, имеющих периметральную застройку. Размещение магазинов и предприятий общественного питания на главных улицах нередко приводило к их чрезмерной растянутости на большом протяжении, так что их посещение занимало много времени. По мере увеличения интенсивности движения транспорта в новых быстрорастущих городах стали все более остро выявляться неудобства размещения торговых предприятий на магистралях: магазины располагались по обеим сторонам улицы, а переход ее становился все более затруднительным и опасным.

Большие неудобства для населения также вызывало широко распространенное размещение крупных магазинов в первых этажах жилых домов.

Развитие транспорта выявило недостатки квартальной системы и с точки зрения организации городского движения. Интенсивное движение транспорта захватило жилые улицы, причиняя неудобства и беспокойство населению прилегающих жилых домов.

Процесс развития городов наглядно показал необходимость внесения серьезных изменений в практику планировки и застройки селитебных районов. В Магнитогорске была предпринята одна из первых попыток создания группы кварталов, в которой школы и детские учреждения размещались в центре жилой застройки в одном месте, что, несомненно, было удобнее и создавало лучшие условия и для работы этих учреждений, и для населения, получившего в свое распоряжение большие свободные дворы (рис. 17). Организация групп кварталов, обслуживаемых школами и детскими учреждениями, явилась как бы предпосылкой для перехода к микрорайонам, получающим в настоящее время широкое применение в планировке и застройке реконструируемых и новых городов Советского Союза. Такие города, как Новосибирский научный городок и Зеленоград, с самого начала стали строиться по принципу организации микрорайонов и жилых районов.

Новосибирский научный городок застраивается в основном многоэтажными домами. Лишь небольшая часть его территории занята коттеджами, расположенными в более удаленной части города (на участке с живописным рельефом, у р. Берды). Селитебная территория расчленена на микрорайоны с населением по 6—8 тыс. человек. В каждом микрорайоне запроектирован общественный центр с радиусом обслуживания 300—400 *м*. Здания периодического обслуживания и общегородского значения располагаются в центре города; ими удобно пользоваться, так как центр удален от жилых домов не далее 1200 *м* (рис. 18—21).

В Зеленограде, который застраивается многоэтажными зданиями, предусмотрено создание четырех жилых районов (рис. 22, которые, в свою очередь, членятся на микрорайоны примерно такой же величины, как и в Новосибирском городке. Система общественных центров города включает центры микрорайонов, жилых районов и общегородской центр, расположенный на высоком берегу р. Сходни. В микрорайонах учреждения повседневного обслуживания удалены от жилых домов на расстояние, не превышающее 350—400 *м*.

Детские учреждения и школы группируются внутри микрорайона, как правило, около зеленых массивов. При таком расположении они находятся в хороших гигиенических условиях и не мешают отдыху населения вблизи жилых домов.

Рис. 17. В Магнитогорске была предпринята одна из первых попыток объединения школ и детских учреждений в одном месте для обслуживания группы кварталов. Группа кварталов с левой стороны от проспекта принципиально отличается в этом отношении от кварталов, расположенных с правой стороны, где школы и детские учреждения находятся внутри отдельных мелких кварталов

Fig. 17. Magnitogorsk was the first to witness and attempt to gather schools and other children's premises in one place to serve a number of blocks. In this respect a group of blocks to the left from the avenue is quite different from those on the right side where children's premises are sited within separate small blocks

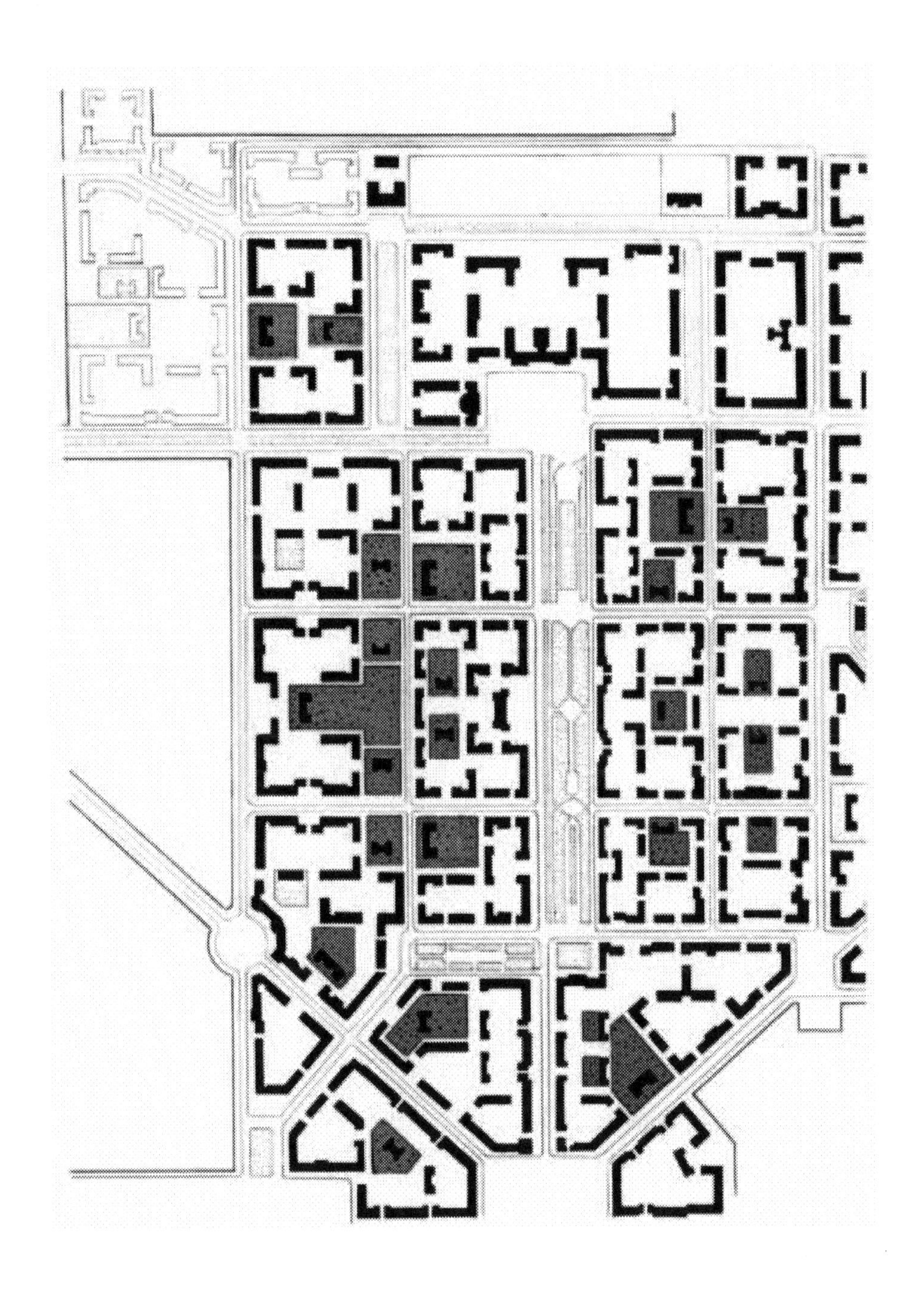

Транспортные улицы проходят по границам микрорайона; это позволяет избежать пересечения транспортом путей движения детей в школы и лучше изолировать от него жилую застройку. Организация микрорайонов дает возможность сохранять внутри жилой застройки массивы зеленых насаждений, что особенно важно при строительстве новых городов на территориях, имеющих лесные массивы.

Одновременно с внедрением застройки микрорайонами в градостроительной практике получают распространение новые приемы организации сети общественного обслуживания путем создания общественных центров в микрорайонах, жилых и промышленных районах. Вместо размещения магазинов по фронту магистральных улиц строятся торговые центры; общественные здания общегородского значения размещаются на участках, изолированных от интенсивного движения транспорта, в пешеходных зонах.

Эти современные тенденции планировки и застройки новых городов можно видеть на

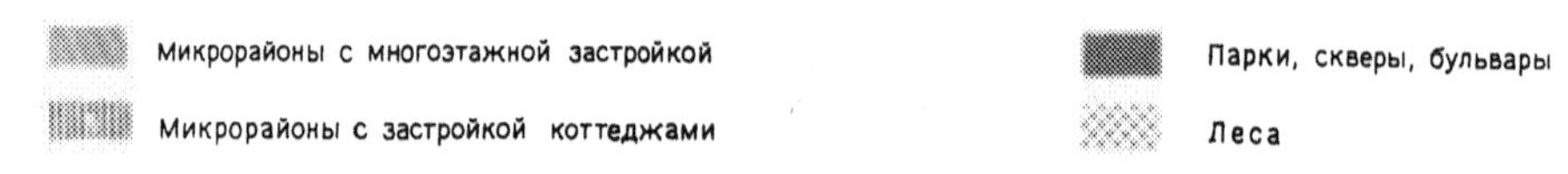

Рис. 18. В Новосибирском научном городке селитебная территория членится на микрорайоны с населением 6—8 тыс. человек. Учреждения повседневного пользования размещаются в микрорайонах, а общегородского значения формируют развитый общественный центр города. **А** — торговые и культурные предприятия и учреждения; **Б** — дом техники; **В** — университет

Fig. 18. In the Novosibirsk Scientific Town the residential area is divided into neighbourhood units with 4—8 thousand inhabitants. Social services of everyday use are located in these neighbourhoods and those which serve the needs of the whole town make its lively civic centre. **A** — shopping and cultural facilities; **Б** — The Palace of Technics; **B** — The University

Рис. 19. В производственной зоне Новосибирского городка расположены научные институты

Fig. 19. Research institutes are located in the separated zone of the Novosibirsk Scientific Town

Рис. 20—21. Новосибирский научный городок застраивается благоустроенными многоэтажными домами

Fig. 20—21 The Novosibirsk Scientific Town is being built up with multistory flats with facilities

Рис. 22. В планировке Зеленограда в соответствии со ступенчатой системой культурно-бытового обслуживания, а также с учетом природных условий предусмотрено образование трех жилых районов. Каждый из них делится на микрорайоны с населением 6—8 тыс. человек

Fig. 22. In the town planning scheme of Zelenograd, with due regard to the system of staggered service and the natural features, three new residential districts are proposed, each being divided into neighbourhoods with 6—8 thousand inhabitants

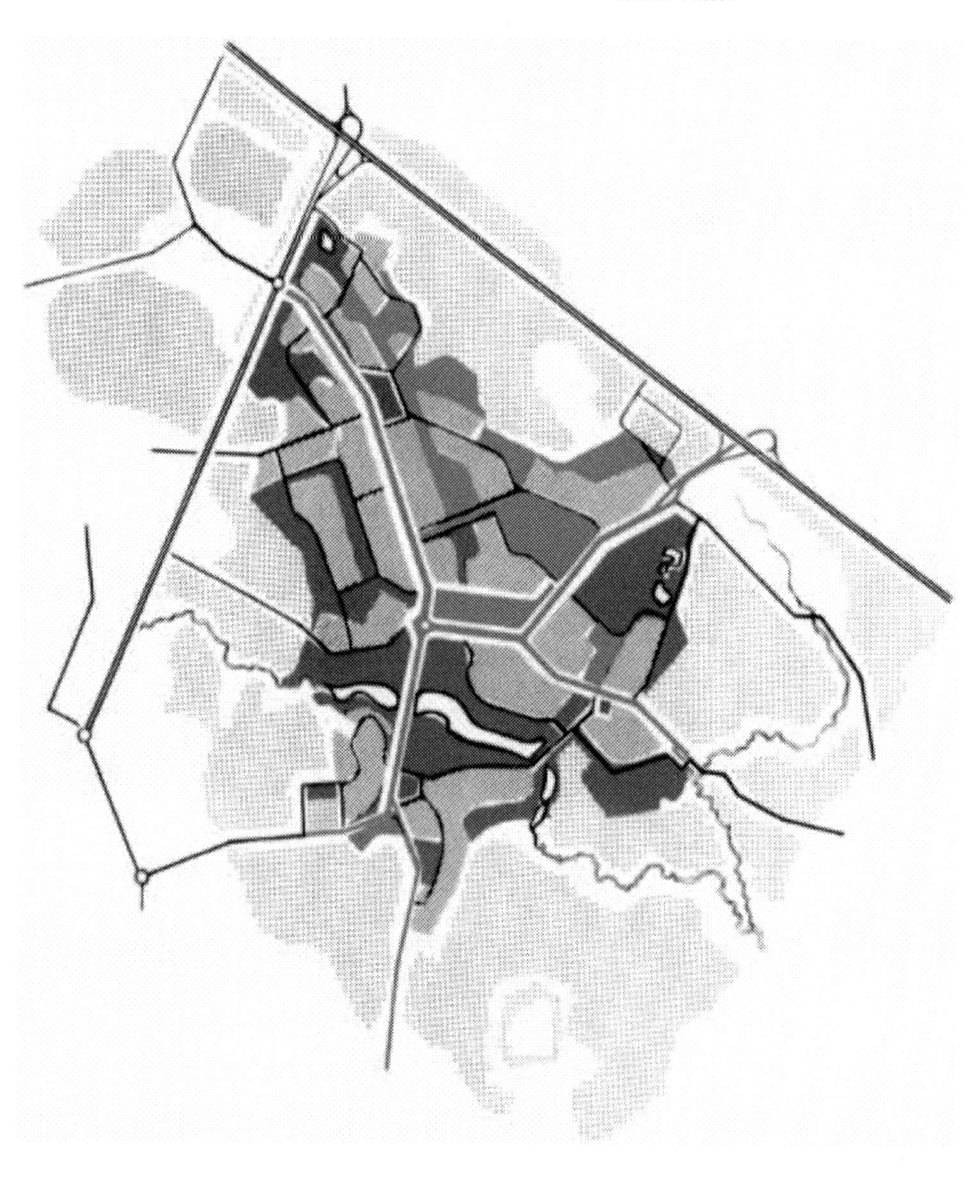

примерах проектирования и строительства Зеленограда, Новосибирского научного городка, Тайшета, Целинограда и других городов.

Большое внимание уделялось планировке и застройке центров городов. В большинстве новых городов основными элементами общегородского центра обычно являлась центральная площадь с прилегающей главной улицей или же две площади, пространственно объединенные в один ансамбль. Нередко городской центр включает также большой сквер или городской сад. Главные площади, как правило, трактуются как общественные форумы, где в дни народных праздников происходят демонстрации, парады и массовые народные гуляния.

На главных площадях сооружены наиболее значительные общественные здания — Дома Советов, Дворцы культуры (рис. 24). На эти здания открыта перспектива со стороны подходящих к площадям улиц, парков или водных пространств. До 1954 г. архитектурные композиции часто решались путем применения устаревших приемов планировки, свойственных XVIII—XIX вв., не отвечающих современным требованиям. Такова лучевая планировка в Волжском. Три луча улиц, идущие от въездной площади, имеют только декоративное значение. Одна лучевая улица имеет очень небольшую протяженность и случайно под острым углом выходит на прибрежную границу города.

Как для функционирования общественного центра, так и для его архитектурной выразительности большое положительное значение имеет включение в центры больших массивов зеленых насаждений или размещение ансамблей общественных зданий вблизи парков. В этом отношении практика дает большое количество положительных приме-

Рис. 23. Свободная застройка микрорайонов, развитая система общественных центров и большое количество зелени — отличительные черты новых городов

Fig. 23. Open development of neighbourhoods, the eleborated system of civic centres and abundance of greenery are the distinguishing features of the new towns

Рис. 24. На центральных площадях в новых городах размещаются крупные общественные здания. Площадь Ленина в Сумгаите

Fig. 24. In the central squares of the new towns large public buildings are coming up. Lenin Square in the town of Sumgait

ров. В центре города Волжского размещен парк (рис. 25), в Рустави центральная площадь широким бульваром соединена с городским парком (рис. 26, 27), в Ангарске главная площадь примыкает к городскому парку (рис. 28, 29).

Следует сказать, что некоторые из построенных в новых городах городских центров в дальнейшем по мере развития города будут являться только центрами районного значения, и генеральными планами предусмотрено строительство общегородских центров на территории, которая будет застроена в последующее время. Это будет иметь место в Ангарске, Комсомольске-на-Амуре и других городах. Серьезным недостатком в решении ряда центров новых городов был просчет в оценке растущих потоков городского транспорта. Иногда центры размещались на перекрестках магистральных улиц, и главные площади становились транспортными узлами как, например, в Магнитогорске, Рустави, Сумгаите, где не всегда удачно использованы местные природные условия.

В последние годы находят использование новые, более прогрессивные приемы композиции общественных зданий и ансамблей городских центров.

Примером может служить строящийся центр Новосибирского научного городка, который решен в виде протяженного озелененного пространства (так называемый «зеленый стержень»), композиционно объединяющего здания институтов Новосибирского университета, административного, культурного и торгового центра и Дом ученых.

Жилая застройка новых городов весьма разнообразна по своему характеру и этажности зданий. Для таких городов, как Новокуйбышевск, Калининград (Московской области), Электросталь, Магнитогорск, является характерным преобладание застройки в 3, 4 и 5 этажей, составляющей в отдельных городах от 60 до 70%. Индивидуальная застройка усадебного типа в этих городах не имеет значительного распространения. Так, в Новокуйбышевске и Электростали она не превышает 10% всего жилого фонда города. Государственный жилой фонд в этих городах характеризуется высоким уровнем благоустройства: 80—95% фонда имеют все основные виды современного благоустройства.

Рис. 25. В Волжском в центре жилого района создан большой городской сад, связанный с лесопарками и поймой реки

Fig. 25. In the town of Volzhsky there is a large garden in the centre of the residential area which is connected with the suburban parks and the water-meadows

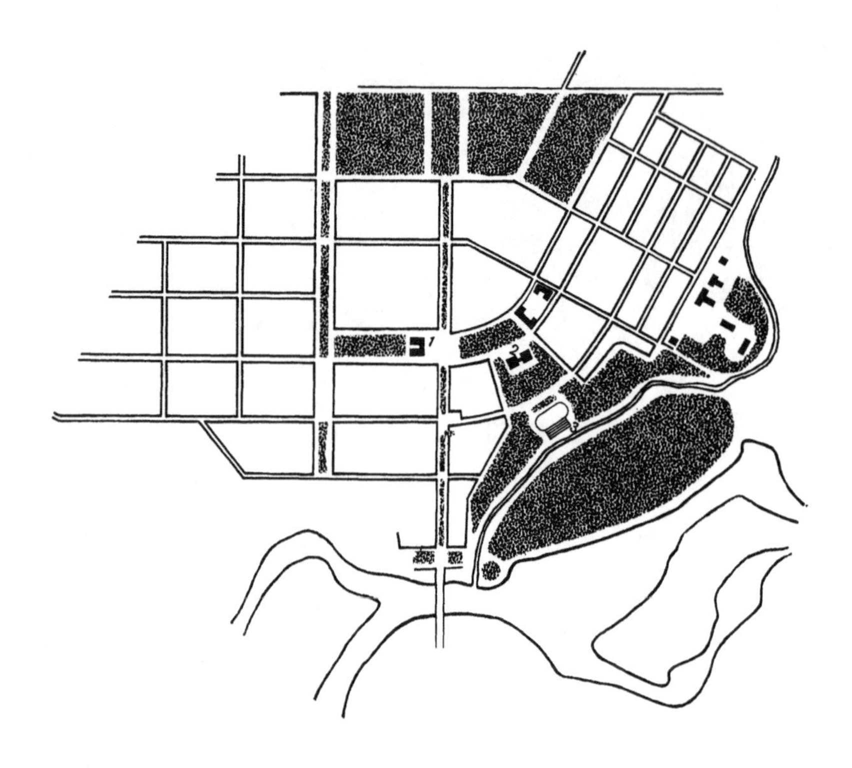

Рис. 26—27. В Рустави центральная площадь соединяется широким бульваром с городским парком, расположенным на берегу реки. Недостатком является пересечение площади широкой транспортной магистралью. **1** — городской Совет; **2** — Дворец культуры; **3** — стадион

Fig. 26—27. In the town of Rustavi the central square is connected with the town park situated on the river bank by means of a wide boulevard. The wide traffic thoroughfare crossing the square is unsatisfying. **1** — Town Council; **2** — Palace of Culture; **3** — Stadium

Рис. 28—29. В Ангарске на центральной площади построены городской Совет, Дворец культуры, городская библиотека. Перед главными зданиями выделено свободное пространство, непересекаемое транспортом. **1** — городской Совет; **2** — Дворец культуры; **3** — библиотека; **4** — городской сад; — **5** — парк культуры

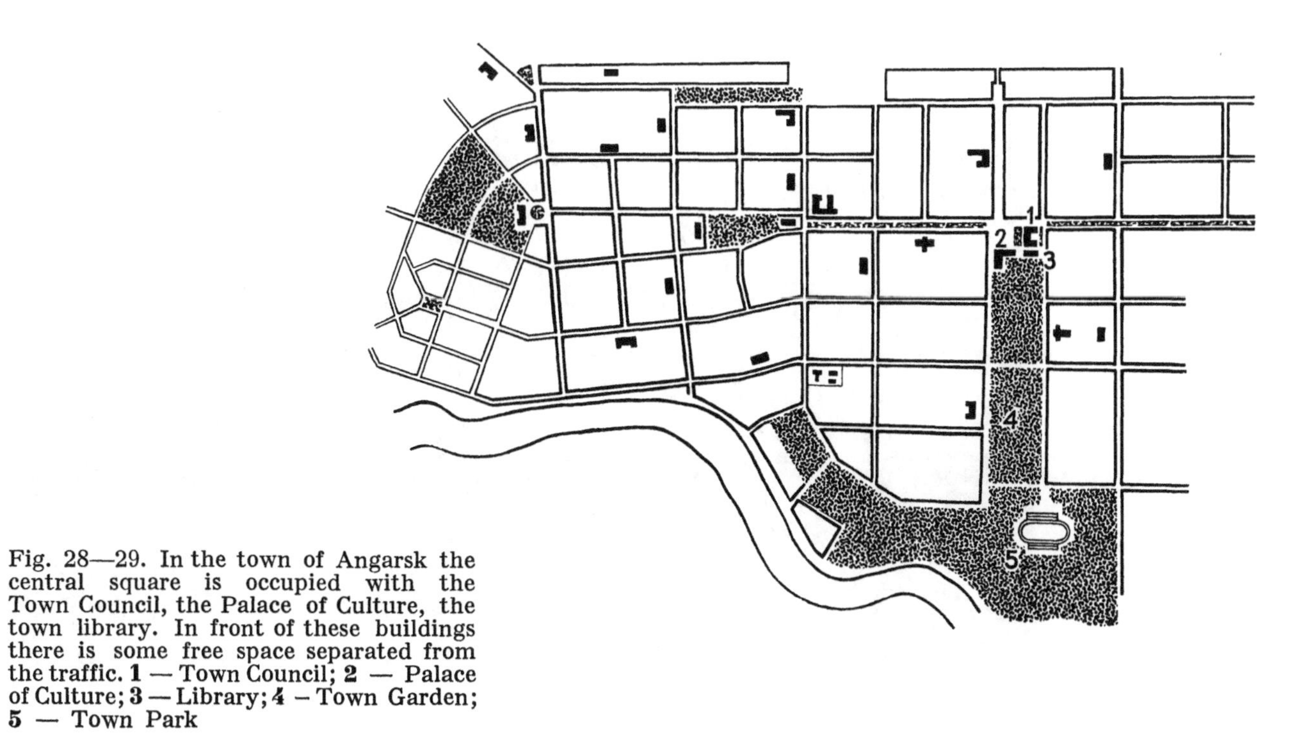

Fig. 28—29. In the town of Angarsk the central square is occupied with the Town Council, the Palace of Culture, the town library. In front of these buildings there is some free space separated from the traffic. **1** — Town Council; **2** — Palace of Culture; **3** — Library; **4** — Town Garden; **5** — Town Park

Рис. 30. Во многих новых городах, особенно в первый период их строительства, получила распространение малоэтажная застройка: г. Кохтла-Ярве; г. Каховка и т. д.

Fig. 30. Many towns, particularly during the first period of their existance, are built up with one- or two-storeyed houses: for example: Kokhtla-Yarve, Kakhovka, etc.

Рис. 31. Более эффективным является строительство многоэтажных домов. Крупными комплексами многоэтажных домов застраиваются новые города: Рудный, Запорожье и др.

Fig. 31. Multistory residential houses are most expedient to built. Large housing estates of multistory flats are built in the new town of Rudny, Zaporozhye and others

В Комсомольске-на-Амуре, Норильске, Северодвинске, Октябрьском, Каменске-Уральском, Волжском, Березниках, Новомосковске, Ступине, Новотроицке, Воскресенске, Ангарске многоэтажная застройка составляет от 40 до 60%. По качеству жилого фонда и уровню благоустройства эти города приближаются к первой группе. Однако индивидуальная застройка усадебного типа здесь составляет от 10 до 25% общего жилого фонда.

В части новых городов преобладает малоэтажная застройка (рис. 30). К этим городам относятся Кохтла-Ярве, Каховка и др. с достаточно высоким уровнем благоустройства государственного жилого фонда и небольшим процентом индивидуальной застройки.

Следует сказать, что малоэтажная застройка в новых городах применялась в основном при осуществлении первой очереди строительства, а также имела распространение в первые годы после войны, или в тех случаях, когда широко использовались местные строительные материалы.

При значительном распространении малоэтажной застройки плотность жилого фонда брутто, характеризующая экономичность использования территории, в ряде городов ниже нормы. Например, Орск имеет плотность жилого фонда брутто (на селитебную территорию) около 520 *м²/га*, Новокузнецк — 400 *м²/га*, Ишимбай — 400 *м²/га*. Если исходить из перспективной застройки городов многоэтажными благоустроенными зданиями, то плотность жилого фонда брутто должна составить около 1200—1500 *м²/га*. К этому показателю приближается плотность жилого фонда в Новомосковске, составляющая около 900 *м²/га*, в Зеленограде и Новосибирском научном городке, где плотность жилого фонда брутто составляет около 1200 *м²/га*. Следовательно, интенсивность использования территории под жилищное строительство в практике сооружения ряда новых городов в 2—3 раза меньше более рациональных показателей экономичного использования территории. Начиная с 60-х годов широкое применение индустриальных способов строительства в большинстве городов позволило перейти в основном на строительство 4—5-этажных домов при высоком уровне благоустройства, что повышает эффективность использования городских территорий.

Глава 3

СТРУКТУРА ГОРОДА И ЕГО ОСНОВНЫЕ ЭЛЕМЕНТЫ

Город должен представлять собой рациональную комплексную архитектурную организацию планировки и застройки производственных зон и селитебных районов, объединенных сетью городского транспорта, инженерного оборудования, озеленения и системой пространственной композиции архитектурных ансамблей, создающих наилучшие условия для труда, быта и отдыха населения. Одной из основ правильного решения города является его целесообразная планировочная структура. Города формируются в соответствии с социальными требованиями на основе таких градообразующих факторов, как промышленность, внешний транспорт, административно-хозяйственные, научные, лечебно-курортные и другие учреждения. Большое влияние оказывают природные условия.

В планировке и застройке городов должна учитываться возможная перспектива их развития, которая определяется социальным прогрессом советского общества, создающего материально-техническую базу коммунизма, и быстрым научно-техническим прогрессом во всех областях народного хозяйства.

Город — сложный организм, структуру которого формируют связанные между собой элементы различного функционального назначения и архитектурного облика: промышленные районы и другие места приложения труда, жилые массивы и общественные центры, сооружения и устройства городского и внешнего транспорта, зеленые насаждения и открытые пространства различного назначения.

Формирование структуры города в значительной мере определяется системой культурно-бытового обслуживания производственных и жилых районов.

Неотъемлемым элементом структуры городов должны быть зоны отдыха, которые в комплексе с озеленением и обводнением должны обеспечить кратковременный и частично длительный отдых городского населения.

Наконец, важное значение в структуре города имеют устройства городского и внешнего транспорта, пути и средства сообщения, призванные обеспечить быструю, удобную и безопасную связь между отдельными частями города, его пригородной зоной и другими городами страны.

При формировании планировочной структуры города определяются:

функциональное зонирование территории города;

транспортные связи между его отдельными частями;

основы планировки промышленных и селитебных территорий;

размещение общественных центров;

размещение в городе и его пригородной зоне основных зон массового отдыха населения;

идея пространственной композиции города;

очередность и возможности планомерного и пропорционального развития планировочной структуры города в целом и отдельных его частей.

1. ФУНКЦИОНАЛЬНОЕ ЗОНИРОВАНИЕ ГОРОДА

Функциональное зонирование города основывается на использовании отдельных его частей по определенному четко выраженному назначению (размещение промышленности, транспорта, складов, жилья, общественных центров, мест загородного отдыха).

В городах, различных по величине, градообразующей базе и природным условиям, конкретное решение функционального зонирования имеет свои характерные особенности, свое индивидуальное выражение.

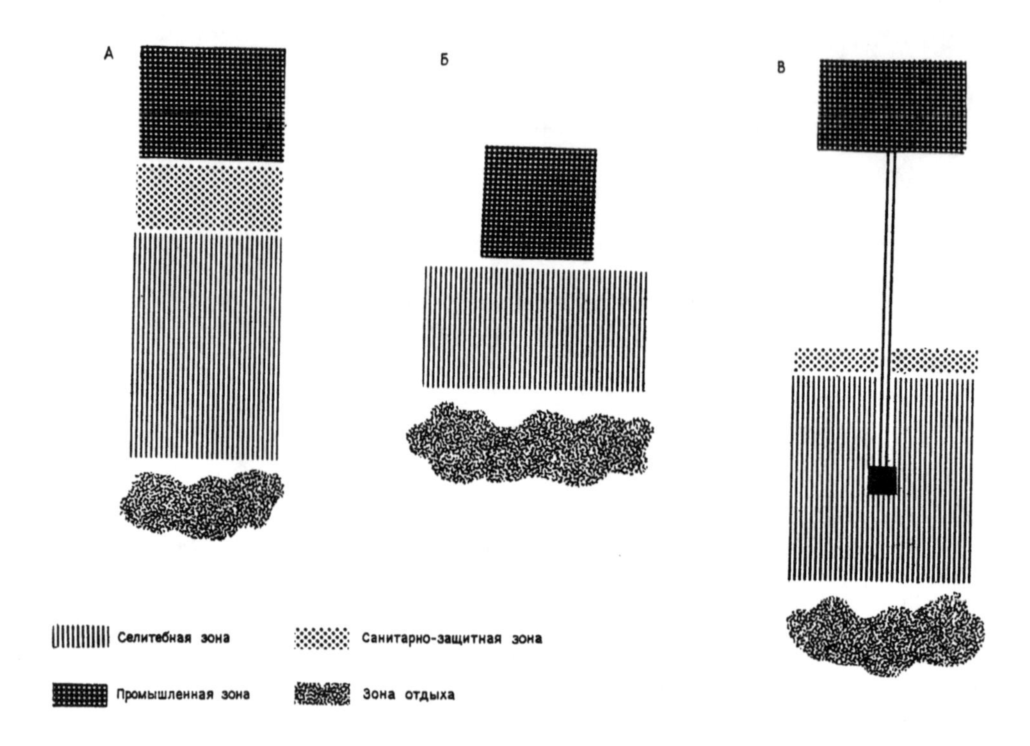

Рис. 32. Простейшие схемы функционального зонирования городов включают промышленный район, жилой район и зону отдыха. Схема **А** — между промышленным и жилым районами предусмотрена санитарно-защитная зона; схема **Б** — санитарно-защитная зона отсутствует, образуется комплексный промышленно-селитебный район; схема **В** — промышленный район расположен на значительном расстоянии от жилого и соединяется с ним скоростным транспортом

Fig. 32. The simplest designs of use zoning include: an industrial district, a residential district and a recreation zone. Scheme **A.** Between the residential and industrial districts a health zone is provided. Scheme **Б.** There is no health zone, a comprehensive industrial and residential zone is formed. Scheme **B.** The industrial district is sited far from the residential zone and they are linked by high-speed traffic

Простейший случай функционального зонирования территории города показан на схеме *А* (рис. 32). С одной стороны жилого района расположены места приложения труда в виде небольшого или среднего по величине промышленного района, а с другой стороны— места отдыха. Они соединены между собой по кратчайшим направлениям пешеходными путями. Целесообразность этой схемы, при которой жилища очень удобно располагаются в отношении мест труда и отдыха, подтверждена многочисленными примерами из опыта строительства новых городов. Она применима во всех случаях, когда природные условия или характер промышленности не выдвигают каких-либо особых требований.

Эта схема лежит в основе зонирования многих новых городов, как построенных много лет тому назад, так и заложенных совсем недавно (например, Новосибирский научный городок).

Специфическая особенность данной схемы, в том виде как она применялась до сих пор, заключается в том, что в качестве непременного элемента здесь присутствует санитарно-защитная зона различной ширины в зависимости от того, к какой категории относится промышленное предприятие. Если город строится на базе предприятий, относящихся к II и III классам, это может быть зона шириной 300—500 *м* или 1—2 *км*, если город строится на базе предприятий I класса. Учитывая прогрессивные тенденции развития производства, о которых уже говорилось, следует ожидать значительного расширения номенклатуры предприятий, не имеющих санитарных вредностей. Это ведет к существенным изменениям в рассматриваемой простейшей схеме (рис. 32, *Б*). Промышленный район настолько приблизится к жилому району, что они образуют комплексный промышленно-селитебный район, в котором санитарно-защитная зона не нужна, а расстояние между функциональными зонами сократится до минимума.

В этом отношении схему *Б* нужно рассматривать как оптимальную, поскольку ни один другой вариант функционального зонирования не может дать более удобной связи мест приложения труда с жильем.

Уже отмечалось, что для современного развития промышленности характерны повышение мощности предприятий и развитие отдельных отраслей, имеющих большую санитарную вредность. При такой промышленной базе простейшая схема зонирования приобретает характерные особенности (рис. 32, *В*). Промышленный район, удаленный от селитебной территории на несколько километров, теряет с ней непосредственную связь, но при этом в структуре города появляется новый элемент в виде глубокого ввода скоростной дороги, связывающей жилье с производством. Особую роль приобретают устройства внешнего транспорта — автовокзал, железнодорожный вокзал или вертолетная станция, которые становятся главными пунктами тяготения при трудовых поездках населения.

Эта же схема функционального зонирования применима для городов и поселков, расположенных в районах угледобычи и нефтепромыслов, где структура населенных мест иногда должна формироваться с учетом большой удаленности промышленных территорий и расположения главных остановочных пунктов транспорта, связывающего город с удаленными местами приложения труда.

Каждая из рассмотренных простейших схем взаимного расположения жилых и промышленных территорий может быть применена при строительстве новых городов, но при этом нужно иметь в виду, что возможности применения этих схем имеют свои рациональные пределы.

Схема *А*, как правило, может быть применена при величине города, население которого не превышает 70—80 тыс. человек. Промышленный район такого города имеет 20—25 тыс. рабочих, и время, затрачиваемое на поездку до мест приложения труда, здесь составляет не более 30 *мин* при использовании обычных средств массового городского транспорта. Дальнейшее увеличение города за эти пределы при сохранении данной схемы его функционального зонирования вызывает ряд отрицательных моментов: чрезмерную концентрацию в одном месте промышленных предприятий, увеличение дальности и времени трудовых связей (свыше 30 *мин*), невыгодные условия работы городского транспорта, характеризующиеся резко выраженными пиковыми нагрузками одностороннего направления.

Схема *Б* имеет своим пределом перспективную численность населения порядка 25—30 тыс. человек. При таком количестве населения можно обеспечить пешеходную доступность мест приложения труда в пределах до 2 *км*, что — для данной схемы главное преимущество. При увеличении города за указанные пределы преимущества схемы *Б* утрачиваются, поскольку для трудовых поездок приходится использовать городской транспорт.

Наконец, в схеме *В* предельная величина города определяется размерами промышленного предприятия или их группы, которые должны быть расположены в удалении от жилья. Практически это приводит, так же как и в схеме *А*, к численности населения порядка 70—80 тыс. человек, в том случае если предприятия, удаленные от жилья, не автоматизированы.

Пределы и целесообразность применения рассмотренных выше простейших схем, безусловно, зависят не только от характера промышленности, но и от природных условий; в наибольшей мере это относится к схеме *Б*, формирующейся на основе пешеходных связей жилья с местами приложения труда.

На рис. 33 показаны варианты планировочной организации малого города, размещенного в благоприятных природных условиях при наиболее удобном и экономичном компактном расположении селитебной территории и зоны отдыха.

Размещение городов в сложных природных условиях и на пересеченном рельефе (Кировск, Качканар, Сафоново и др.) даже при небольшой их величине вызывает рассредоточение жилой застройки, увеличение расстояния до мест приложения труда и ограничивает сферу применения простейших схем.

С увеличением размеров нового города, как правило, усложняется его структура (рис. 34, 35). Простейшие схемы не приемлемы для формирования структуры городов с населением свыше 100 тыс. жителей. Усложнение структуры происходит вследствие создания нескольких промышленных и селитебных районов, образования более развитых общественных центров и более сложной сети транспортных магистралей.

Как показывает градостроительная практика, города средней величины большей частью имеют нерасчлененную селитебную территорию. В городском центре располагаются все основные административные, торговые и культурно-просветительные учреждения, обслуживающие население города (рис. 34.)

Наиболее сложный характер получает структура крупных городов. На обширной территории, занимаемой этими городами, как правило, имеются тальвеги, реки и пруды, лес-

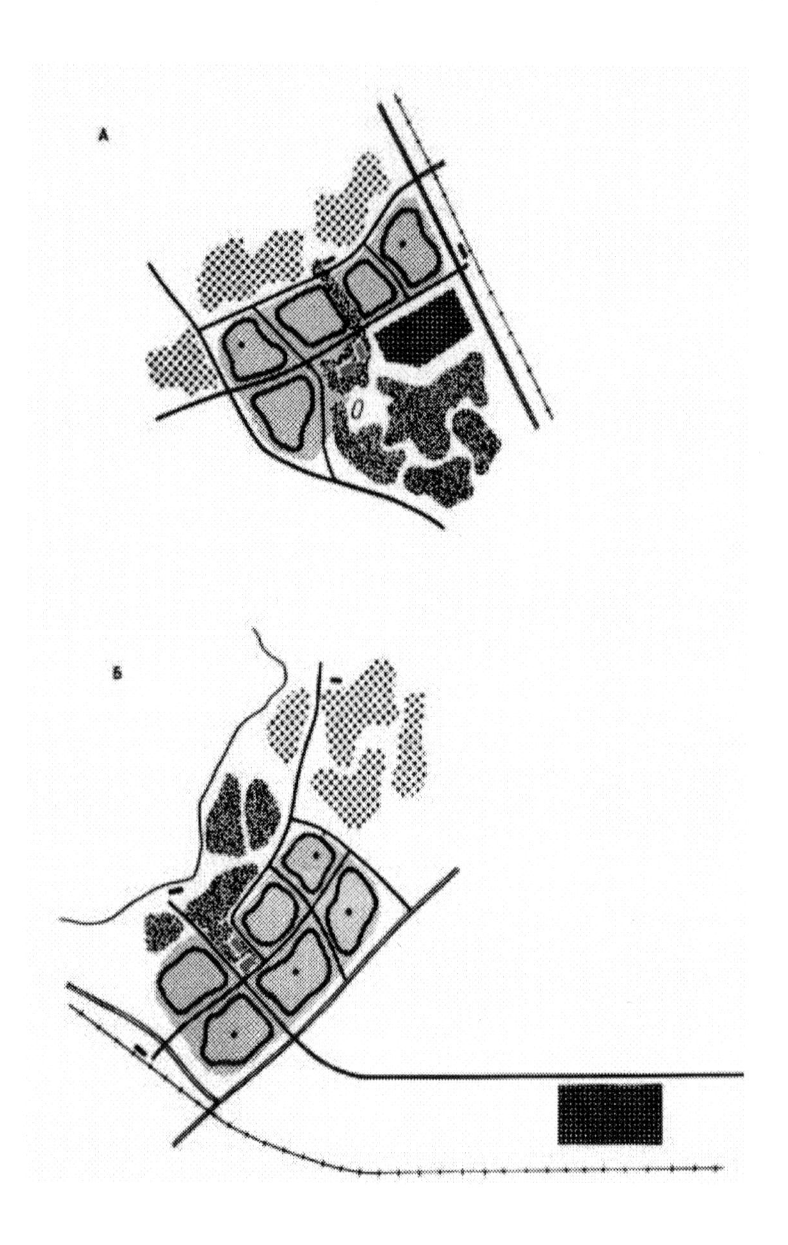

Рис. 33. В малых городах с промышленными предприятиями, не имеющими санитарной вредности (схема **А**), основные зоны — труд, жилье, отдых — располагаются в пешеходной доступности друг от друга. При промышленности со значительной вредностью (схема **Б**) места труда связываются с жильем и общественным транспортом, обеспечивающим доставку рабочих на предприятия при затрате времени в пределах 30 мин

Fig. 33. In small towns having no harmfulness (scheme **A**) the main zones of working, living and recreation are sited within the walking distance from one another. If the industry is harmful (scheme **Б**) the work-places are connected with the residential areas by public transport which brings the workers to the work-place for not more than thirty minutes

Условные обозначения к рис. 33—35

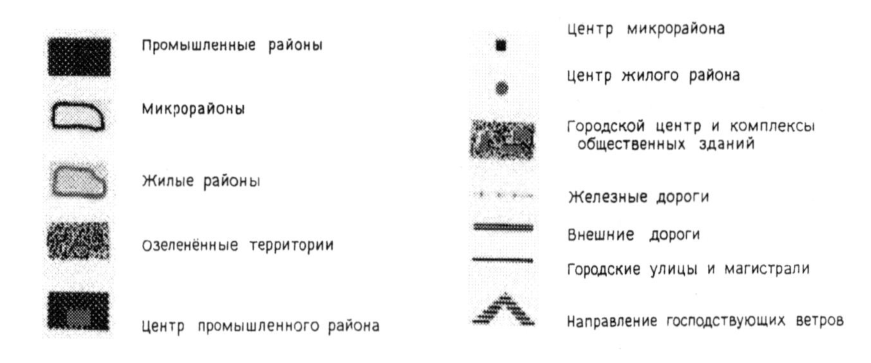

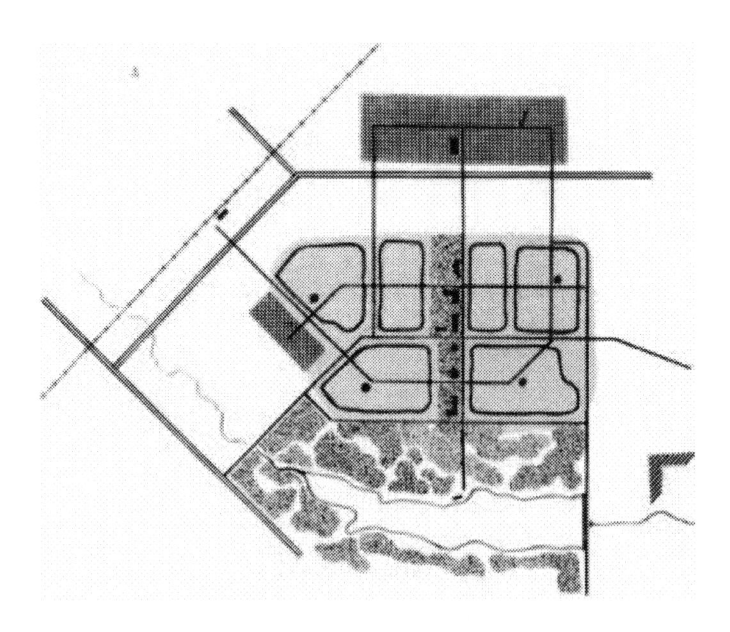

Fig. 34. The basic principles of making up the structure of cities with 150—250 thousand population are grouping plants into several industrial districts; dividing the whole residential area into residential districts and into neighbourhoods (6—12 thousand people); solution of a system of civic centres; even distribution of green spaces and recreation sites. Structural Scheme **A** — Enterprises of the I-st and II-nd degrees of harmfulness should be separated from the town by a health zone. The non-harmful enterprises which have no big goods turnover are sited near the residential areas Structural Scheme **Б** — Plants of different degrees of harmfulness (oil and chemistry, machine-building and engineering industries etc.) are grouped into two industrial districts — one is far from the residential areas, the other — in their periphery

Б

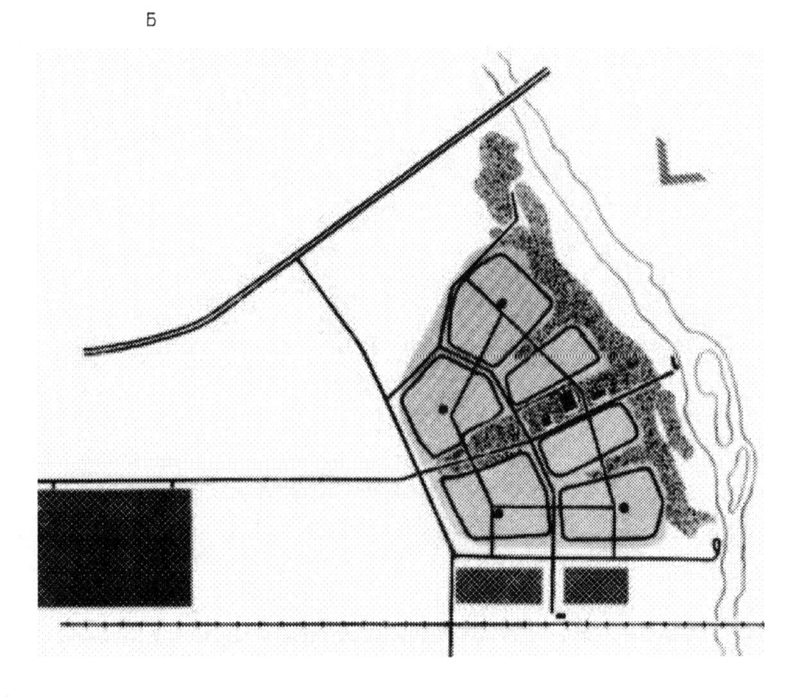

Рис. 34. Основными принципами формирования структуры городов с населением 150—250 тыс. человек являются: группировка предприятий в промышленные районы, членение селитебной зоны на жилые районы и микрорайоны (6—12 тыс. человек), решение системы общественных центров, равномерное размещение зелени и мест отдыха. Схема **А** — предприятия II и III классов санитарной вредности отделены от города санитарно-защитной зоной, а предприятия, не имеющие вредностей и большого грузооборота, размещаются в непосредственной близости к жилым районам и микрорайонам; схема **Б** — предприятия различной санитарной вредности (нефтехимия, среднее и легкое машиностроение и т. п.) группируются в два промышленных района — один в удалении от селитебной территории, второй — на ее периферии

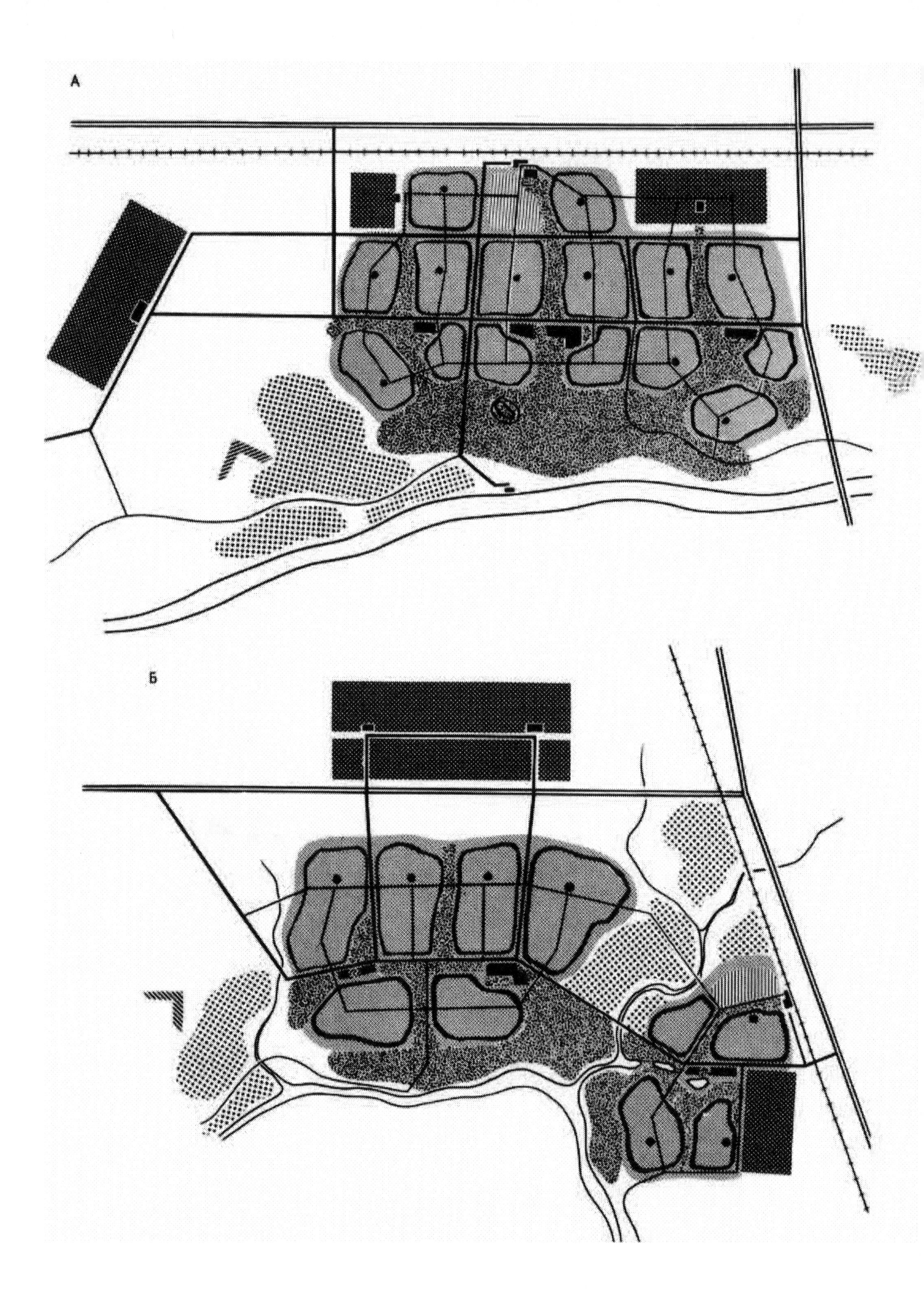
А
Б

В

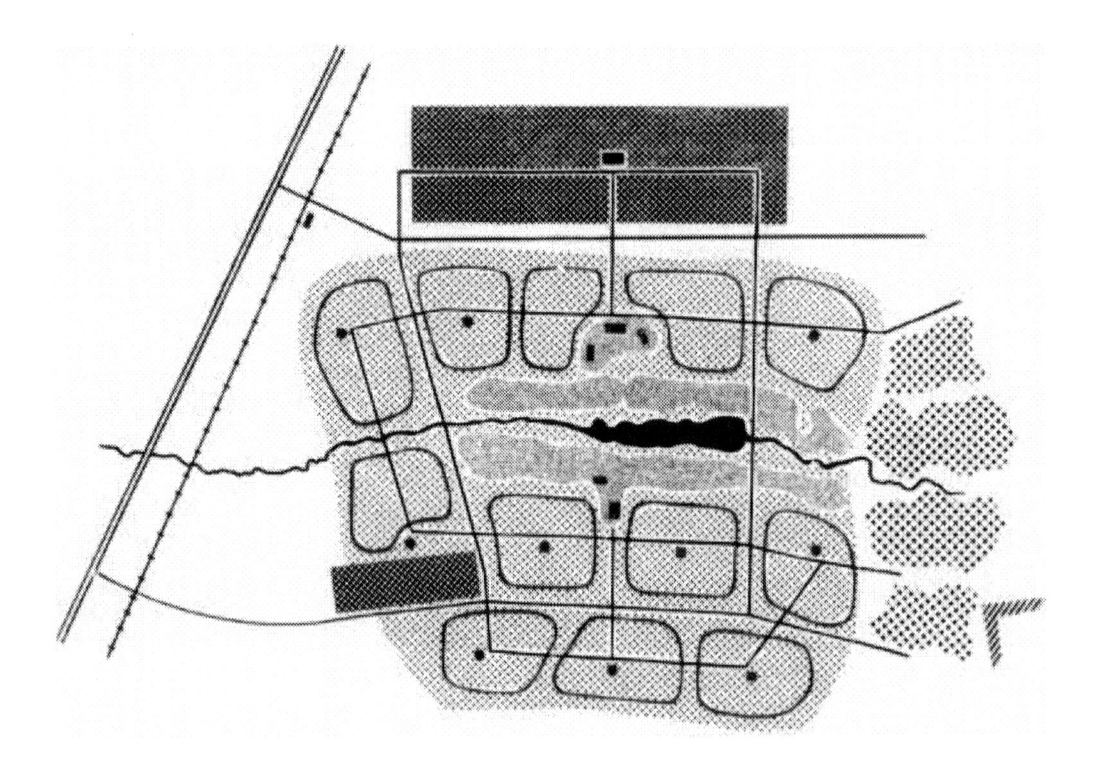

Рис. 35. При формировании структуры крупных городов на 250—300 и более тысяч жителей для удобства жизни населения существенное значение имеют приближение мест приложения труда к жилью путем создания нескольких промышленных районов и образования комплексных промышленно-селитебных районов, равномерное размещение общественных центров и зеленых насаждений, быстрый, удобный и безопасный городской транспорт. Схема **А** — создание скоростного сообщения при удаленном промышленном районе и двух комплексных промышленно-селитебных районах позволяет организовать удобные связи с местами труда; схема **Б** — в сложных природных условиях город получает расчлененную структуру при размещении промышленных и жилых районов, общественных центров и зеленых насаждений; схема **В** — размещение в крупных городах городских парков и водоемов в центральной части селитебной территории позволяет удобно связать жилые районы с зелеными насаждениями и местами отдыха

Fig. 35. When working out the structure of cities with 250—300 and more people the following points are of importance: proximity of work-places to residence gained through organization of several industrial districts and formation of comprehensive industrial and residential districts, even distribution of civic centres and open spaces, speedy and safe public transport. Scheme **A** — High-speed traffic and formation of two integrated industrial and residential districts make it possible to form efficient links with work-places. Scheme **Б** — In case of difficult natural conditions the town has a divided structure while designing industrial and residential districts, civic centres and open spaces. Scheme **B** — Siting large parks and water reservoirs in the central part of the residential area in large cities make it possible to link residences with open spaces and resting places in the most convenient way

ные массивы и другие зеленые насаждения, расчленяющие город на отдельные части.

Усложнение структуры города вместе с его ростом, появление в городе скоростных дорог непрерывного движения и общественных центров, обслуживающих группы жилых районов, нужно считать закономерным, при этом в средних и больших городах со сложной структурой также должны быть обеспечены благоприятные условия труда, быта и отдыха населения, сохранены удобные взаимосвязи между жильем и производством, общественными центрами и местами отдыха. Для крупных городов особенно важны равномерное размещение мест приложения труда и организация комплексных производственно-селитебных районов.

Приемы формирования структуры крупных городов в различных условиях можно видеть на следующей принципиальной схеме (рис. 36).

Город Тайшет является важным звеном в системе расселения в зоне влияния Братской гидроэлектростанции. В генеральном плане Тайшета выражена идея построения города как единого целого, отдельные части которого объединены системой общественных центров, зеленых насаждений, транспортных магистралей и пешеходных путей.

Природные особенности территории города (р. Бирюса и ее притоки, расположение лесных массивов и перелесков) значительно повлияли на планировку селитебной территории Тайшета (рис. 37). Она членится на четыре селитебных района, которые отделяются друг от друга зелеными насаждениями и, в свою очередь, делятся на жилые районы с населением 20—30 тыс. человек со своими центрами и парками.

Общегородской центр, приближенный к территории первой очереди строительства, включает комплекс закрытых для транспорта площадей и улиц, связанных с парками и транспортными магистралями. К западу от города в лесу проектируются учреждения отдыха (пионерские лагеря, дома отдыха, летние детские дачи и т. д.).

Расположение селитебной территории позволило ограничить среднюю длину трудовых поездок таким образом, чтобы затраты вре-

Рис. 36. Для многих новых городов характерна схема функционального зонирования, при которой промышленная зона, селитебная территория и зона отдыха размещаются параллельно друг другу; зона отдыха приближается к естественным лесным массивам и водоемам

Fig. 36. It is typical of many new towns to employ a structural use zoning which places the industrial zone, the residential area and the recreation zone in parallels. The recreation zone is layed out near natural woods and water reservoirs

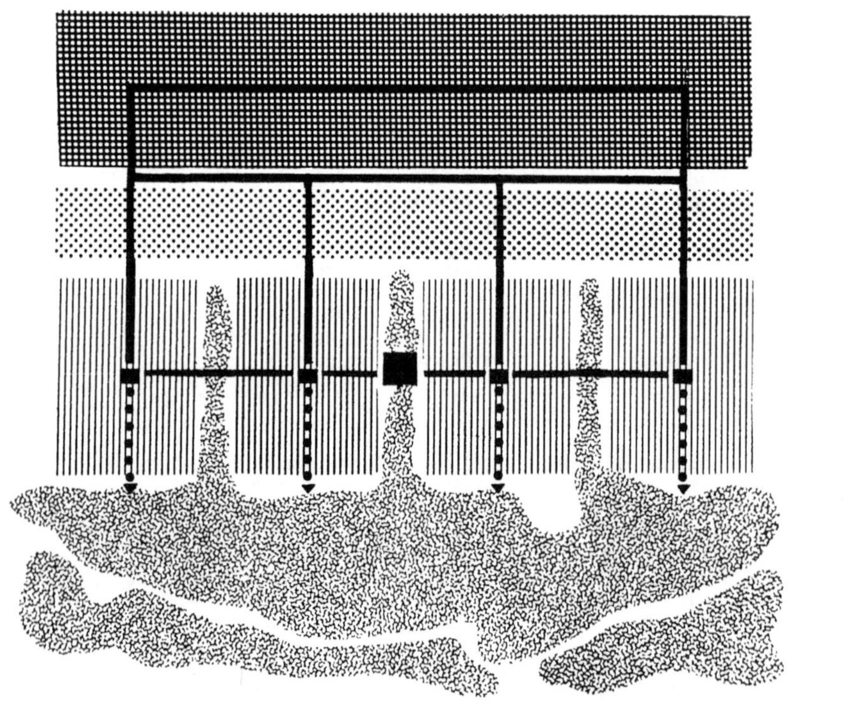

Рис. 37. Проектная численность населения Тайшета — более 200 тыс. человек. Жилые районы (20 — 30 тыс. человек) объединяются в четыре селитебных района, разделенных между собой существующими зелеными насаждениями. Главные улицы, связывающие общегородской центр и комплексы общественных зданий в селитебных районах с парками, предназначаются только для пешеходного движения. Магистрали с общественным транспортом связывают центры жилых районов. Автомобильное движение концентрируется на двух магистралях городского значения. Магистрали для грузового движения, связанные с внегородскими дорогами, изолированы от застройки и проходят в зеленых полосах между селитебными районами. Зеленые насаждения внутри города связаны с окружающими город лесными массивами

Fig. 37. The proposed population of the town of Tayshet is 200 thousand inhabitants odd. Residential districts (20—30 thousand in each) are grouped into four districts separated from each other by existing greenery. Main thoroughfares connecting the town centre and the public service buildings in the residential districts with parks are meant for pedestrians only. Arterial roads with public transport connect the residential district centres. Car traffic is concentrated in the two thoroughfares of town's importance. Roads carrying freight traffic linked with out-of-town routes are situated out of the residential development and are laid out in the green verges between the residential districts. The green areas within the town are connected with the thick woods surrounding the town

Баланс селитебной территории

Жилые микрорайоны	60,5%
Участки общественных учреждений	12%
Зеленые насаждения общего пользования	12,5%
Улицы и площади	15%

Land Distribution in Residential Areas

Residential neighbourhoods	— 60.5%
Sites allocated to social services	— 12%
Public open spaces	— 12.5%
Streets and Squares	— 15%

мени на передвижения к местам труда не превышали 30 *мин*.

В генеральном плане города Целинограда селитебная зона располагается вдоль р. Ишима, где будут созданы значительные водоемы и парки. Это обеспечит удобную связь жилых районов с местами отдыха (рис. 38) и общегородским центром, который предусматривается в комплексе с прибрежной парковой зоной.

Проекты Тайшета и Целинограда не свободны от недостатков, но в них выражены прогрессивные тенденции формирования структуры нового города.

Обобщая, можно сказать, что структура новых городов, определяемая общими социальными требованиями, получает различное индивидуальное выражение в зависимости от местных природных условий, величины города и характера промышленности. Наша градостроительная практика и целом позволяет сделать вывод, что параллельное размещение главных функциональных зон города — промышленности, селитебной зоны и зоны отдыха — при относительной их компактности имеет ряд преимуществ, поэтому в проектировании и строительстве многих новых городов, территории которых не расчленены крупными естественными преградами, такие схемы находят свою реализацию.

При строительстве городов на обоих берегах крупных рек и водоемов, которые разделяют населенные места на две части, места приложения труда следует размещать на обоих берегах и создавать центрально расположенную зону отдыха.

Примерно по такой схеме формируется структура города Рустави; его правобережную и левобережную части разделяет пойма р. Куры шириной до 800 *м*. Зона отдыха в пойме между жилыми массивами правого и левого берегов — крупный городской парк с водным пространством — объединяет город в функциональном и композиционном отношениях. Жилые районы связаны с местами труда, расположенными в левобережной и правобережной частях города.

Большое значение для создания благоприятных условий жизни населения, особенно в крупных городах, имеет образование комплексных промышленно-селитебных районов при составе предприятий, не имеющих вредных выделений (рис. 39). Это позволяет уменьшить время, необходимое для поездок к месту работы, и иметь для части трудящихся места приложения труда в пределах пешеходной доступности, избежать перегрузки средств общественного транспорта и обеспечить более рациональную его работу. В производственно-селитебных районах целесообразно размещать не только предприятия, не имеющие вредностей, но и научно-исследовательские, проектные и учебные центры.

Необходимо отметить, что формирование структуры города на основе нескольких комплексных производственно-селитебных районов отнюдь не означает, что эти районы функционируют как обособленные самостоятельные образования. При наличии в крупных городах многих мест приложения труда надо учитывать многообразие трудовых связей каждого жилого района даже при преимущественном расселении населения по принципу трудового тяготения. Поэтому одним из важнейших принципов формирования структуры города являются построение его как единого целого и обеспечение удобной связи всех районов между собой.

При формировании стуктуры городов и их функциональном зонировании должно учитываться влияние климата Заполярья или южных, жарких районов страны.

В условиях Крайнего Севера (при жестоких морозах, сильных ветрах и снежных заносах) основным требованием к планировке

Рис. 38. Проектная численность населения Целинограда рассчитана на 350 тыс. жителей. Селитебная территория компактна и размещается вдоль р. Ишим. Предусматриваются регулирование русла и обводнение реки, создание на ее берегах обширного парка и устройство вокруг города ветрозащитных полос зеленых насаждений. Система улиц и магистралей построена из расчета, чтобы средние затраты на массовые поездки населения не превышали 30 мин ▶

Баланс селитебной территории

Жилые микрорайоны	50,5%
Участки общественных учреждений	13,5%
Зеленые насаждения общего пользования	22,2%
Улицы и площади	13,8%

Fig. 38. The proposed population of the town of Tselinograd provides for 350 thousand inhabitants. The residential area is compact and stretches itself along the river of Ishim. The water supply in the river will be improved and a large park will be laid out on the river-bank; the town will be surrounded by wind-protecting forest belts. The street pattern is planned so as to limit the mean time of everyday journeys of the population by no more than 30 minutes

Land Distribution in Residential Areas

Residential neighbourhoods	— 50.5%
Sites allocated to social services	— 13.5%
Public open spaces	— 22.2%
Streets and squares	— 13.8%

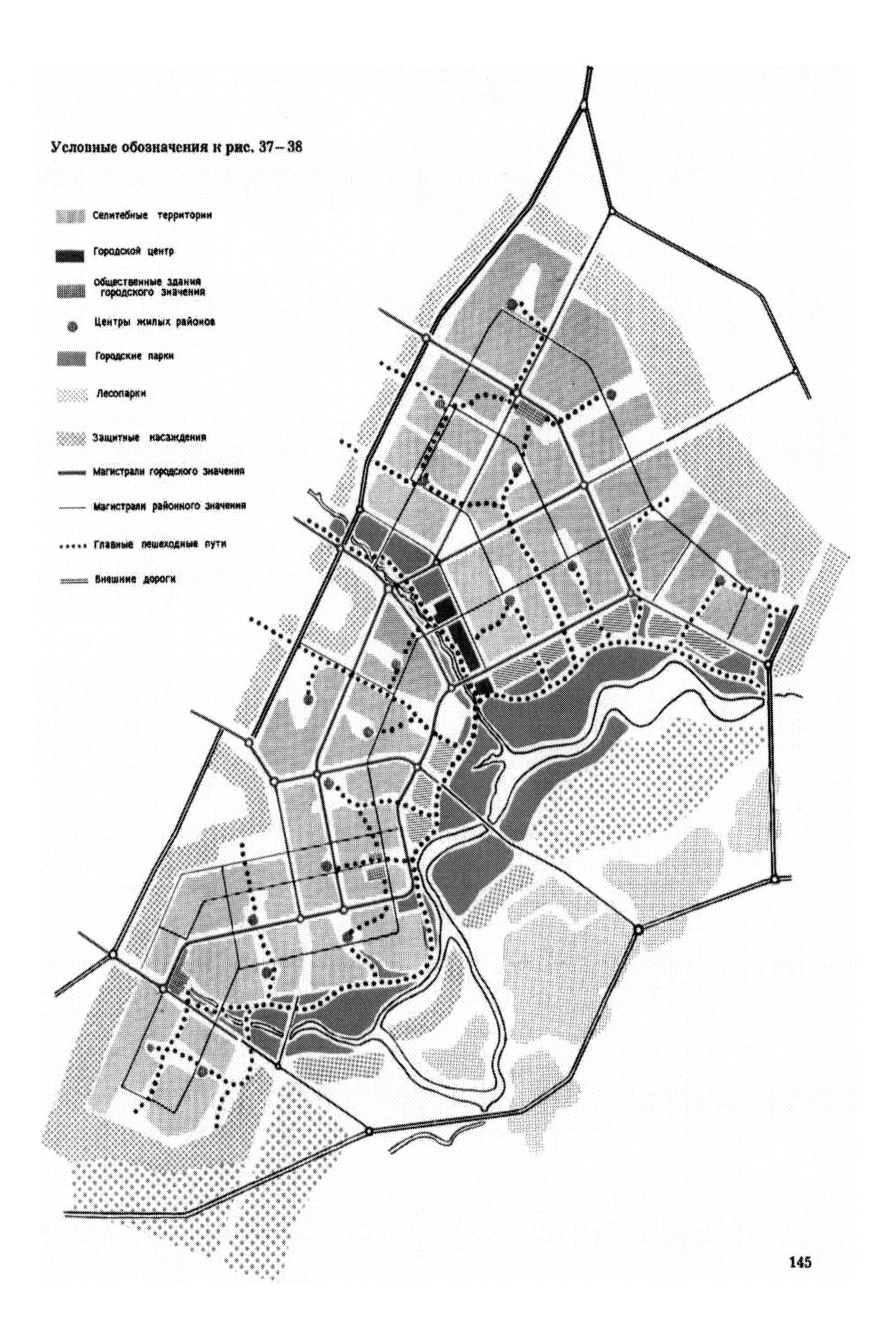
Условные обозначения к рис. 37–38
Селитебные территории
Городской центр
Общественные здания городского значения
Центры жилых районов
Городские парки
Лесопарки
Защитные насаждения
Магистрали городского значения
Магистрали районного значения
Главные пешеходные пути
Внешние дороги

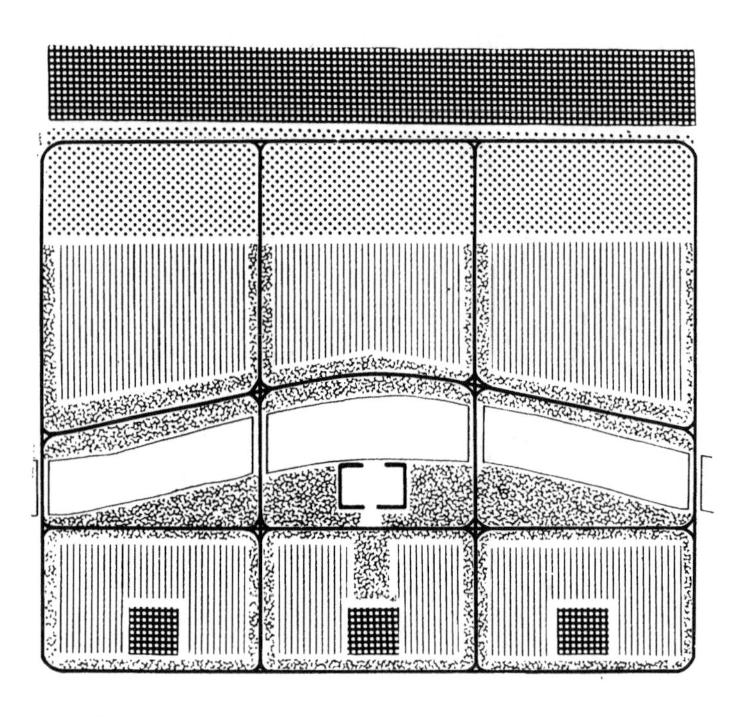

Рис. 39. В крупных городах для сокращения затрат времени на трудовые поездки целесообразно промышленные предприятия, не имеющие санитарных вредностей и большого грузооборота, размещать близ жилой застройки

Fig. 39. In the large cities in order to shorten the time for journeys to work is useful to locate nonharmful enterprises which have no big goods turnover in residential areas

города и выбору типа застройки является максимальное приближение отдельных элементов города друг к другу вплоть до строительства небольших населенных мест в одном взаимосвязанном комплексе зданий или даже в объеме одного здания.

Количество зеленых насаждений здесь неизбежно будет незначительным, и они нуждаются в защите от ветров и морозов.

В городах, строящихся в условиях жаркого климата, например в Средней Азии, наоборот, зеленым насаждениям принадлежит важнейшая роль, поскольку они в сочетании с водоемами определяют возможность создания благоприятного микроклимата. Вследствие этого удельный вес зеленых насаждений в балансе территорий южных городов должен быть выше, чем в городах, расположенных в других климатических зонах. Включение зеленых насаждений, естественных и искусственных водоемов в городскую застройку — одно из основных требований формирования структуры южных городов. Кроме того, вокруг городов, строящихся в зоне пустынь и полупустынь, должны быть созданы защитные зеленые зоны, связанные с системой озеленения самого города.

Особое значение приобретает озеленение в структуре городов сейсмических районов. Одним из главных условий их планировки и застройки является создание непрерывной системы широких озелененных пространств, которые не могут перекрываться завалами от разрушенной при землетрясении застройки и в случае необходимости могут служить для сбора и эвакуации населения.

Таким образом, природные условия разных районов СССР придают специфические черты застройке городов и оказывают значительное влияние на формирование их планировочной структуры.

Функциональное зонирование города, размещение и планировка его промышленных и селитебных территорий, общественных центров и зеленых насаждений тесно связаны с решением проблемы городского движения и транспорта. Решающее значение здесь имеет фактор времени. Только в небольших, компактных по планировке городах можно ограничиться пешеходным сообщением между местами приложения труда и общественными центрами. Но и в таких городах не отпадает необходимость в некоторых пассажирских и тем более грузовых перевозках.

Удобное, быстрое и безопасное передвижение на территории городов может быть обеспечено путем соответствующего построения сети магистралей и улиц, применения современных видов транспортных средств и соблюдения при формировании структуры города следующих основных условий:

правильного взаимного расположения функциональных зон и расселения населения с учетом максимального приближения к местам приложения труда;

равномерного размещения общественных центров и учреждений культурно-бытового обслуживания.

В новых городах это может быть обеспечено в процессе осуществления генеральных планов и проектов застройки; здесь можно и нужно избегать тех трудностей, которые возникают в старых городах, где проблему городского движения приходится решать в условиях бессистемного размещения мест приложения труда и учреждений культурно-бытового обслуживания при помощи реконструкции сети улиц и магистралей, не приспособленной к требованиям современного транспорта.

Система магистралей и улиц должна строиться в новых городах исходя из преимущественного развития массового общественного транспорта при учете значительного перспективного роста автомобильного движения и дальнейшего развития обслуживания населения такси и автомобилями государственного проката.

Важнейшим фактором в современном градостроительстве является время, затрачиваемое на передвижение населения в пределах города, поэтому качество планировки и застройки городов определяется показателем времени, которое требуется на передвижение к местам приложения труда, общественным центрам и местам отдыха. Время на передвижение к месту работы целесообразно ограничить пределами 30 *мин*. Таким образом, проектируемая сеть улиц и магистралей города и намечаемые виды городского транспорта должны обеспечить среднюю продолжительность массовых трудовых и культурно-бытовых поездок населения до 30 *мин*, включая подходы к остановкам транспорта.

Из этого расчета проектируется сеть магистралей и городской транспорт для Тайшета, Целинограда, Братска, Лисаковска и других новых городов.

Для современных городов характерна большая подвижность населения, а также значительное расширение сферы действия городского транспорта, на который ложится задача обеспечить удобное сообщение не только между отдельными элементами города, но и с пригородной зоной и прежде всего с местами массового загородного отдыха.

Организация удобного городского сообщения, быстрота и безопасность движения требуют изоляции жилой застройки и общественных зданий от транспортных потоков как в городе, так и на загородных магистралях. Для этого необходимо предусматривать соответствующие зоны, отделяющие проезжие части скоростных дорог и магистралей от жилых и общественных зданий. В целях сокращения потоков транзитных машин следует межгородские автомобильные дороги трассировать вне территории городов. Только в исключительных случаях, при очень сложных топографических условиях, можно допустить пропуск внешнего транзита по дорогам скоростного непрерывного движения, проходящим в пределах города. Эти дороги служат для быстрой связи между отдельными частями города, удаленными друг от друга на большие расстояния, и являются основными артериями, по которым пропускается внутригородской транзит.

Потребность в дорогах скоростного движения обычно возникает не только в крупных городах, но и в городах с промышленностью, удаленной от жилья на большие расстояния (рис. 40, **А**).

Дороги скоростного движения должны пересекаться с поперечными улицами в разных уровнях и иметь соединения с другими магистралями для осуществления левых и правых поворотов, что требует значительной ширины дорожной полосы — до 100—150 *м*. Поэтому при формировании структуры новых городов, население которых в перспективе может увеличиться до 250 и более тысяч жителей, и городов с промышленностью, требующей удаления от жилья, необходимо предусматривать возможность устройства скоростных дорог и резервировать для этого соответствующие территории. Дороги скоростного движения рекомендуется прокладывать среди зеленых насаждений, вдоль железнодорожных линий, в тальвегах и у подножия склонов, максимально используя рельеф местности. С городскими дорогами скоростного движения в ограниченном числе пунктов должны соединяться магистрали общегородского значения, которые связывают между собой основные функциональные зоны и общественные центры города.

Единую систему с магистралями городского значения образуют магистрали районного значения, по которым идет движение общественного транспорта (автобус, троллейбус, трамвай).

Жилые улицы, а также местные проезды в промышленных и складских районах и зонах отдыха в основном предназначены для подъезда к жилым домам, домам отдыха, спортивным базам, промышленным, складским и другим сооружениям; их габариты и начертание в плане должны препятствовать транзитному движению.

Для того чтобы обеспечить планомерное и экономичное развитие структуры города при увеличении его населения, очень важно проектировать систему улиц и магистралей с учетом тенденций развития городского движения. В перспективе можно ожидать, что интенсивность передвижений между жилыми районами и местами приложения труда относительно будет снижаться вследствие более

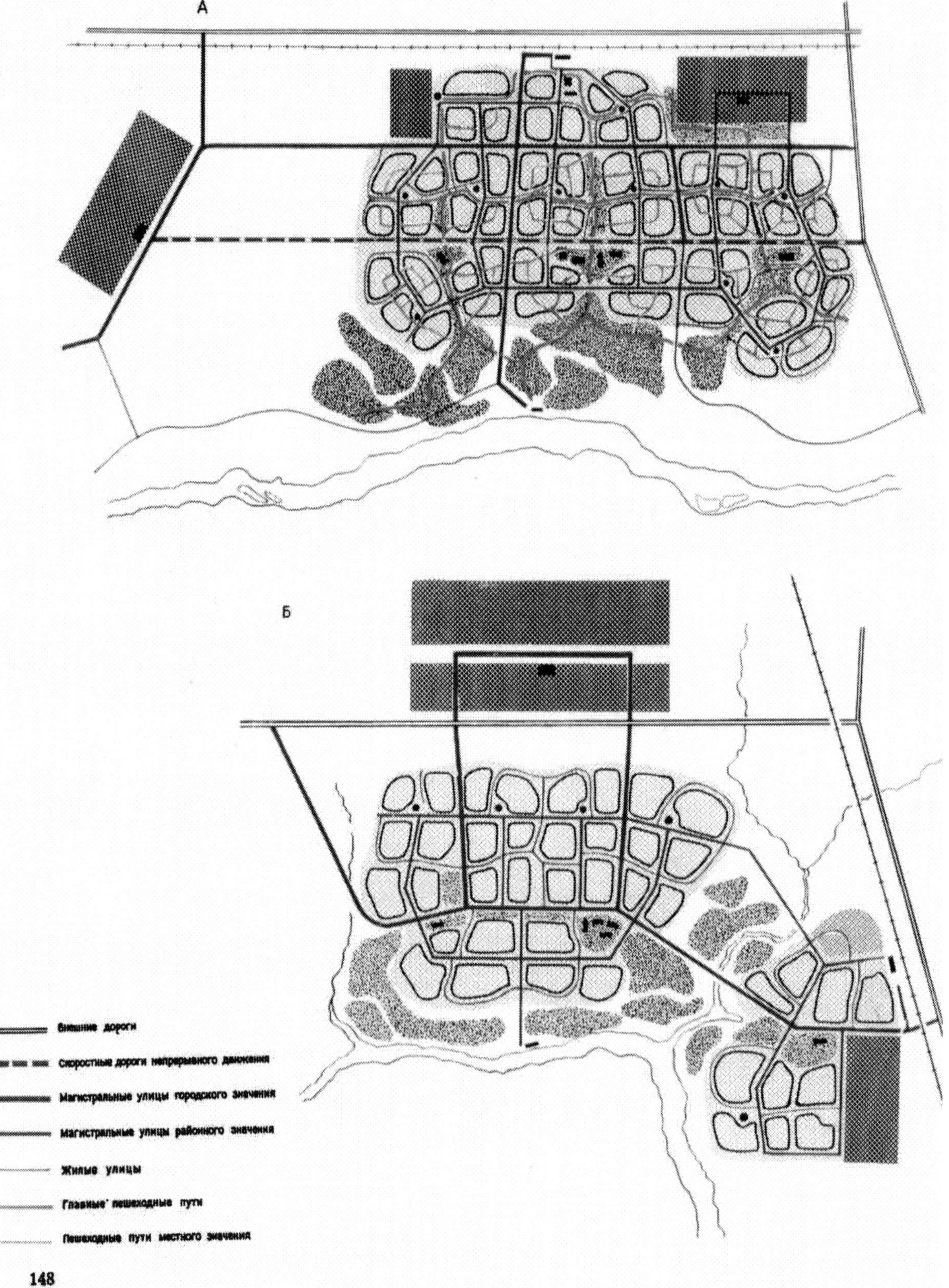
А
Б
Внешние дороги
Скоростные дороги непрерывного движения
Магистральные улицы городского значения
Магистральные улицы районного значения
Жилые улицы
Главные пешеходные пути
Пешеходные пути местного значения

равномерного размещения мест приложения труда и приближения ряда предприятий к жилью. Наряду с этим непрерывное развитие новых форм общественной жизни, рост культурных запросов населения, сокращение рабочего дня и увеличение досуга, а также повышение удобства и скорости передвижений при снижении стоимости проезда, а затем при переходе к бесплатному транспортному обслуживанию будут способствовать увеличению подвижности населения. В целом при проектировании сети улиц и магистралей в новых городах следует исходить из перспективы значительного увеличения интенсивности городского движения и повышения его скорости.

Важное значение в структуре современного города имеет система пешеходных путей, связывающих жилье с промышленными предприятиями, общественными центрами, садами и парками (рис. 40, *Б* и 41). В пределах жилого района озелененные пешеходные пути могут пересекаться с жилыми улицами и в одном уровне, но пересечения пешеходных путей со скоростными дорогами и другими транспортными магистралями следует предусматривать только в разных уровнях. В современной градостроительной практике общепризнана необходимость четкого разделения движения пешеходов и транспорта в общественных центрах, где выделяются специальные пешеходные зоны. Пешеходные зоны должны быть полностью изолированы от всех видов транспорта и вместе с тем находиться близ остановок общественного транспорта и автостоянок. В состав пешеходных зон необходимо включать основные площади, главные улицы, торговые центры, выставки, спортивные, лечебные и другие центры. Система пешеходных путей является важным фактором, который будет оказывать возрастающее влияние на формирование структуры современного города, на планировку и застройку промышленных и селитебных районов, а также общественных центров.

Системы транспортных магистралей и пешеходных путей складываются различно в зависимости от величины города, его функционального зонирования и расположения на местности.

◀ Рис. 40. Построение сети улиц и магистралей города и надлежащий выбор видов общественного транспорта должны обеспечить средние затраты времени на массовые трудовые и культурно-бытовые поездки в пределах 30 мин. При значительном удалении мест приложения труда и зон отдыха для связи с ними должен предусматриваться скоростной транспорт. Наряду с системой транспортных улиц и магистралей в городах должна быть создана система пешеходных путей, связывающих микрорайоны с центрами жилых районов, общественные центры между собой, жилье с остановками общественного транспорта и местами приложения труда

Fig. 40. The street pattern and the correct choice of the means of public transport should limit the mean time of everyday journeys to work and social services by no more than 30 minutes. If work-places and recreation zones are situated at a great distance the communication with them is provided through high-speed traffic. Besides the system of streets and arterial roads every town should have a network of pedestrian roads to connect neighbourhoods with the residential district centres, to assure interconnection between civic centres and to link the living quarters with the public transport stops and work-places

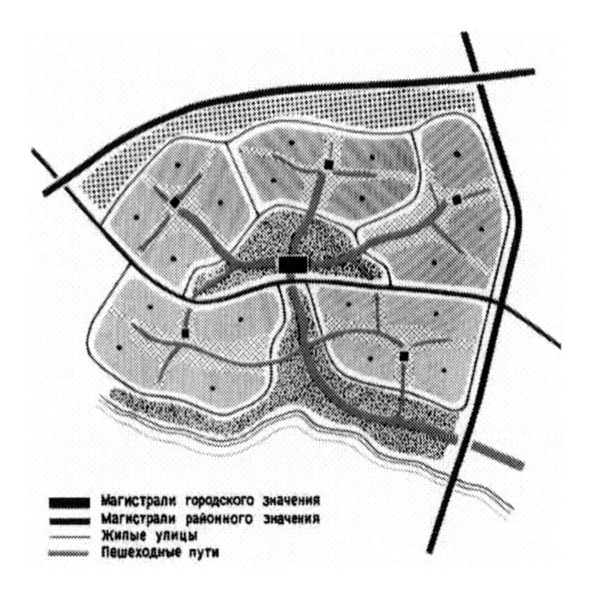

Рис. 41. В жилом районе пешеходные пути должны связывать микрорайоны между собой, с общественным центром и районным парком

Fig. 41. In the residential district the pedestrian roads should connect the separate neighbourhoods with the civic centre and the district park

Это показывает практика планировки Запорожья, Душанбе, Тайшета, Зеленограда, Братска, Целинограда и других новых городов.

●

Функциональное зонирование территории городов следует рассматривать только как начальную стадию формирования их структуры. Градостроительная практика с полной очевидностью показывает, что одно только правильное распределение территории города по функциональному назначению еще не обеспечивает его успешного формирования. Решающее значение имеют правильная планировка и застройка самих функциональных зон, в частности селитебной территории, как системы жилых районов и микрорайонов, а не как механической суммы отдельных кварталов и организация промышленной зоны на основе кооперирования промышленных предприятий, а не путем строительства изолированных друг от друга объектов.

Рассматривая основы формирования структуры нового города наряду с принципами функционального зонирования его территории, необходимо рассмотреть принципы планировки и застройки промышленных районов, селитебной территории и зон отдыха.

2. ПЛАНИРОВКА И ЗАСТРОЙКА ПРОМЫШЛЕННЫХ РАЙОНОВ[1]

Роль труда в советском обществе, строящем коммунизм, определяет высокие требования к планировке и застройке мест приложения труда, в частности к планировке и архитектуре промышленных предприятий и промышленных районов, которые являются важнейшим элементом структуры города.

Технологические, транспортные и санитарно-гигиенические требования к размещению и внутренней планировке предприятий различных отраслей промышленности крайне разнообразны. Среди этих требований необходимо выделить те общие положения и закономерности, которые должны быть положены в основу формирования структуры города, для того чтобы обеспечить наилучшие условия высокопроизводительного труда и возможность широкого внедрения в производство достижений научно-технического прогресса.

[1] Планировка и застройка промышленных районов рассматривается подробно во втором томе (V раздел) «Основы советского градостроительства».

Рациональное размещение и планировка промышленных предприятий в городе должны базироваться на следующих условиях:

четком разделении предприятий в зависимости от их санитарной вредности, мощности и размеров грузооборота;

кооперировании промышленных предприятий на основе технологических взаимосвязей и объединении их в промышленные районы;

максимальном приближении безвредных предприятий с малым грузооборотом к жилью;

обеспечении территориальных резервов для планомерного развития основных промышленных районов города и отдельных предприятий;

установлении наиболее рациональных размеров отдельных промышленных районов.

По условиям размещения в городе промышленные предприятия можно разделить на три основные группы (рис. 42):

промышленные предприятия, требующие удаления от города на значительное расстояние (предприятия добывающей промышленности, предприятия с большой санитарной вредностью);

предприятия, требующие по характеру производства, размерам территории и грузообороту расположения на обособленных от селитебной территории крупных площадках с железнодорожными подъездами при соблюдении соответствующих санитарных разрывов от жилья;

предприятия, характер производства, размеры и грузооборот которых позволяют располагать их среди жилой застройки.

Характерные случаи размещения промышленных районов по отношению к селитебной территории (параллельное, торцовое и рассосредоточенное) показаны на рис. 32—35.

Наиболее удобно для обеспечения рациональной связи с жилыми районами и для последовательного развития селитьбы и промышленности, а также для устройства железнодорожных подъездных путей и эффективного использования территории промышленного района — параллельное размещение селитебной и промышленных зон.

Планировка удаленных от жилья промышленных районов, подчиняясь специфическим для данной отрасли промышленности требованиям, не оказывает сколько-нибудь существенного влияния на формирование структуры всего города; при размещении же промышленных предприятий на границе или в небольшом удалении от селитебной территории промышленный район должен проектироваться в органической взаимосвязи с планировкой селитебной территории и объединяться с ней общей системой улиц и магистралей, зеленых насаждений и учреждений куль-

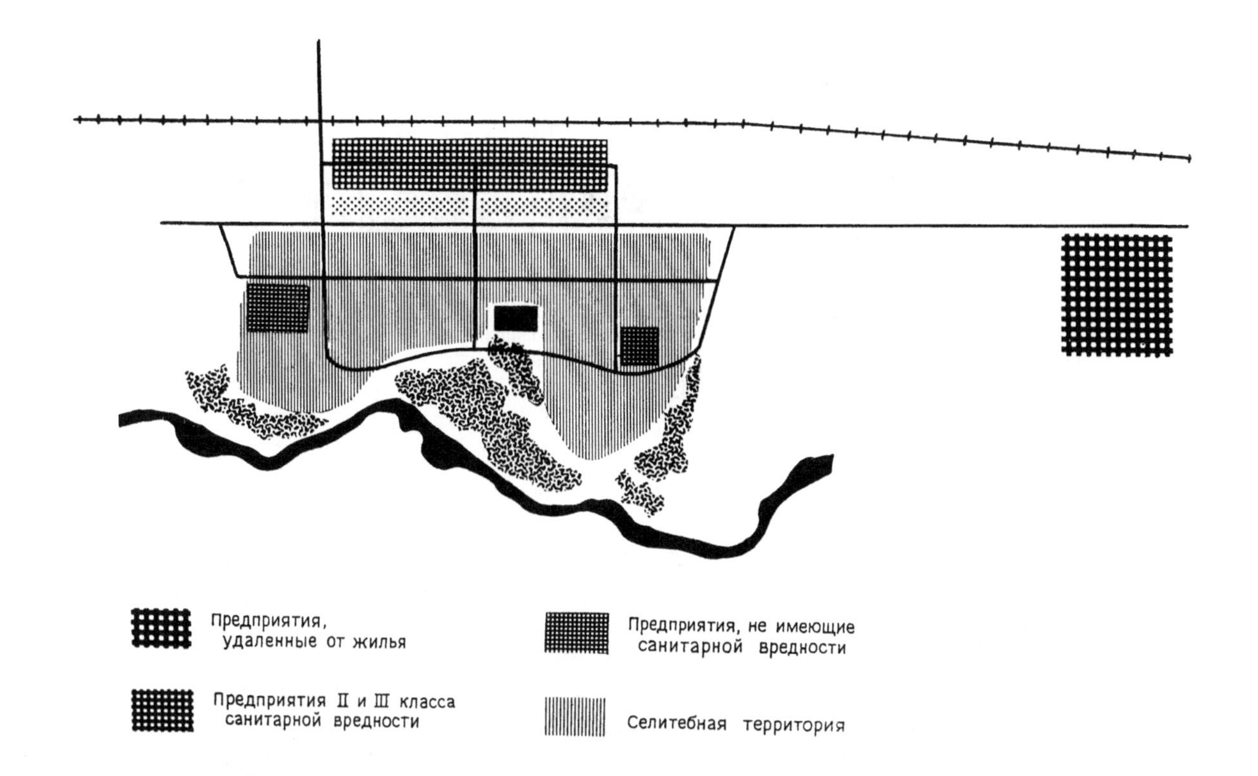

Рис. 42. Промышленные предприятия группируются в промышленные районы на основе технологических связей и размещаются в соответствии с санитарной вредностью и размерами грузооборота в удалении от селитебной территории (нефтехимия, черная и цветная металлургия и др.) или на ее периферии (машиностроение, строительная индустрия и др.). Предприятия, не вредные в санитарном отношении и по размерам грузооборота не требующие железнодорожных подъездных путей, размещаются в непосредственной близости от жилой застройки

Fig. 42. Industrial premises are grouped into industrial districts on the ground of their technological connections; depending on their harmfulness and goods turnover they are located at a remote distance from residential areas (it goes for oil and chemistry, ferrous and nonferrous metallurgy etc) or else — in the vicinity of the residential areas (in case of engineering or building industries etc). Enterprises which are not sanitarily harmful and with the goods turnover which does not demand railway access roads are located close to the residential development

турно-бытового обслуживания. Таким образом, планировка промышленных районов определяется, с одной стороны, характером производства и мощностью отдельных предприятий и, с другой, расположением промышленного района в структуре города и его взаимосвязями с селитебной территорией, транспортными устройствами и другими частями города.

Основным принципом формирования промышленных районов является групповое размещение промышленных предприятий на основе общности производства при максимальном кооперировании транспорта, инженерного оборудования, электроснабжения, теплоснабжения, строительства и складского хозяйства.

В состав современного промышленного района входят площадки предприятий и участки связанных с ними устройств, резервные территории, санитарно-защитные зоны, подъездные пути, дороги и проезды, зеленые насаждения, общественные и в отдельных случаях научно-технические центры. Эти части промышленных районов неравноценны, что зависит от характера производства, а также, в меньшей мере, от условий размещения района, его величины и особенностей территории. В различных отраслях промышленности территория собственно промышленных предприятий занимает от 50—55% (нефтепереработка, нефтехимия, химия, строительная промышленность) до 70—75% площади района (машиностроительная, легкое машиностроение); 5—10% занимают железнодорожные, автомобильные пути и транспортные устройства.

При планировке промышленных районов в зависимости от характера промышленных предприятий и их величины может применяться однорядное размещение предприятий, при котором с одной стороны к ним подходят же-

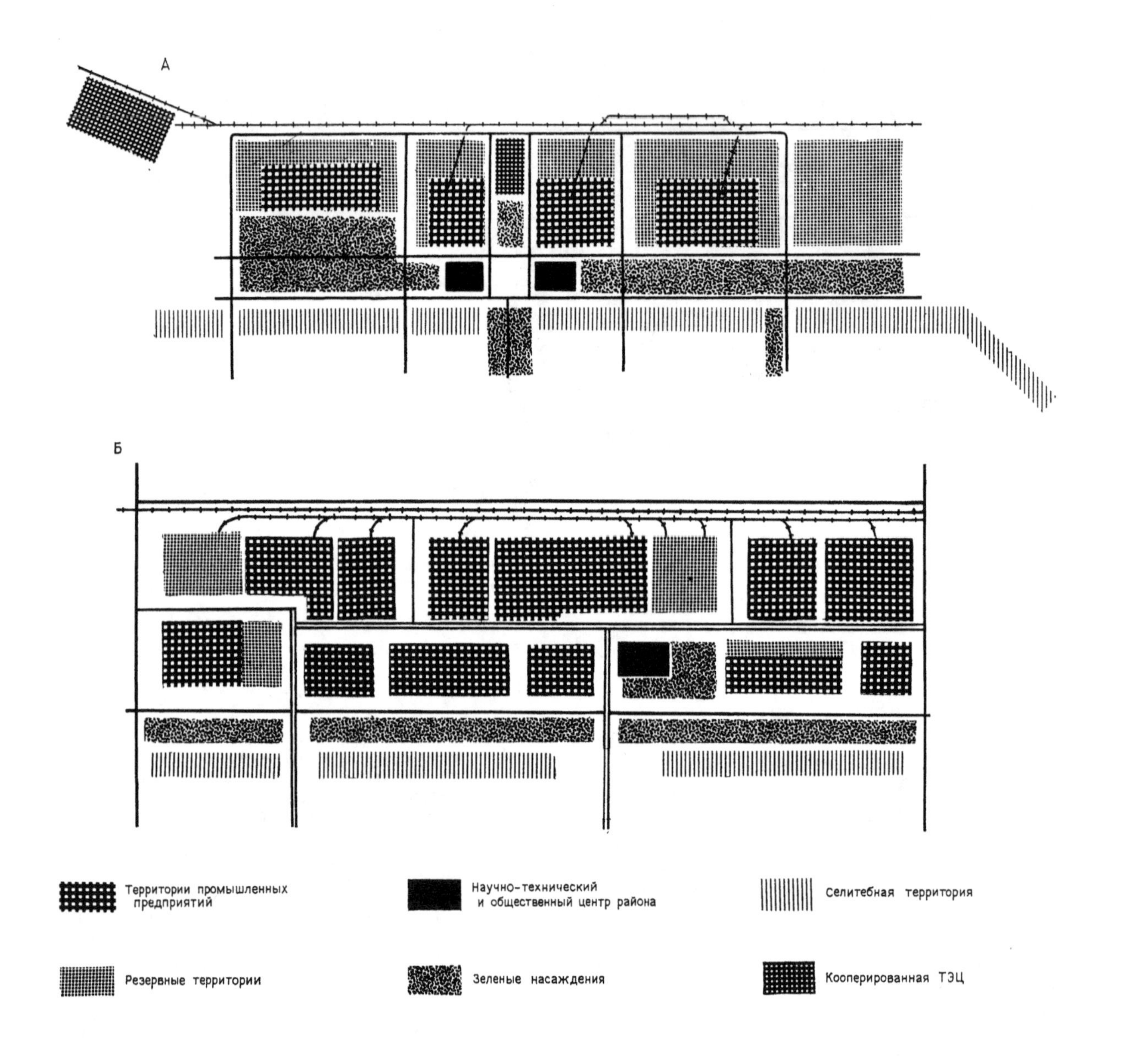

Рис. 43. Планировка промышленного района на периферии селитебной территории в зависимости от величины и характера формирующих район предприятий решается на основе однорядного (схема **А**) или многорядного размещения предприятий (схема **Б**). Более крупные предприятия, требующие связи с железной дорогой, размещаются во втором ряду, предприятия первого ряда обслуживаются автомагистралью. Между рядами предприятий проходит городская магистраль с общественным транспортом

Fig. 43. If the industrial district is situated in the periphery of the residential area its premises are placed in one or two rows depending on the size and character of the plants (Schemes **A** and **Б**). Big enterprises for which railway lines are indispensable are located in the second row, the enterprises of the first row being served by a highway. Between these rows of plants there is a town road with public transport

лезнодорожные пути, а с другой, ближайшей к городу, подходит городская магистраль с общественным транспортом (рис. 43, **А**).

При увеличении размеров промышленного района и формировании его из предприятий с различной санитарной вредностью и размерами грузооборота целесообразно деление промышленного района на «ряды» или «панели». При такой планировке ближе к городу размещаются менее вредные предприятия, связанные с автомобильной магистралью, а за ними — предприятия, имеющие железнодорожные подъезды. В этом случае между двумя рядами предприятий целесообразно прокладывать городскую магистраль с общественным транспортом (рис. 43, **Б**). Ширина каждого ряда зависит от характера промышленных предприятий.

При размещении предприятий легкой промышленности глубина полосы промышленного района может составлять 200—300 *м*; для предприятий машиностроения она должна быть увеличена до 500—800 *м*. При крупных размерах промышленных предприятий и протяженности их территории 1,5 *км* и более необходимо предусматривать внутризаводской пассажирский транспорт и возможность последующего ввода маршрутов городского транспорта.

Административно-хозяйственные учреждения, предприятия торговли, питания и бытового обслуживания, общие для групп промышленных предприятий, следует размещать в одном комплексе, образуя общественные центры промышленных районов, которые должны быть удобно связаны с промышленными предприятиями и транспортными магистралями.

Для планомерного развития промышленного района и экономической эффективности использования его территории важнейшее значение имеет разработка проекта планировки и застройки промышленного района в целом с учетом возможности развития отраслей, обеспечивающих наибольший технический прогресс, и перспективных изменений в структуре промышленного района.

В генеральных планах Целинограда и Зеленограда была разработана планировочная организация всей промышленной зоны города; для нее были определены состав предприятий, их размещение на основе кооперирования и специализации, организация транспорта (пассажирского и грузового), размещение складского хозяйства и учреждений культурно-бытового обслуживания. В Целинограде в основу планировочной структуры промышленной зоны было положено разделение ее территории на панели — северную и южную — в соответствии с технологическими, санитарными и другими требованиями. На основе общей схемы промышленной зоны осуществляется разработка детальных проектов отдельных промышленных предприятий или их групп (рис. 44, **А** и **Б**).

Кооперирование предприятий, упорядочение складского хозяйства, сети дорог и проездов, блокировка зданий и сооружений поз-

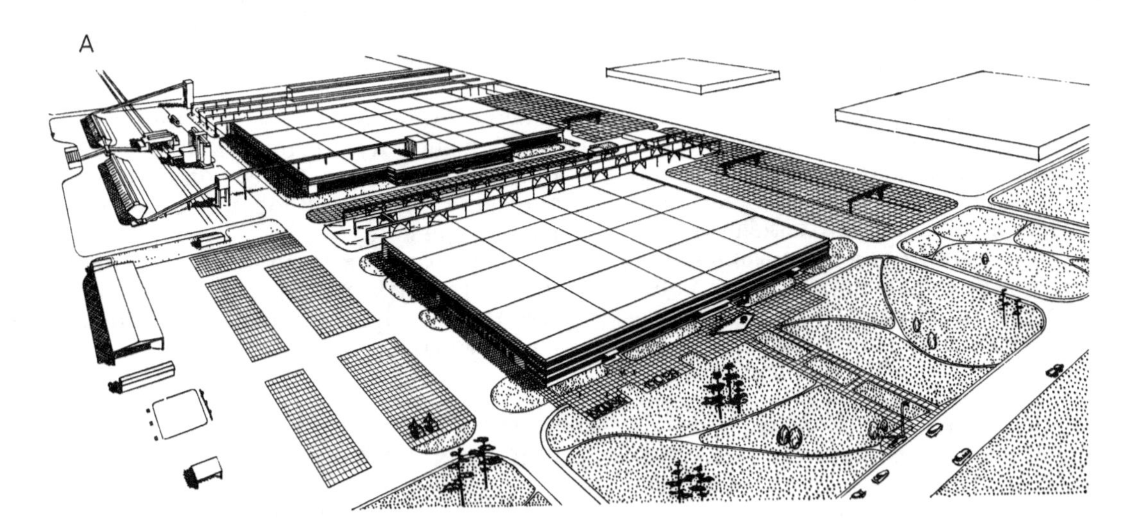

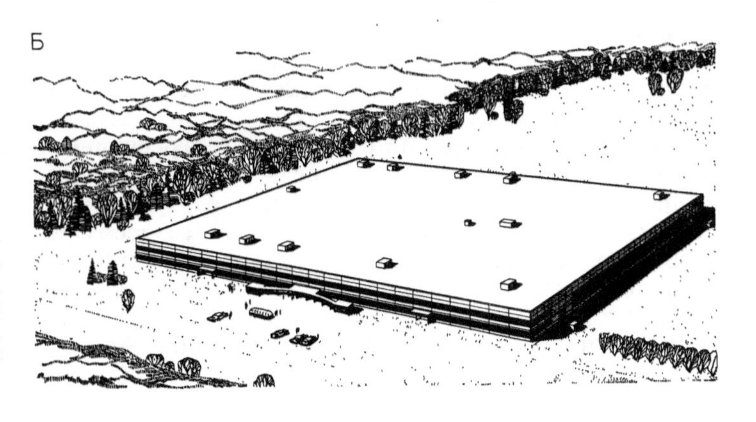

Рис. 44. Проекты отдельных промышленных предприятий должны разрабатываться на основе комплексных проектов планировки промышленных районов. **А** — база строительной индустрии в Целинограде; **Б** — предприятия для Зеленограда

Fig. 44. The design of any industrial plant should be prepared basing on the comprehensive plan of the industrial district. **А** — A building industry plant in the town of Tselinograd; **Б** — Plants for the town of Zelenograd

Рис. 45. Промышленные предприятия, не имеющие вредностей, размещаются в непосредственной близости к селитебной территории; по своему архитектурному облику они приближаются к общественным зданиям

Fig. 45. Non harmful industrial enterprises are placed in the vicinity of residential areas. Their architectural appearance is close to that of public buildings

воляют сократить размеры территорий промышленных районов на 20—30% и более интенсивно и экономично использовать их территорию и инженерное оборудование.

Величина промышленных районов города определяется в зависимости от характера производства, однако ее целесообразно ограничивать с тем, чтобы численность рабочих и служащих, занятых на предприятиях одного района, не превышала 25 тыс. человек.

При больших размерах промышленного района создаются значительные трудности с доставкой рабочих и служащих к местам приложения труда, особенно при торцовом или удаленном расположении промышленности.

Известно, что территория промышленного предприятия, приходящаяся на одного рабочего в зависимости от характера производства, может значительно отличаться по своей площади (от 80 до 300 *м*) и по допустимым процентам застройки (от 20 до 50% и более).

Нужно учитывать, что автоматизация и механизация производства и, как их следствие, рост производительности труда позволяют расширять производство и промышленные территории без увеличения общего числа рабочих. Вместе с тем технический прогресс ведет к большей компактности застройки и к более интенсивному использованию промышленных территорий. При определении необходимых для развития промышленных районов резервных территорий должны быть приняты во внимание обе эти тенденции.

Технический прогресс, значительно повышающий требования к культуре производства, и использование достижений новой техники для улучшения и облегчения условий труда связаны с новыми приемами планировки, застройки и благоустройства промышленных районов, формированием их нового архитектурного облика.

Предприятия, располагаемые поблизости от жилых и общественных зданий, являются новыми типами промышленных зданий, которые приближаются по своему характеру и архитектуре к общественным (рис. 45).

По мере развития научно-технического прогресса будет последовательно возрастать группа предприятий, не имеющих санитарных вредностей, поэтому организация производственно-селитебных районов, имеющих в своем составе места приложения труда, жилье, учреждения культурно-бытового обслуживания и места отдыха, будет получать все большее значение при формировании структуры нового города (рис. 46).

При создании комплексных производственно-селитебных районов общественный центр (жилого и промышленного района) следует создавать общим.

3. ПЛАНИРОВКА И ЗАСТРОЙКА ЖИЛЫХ РАЙОНОВ

В жилых районах протекает бóльшая часть жизни населения: бытовые процессы, воспитание детей, часть отдыха, развлечений и сон.

В условиях строительства материально-технической базы коммунизма градостроительное решение жилых районов должно прежде всего соответствовать новым социальным требованиям. Должно предусматриваться последовательное преобразование быта на основе развития общественных форм всестороннего обслуживания населения, освобождающих женщину от непроизводительного и тяжелого домашнего труда, развития общественных форм воспитания детей (детские сады и ясли, школы-интернаты и продленного дня) и обеспечения возможности расширения и активиза-

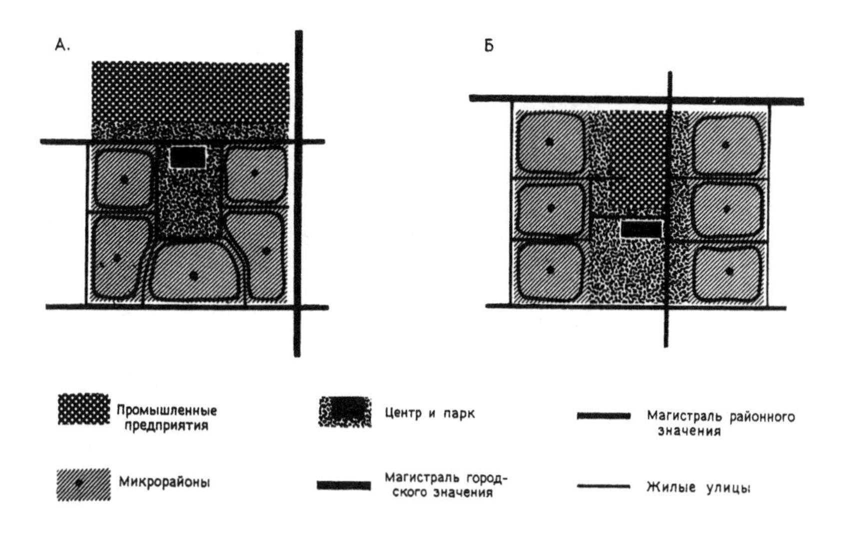

Рис. 46. Комплексные производственно-селитебные районы включают жилье, учреждения культурно-бытового обслуживания и промышленные предприятия, не имеющие вредностей. Комплексные производственно-селитебные районы будут иметь различную планировку в зависимости от характера промышленности, размеров района и его расположения в городе. Схема **А** — промышленность размещается обособленно от жилья на значительной по размерам площадке; схема **Б** — промышленное предприятие с малым грузооборотом размещается среди жилой застройки на специально выделенной территории; схема **В** — на специальной площадке размещаются группа промышленных предприятий (хлопчатобумажный комбинат, база строительной индустрии), складское хозяйство и коммунальные предприятия. Предприятия отделяются от жилья неширокой зеленой полосой. Жилые микрорайоны группируются вокруг общественного центра и районного парка

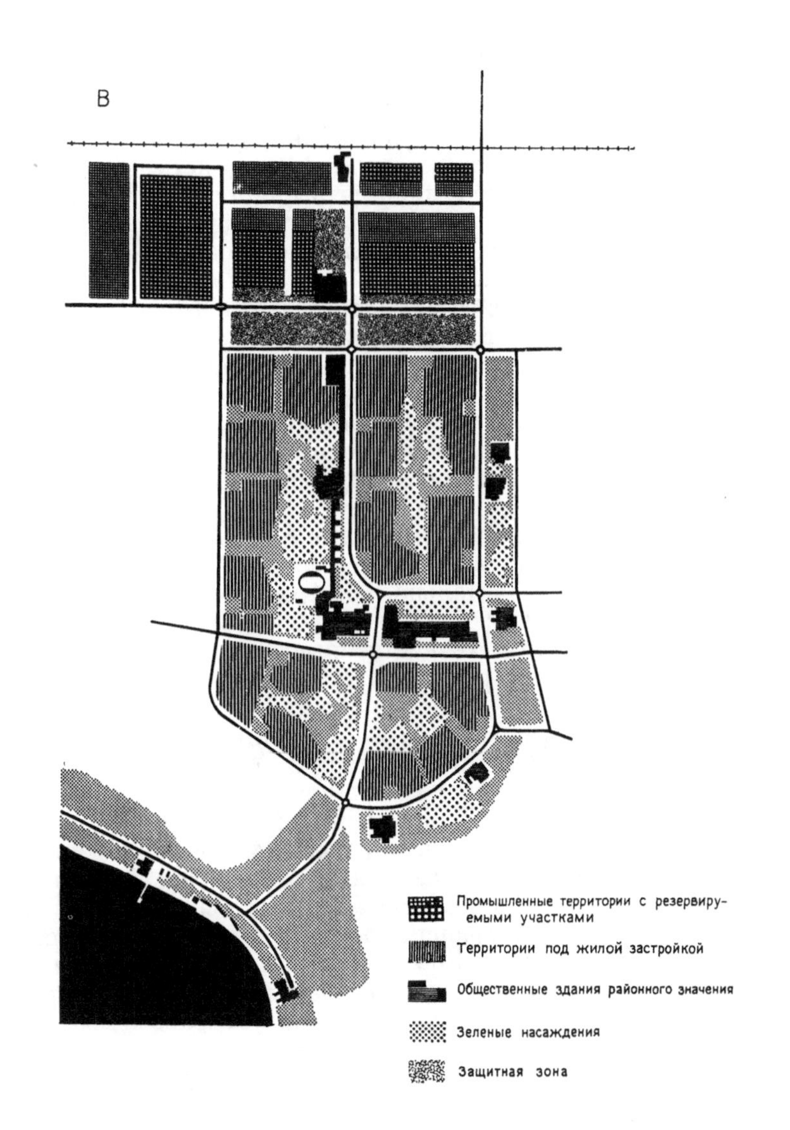

Fig. 46. Comprehensive industrial and residential districts include housing, public service premises and non-harmful plants. Comprehensive industrial and residential districts will have different planning depending on the kinds of industry, size of the district and its location in the town. Structural Scheme **A**— The industry is separated from the residential development and is sited on a large lot. Structural Scheme **Б**— An industrial enterprise with small goods turnover is located within the housing development on a special site. Structural Scheme **B** — on a special site there locate a group of plants (a cotton-plant, a building plant) stores and municipal premises. The enterprises are separated from the housing development by a narrow green belt. Residential neighbourhoods are grouped around the civic centre and a district park

ции общественной деятельности населения по месту жительства. В соответствии с указанным направлением социального прогресса первостепенное значение приобретает система культурно-бытового обслуживания населения, являющаяся основой формирования структуры селитебной территории города.

При всем многообразии видов общественного обслуживания существенным для формирования структуры города является то, что учреждения обслуживания имеют разную периодичность пользования. Это позволяет их разделить на группы — ступени — и определить наилучшее местоположение каждой группы среди жилой застройки.

Первая ступень обслуживания состоит из учреждений и устройств, которыми население пользуется повседневно; сюда входят: детские ясли-сады, школы, продовольственные и первой необходимости промтоварные магазины, столовые, кафе, аптеки, ателье бытового обслуживания (ремонтные мастерские, приемные пункты).

Вторая ступень обслуживания включает следующую группу учреждений и устройств: дома культуры, клубы, кинотеатры, библиотеки, торговые центры, рестораны, учреждения связи (почта, телеграф), поликлиники, родильные дома и районные больницы, спортивные центры (спортивные залы, плавательные бассейны, спортивные тренировочные площадки), которые посещаются населением периодически. Наибольшие удобства в пользовании этими учреждениями и устройствами достигаются в том случае, если к ним можно подойти пешком в пределах 15—20 мин, не прибегая к помощи транспорта.

Третью ступень обслуживания составляют учреждения и устройства, которые посещаются населением значительно реже, чем учреждения первых двух групп: сюда включены административные и хозяйственные учреждения, дворцы культуры, музеи, выставки, театры, крупные кино, цирки, концертные залы, городские спортивные центры (стадионы, плавательные бассейны, водные станции), городские торговые центры, специализированные больницы и медицинские центры, научные и учебные центры. Все эти учреждения имеют общегородское, областное и республиканское значение. Подъезд к ним осуществляется средствами городского транспорта.

Четвертую ступень обслуживания составляют учреждения и устройства массового кратковременного и длительного отдыха, расположенные в пригородных зонах. Сюда относятся: водные станции и пляжи, рестораны, кафе, гостиницы, мотели, рыболовные, лыжные и туристские базы, дома отдыха, санатории, загородные детские учреждения и др.

Наряду с созданием сети культурно-бытового обслуживания важнейшим требованием к планировке и застройке жилых районов является обеспечение здоровых условий для жизни населения.

Эти требования реализуются:

выбором этажности и типов жилых домов в соответствии с местными природно-климатическими условиями;

плотностью застройки и ориентацией зданий с учетом хорошей инсоляции и проветривания;

изоляцией застройки от транспортных магистралей и других источников шума и загрязнения воздуха и почв;

размещением среди жилой застройки достаточного количества зеленых насаждений.

Создание благоприятных условий жизни населения предполагает обеспечение удобных и безопасных транспортных связей жилых районов с местами труда, общественными центрами и зонами отдыха. Решение этой задачи должно учитывать разумное сочетание противоречивых требований, например необходимо приближать остановки общественного транспорта к жилищам и вместе с тем изолировать жилую застройку от напряженных транспортных магистралей.

Для изоляции территорий жилых домов, дошкольных учреждений и школ требуется создание подъездов к этим зданиям иустройство удобных пешеходных путей.

Нужно подчеркнуть, что создание благоприятных условий для жизни населения должно достигаться при высокой эффективности использования капитальных вложений в городское строительство. Это требует рационального использования селитебных территорий, т. е. достаточно высокой плотности заселения 1 *га*. При обеспечении хорошей инсоляции и проветривания зданий, предоставлении необходимой площади участков для игр детей и отдыха взрослого населения в 5-этажной застройке плотность жилого фонда (брутто) в жилых микрорайонах можно принимать 2800—3200 $м^2$ жилой площади на 1 *га* (при застройке смешанной этажности плотность жилого фонда принимается пропорционально проектному соотношению жилого фонда по этажности зданий).

Плотность жилого фонда в отдельных жилых районах может иметь более значительные колебания, чем плотности в жилых микрорайонах (в зависимости от местных условий планировочной структуры). Градостроительная практика и научные исследования показывают, что в новых жилых районах при 5-этажных домах следует принимать среднюю плотность жилого фонда около 2000 $м^2$ на 1 *га* территории района. Рациональный выбор типов застройки и ее этажности, укрупненное членение селитебной территории и снижение плотности уличной сети, строительство кооперированных учреждений обслуживания и организация общественных центров, целесообразное построение системы озеленения — все это позволяет повысить эффективность использования селитебной территории и снизить стоимость строительства.

•

Все рассмотренные социально-экономические предпосылки и особенности (ступенчатость) системы культурно-бытового и других видов обслуживания, а также другие условия, определяющие удобства жизни населения, составляют основу для формирования структуры селитебной территории.

Первичной и структурной единицей селитебной части города, организованной согласно ступенчатой системе культурно-бытового обслуживания, является жилой микрорайон, территория и комплекс застройки которого определяются жилыми домами, учреждениями и устройствами повседневного обслуживания населения (первая ступень обслуживания: детские сады и ясли, школы, столовые, кафе, магазины по торговле товарами первой необходимости, ателье, физкультурные площадки и сады). Все учреждения повседневного обслуживания должны располагаться в удобной пешеходной доступности от жилых домов (рис. 47). Если считать, что оптимальный радиус доступности учреждений повседневного пользования составляет 250—350 *м* и не должен превышать 500 *м*, то при средней этажности застройки 5 этажей и принятых плотностях жилого фонда на 1 *га* оптимальное количество населения микрорайона будет составлять 6000—9000 человек (из расчета жилой обеспеченности 9 $м^2$). Конечно, природно-климатические условия, этажность застройки и особенности расположения микрорайонов на территории города могут влиять на их размеры и численность населения. При сохранении указанных пределов протяженности радиусов обслуживания при 5-этажной застройке численность населения микрорайонов может снизиться до 4000 человек (ярко выраженный рельеф территории обусловливает сокращение радиусов обслуживания) или достигать 12 тыс. человек. При смешанной, преимущественно 9-этажной застройке (5, 9, 16 и больше этажей) численность населения микрорайонов может быть определена в 16—18 тыс. человек.

Для большего удобства культурно-бытового обслуживания застройку микрорайона целесообразно членить на группы жилых домов с численностью населения в пределах 2000 человек. При группе домов в радиусе доступности 150—200 *м* может быть создан блок наиболее частого повседневного первичного обслуживания. В нем могут быть размещены комнаты отдыха, бюро заказов, домовая кухня. При группе домов следует размещать и детский сад-ясли. Важным условием планировки микрорайона является изоляция его территории от транзитного городского транспорта.

Членение селитебной территории города на микрорайоны, обеспечивая вполне благоприятные условия жизни населения вследствие близости культурно-бытовых учреждений повседневного пользования, хорошо согласуется и с задачами организации городского движения, дифференциацией уличной сети по транспортной загрузке (что сокращает площадь улиц) и позволяет рационально и экономично решить озеленение и инженерное оборудование. Эти преимущества наглядно видны при сравнении планировки селитебной территории по старой квартальной системе и по системе микрорайонов.

Второй структурной единицей селитебной части города, основанной на ступенчатой системе культурно-бытового обслуживания населения, является жилой район, территория и комплекс застройки которого определяются группой микрорайонов с учреждениями и устройствами периодического пользования (вторая ступень обслуживания: Дома культуры, клубы, кинотеатры, библиотеки, торговые центры, учреждения связи, рестораны, спортивные центры, поликлиники, родильные дома, больницы).

Комплекс застройки, образующей жилой район, формируется исходя из пешеходной доступности учреждений культурно-бытового обслуживания в пределах радиуса 1000—1200 *м*. Исходя из этого условия численность населения жилого района составит 25—50 тыс. жителей.

Планировку жилых районов и взаимосвязь составляющих их элементов более детально можно проследить на примере планировки жилого района на 30 тыс. жителей, приведенного на рис. 48 и 49. Этот жилой район занимает площадь около 140 *га*. Он застроен типовыми зданиями в 5—9 этажей; плотность жилого фонда по району в целом 1970 $м^2/га$.

Общественный центр района, включающий клубный комплекс, торговый центр, административно-хозяйственные учреждения, связан с парком и спортивными устройствами. Детские учреждения и школы, расположенные в микрорайонах, приближены к лесу, окружающему территорию района.

Таким образом, структурное построение

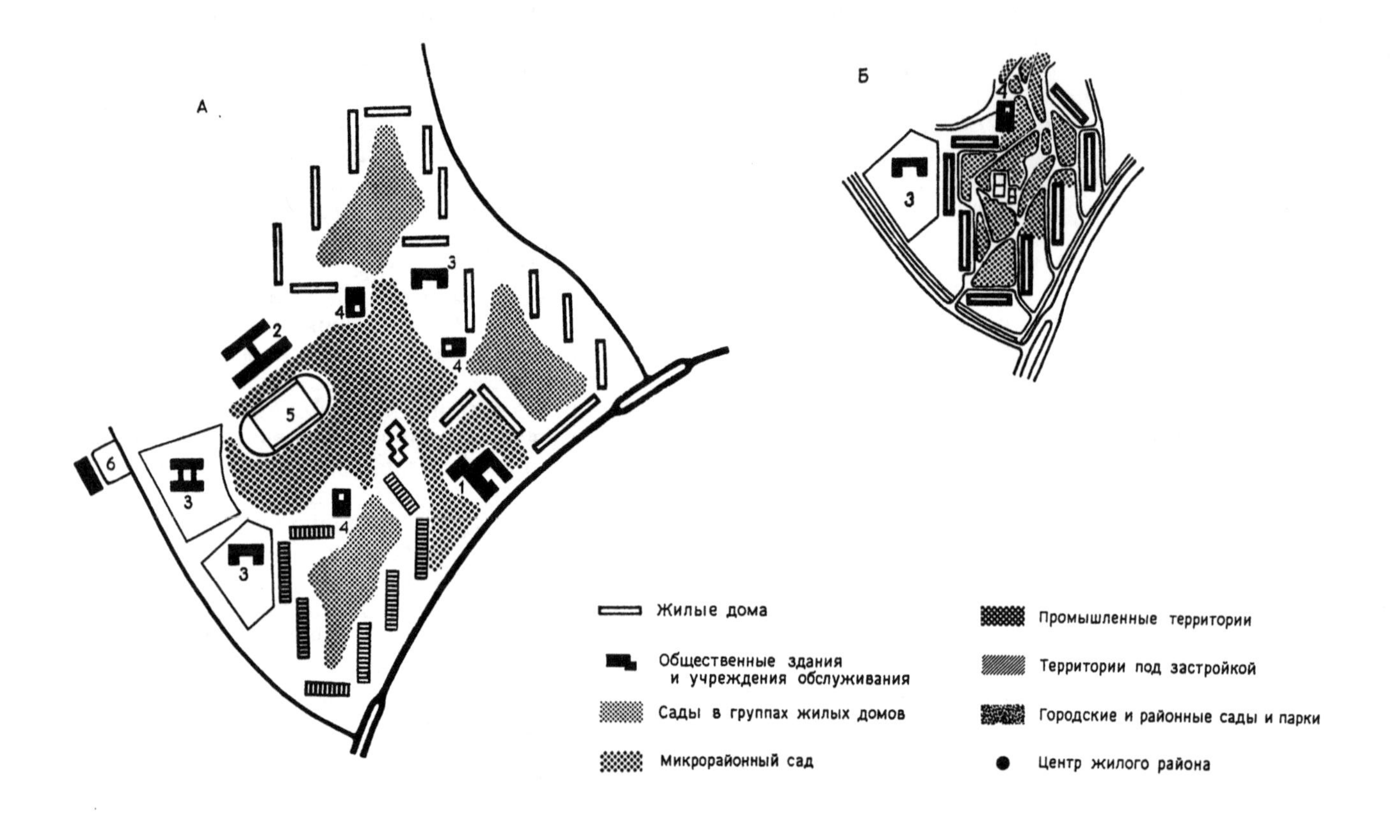

Рис. 47. Организация общественного обслуживания основывается на разделении всех культурно-бытовых учреждений на четыре группы.
Первая группа — учреждения повседневного пользования, размещаемые в микрорайонах с радиусом обслуживания 350—500 м (микрорайоны целесообразно членить на группы жилых домов с блоком первичного обслуживания; радиус обслуживания 150—200 м) **(А и Б)**.

Fig. 47. All social services fall under four groups.
First group: Premises of everyday use sited in neighbourhood, their radius of service being 350—500 metres. (It is feasable to divide neighbourhoods into groups of residential buildings with a unit for primary services, its radius of service being 150—200 metres.) **(А, Б)**.

Микрорайон (6—8 тыс. человек) и группа жилых домов (1,5—2 тыс. человек). **1** — общественный центр микрорайона (клуб с универсальным залом, столовая, продовольственный магазин, комбинат бытового обслуживания, жилищно-эксплуатационная контора); **2** — школа; **3** — детские сады-ясли, **4** — блок первичного обслуживания (комнаты для отдыха, детская комната, домовая кухня с буфетом, бюро заказов с торговыми автоматами, самодеятельная мастерская); **5** — стадион и спортивные площадки; **6** — гаражи.

Neighbourhood (6—8 thousand inhabitants) and a group of dwelling houses (1,5—2 thousand in habitants). **1** — Civic centre of the neighbourhood (club with a hall; refectory; grocery; social service; house management); **2** — School; **3** — Kindergartens-nurseries; **4** — Unit of primary service (recreation rooms, childroom, kitchen and buffet, order bureau with traiding automats, workshop); **5** — sport and playgrounds; **6** — Garages.

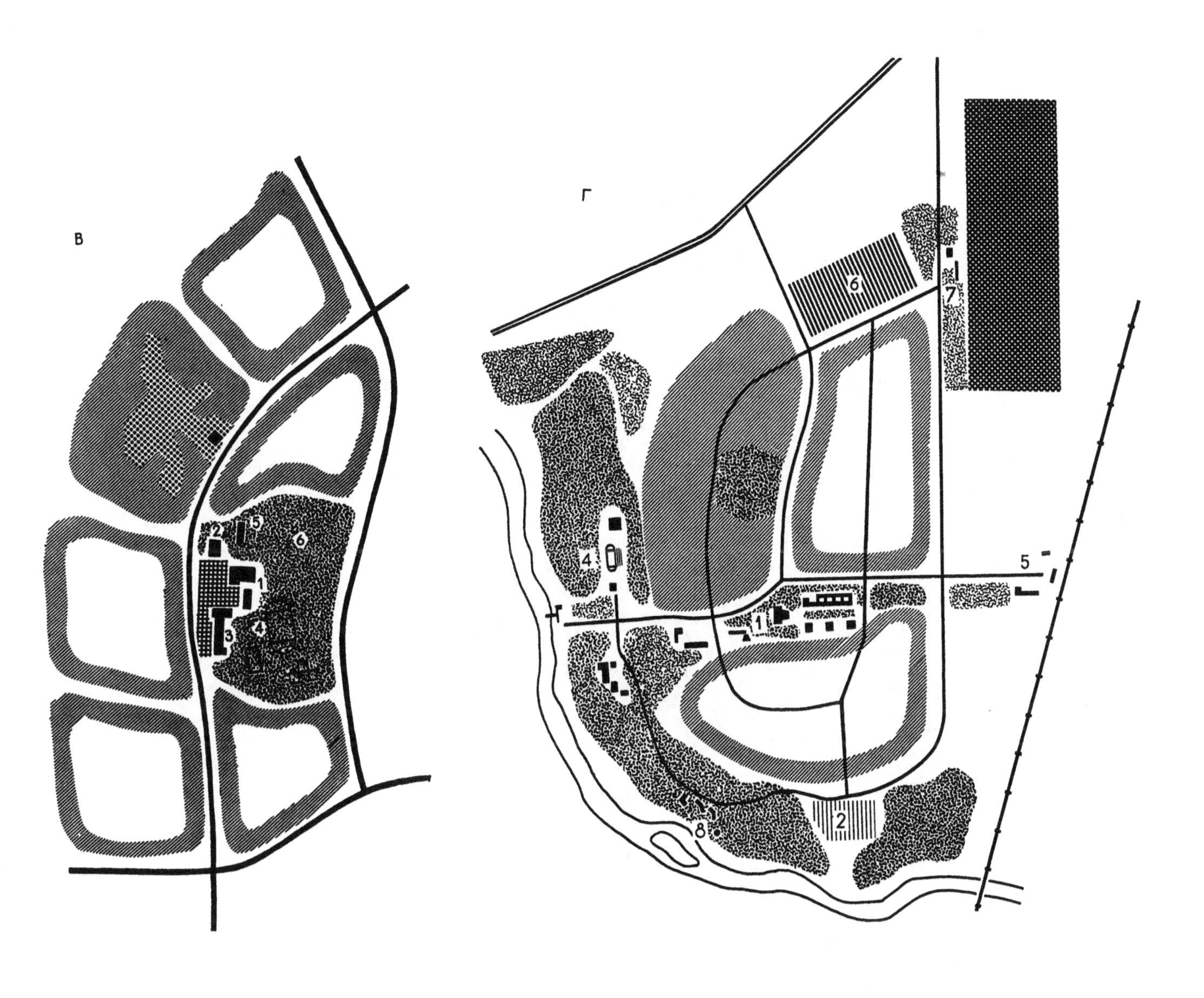

Вторая группа — учреждения периодического пользования, формирующие общественные центры жилых районов; радиус обслуживания 1000—1200 м **(В)**.

Second group: Premises of periodical use forming civic centres of the residential districts, the radius of service being 1000—1200 metres **(B)**.

(В) Жилой район. **1** — клуб и библиотека; **2** — кинотеатр; **3** — торговый центр (продовольственные и промтоварные магазины, ресторан-кафе, отделение связи, сберегательная касса, комбинат бытового обслуживания); **4** — спортивный комплекс; **5** — поликлиника; **6** — сад жилого района

Третья группа — учреждения общегородского значения, размещаемые в общегородском центре и формирующие специализированные центры (лечебный, спортивный, выставочный и т. д.)

(Г) Город. **1** — городской центр, общественно-административные учреждения (Дом Советов, Дом хозяйственных организаций, Дом связи), культурно-зрелищные учреждения (театр, музей, концертный зал), торговый центр (магазины, ресторан, кафе, комбинат бытового обслуживания и др.); **2** — медицинский центр; **3** — спортивный центр; **4** — Дом пионеров; **5** — вокзал, гостиница и коммунальные учреждения; **6** — учебные заведения и научно-исследовательские институты; **7** — общественный центр промышленного района; **8** — учреждения в зоне отдыха

Четвертая группа — места отдыха населения и другие учреждения, размещаемые в пригородной зоне

(B) Residential district. **1** — Club and library; **2** — Cinema; **3** — A shopping centre (grocery and stores, restaurant-café; post office; savings-bank, social service); **4** — sport complex; **5** — polyclinic; **6** – garden of a residential district. Third group: Offices which serve the needs of the town as a whole places in the town centre and forming specialized centres (health centre, sports centre, exhibition centre etc).

(Г) **1** — City centre, administrative and public buildings (town council, post and telegraph office etc.); cultural and entertainment institutions (theatre, museum, concert hall), shopping centre (shops, restaurant, café, social service etc.); **2** — Medical centre; **3** — Sport centre; **4** — Pioneer House; **5** — Terminal, hotel and municipal offices; **6** — Educational and research institutes; **7** — Civic centre of industrial area; **8** — Offices in recreation zone

Forth group: Population's recreation centre and some offices located in the suburban zone

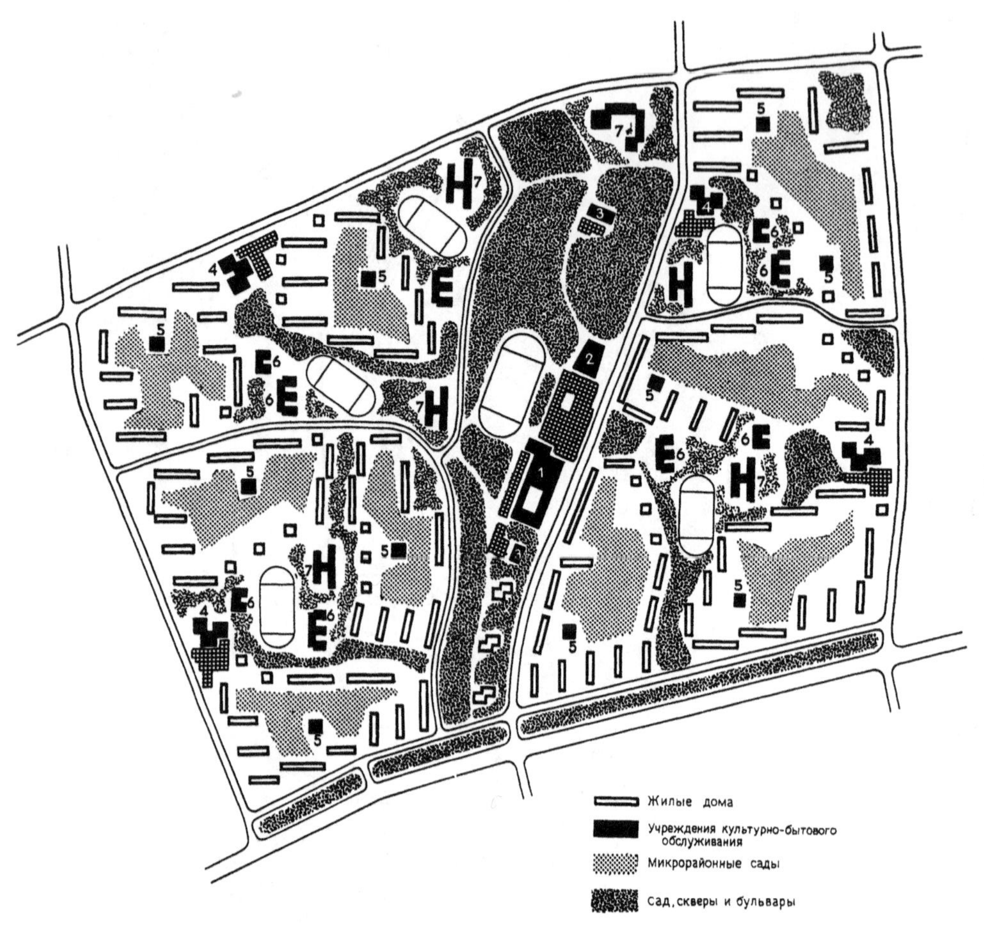

1 — торговый центр; **2** — клуб; **3** — административно-хозяйственные учреждения; **4** — общественные центры микрорайонов; **5** — блок первичного обслуживания; **6** — детские сады и ясли; **7** — школы

1 — Shopping centre; **2** — Club; **3** — Administrative and office buildings; **4** — Civic centres of the neighbourhoods; **5** — Unit for primary service; **6** — Kindergartens and nurseries; **7** — Schools

Рис. 48. В основу планировки жилого района на 30 тыс. человек жителей (застройка домами в 5 и 9 этажей) положен принцип объединения жилых домов в микрорайоны. Микрорайоны группируются вокруг районного общественного центра, где размещаются общественные здания, парк и спортивный комплекс. Улица районного значения проходит через центр жилого района, а магистраль городского значения — по его периферии

Fig. 48. A residential district for 30 thousand inhabitants (made of 5 and 9-storeyed residential buildings) designed on the principle of uniting dwelling houses into neighbourhoods. The neighbourhoods are clustered around the district civic centre where the public buildings, park and the sports centre are grouped. A local arterial road crosses the centre of the residential district while the town's main arterial road does not go through it.

селитебной территории по системе микрорайонов и жилых районов имеет своей целью органическое объединение жилища с общественным обслуживанием.

Приемы планировки и застройки микрорайонов и жилых районов, их взаимное сочетание и пространственная композиция, размещение и композиция общественных центров могут быть очень разнообразными; в этом находят свое отражение многообразие структуры городов, их величина и природные условия.

Застройка жилых районов и микрорайонов осуществляется путем широкого применения типовых жилых домов и общественных зданий (рис. 50).

При оценке структурной роли микрорайона и жилого района необходимо еще раз подчеркнуть, что учреждения повседневного пользования (школы, детские сады-ясли, общественный центр и др.), формирующие микрорайон, нельзя удалять на расстояние более 400—500 *м*, не нарушая необходимой удобной связи жилья с обслуживанием. Учреждения периодического пользования, обслуживающие прежде всего прилегающий жилой район в радиусе пешеходной доступности, могут посещаться жителями и других районов, поэтому их следует размещать в удобной связи с магистралями массового пассажирского транспорта, формируя единую систему общественных центров, обслуживающих город в целом.

Микрорайон как основная структурная единица селитебной территории сохраняет свое значение в городах любой величины. Поселок городского типа с населением 4—15 тыс. человек, т. е. с численностью населения, равной жилому микрорайону, может проектироваться и строиться как первичное звено будущего города (рис. 51, 52). Центр поселка, где должны размещаться учреждения периодического и эпизодического пользования, может быть в будущем центром жилого района. Малый город с населением до 50 тыс. человек, как правило, не делится на жилые районы, он сам не более обычного жилого района и в его центре располагаются учреждения периодического и эпизодического пользования (рис. 53).

В городе с населением от 60 тыс. человек селитебная территория может члениться на жилые районы (рис. 54).

Существенно влияют на формирование жилых районов и состав их общественных центров, близость к городскому центру или промышленному району, условия взаимосвязи с другими жилыми районами, положение относительно магистралей, садов и парков. В зависимости от величины города и его общей структуры учреждения периодического пользования могут обслуживать различные группы микрорайонов, а городской центр прилегающий жилой район. Это определяет различные приемы решения общественных центров.

В новых городах, при наличии пересеченного рельефа местности, рек и больших массивов существующих зеленых насаждений, селитебная территория может члениться естественными и искусственными преградами на отдельные части. Если в Сумгаите или Дивногорске селитебная территория представляет собой компактный массив, то в Ангарске или Зеленограде по мере роста этих городов уже в ближайшее время будут построены селитебные районы, отделенные от существующих руслами рек. Эти районы приобретут в градостроительном отношении известную самостоятельность, которая и будет определять возможность создания новых общественных центров. Указывая на возможность и целесообразность создания отдельных планировочных или производственно-селитебных районов, нельзя их смешивать с системой жилых районов и микрорайонов, которые являются первичной основой формирования всех городских селитебных территорий.

Четкое деление обслуживания по ступеням «микрорайон — жилой район — город» должно рассматриваться как обшая принципиальная схема.

Жилые районы и микрорайоны нельзя рассматривать как не зависимые друг от друга, так как они являются взаимосвязанными элементами селитебной территории. Отдельные жилые районы связываются между собой и с другими частями города в одно целое системами общественных центров, транспортных магистралей и пешеходных путей.

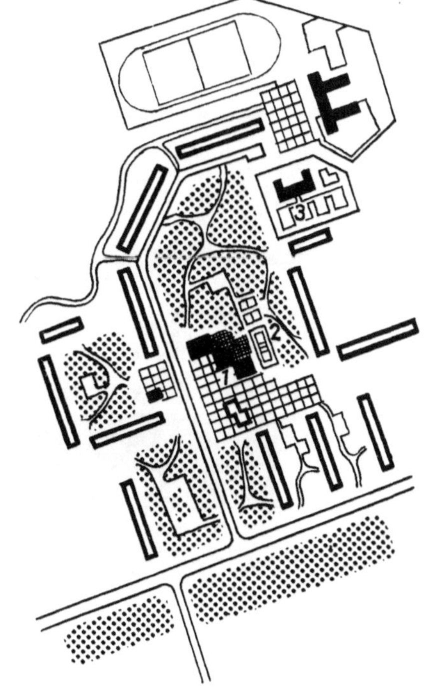

Рис. 49. Группу жилых домов объединяет блок первичного обслуживания, детский сад-ясли и озелененные пространства с площадками для игр и отдыха
1 — блок первичного обслуживания; **2** — спортивные площадки; **3** — детские сады-ясли

Fig. 49. A group of residential houses connects a unit for primary service kindergarten and nursery and green space meant for rest with playgrounds.
1 — Unit for primary service; **2** — Stadiums; **3** — Kindergartens and nurseries

Рис. 50. Застройка жилых районов и микрорайонов осуществляется индустриальными методами по типовым проектам: жилые дома **(А)**; детские учреждения **(Б)**; школы **(В, Г)**

Fig. 50. The development of residential areas and neighbourhoods is carried out by means of industrial methods according to type projects: dwelling houses **(A)**; Kindergartens and nurseries **(Б)**; Schools **(В, Г)**

в

г

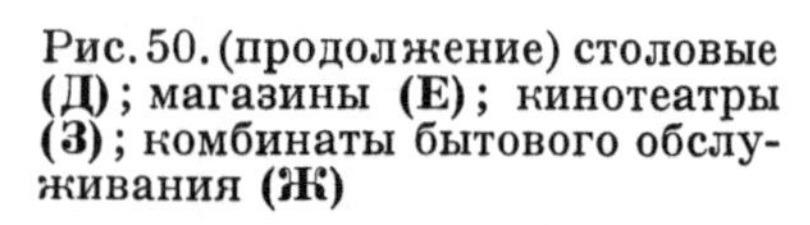

Рис. 50. (продолжение) столовые **(Д)**; магазины **(Е)**; кинотеатры **(З)**; комбинаты бытового обслуживания **(Ж)**

Fig. 50. (continuation) Canteens **(D)**; Shops **(E)**; Cinemas **(Ж)**; Social service **(З)**

Д

Е

Ж

Рис. 51. Структура поселка на 4—6 тыс. человек основывается на сочетании групп жилых домов, куда могут входить блоки первичного обслуживания, детские учреждения; общепоселковый центр, включает торговый центр, клуб, школу
1 — поселковый Совет; **2** — клуб; **3** — библиотека; **4** — торговый центр; **5** — больница; **6** — гостиница; **7** — школа; **8** — детские сады-ясли; **9** — блок первичного обслуживания; **10** — гаражи и автостанция

Fig. 51. The structure of a settlement for 4—6 thousand people consists of groups of dwelling houses which may include units of primary services, children's premises. A settlement centre, includes shopping centre, a club, a school.
1 — Settlement council; **2** — Club; **3** — Library; **4** — Shopping centre; **5** — Hospital; **6** — Hotel; **7** — School; **8** — Kindergartens and nurseries; **9** — Unit of primary services; **10** — Garages

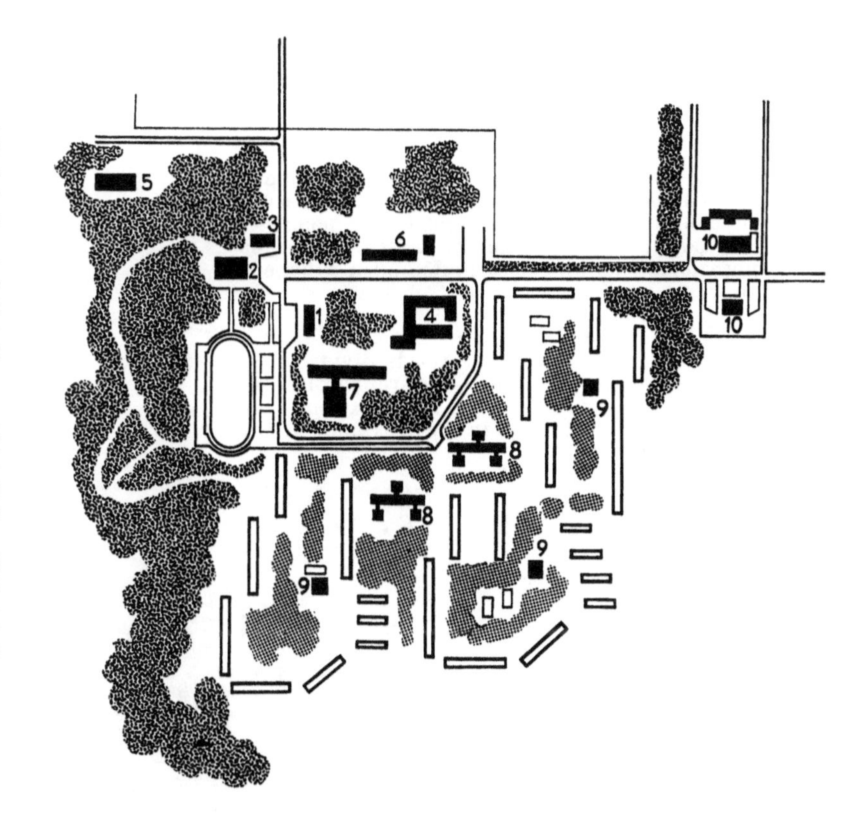

Рис. 52. В поселке на 12—15 тыс. человек селитебная территория членится на микрорайоны (4—6 тыс. жителей) со школами, детскими учреждениями и блоками первичного обслуживания. При компактной структуре поселков целесообразно объединять общественные центры некоторых микрорайонов с общественным поселковым центром

Fig. 52. In the settlement for 12—15 thousand population the residential areas are devided into neighbourhoods with school's children's premises and units of primary services. If the settlement has a compact structure it is expedient to unite the civic centres of any neighbourhood with the settlement civic centre.

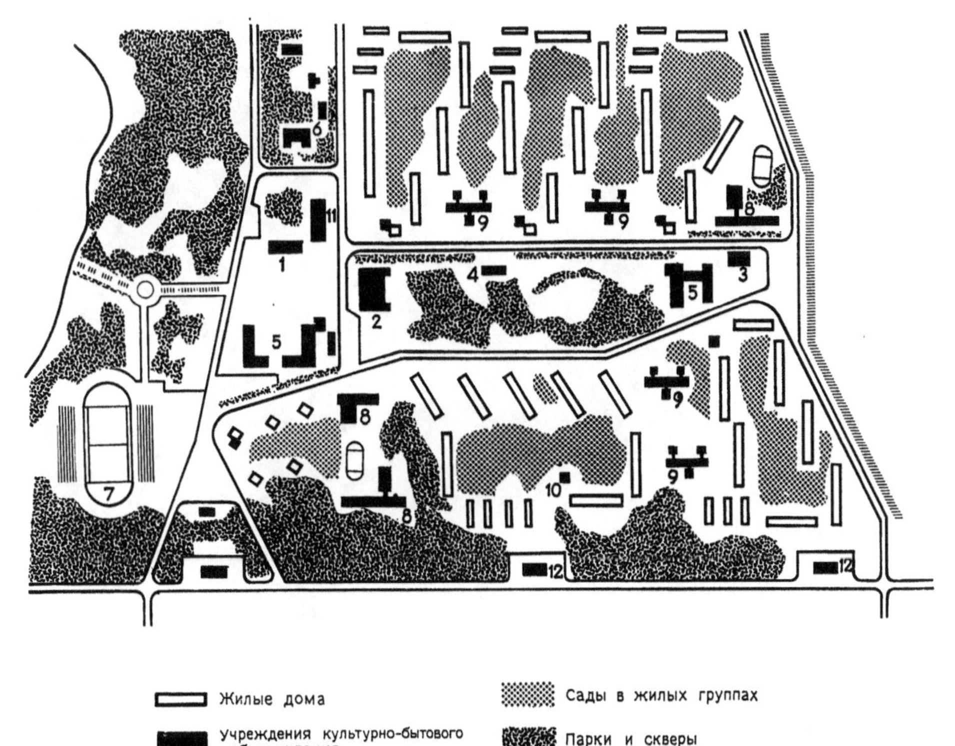

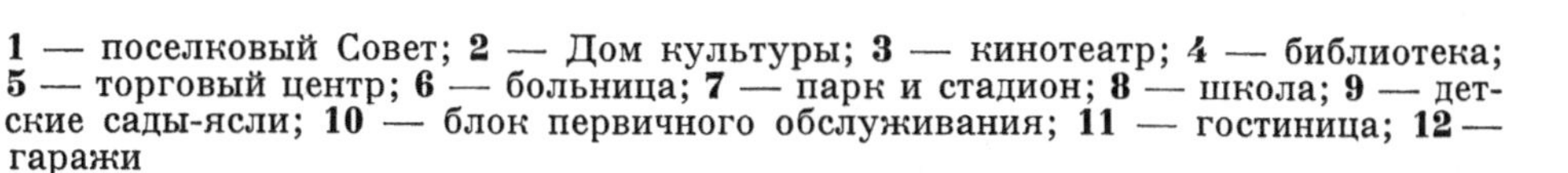

1 — поселковый Совет; **2** — Дом культуры; **3** — кинотеатр; **4** — библиотека; **5** — торговый центр; **6** — больница; **7** — парк и стадион; **8** — школа; **9** — детские сады-ясли; **10** — блок первичного обслуживания; **11** — гостиница; **12** — гаражи

1 — Settlement council; **2** — House of culture; **3** — Cinema; **4** — Library; **5** — Shopping centre; **6** — Hospital; **7** — Park and stadium; **8** — School; **9** — Kindergarten and nursery; **10** — Unit of primary services; **11** — Hotel; **12** — Garages

Рис. 53. В малом городе на 20—25 тыс.человек селитебная территория расчленяется на микрорайоны. Здания общегородского назначения формируют городской центр. Парк со спортивным комплексом приближен к берегу пруда

Fig. 53. In a small town for 20—25 thousand inhabitants the residential area is divided into neighbourhoods. The town centre consists of buildings of town's scale. The park and the sports centre are located in the proximity of the pond

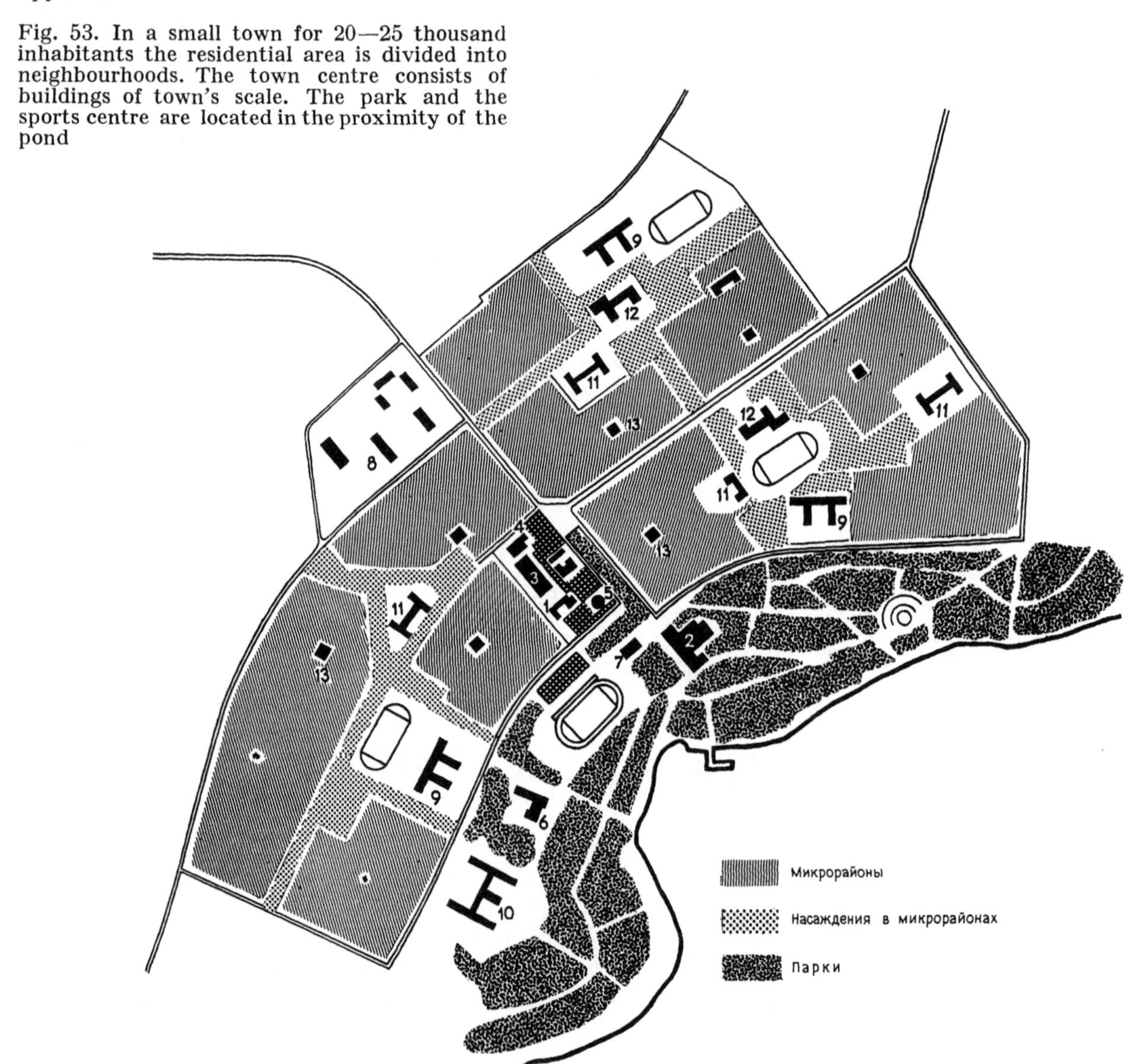

1 — административное здание; **2** — клуб; **3** — торговый центр; **4** — кинотеатр; **5** — кафе; **6** — поликлиника; **7** — спортивный павильон и стадион; **8** — группа коммунальных предприятий; **9** и **10** — школы и школы-интернаты; **11** — детские сады-ясли; **12** — общественные центры микрорайонов; **13** — блоки первичного обслуживания

1 — Administrative building; **2** — Club; **3** — Shopping centre; **4** — Cinema; **5** — Cafe; **6** — Hospital; **7** — Sports house; **8** — Group of municipal service buildings; **9—10** — Schools and boarding schools; **11** — Kindergartens and nurseries; **12** — Neighbourhood civic centres; **13** — Unit for primary service

Рис. 54. Селитебная территория города с населением 60—80 тыс. человек расчленена на жилые районы по 25—35 тыс. человек каждый, объединенные между собой общегородским центром, системой транспортных магистралей и улиц, пешеходных путей и зеленых насаждений

Fig. 54. The residential area of the town with the population of 60—80 thousand people is divided into residential districts for 25—30 thousand people, each having a common town centre, unified system of arterial roads and streets, pedestrian roads and green spaces

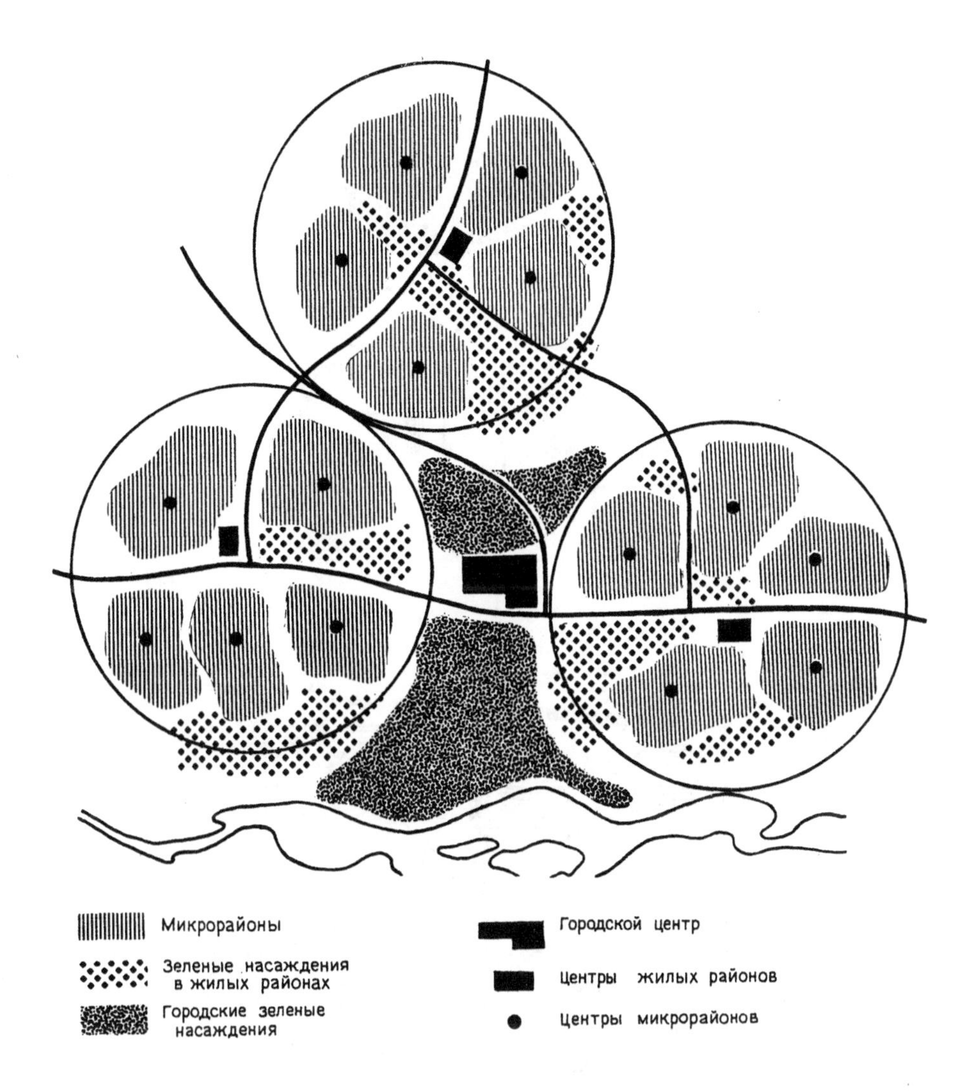

Как уже отмечалось, построение сети улиц и магистралей должно обеспечивать быстрое и удобное передвижение населения и достаточную изоляцию жилой застройки от интенсивного городского транспорта. Для этого транзитные магистрали с напряженным транспортным движением не должны пересекать жилые районы, где допустима прокладка только районных магистралей массового пассажирского транспорта, соединяющих жилые и промышленные районы между собой. Расстояние между районными магистралями с общественным транспортом не должно превышать 1000 *м*.

Внутри жилых районов и микрорайонов для подхода к общественным центрам, местам приложения труда и остановкам общественного транспорта должны создаваться специальные пешеходные пути, обособленные от движения транспорта.

Таким образом, система магистральных улиц строится с учетом целесообразного разделения селитебной территории на жилые районы, а внутренняя планировка жилых районов решается с учетом организации удобных трасс массового общественного транспорта и пешеходных путей.

Большое влияние на условия жизни населения оказывают зеленые насаждения.

Озеленение селитебной территории является частью общей системы озеленения города и находится в тесной связи со структурным формированием селитебной территории. Так же, как и культурно-бытовые учреждения, зеленые насаждения и места отдыха на селитебной территории делятся в зависимости от периодичности пользования (рис. 55) на:

зеленые насаждения и открытые пространства, непосредственно связанные с жилыми домами или учреждениями обслуживания;

микрорайонные сады;

сады жилых районов;

городские парки.

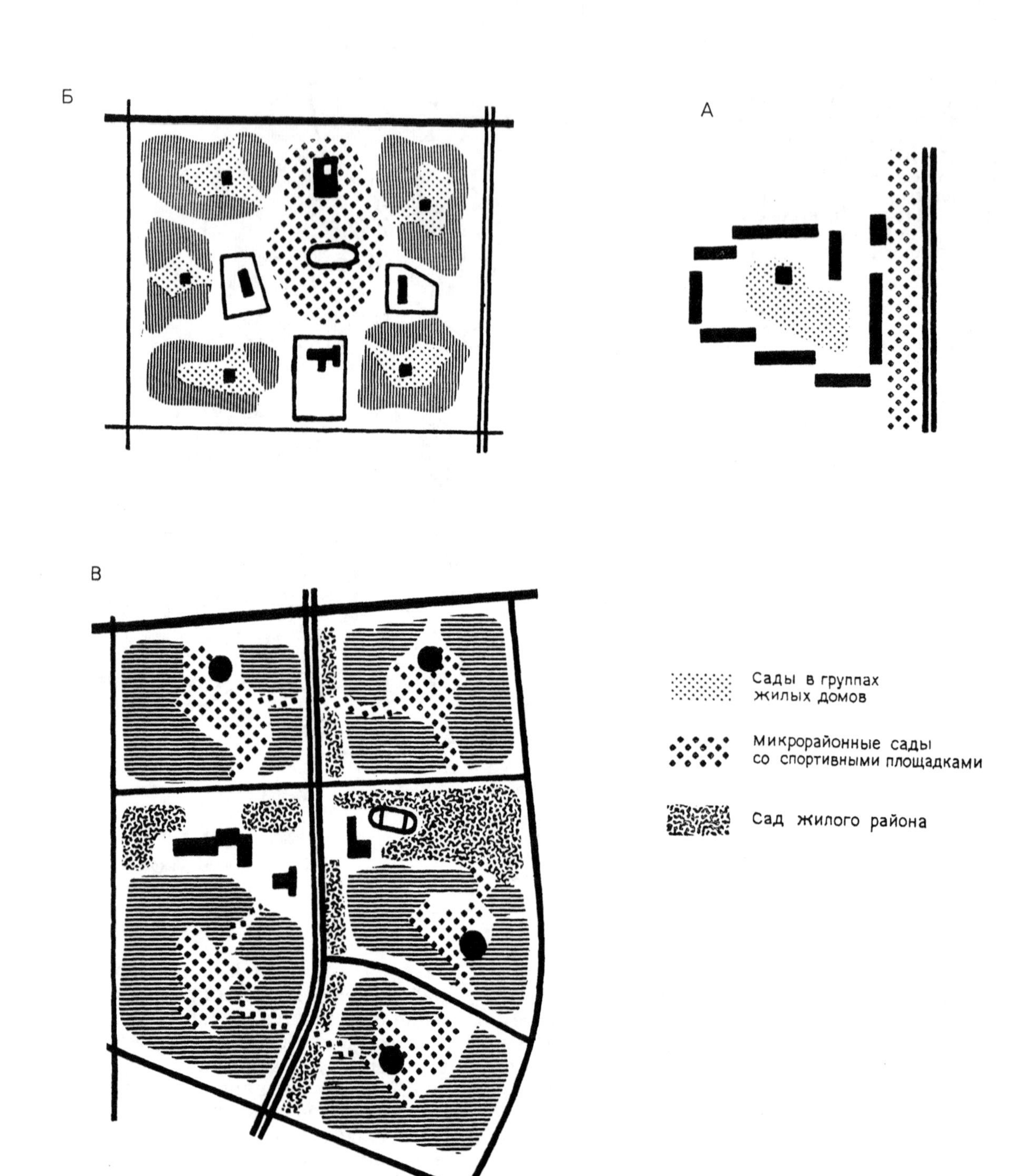

Рис. 55. В зависимости от характера использования зеленые насаждения делятся на: озелененные дворы в жилой группе **(А)**, микрорайонные сады **(Б)**; сады и бульвары в жилых районах **(В)**

Fig. 55. Depending upon the mode the green spaces are used they are divided into: green yards of the residential building — groups **(А)**; neighbourhood gardens **(Б)**; gardens, squares and boulevards in the residential districts **(В)**

Размеры и композиция этих садов и парков в комплексе с физкультурными и спортивными устройствами определяются исходя из их функционального назначения и особенностей расположения.

Существенным элементом озеленения селитебной территории являются полосы зеленых насаждений, обрамляющие скоростные городские дороги и транспортные магистрали. Эти зеленые полосы должны обеспечивать изоляцию жилищ от шума и отработанных газов транспорта.

Зеленые насаждения отдельных районов и микрорайонов должны объединяться во взаимосвязанную единую систему садов, бульваров и парков, вливающихся в пригородный лесопарковый пояс.

Размеры озеленения надо определять в зависимости от величины города и природно-климатических условий.

4. СИСТЕМА ОБЩЕСТВЕННЫХ ЦЕНТРОВ ГОРОДА

Социальный прогресс советского общества определяет широкое развитие общественной и деловой жизни населения. Как следствие этого, увеличивается значение общественных центров городов. Главная роль принадлежит городским центрам. Здесь располагают здания партийных и советских организаций, учреждения по управлению социалистическим хозяйством, здания общественных организаций, театры, филармонии, концертные залы, цирки, кинотеатры, музеи, выставки, торговые центры, рестораны, сады и парки и другие учреждения культурно-бытового обслуживания населения. В центрах городов проводятся народные празднества, демонстрации военные и спортивные парады, митинги и другие массовые мероприятия. Расположение этих зданий формирует облик городского центра.

Однако не все учреждения городского, областного и даже республиканского значения целесообразно по условиям их работы располагать в центрах городов.

Вне центров городов, в наиболее благоприятных природных условиях следует сооружать лечебные, учебные, научно-исследовательские, а иногда и спортивные центры.

Общегородской центр и общественные центры жилых районов и микрорайонов образуют разветвленную систему общественных центров, обспечивающих удобство и комплексность обслуживания населения.

Общественные центры, в которых концентрируются общегородские и районные общественные здания, являются узловыми пунктами планировочной структуры города.

Общегородской центр и центры жилых районов размещаются на селитебной территории, но в общую систему центров города входят также общественные центры промышленных районов и общественные центры зон массового отдыха.

Система общественных центров, предусматривающая размещение в определенных пунктах города учреждений одного радиуса действия (общегородские, районные, микрорайонные) или одного функционального назначения (медицинские, спортивные, учебные, научно-исследовательские, коммунальные и т. д.), создает наиболее удобное для населения комплексное обслуживание, позволяет кооперировать ряд учреждений и устройств, наиболее рационально использовать территорию и снизить затраты на строительство и эксплуатацию общественных зданий. Размещение общественных зданий группами увеличивает их архитектурную выразительность, создает основу для построения крупных архитектурных ансамблей.

Развитая система общественных центров получает свое воплощение в проектах таких новых городов, как Тайшет, Братск, Зима, Нижнекамск, Качканар.

Планировка и застройка городских общественных центров должна определять доминирующее значение главных архитектурных ансамблей путем использования наиболее характерных природных условий (зеленых массивов, водоемов, выразительного рельефа местности) и создания яркого архитектурного облика общественных зданий и сооружений, формирующих центры городов.

Отдельные части общегородских центров крупных городов могут получать некоторую функциональную специализацию. На отдельных площадях или в комплексе отдельных архитектурных ансамблей могут быть размещены здания правительственного, областного или городского значения, зрелищные (театры, филармонии), мемориальные (музеи, выставки) и торговые (универмаги, торговые центры).

На основе ступенчатой системы культурно-бытового обслуживания населения и функциональных особенностей отдельных его видов представляется целесообразным следующее деление общественных центров города:

общегородской центр;

центры зон массового отдыха;

центры жилых, комплексных производственно-селитебных и промышленных районов;

центры микрорайонов.

Как уже отмечалось, в общую систему общественных центров входят и специализированные центры городского значения: лечеб-

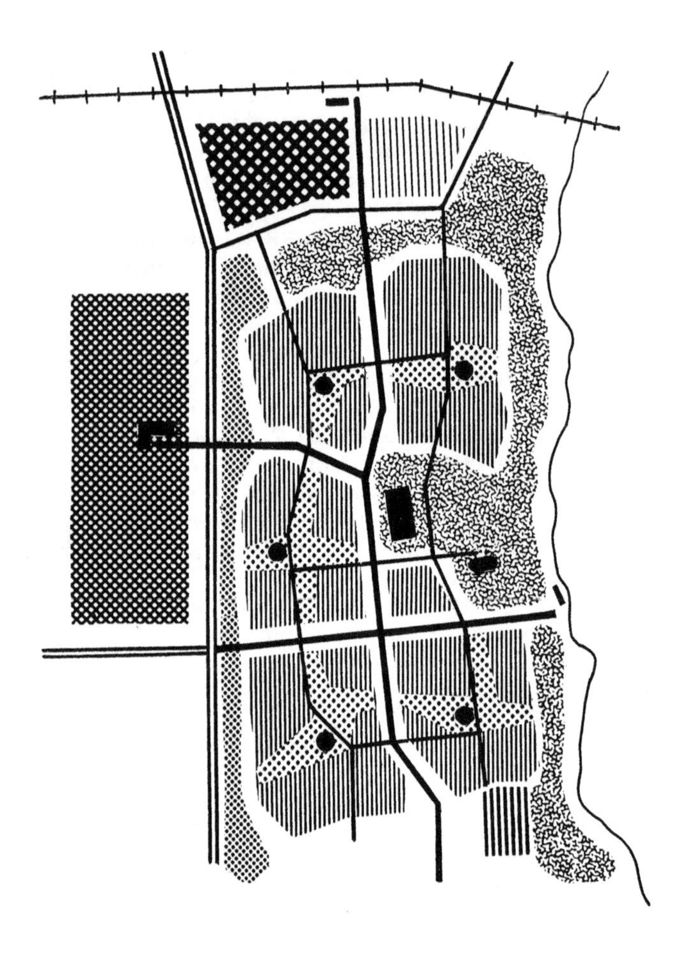

Рис. 56. Система общественных центров города включает общегородской центр, центры промышленных районов, центры жилых районов, специализированные центры городского значения (больничный центр, учебный центр и др.)

Fig. 56. A system of civic centres includes: town centre; centres of industrial districts; centres of residential districts; specialized centres of the town (hospitals, educational centre etc.)

ные, спортивные, учебные, научно-исследовательские, выставочные. Примерное размещение всей системы общественных центров в городе с населением 150 тыс. жителей показано на рис. 56.

На размещение и конкретное решение системы общественных центров оказывают влияние:

величина города и природные условия его расположения;

планировочная структура города;

наиболее рациональная вместимость общественных зданий и учреждений;

допустимые радиусы обслуживания учреждениями повседневного, периодического и эпизодического пользования.

Общественные центры, за исключением микрорайонных, должны располагаться вблизи линий общественного пассажирского транспорта, причем территорию центра необходимо изолировать от движения. К общественным центрам должны подходить и пешеходные дороги. Таким образом, между центрами устанавливается двойная связь — их соединяют линии массового пассажирского транспорта и пешеходные дороги.

Изоляция общественных центров от движения транспорта достигается различными способами (рис. 57). В схеме **А** общественный центр размещен по одну сторону магистрали и отделен от нее полосой зеленых насаждений. В схеме **Б** общественный центр занимает один из секторов у пересечения магистралей, отделяясь от них полосами зеленых насаждений. В схеме **В** центр занимает островное положение. Наконец, возможно расположение центра между двумя параллельными магистралями, как это показано на схеме **Г**.

Уже отмечалось, что размещение среди зеленых насаждений, на берегах рек или искусственных водоемов расширяет возможности работы многих культурно-просветительных учреждений и способствует отдыху населения. Поэтому общественные центры городов следует сочетать с парковыми массивами, искусственными водоемами, берегами рек, озер или морей (в зависимости от местных природных условий и климата).

Главным звеном системы общественных центров города является городской центр, который объединяет многочисленные здания, разнообразные по своему функциональному назначению и характеру объемно-пространственного решения (Дома Советов, деловые здания, театры, музеи, универмаги и др.).

Состав общественных зданий и устройств общегородских центров, так же как и размеры отдельных объектов, определяются конкретными условиями городов и расчетными нормами культурно-бытового обслуживания[1] в соответствии с количеством населения самого города, а также с учетом обслуживания городскими учреждениями населения тяготеющих к городу населенных мест. Если расчетные нормативы для населения самого города определяются для всех городов одним перспективным уровнем обслуживания, то увеличение емкости общегородских учреждений для обслуживания иногороднего населения колеблется в зависимости от характера расселения в прилегающем районе, значения города в системе расселения, его величины и характера связей с тяготеющими к городу населенными местами. Во всех случаях при проектировании общегородских центров новых городов необходимо учитывать обслуживание тяготеющего к городу населения и при размещении центра в структуре города предусмотреть удобные транспортные связи с вокзалами и портами внешнего транспорта.

При определении состава общественных зданий и учреждений общегородских центров необходимо учитывать следующее.

[1] См. раздел «Организация сети культурно-бытового обслуживания» во втором томе.

В центре поселка должны находиться не только общепоселковые общественные здания, но и учреждения повседневного обслуживания; в центре малого города будут расположены учреждения эпизодического и периодического пользования, обычные для центров жилых районов.

В крупных новых городах с населением свыше 300 тыс. человек некоторые учреждения — Дворцы культуры, большие широкоэкранные кинотеатры и концертные залы, специализированные рестораны, фирменные магазины, детские спортивные и художественные школы и др., которые по расчетным нормам обслуживают 100—200 тыс. человек, будут формировать дополнительные центры, обслуживающие группы жилых районов или комплексных производственно-селитебных районов (рис. 58).

Расположение общегородского центра зависит от многих факторов. Здесь играют решающую роль природные условия, функциональное зонирование и размеры города. Градостроительная практика убедительно показывает, что размещение центра города в геометрическом центре селитебной территории далеко не всегда является наилучшим решением. Смещение центра, которое вызывается природными условиями, транспортной доступностью, размещением других элементов города и очередностью строительства, дает лучшие результаты. Например, при размещении города на берегу водоемов, особенно крупных, общегородской центр, как правило, прибли-

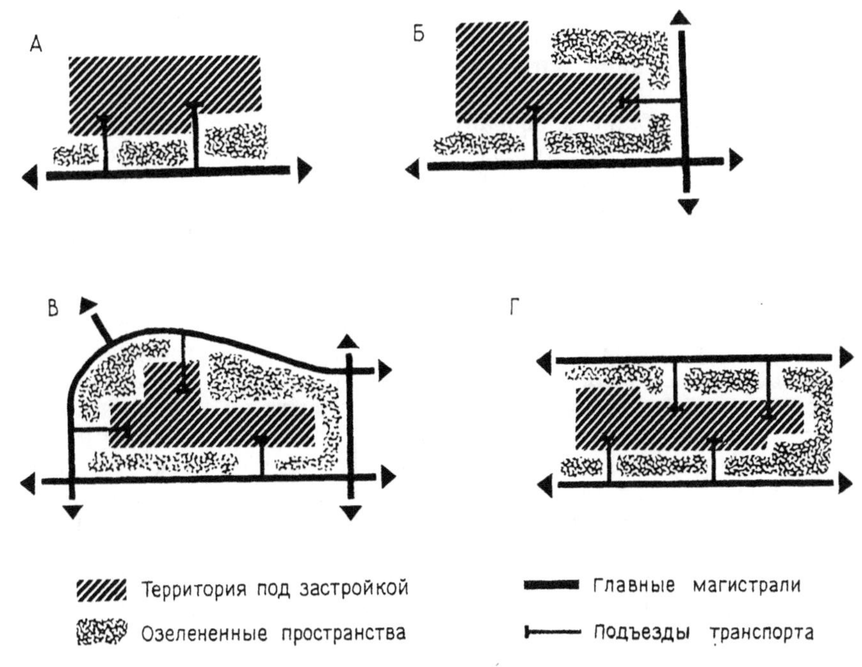

Рис. 57. Размещение общественных центров по отношению к транспортным магистралям осуществляется разными приемами
А — общественный центр размещается по одну сторону магистрали; **Б** — центр размещается у перекрестка; **В** — территория центра окружается магистралями; **Г** — центр размещается между двумя магистралями

Fig. 57. Civic centres are separated from traffic by various means: **А** — The civic centre is located on one side of the main street; **Б** — The centre is placed on the crossroad; **В** — The centre is surrounded with main roads; **Г** — The centre is placed between two main roads

жается к водоему, побережью рек, озер и морей.

Основными факторами, влияющими на пространственную композицию городского центра, нужно считать:

природно-климатические условия,

расположение центра в структуре города, конфигурацию и размеры его территории,

состав и группировку общественных зданий и сооружений, формирующих центр,

организацию удобных подходов и подъездов к центру.

Центры крупных городов формируются путем группировки зданий и устройств в соответствии с их функциональным назначением.

Как уже отмечалось, основными частями городского центра могут быть:

комплекс правительственных и административно-общественных зданий (Дома Советов, партийных, общественных и хозяйственных организаций, универсальные залы, Дома связи);

комплекс культурно-просветительных и зрелищных учреждений (театры, концертные залы, музеи, библиотеки и т. д.);

комплекс торгового центра;

комплекс спортивного центра.

Каждая из перечисленных частей имеет свои требования к расположению в системе центра и по отношению к транспортным магистралям, пешеходным путям, зеленым массивам.

В поселках и малых городах функциональная организация центра проста, все здания могут быть размещены вокруг одной площади, непосредственно примыкающей к городскому саду.

Пространственная композиция и функциональное зонирование центра в каждом городе будут носить индивидуальный характер. Однако имеются общие требования к его решению и взаимосвязи отдельных зон. Оптимальным положением центра можно считать расположение его на удобной территории, примыкающей к зеленым массивам и водным бассейнам, доминирующей по своим природным качествам и хорошо связанной со всеми районами города. При таком расположении центра в структуре города на 100—150 тыс. человек удобное взаиморасположение отдельных зон и организацию подходов и подъездов можно видеть на схемах на рис. 59.

Территория центра здесь находится близ главной городской магистрали. С этой магистралью через транспортную площадь связаны зона административных зданий и главная городская площадь, которая предназначается только для пешеходного движения. Главная пешеходная улица идет от городской площади в зону культурно-просветительных и зрелищных зданий и находит свое завершение в парке, где размещен городской стадион. Торговый центр одной стороной выходит на пешеходную площадь, другой примыкает к транспортной магистрали и территории автостоянок. Такое расположение торгового центра позволяет изолировать движение пешеходов от движения транспорта, подвозящего товары. Подходы посетителей к магазинам от остановок общественного транспорта не пересекаются со служебными подъездами грузового транспорта; автостоянки размещены в стороне от основных потоков покупателей, следующих от остановок общественного транспорта к магазинам.

Эта общая схема компактного центра может получить многообразное индивидуальное выражение в зависимости от структуры и природных условий расположения города. Так, в проекте города Зеленограда, рассмотренного в главе 2, территория центра расположена удобно для обслуживания, в относительно равном удалении от всех жилых районов приближена к искусственному водоему и городскому парку. Все главные общественные здания и учреждения общегородского значения — Дом Советов, Дом связи, универсальный зал, библиотека, торговый центр, кинотеатр, гостиница и ресторан — размещены компактно; их связывает между собой система площадей и пешеходных улиц.

Распространенным приемом композиции является объединение основных зон центра главной городской улицей, хорошо озелененной и свободной от движения транспорта. Примерно таков центр Новосибирского научного городка (рис. 60), в котором сосредоточены все основные общественные здания и учреждения, обслуживающие город. Особый характер этого города, являющегося крупным научно-исследовательским и учебным центром, определяет и специфику его городского центра, в состав которого в качестве главных компонентов вошли здания Дома ученых и комплекс зданий Новосибирского университета. Этот пример наглядно показывает влияние градообразующей базы города на характер его центра.

При увеличении размеров города возрастает количество общественных зданий, увеличивается занимаемая центром территория и усложняется его структура. Нередко отдельные комплексы зданий и сооружений образуют четко выявленные функциональные зоны. Например, стремление приблизить культурно-зрелищный или спортивный центр к парку или водоему может обусловить некоторое их отделение от комплекса административных, деловых и других зданий.

При членении общегородского центра на

Рис. 58. В городах с населением свыше 300 тыс. человек, а также при расчлененной структуре планировки система общественных центров города может включать также подцентры городского значения, в которых размещаются административные учреждения, учреждения связи, кинотеатры, обслуживающие планировочно-обособленные или наиболее удаленные от центра группы жилых районов

Fig. 58. In towns with 300 thousand and more inhabitants as well as those with the divided planning structure, a system of civic centres can include sub-centres of town's scale in which there are administrative offices, post and telegraph offices, cinemas, educational establishments, serving separated or situated far from the centre groups of residential districts

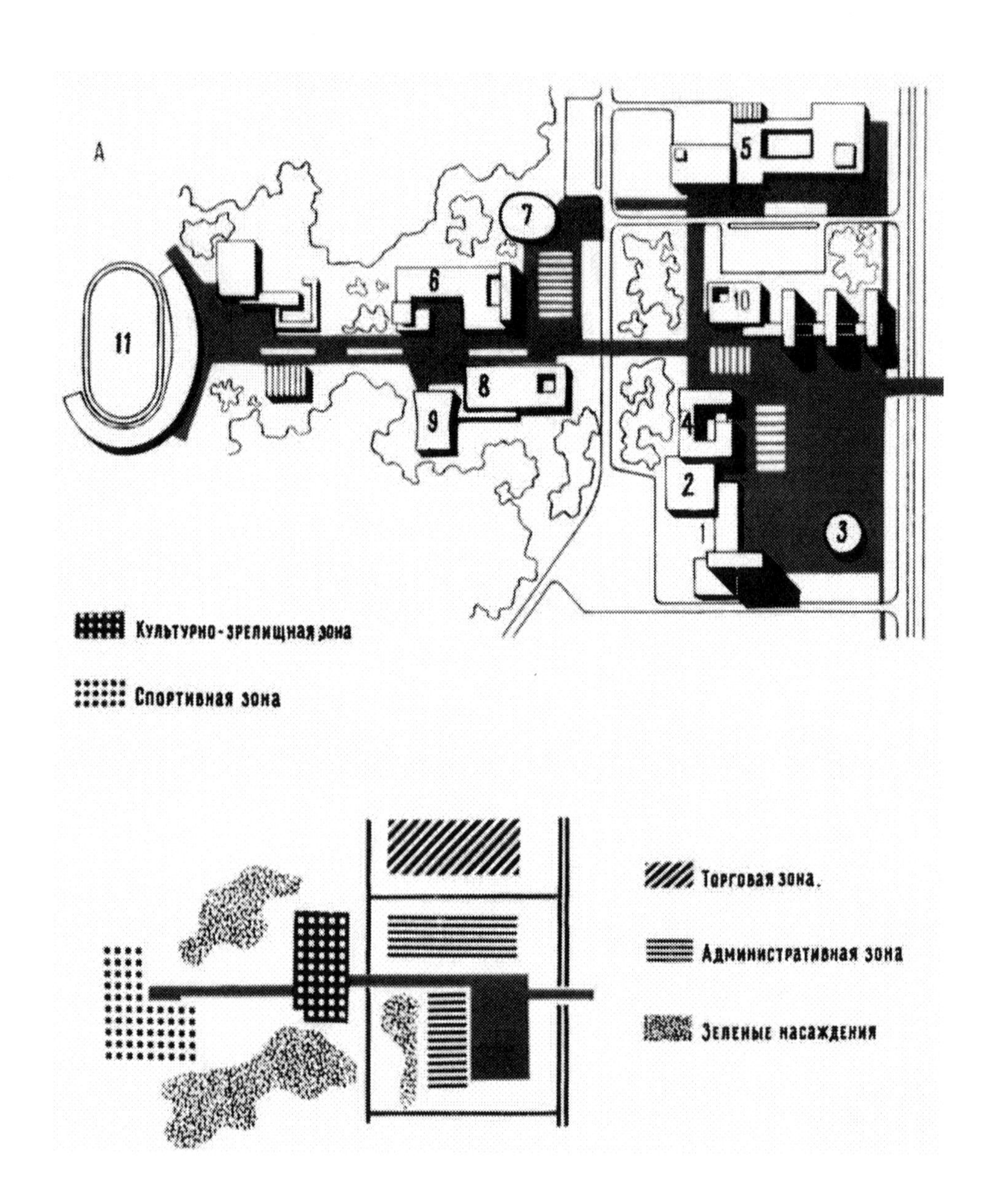

Рис. 59. Варианты функционального зонирования городского центра (**А**, **Б**). **1**, **2**, **3**, **4** — административные, общественные и хозяйственные учреждения; **5** — торговые предприятия; **6**, **7**, **8**, **9** — культурно-просветительные и зрелищные здания; **10** — гостиница; **11** — стадион

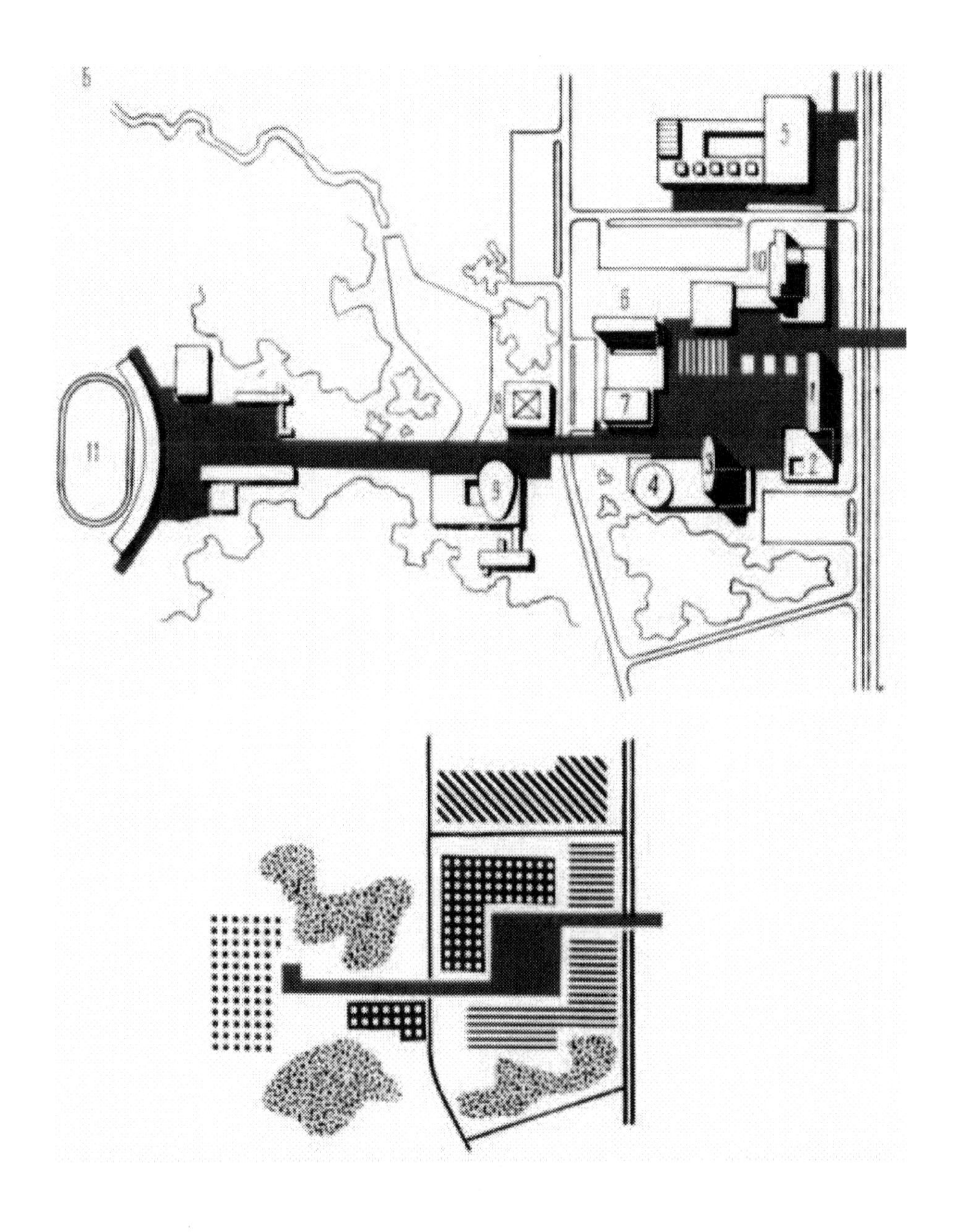

Fig. 59. Alternative schemes of land use of town centre **(А, Б). 1, 2, 3, 4** — Administrative buildings and public offices; **5** — Commercial enterprises; **6, 7, 8, 9** — Cultural, educational and enterteinment buildings; **10**—Hotel; **11**—Stadium

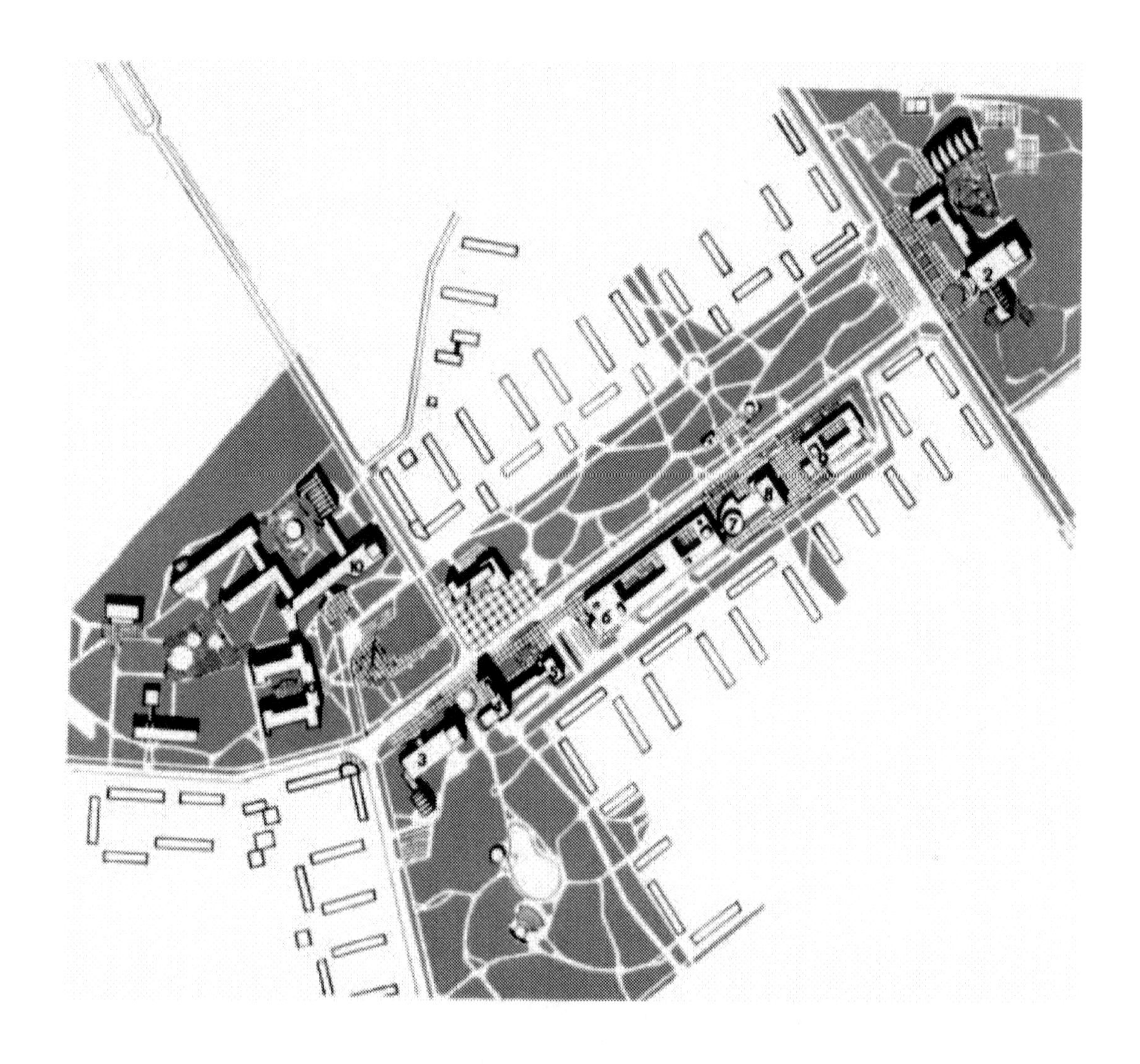

Рис. 60. Общегородской центр Новосибирского научного городка включает административные и хозяйственные учреждения, Дворец культуры, торговый центр, гостиницу. Особенностью центра, обусловленной характером города, является включение в центр университета и Дома ученых

1 — городской Совет; **2** — Дворец техники; **3** — Дом культуры; **4** — гостиница; **5** — Дом связи; **6** — торговый центр; **7** — ресторан; **8** — кинотеатр; **9** — торговый центр (вторая очередь) ; **10** — университет

Fig. 60. The town centre of the Novosibirsk Scientific Town includes administrative and other public offices, a palace of culture, a shopping centre, a hotel. The specific feature of the centre conditioned by the city character is the inclusion of the University and the Palace of Science and Engineering in it

1 — Town council; **2** — Palace of Science and Engineering; **3**— House of culture; **4**— Hotel; **5** — Post and telegraph office; **6** — Shopping centre; **7** — Restaurant; **8** — Cinema; **9** Shopping centre (Second stage); **10** — University

функциональные зоны особую актуальность приобретает обеспечение их пространственного единства, т. е. сохранение целостности и взаимосвязи всех архитектурных ансамблей центра.

Как уже отмечалось, общегородской центр является главным звеном всей системы общественных центров города.

Общие принципы зонирования центров, четкое разделение движения пешеходов и транспорта сохраняют свое значение и при проектировании центров жилых районов.

Размещение центров жилых районов определяется прежде всего наиболее удобным обслуживанием и ценными природными факторами; центры жилых районов следует располагать вблизи линий массового пассажирского транспорта. Как уже подчеркивалось, центры жилых районов, обслуживая в пределах пешеходной доступности население, проживающее на прилегающей к центру территории, вместе с тем являются звеньями общегородской системы центров города и должны быть удобно связаны между собой. Особый характер будут иметь центры комплексных производственно-селитебных районов, связанные с промышленными предприятиями. Это будет способствовать разнообразию и архитектурной выразительности общественных центров города. Возможно совмещение в отдельных случаях центра комплексного района с предзаводской площадью.

Система центров, как и город в целом, проектируется с учетом территориального развития и качественной трансформации отдельных частей. Это требование относится и к общегородскому центру.

Следовательно, планировка и застройка общегородских общественных центров должна предусматривать их последующее развитие, соответствующее росту городов.

5. РАЗМЕЩЕНИЕ МЕСТ ОТДЫХА И СИСТЕМА ЗЕЛЕНЫХ НАСАЖДЕНИЙ

Вместе с ростом благосостояния населения и увеличением досуга большое значение приобретает проблема организации массового кратковременного и длительного отдыха городского населения. Решение этой проблемы определяется созданием широкой сети мест отдыха как в пределах селитебных районов вблизи жилья, так и в окрестностях города.

В планировке и пространственном решении мест отдыха зеленым насаждениям принадлежит важнейшая роль. Иногда в безлесных районах их приходится создавать заново в процессе строительства города. Но некоторые новые города строятся среди естественных лесов, и в этом случае важнейшей задачей является всемерное сохранение лесных массивов и продуманное включение их в систему озеленения нового города. Обычная ошибка при строительстве новых городов в лесистой местности заключается в том, что в процессе строительных работ не всегда обеспечивается надлежащая охрана деревьев на участках, предназначенных под сады, парки, защитные зоны. В результате деревья вырубаются, а вместо них создаются новые насаждения, на выращивание которых требуются десятки лет.

Когда принимаются надлежащие меры к сохранению природных лесов, застройка города очень выигрывает и создаются более благоприятные условия для жизни населения. Так, например, при строительстве нового города Зеленограда существующая растительность в границах селитебной территории здесь используется для устройства городских парков, садов жилых районов и микрорайонов (рис. 61). В наиболее красивых местах, по долинам ручьев и реки, создаются зоны отдыха. В лесопарках и среди зеленых насаждений прокладываются прогулочные пешеходные аллеи.

В проекте планировки Тайшета удачно использована существующая растительность в виде зеленых полос, разделяющих отдельные селитебные районы. При строительстве Братска вырубка лесов проводится лишь на площадках, выделенных под застройку и уличную сеть.

Новые принципы формирования структуры селитебной территории города расширяют возможности сохранения существующих на территории нового города зеленых насаждений.

Общеизвестно, что строительство мелких кварталов затрудняет сохранение деревьев; организация же микрорайонов при свободной их застройке и устройстве садов позволяет значительно лучше использовать и сохранить существуюущие насаждения.

Для успешного озеленения многих новых городов, особенно в Сибири, необходимо не только сохранять существующие в основном хвойные насаждения, но и производить крупные дополнительные посадки, значительно расширяя ассортимент деревьев и кустарников. Хвойные породы, как известно, вследствие загрязнения воздушных бассейнов хуже переносят условия города по сравнению с лиственными породами. Поэтому, например, в Ангарске предусматривается и осуществляется дополнительная посадка деревьев и кустарников лиственных пород.

Многие новые города — Магнитогорск,

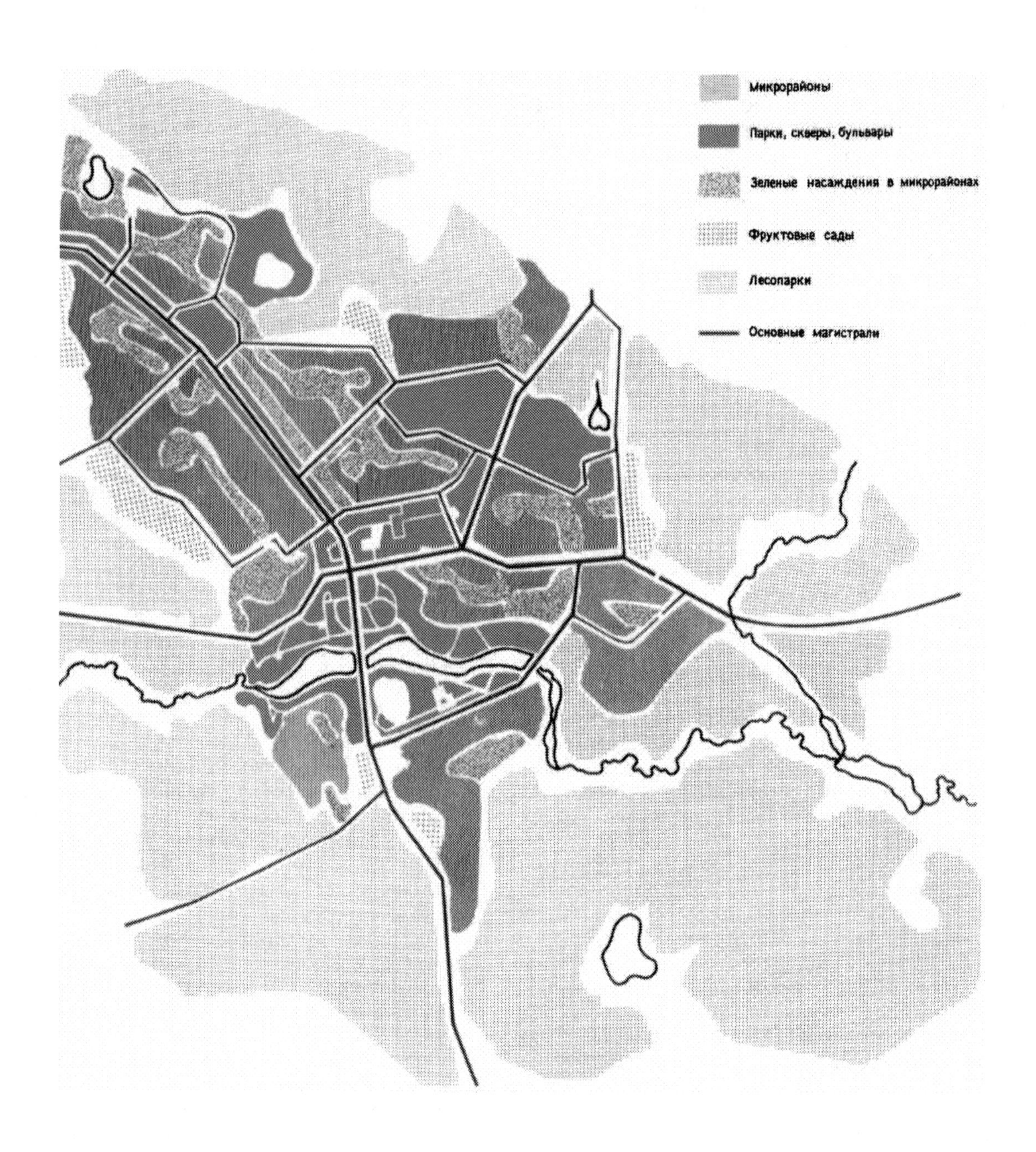

Рис. 61. В небольшом городе, окруженном лесными массивами, все жилые микрорайоны находятся в пешеходной доступности от мест кратковременного отдыха. Городской парк размещен в центре селитебной территории, близ городского центра и водохранилища. Площадь зеленых насаждений общегородского значения (внутри города) составляет 18% площади селитебной территории

Fig. 61. In a small town surrounded by woods the residential neighbourhoods are located within the walking distance from resting sites. The town park is in the centre of the residential area near the town centre and a storage lake. The green spaces of the town's scale (inside the town) make up 18% of the residential area

Орск, Сумгаит, Целиноград — созданы в местности, лишенной естественной растительности. Здесь сильные ветры, резкий климат, засоленные почвы. В этих случаях создание развитой системы озеленения города сложно и требует тщательного выбора мест для зеленых массивов, проектирования системы озеленения с учетом специфики климата, характера почвенного покрова и других местных условий. Возможности озеленения многих городов тесно связаны с возможностью их обводнения. В особенности это касается городов, строящихся в Средней Азии, где задача озеленения без одновременного обводнения территории практически неразрешима. В таких районах только путем обводнения и озеленения территории можно улучшить микроклимат.

Система озеленения современного города должна охватывать все его зоны. Это требование относится и к промышленным районам. В Рустави, Ангарске, Магнитогорске, Запорожье и других городах озеленены территории многих предприятий и созданы зеленые защитные зоны между промышленностью и жилыми районами.

Забота об улучшении условий труда на производстве настоятельно требует повышения уровня благоустройства и озеленения промышленных площадок. Насаждения являются фильтром, задерживающим атмосферные загрязнения от литейных, травильных и пылящих цехов; деревья снижают уровень шума, служат естественной защитой от ветров и снежных заносов, украшают промышленные территории.

Основным принципом озеленения промышленных площадок должно быть использование для зеленых насаждений всех участков промышленной территории, не занятых непосредственно для производственных целей. На каждом предприятии должны быть посадки деревьев и кустарников вдоль пешеходных и автомобильных дорог, вокруг основных цехов, лабораторных корпусов и заводоуправлений, где может быть организован отдых рабочих. Хорошо должны быть озеленены общественные и научно-технические центры промышленных районов.

Важное значение имеют зеленые насаждения на крупных транспортных магистралях, отделяющие движение пешеходов от потоков транспорта и позволяющие изолировать от него жилую застройку. Посадки деревьев и кустарников вдоль всех улиц должны стать обязательными при благоустройстве новых городов.

На рис. 62 показаны схемы озеленения городов в различных условиях.

Совершенно очевидно, что создать удобную систему мест отдыха и обеспечить хороший санитарный режим в городе (чистоту водоемов, защиту от ветров, приток свежего воздуха и т. п.) можно только при наличии хорошего озеленения и обводнения как города, так и пригородной зоны. Именно в новых городах, окрестности которых свободны от случайно сложившейся застройки, открываются широкие возможности для рациональной планировки и застройки пригородной зоны и тщательной охраны существующих насаждений.

В пригородной зоне размещаются места и учреждения массового отдыха городского населения, зеленые насаждения, улучшающие микроклимат города, часть коммунальных устройств (водозаборы, сооружения очистки) и общественных учреждений города (лечебные, спортивные, учебные заведения), а также транспортные сооружения (аэропорты, сортировочные станции) (рис. 63).

При благоприятных природных условиях средний радиус пригородной зоны от городского центра для городов с населением 100—500 тыс. человек может быть принят порядка 20—40 *км*.

Вокруг крупных городов целесообразно предусматривать устройство лесопаркового пояса шириной 5—10 *км* в зависимости от местных условий.

Вместимость учреждений и мест отдыха в пригородной зоне определяется с учетом общей численности населения города и пригородной зоны, местных природно-климатических и санитарных условий, близости общесоюзных и местных курортов.

На основе исследований и расчетов можно полагать, что количество выезжающих на кратковременный отдых, составляющее в данное время около 10—12% общего количества населения, будет возрастать вместе с увеличением размеров города, и в городе с 300 тыс. жителей будет составлять уже до 30%; соответственно увеличивается потребность в площади загородных парков и лесопарков, пляжей, водоемах для купания и спорта.

Размещение мест отдыха, особенно длительного назначения и лечебного профиля (санатории, дома отдыха), должно основываться на изучении природно-климатических особенностей отдельных частей пригородной зоны.

Учреждения и места отдыха можно располагать в пригородной зоне рассредоточенно или группами. Практика организации мест отдыха в окрестностях крупнейших городов уже показала, что концентрированное расположение учреждений длительного отдыха с созданием специальных крупных загородных зон массового отдыха имеет ряд преимуществ. Оно позволяет устроить централизованное водоснабжение, канализацию и теплофикацию большой группы учреждений отдыха, лучше и экономичнее организовать всестороннее обслуживание отдыхающих и удобную транспортную связь.

В новых городах и их окрестностях с начала строительства необходимо выделять и сохранять участки, наиболее благоприятные и красивые в природном отношении, согласуя размещение учреждений отдыха с требованиями охраны ландшафта. Большие территории следует оставлять с нетронутым ландшафтом, а участки, наиболее ценные в природном отношении, охранять как заповедники.

Хорошая организация мест отдыха в городе и за городом обеспечивается не только путем наилучшего использования существующих природных условий, но и, если это необходимо, путем активного преобразования природы. Так, совершенно новые возможности при строительстве городов создает мощное ирригационное строительство в условиях жаркого климата в республиках Средней Азии. Градостроительная практика дает ряд примеров организации в городах и пригородных зонах крупных водохранилищ и устройства при этих водохранилищах лесопарков и мест отдыха.

Огромные масштабы и темпы строительства городов приводят к быстрому росту городских территорий. Это предъявляет особые требования к организации зеленого строительства — необходимо обеспечить новые города посадочным материалом и правильно установить очередность озеленения городских и пригородных территорий.

●

Известное со времен глубокой древности положение о том, что «города должны быть не только удобными и здоровыми, но и красивыми», никогда еще не имело такого важного значения и широких возможностей реализации, как в советском обществе, развитие которого происходит в условиях величайших социальных преобразований и стремительного научно-технического прогресса.

Новая планировочная структура городов, крупные членения селитебной территории на микрорайоны и жилые районы, индустриальные методы строительства, новый технический уровень благоустройства и инженерного оборудования — все это ставит перед градостроителями необходимость решения не только технических и экономических задач, но и создания нового архитектурно-художественного облика городов.

Важная традиция в решении архитектурно-пространственной композиции города определяется необходимостью органического сочетания его планировки и застройки с природной средой. Города прошлых эпох показывают, какое огромное значение имеет для художественного облика города умелое использование природных условий.

Эта важнейшая традиция, в значительной мере утраченная капиталистическими городами, получает творческое развитие в советском градостроительстве. При проектировании и строительстве новых городов пространственную композицию города необходимо создавать с максимальным использованием природных факторов — рельефа местности, зеленых насаждений, побережья рек, озер и морей, а в тех случаях, когда природные условия бедны, следует рационально обогащать их путем посадки новых насаждений, обводнения рек, создания водохранилищ и т. п. Расположение ансамблей общественных центров на берегах водоемов и их связь с зелеными массивами, панорамное раскрытие города со всех подъездов и важных видовых точек, раскрытие перспектив на доминирующие по природным условиям места являются распространенными приемами сочетания застройки с окружающим ландшафтом.

В прошлом градостроительная теория и практика уделяли большое внимание композиции площадей, главных улиц, набережных; вопросы же композиции массовой жилой застройки, а тем более промышленных территорий оставались неразработанными. Проблемы архитектуры массового городского строи-

Рис. 62. Системы озеленения городов зависят от структуры города, его величины и природно-климатических условий. Система озеленения города обычно включает городской парк, расположенный на берегу реки, и систему парков жилых районов, связанных между собой озелененными пешеходными путями. Зона кратковременного отдыха примыкает к городскому парку **(А)**. В крупных городах особенно при жарком климате для приближения мест отдыха к жилью и создания благоприятного микроклимата целесообразно устройство крупного зеленого массива в центре селитебной территории **(Б)** ▶

Fig. 62. The system of green spaces depends upon the structure of the town, its size, the natural and climatic conditions. This system usually includes a town park situated on the river-bank and a number of parks in the residential districts interconnected by green foot-paths. Near the town Park there is a zone of short time rest **(A)**. In large cities if the climate is hot it is advisable to lay out a big park in the centre of the residential area with the view of providing the population with sites for recreation and creating favourable micro-climate **(Б)**

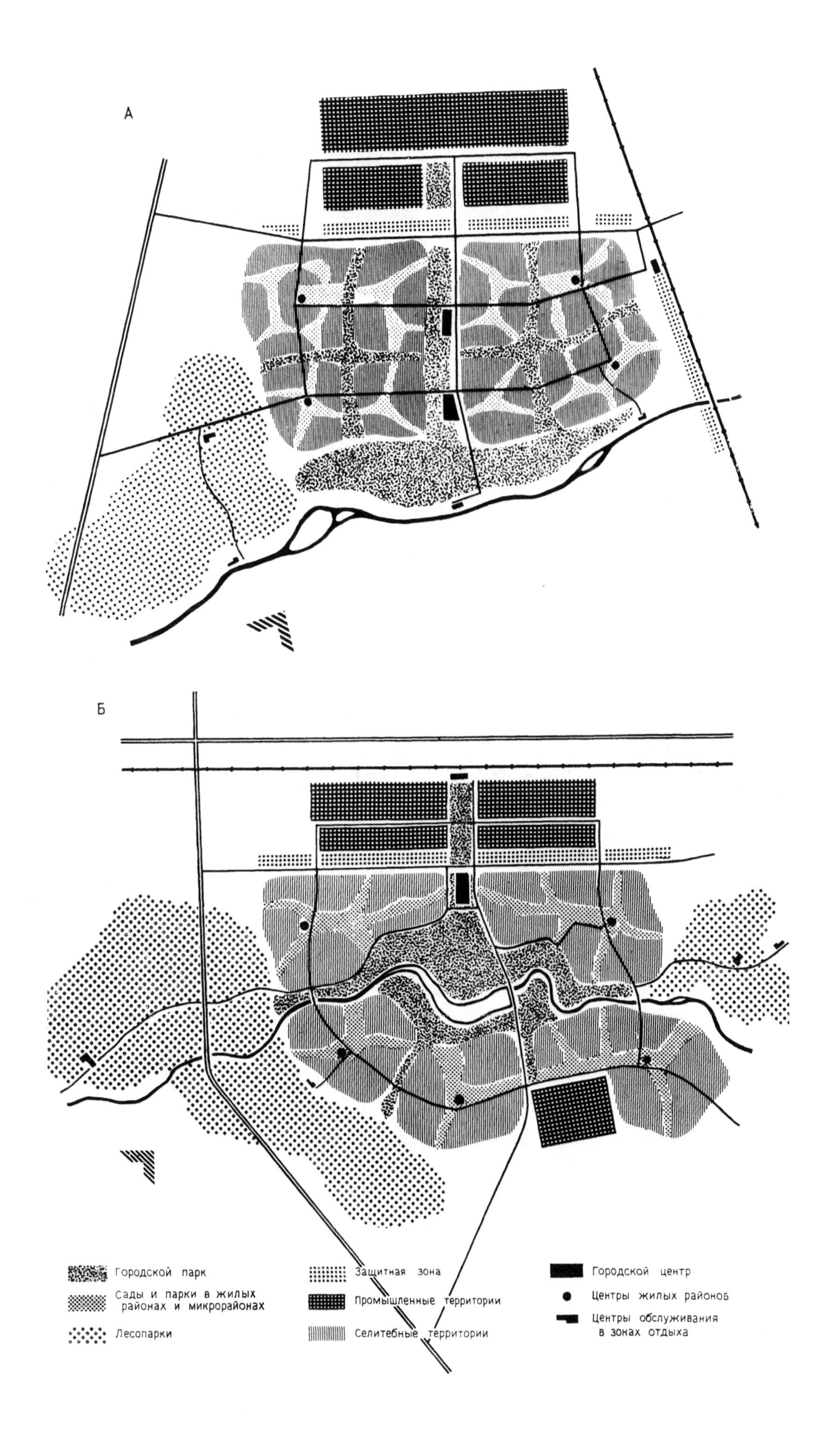
А
Б
Городской парк
Сады и парки в жилых районах и микрорайонах
Лесопарки
Защитная зона
Промышленные территории
Селитебные территории
Городской центр
Центры жилых районов
Центры обслуживания в зонах отдыха

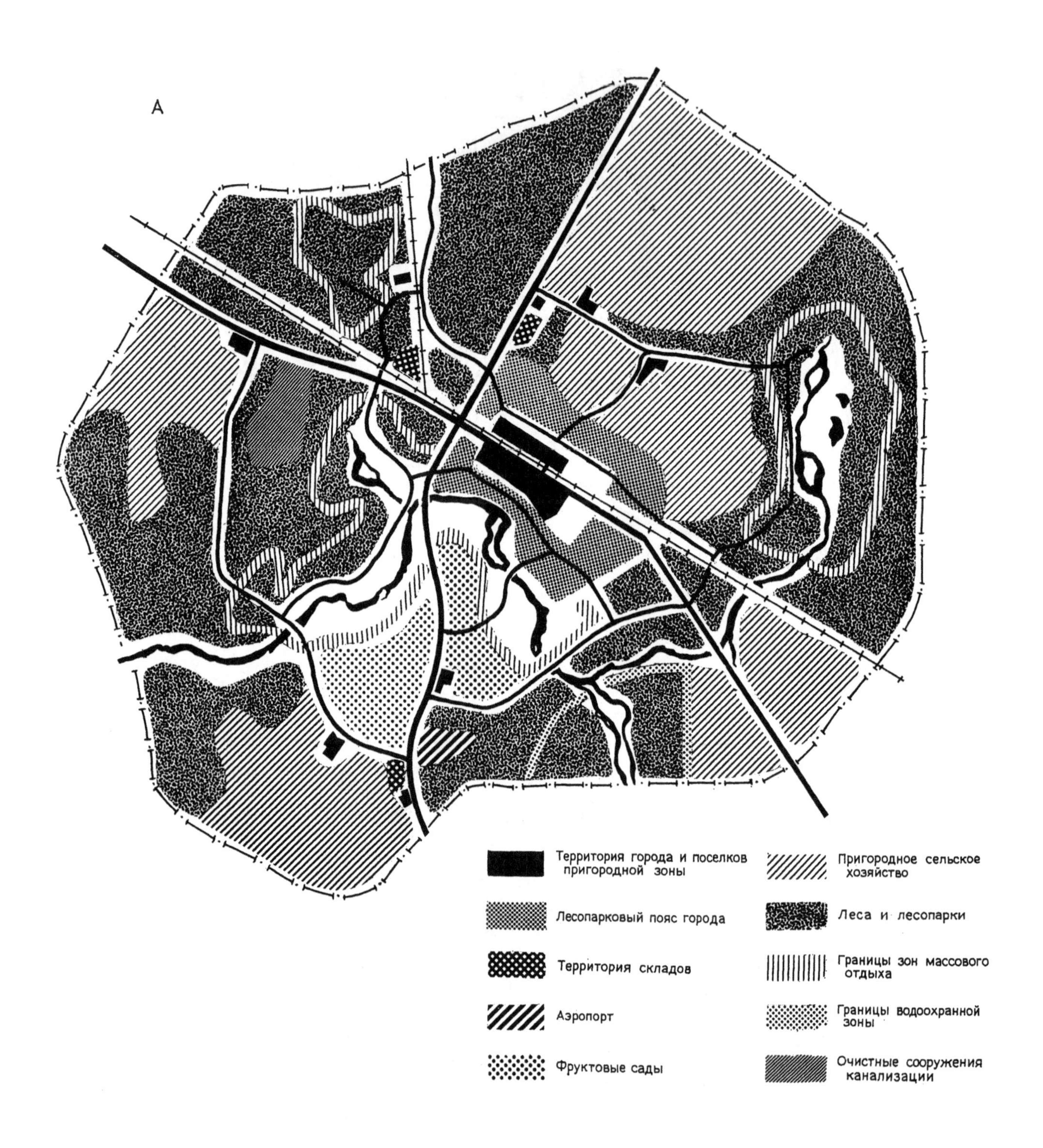

Рис. 63. Планировка городов осуществляется комплексно с планировкой пригородной зоны. Функциональное решение пригородной зоны предусматривает размещение зон отдыха, лесов, сельскохозяйственных земель, водоохранных зон, складов, транспортных и коммунальных сооружений и т. п. (**А**). В пригородной зоне размещается ряд культурно-бытовых учреждений, обслуживающих население города (**Б**)

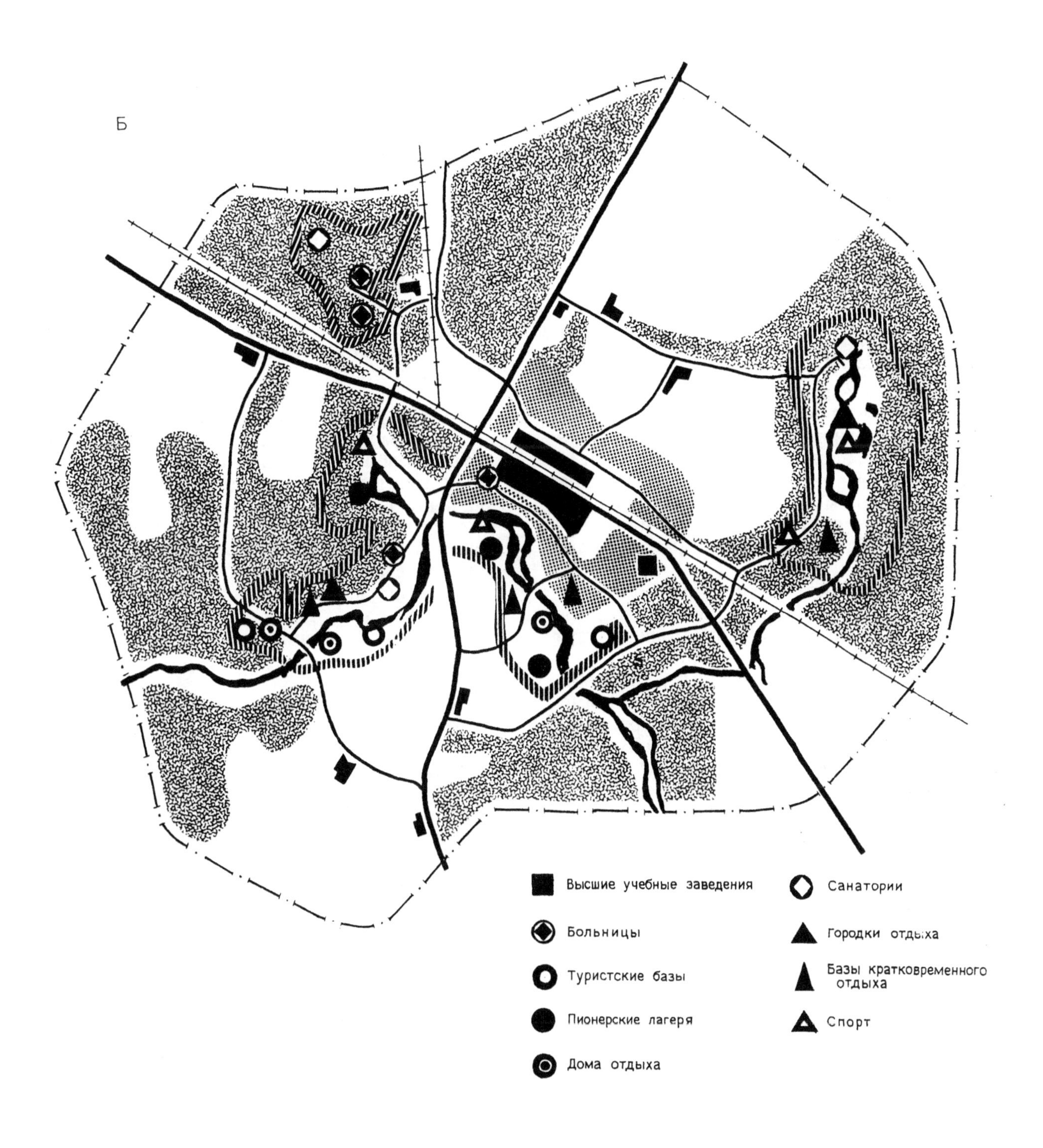

Fig. 63. The planning of towns is combined with planning of suburban zone. The functional organization of the suburban zone includes recreation zones, forests, agricultural plots, water protecting zone, stores, transport and municipal buildings etc. **(A)**. In the suburban zone there is a number of cultural and municipal offices to serve the town population **(Б)**

тельства могут быть полноценно разрешены только в широком градостроительном плане исходя из новых условий формирования городов.

В современных условиях имеется полная возможность создания пространственной композиции целых микрорайонов, жилых районов и всего города в целом.

В застройке современных городов все шире используются свободные живописные приемы размещения жилых и общественных зданий; это позволяет органичнее связать застройку с рельефом местности, зелеными насаждениями, очертаниями водоемов и лучше обеспечить требования инсоляции, проветривания, защиты от шума. Однако живописная застройка не является единственно возможным приемом застройки; она должна быть оправдана местными условиями и обеспечивать достаточно высокие экономические показатели. В зависимости от величины и расположения жилых массивов могут быть успешно использованы и приемы регулярной композиции, если они оправданы конкретными условиями застройки.

При совершенствовании промышленной технологии расширяется возможность приближения многих предприятий к жилью, тем самым все большее значение приобретает задача включения промышленных предприятий в композицию городской застройки. Многие современные промышленные сооружения выразительны и разнообразны по своему внешнему облику. Применение новых материалов и конструкций, улучшение благоустройства промышленных площадок будут способствовать еще большей архитектурной выразительности промышленных комплексов. Промышленные предприятия, размещаемые в непосредственной близости к жилой застройке, по своим масштабам и характеру приближаются к общественным зданиям.

В архитектурном облике промышленных и жилых районов и общественных центров большую роль играют удачная композиция зеленых насаждений, приемы благоустройства и архитектура малых форм. Современная дендрология и техника зеленого строительства расширили возможности озеленения городов и обогатили ассортимент растений, произрастающих в тех или иных климатических условиях. Эти средства должны быть использованы для создания выразительной архитектуры новых городов. Элементы системы зеленых насаждений, различные по функциональному назначению — микрорайонные сады и сады жилых районов, городские сады и парки, лесопарки — должны быть разнообразны по приемам композиции и максимально сохранять своеобразие своих природных условий.

В архитектуре советского города важное значение приобретают общественные центры как средоточие общественной жизни населения и как ведущие архитектурные ансамбли города.

Особенно возрастает значение общегородского центра — места народных демонстраций, собраний, митингов и празднеств и главного звена системы архитектурных ансамблей города.

В градостроительстве большая роль принадлежит синтезу архитектуры, монументальной живописи и скульптуры. Если в городах прошлых эпох монументальная живопись и скульптура находили применение только в уникальных зданиях, то в советских городах синтез монументального искусства получит свое воплощение в общественных центрах, местах массового отдыха и даже в районах массового жилищного строительства.

Реконструкция городов

Раздел III
Section III

Глава 1

ЗНАЧЕНИЕ ПРОБЛЕМЫ РЕКОНСТРУКЦИИ ГОРОДОВ

В нашей стране наряду со строительством новых городов в значительных и все более возрастающих масштабах происходит реконструкция старых городов, сложившихся в дореволюционное время. Процесс реконструкции городов является составной частью их постоянного планомерного развития. Поэтому вопросы общего развития планировочной структуры города и реконструкции его отдельных, ранее сложившихся частей следует рассматривать совместно.

Главной целью реконструкции сложившихся городов (как и строительства новых городов) является создание материально-технических условий, обеспечивающих наиболее благоприятные условия труда, быта и отдыха путем всестороннего обслуживания культурно-бытовых потребностей населения. Это связано с планомерной перестройкой города, с обновлением и развитием его старой планировочной структуры, сложившейся еще до Великой Октябрьской социалистической революции.

Реконструкция осуществляется не только в издавна сложившихся, но и в тех сравнительно недавно возникших городах, в планировке и застройке которых по тем или иным причинам были недостаточно учтены требования современного градостроительства к жилью, системе обслуживания населения, гигиене, городскому движению, инженерному оборудованию и экономике.

Сложные и многообразные вопросы реконструкции возникают и имеют актуальное значение во многих городах. Материальные ресурсы в основном направлялись на быстрейшее удовлетворение потребностей населения в жилье, и массовое гражданское строительство сосредоточивалось преимущественно в периферийных районах города, свободных от застройки, где можно было создавать крупные жилые массивы. Но освоение незастроенных территорий в целях скорейшего наращивания жилого фонда имело не только положительные, но и отрицательные стороны, которые иногда обострялись по мере развития строительства. При таком размещении жилых массивов городская территория расширялась, вследствие чего места проживания все более удалялись от мест приложения труда. Это вызывало необходимость создания крупных инженерных сооружений, оборудования городской территории и увеличения протяженности транспортных коммуникаций. В связи с этим в ряде случаев оказалось более экономичным повышение интенсивности использования отдельных территорий городов путем реконструкции старых, экстенсивно застроенных, но имеющих инженерное оборудование районов, увеличение плотности застройки и постепенная подготовка для жилищного и общественного строительства благоприятно расположенных экстенсивно застроенных территорий, имеющих частичное или полное инженерное оборудование.

Потребность в более или менее значительных реконструктивных мероприятиях и постепенном обновлении материальных фондов возникала постоянно, на всем протяжении длительного исторического существования городов, вместе с изменением социальной структуры общества, ростом производительных сил, развитием материальной и духовной культуры, совершенствованием техники оборудования и обслуживания городов. Однако в прошлом рост городов происходил стихийно, радикальная реконструкция проводилась лишь в единичных, крайне редких случаях, а сами реконструктивные мероприятия носили противоречивый и непоследовательный характер. И сейчас в городах капиталистических стран реконструкция чаще всего представляет собой сумму отдельных, не всегда связанных друг с другом мероприятий, проводимых нередко по частной инициативе, преимущественно для предотвращения полной дезорганизации городского движения.

В условиях социалистических общественных отношений (при отсутствии частной собственности на землю и средства производства, при государственной системе планирования и финансирования народного хозяйства и строительства и сосредоточении в руках государства средств строительного производства) имеются все возможности последовательно и планомерно проводить реконструкцию городов, совершенствовать и обновлять их планировочную структуру, руководствуясь общественными интересами и опираясь на народнохозяйственное планирование.

Города нашей страны растут в условиях создания материальной базы коммунизма, в то время как планировочная структура многих из них все еще сохраняет ряд черт, присущих городам прошедшего исторического периода. Поэтому переустройство городов различной величины и народнохозяйственного профиля будет заключаться в преобразовании их планировочной структуры, системы и типов застройки.

В связи с последовательным переустройством и обновлением существующей планировки и застройки особое значение имеют следующие проблемы:

переустройство, на основе современного социального и научно-технического прогресса, мест приложения труда, жилых районов и зон отдыха путем реконструкции зданий и сооружений, усовершенствования их планировочной структуры и организации удобных систем всех видов общественного обслуживания;

очистка воздушного и водных бассейнов населенных мест, создание современного инженерного оборудования городских территорий и благоустройство их, улучшение освещенности и проветриваемости зданий, широкое озеленение жилых районов при полноценном использовании существующих благоприятных природных условий;

обеспечение безопасности передвижения путем радикального улучшения городского движения и надежной изоляции пешеходов от транспорта, особенно от скоростного;

повышение эффективности использования городских территорий, ликвидация неудобных, неблагоустроенных земель;

улучшение архитектурно-художественного облика города.

В результате реконструкции и обновления города должны получить рациональную комплексную организацию всех своих функциональных зон, сетей обслуживающих учреждений, транспорта, инженерного оборудования, энергетики, озеленения и т. д.

Реконструкция городов, сопутствующая их развитию, требовала в разных частях Советского Союза разного подхода в зависимости от предшествующего исторического формирования того или иного города.

В Европейской части СССР большинство городов основано давно. Они развивались как укрепленные населенные места, а потому планировка их была компактной и замкнутой. По мере утраты военно-оборонительного значения города получили возможность более свободного территориального роста. Их границы теряли свою определенность, планировочная структура становилась расплывчатой и подвижной. Если центральные районы городов постепенно благоустраивались, то стихийно разраставшиеся окраины оставались неорганизованными, вытягивались вдоль шоссе, а впоследствии вдоль железных дорог. Городским улицам центральных частей городов в конце XVIII в. было придано регулярное начертание. Они связывали центр города с окраинами и, стягивая все движение к центру, постепенно приводили по мере роста города к его транспортной перегрузке. В отдельных городах на месте древних укреплений устраивались кольцевые или полукольцевые улицы, которые до некоторой степени разгружали центр города, но из-за небольшого радиуса плохо связывали периферийные районы между собой. Все более ощущалась настоятельная необходимость в расширении радиальных улиц, подводящих к центру города, и в создании дополнительных обходных направлений на периферии города. Расширяясь, такие города утрачивали единство своего планировочного построения.

Промышленные предприятия и склады, как правило, размещались в городах неорганизованно и в полной зависимости от интересов их владельцев. По мере роста городов фабрики и заводы оказывались на набережных рек, среди жилых кварталов, оттесняли жилую застройку от водных пространств, ухудшали санитарно-гигиенические условия жизни населения. Неблагоприятное местоположение промышленных предприятий во многих случаях закреплялось их дальнейшим развитием.

Сортировочные и технические станции железных дорог оказывались в пределах жилой застройки; полосы отвода железных дорог, расчленив территорию города и перерезав магистральные улицы, затрудняли городское движение.

Подавляющая часть застройки старых городов состояла из одноэтажных индивидуальных домов, недолговечных и быстро ветшавших. При этом плотность застройки жилых кварталов была очень низка. Среди массовой застройки выделялись лишь отдельные добротные дома и обширные усадьбы дворянства и буржуазии, расположенные в наиболее удобных местах. С конца XIX в. в пределах старых кварталов стали строиться многоэтажные доходные дома. Наряду с жилыми и административными домами на главных улицах размещались многочисленные здания торговых фирм, банков, контор, универсальных магазинов, конкурирующих между собой в представительности и пышности.

С ростом городов территориально расширялись их центры, повышалась плотность застройки, старая планировка оказывалась не приспособленной к новым условиям. Разница в застройке и благоустройстве городского центра и окраин, где стихийно возникали неблагоустроенные рабочие районы, все более увеличивалась. В конце XIX—начале XX в. проекты планировки городов, составленные еще на грани XVIII—XIX вв., уже не охватывали всей разросшейся городской территории и утратили практическое значение. Новые же проектные предложения не разрабатывались, и города развивались стихийно, от случая к случаю.

Своеобразную планировку имели города Сибири, Средней Азии, Закавказья и других национальных окраин царской России. В ряде городов Средней Азии сложились резко различные части — старый и новый город. Первый сохранял средневековую запутанную планировку с большими базарами и мечетями в центре, второй получал регулярную планировку и некоторое благоустройство и озеленение. Окраинные города Средней Азии и Сибири строились как крепости, их планы отвечали военным требованиям своего времени. В дальнейшем они превратились в административно-торговые центры. Средневековая планировка городов Закавказья частично была изменена в XIX в. в результате регулярной разбивки улиц.

Иначе развивались города Литвы, Латвии, Эстонии и Западной Украины, сохранившие старинные центры, крепостные сооружения, средневековые замки, рыночные площади и парки. Их планировочная структура близка к структуре средневековых городов Центральной Европы.

Великая Октябрьская социалистическая революция определила необходимость полной реконструкции и обновления всех существующих городов и превращения их в города социалистического типа.

С середины двадцатых годов в Москве, Ленинграде, Баку и других крупных промышленных центрах было приступлено к радикальной перестройке старых пролетарских районов, а с середины тридцатых годов началась широкая перестройка многих старых городов. Так, в 1934—1940 гг. в соответствии с определившимися принципами советского градостроительства в целях регулирования быстрого роста и последовательной реконструкции старых частей городов были составлены проекты развития более чем 300 городов страны, среди которых можно назвать такие города, как Москва, Ленинград, Киев, Минск, Свердловск, Горький, Харьков, Челябинск, Нижний Тагил, Пермь, Ярославль, Новосибирск, Куйбышев, Донецк, Калинин и др. Проектные предложения постепенно проводились в жизнь. На значительно расширившейся территории этих и многих других городов выстроены новые крупные промышленные предприятия, оснащенные передовым техническим оборудованием; на месте мелких неблагоустроенных затесненных кварталов в центре и на окраинах, а также на свободных пригородных территориях выросли обширные жилые районы с капитальными многоэтажными современными зданиями. Параллельно с жилищным строительством создавалась развитая сеть торговых, культурных, учебных, хозяйственных и других учреждений обслуживания, осуществлялись сады и парки, Дворцы культуры, спортивные центры, профилактории, больницы, библиотеки, театры, кинотеатры, цирки, музеи и выставки. Комплексный характер застройки жилых районов более заметно и последовательно выражен в строительстве последнего времени.

Огромные работы были проведены по благоустройству и инженерно-техническому оборудованию городов. Все более улучшается и внешний облик старых городов. (рис. 1—7).

Изменения в состоянии городов особенно велики в союзных и автономных республиках. Такие крайне неблагоустроенные в прошлом города, как Баку, Тбилиси, Ереван, Ташкент, Алма-Ата, Казань, Уфа, Ижевск и др., превратились в благоустроенные современные города, переустройство которых выполнено на основе новых социальных требований и с учетом климатических и местных особенностей.

Принятое в 1935 г. постановление партии и правительства о составлении генерального плана реконструкции Москвы обобщило опыт советского градостроительства начального периода, ориентировало на прогрессивное для своего времени решение основных вопросов планировки и реконструкции городов. Проект реконструкции предусматривал расширить основные магистрали, укрупнить жилые кварталы для размещения в их пределах детских учреждений, школ, магазинов и других учреждений культурно-бытового обслуживания, повысить этажность жилой застройки, создать

Рис. 1. Застройка и благоустройство отдельных районов Москвы после реконструкции. Новые набережные Москвы-реки (вверху). Застройка Ленинского проспекта (слева). Проспект Карла Маркса у Манежной площади после реконструкции 1936—1940 гг. (справа)

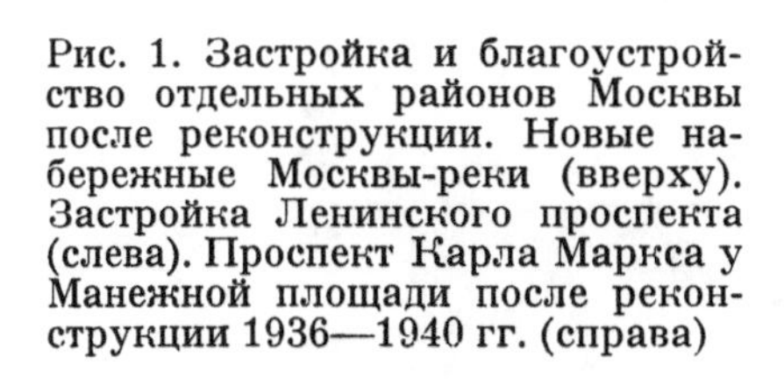

Fig. 1. Some redeveloped and improved areas of Moscow. New embankments of the Moskva-river. Development of the area of Lenin Avenue (left). Area of Marx Avenue after redevelopment in 1936—1940 (right)

Рис. 2. Застройка и благоустройство отдельных районов Ленинграда после реконструкции. Площадь Революции после реконструкции 1946—1948 гг. (вверху). Новое строительство на периферии города (слева). Площадь Ленина, созданная в 1943—1960 гг. после реконструкции части Выборгской стороны (справа)

Fig. 2. Some redeveloped and improved areas of Leningrad. Area of Revolution Square in Leningrad after redevelopment in 1946—1948 (above). New development in the outlines of the city (left). New Lenin Square on the place of an area of "Viborgskaya Storona" redeveloped in 1943—1960 (right)

Рис. 3. Застройка и благоустройство отдельных районов Киева после восстановительных работ.
Новая застройка Крещатика (внизу). Застройка в районе бульвара имени Шевченко (слева). Один из участков набережной Днепра (справа)

Fig. 3. Some reconstructed and improved areas of Kiev. New development of Kreschatic (below). Development of the area of Shevchenko Boulevard (left). A section of the Dniepr embankment (right)

Рис. 4. Реконструкция и новая застройка отдельных районов Минска после восстановительных работ. Вокзальная площадь в Минске, образующая въезд в город (вверху). Площадь Победы (внизу)

Fig. 4. Some areas in Minsk with reconstructed and new development. Vokzalnaya Square in Minsk — ensemble of buildings forming an entrence to the city (above). Pobeda square (below)

систему зеленых насаждений, переоборудовать город в инженерном отношении и обводнить его, построить новые мосты, набережные, метрополитен.

Планировочные принципы, выработанные для переустройства столицы, легли затем в основу реконструкции других городов Советского Союза. Процесс реконструкции в сочетании с новым строительством явился как бы вторым рождением многих крупных и малых городов, их полным архитектурным и инженерным обновлением. Условия жизни населения в расширяемых и переустраиваемых городах последовательно улучшались.

Весьма актуальное значение проблема преобразования старых городов приобретает в связи с воплощением новой Программы КПСС, указавшей пути построения материально-технической базы коммунизма.

В соответствии с этой Программой начатый процесс реконструкции старых городов должен получить свое планомерное последовательное завершение.

Перестройка или совершенствование планировочной структуры городов — сложная задача, для решения которой требуется длительное время. Поэтому, намечая конечные результаты развития и реконструкции населенных мест, нужно одновременно определять последовательность реализации перспективных предложений по обновлению старых городов. При этом необходимо учитывать трудности, связанные с модернизацией устарелого материального фонда городов, с постепенной заменой отживающей планировочной структуры новой, и иметь в виду, что при перспективной реконструкции городов должны сберегаться все ценные здания и сооружения (с частичной их перепланировкой и оснащением современным санитарно-техническим оборудованием) и сохраняться наиболее яркие черты складывавшегося веками архитектурного облика городов.

Последовательность обновления городской планировки и застройки происходит различными путями в зависимости от общих задач и намеченных перспектив преобразования города, назначения застройки, ее технического состояния и характера формирования в прошлом. Первоочередной задачей является переустройство или снос ветхих и аварийных зданий; ликвидация мелкой одноэтажной застройки, занимающей удобные участки, расположенные вблизи основных мест приложения труда, хорошо благоустроенные и обеспеченные инженерными сетями. Замена такого фонда должна быть экономически оправдана.

Капитальные жилые дома, культурно-бытовые и торговые здания, находящиеся пре-

Рис 5. Панорама реконструируемой центральной.части Тбилиси (вверху). Новая застройка магистральной улицы в Тбилиси после реконструкции (внизу)

Fig. 5. Panorama of the redeveloped central area of Tbilissi (above). New development of the main street after reconstruction (below)

Рис. 6. Перестроенная и восстановленная прибрежная часть Волгограда

Fig. 6. Restored and reconstructed riverside of Volgograd

Рис. 7. Застройка центрального района Риги после реконструкции

Fig. 7. Reconstructed central area of Riga

имущественно в центральных благоустроенных районах городов, будут сохраняться длительное время. Тем не менее проектные предложения по реконструкции районов с капитальным фондом должны разрабатываться заблаговременно с тем, чтобы все текущие реконструктивные мероприятия были бы надлежащим образом увязаны с комплексным, перспективным переустройством старых сложившихся частей города.

Среди капитальной застройки необходимо выделять, сохранять и реставрировать здания и группы зданий, которые представляют собой не только материально-техническую, но и культурно-историческую, архитектурно-художественную ценность. Эти памятники национальной культуры имеют большое значение для формирования архитектурного облика городов.

Вместе с тем нельзя упускать из виду, что развитие городов связано не только с переустройством старых районов, но и с освоением под гражданское и промышленное строительство новых городских и пригородных территорий. Эти два процесса зависят друг от друга. Научная разработка перспектив развития и обновления советских городов является предпосылкой выполнения задачи, поставленной в Программе КПСС: обеспечить в Советском Союзе самый высокий жизненный уровень по сравнению с любой страной капитализма.

Глава 2

ВЛИЯНИЕ РОСТА И РАЗВИТИЯ ГОРОДОВ НА УСЛОВИЯ ИХ РЕКОНСТРУКЦИИ

Развитие городов и условия реконструкции их старых частей зависят друг от друга.

Развитие как новых, так и сложившихся, подлежащих реконструкции городов основывается на общих требованиях, которые исходят из комплексного построения города в виде системы мест приложения труда, жилых районов и зон массового отдыха, группирующихся вокруг общегородского и местных общественных центров различного назначения, связанных транспортными магистралями.

Усовершенствование планировочной структуры и последовательная реконструкция старых частей сложившихся городов осуществляются различными путями и приемами в зависимости от характера исторического развития городов, их народнохозяйственного профиля, преимущественного назначения и величины.

Величина города служит наиболее общим признакам для характеристики различий в развитии планировочной структуры городов.

Поселок городского типа имеет 5—6 тыс. жителей, его селитебную территорию можно приравнять к микрорайону. Численность населения малого города — менее 50 тыс. человек, его селитебную территорию можно приравнять к жилому району. При данной величине города полноценный общегородской центр, включающий основные элементы общественного обслуживания, рентабельно образовать на базе уже сложившегося центра. Развитие общегородского центра на новых территориях может быть признано целесообразным только в условиях быстрого роста города, когда первоочередное массовое строительство концентрируется на новых территориях, а реконструкция застройки исторически сложившегося ядра города нереальна.

В среднем городе (с населением 50—100 тыс. человек) и больших городах (с населением 100—250 тыс. человек) образуется несколько узлов массового трудового тяготения. Селитебная территория такого города разделяется на ряд районов, более или менее самостоятельных. При реконструкции их можно объединить в производственно-селитебные районы, если промышленность не имеет вредных выделений. В городе большой величины система общественных центров более сложна, чем в малых и средних городах, и размеры общегородского центра увеличиваются. Существенное значение имеет дифференциация улиц по назначению и использованию; в отдельных случаях, при растянутых коммуникациях, возможна организация скоростного транспорта, проходящего по территории города. При приближении численности населения города к верхнему пределу тенденция к расчлененности городского плана становится все заметнее и заметнее, особенно если этому благоприятствуют природные условия и местоположение города.

Развитие больших городов, численность населения которых не превышает 250—300 тыс. человек, связано с их ростом. Развитие крупных городов качественно иное. Город в пределах 500 тыс. — 1 млн. жителей состоит из нескольких промышленных и селитебных районов. Его сложившуюся планировочную структуру нельзя механически развивать и распространять на вновь осваиваемые территории. Здесь необходимо изменение самого характера планировочной структуры — она должна стать более рассредоточенной, но при этом надо учитывать как предшествовавшее формирование города, так и особенно перспективы его дальнейшего развития. В крупнейших городах — с населением более 1 млн. человек — появляются самостоятельные города-спутники, создаваемые в целях эффективного регулирования роста основной территории города.

1. РАЗВИТИЕ СЛОЖИВШИХСЯ МАЛЫХ И СРЕДНИХ ГОРОДОВ

Развитие и рост существующих малых и средних городов целесообразно определять до размеров, которые могут быть признаны оптимальными. Эти оптимальные пределы рассмотрены в разделе I. Пределы развития отдельных городов нужно устанавливать исходя из общей системы расселения, учитывая все более крепнущие устойчивые производственные, культурно-бытовые и хозяйственные связи между ними. Чем дальше, тем больше разнообразные межгородские связи будут определять характерные черты планировочной структуры каждого из городов — их размеры и производственно-хозяйственный профиль (рис. 8).

Решающее значение для роста и развития малых городов имеет размещение в них различных отраслей промышленности или превращение их в административно-политические и культурные центры областей и автономных республик. Так, например, за 20 лет (с 1939 по 1959 г.) население ряда малых городов в результате размещения в них различных промышленных предприятий выросло в 3—6 раз (табл. 1).

ТАБЛИЦА 1

Город	Население в тыс. человек	
	в 1939 г.	в 1959 г.
Усть-Каменогорск	20	117
Стерлитамак	39	110
Рубцовск	38	111
Череповец	32	92
Канск	42	74
Краснотуринск	10	62
Бугульма	25	61
Камышин	24	55
Ногинск	25	61
Новгород	24	55
Ясиноватая	—	28

Население всех этих городов занято на промышленных предприятиях. Города растут, благоустраиваются, получают новые жилые и обслуживающие здания, оснащаются инженерными коммуникациями. Изменение и усовершенствование их планировочной структуры происходит в зависимости от темпов и масштабов роста и развития.

Общая направленность развития малого города различна в зависимости от его преимущественного назначения.

Города, быстро и активно развивающиеся в связи с появлением крупной промышленности, растут чаще всего за счет освоения новых территорий, на которых концентрируется все строительство. Реконструкция старых кварталов обычно откладывается на последующее время. Сложившаяся ранее система планировки, особенно если она не имела четкого построения, не оказывает сколько-нибудь заметного влияния на формирование новой планировки и застройки развивающегося города. Условия развития быстрорастущих малых городов сходны с условиями развития новых городов. Примером может служить реконструкция городов Ногинска, Череповца или Усть-Каменогорска, в короткое время превратившихся в крупные промышленные центры. Так, Ногинск — один из центров текстильной промышленности Московской области — вырос из небольшого подмосковного городка Богородска, получившего в конце XVIII в. регулярную прямоугольную планировку. В годы Советской власти старый Богородск, переименованный в Ногинск, быстро разросся, получил новую планировочную структуру, приспособленную к местным природным условиям, в которых было бы нецелесообразно использовать планировочную структуру старого, исторически сложившегося ядра города.

Иным путем происходит переустройство малых городов, имевших простую рациональную схему планировки, которые последовательно развиваются в пределах ранее освоенной территории. Их сложившаяся в прошлом уличная сеть в процессе реконструкции может быть в значительной мере использована и усовершенствована с учетом современных и перспективных требований. Сложившееся направление магистралей может быть продолжено на вновь осваиваемую территорию города при условии реконструкции поперечных профилей магистралей, дифференциации улиц по значению и транспортному использованию. Примером может служить проект реконструкции Новгорода — административно-культурного и промышленного центра области. В первоначальном варианте обновления Новгорода, рассчитанном в перспективе на 80 тыс. человек, в его новой простой и компактной структуре развивается исторически сложившееся построение в виде двух районов, обосновавшихся на противоположных берегах р. Волхова. Автомобильная дорога проходит по периферии города. Общегородской центр развивается в связи с исторически сложившимся и включает древний кремль и прибрежную часть Торговой стороны с их историческими сооружениями.

Можно выделить большую группу городов, образовавшихся при крупных транспортных (железнодорожных) узлах. Примером может служить Ясиноватая (УССР). В прошлом — это небольшой поселок; теперь он превращается в город с населением, численность которого может достигнуть в будущем 60 тыс.

человек. Территория Ясиноватой растягивается широкой полосой параллельно полосе отчуждения железной дороги. Центральная часть перемещается к новому железнодорожному вокзалу. Первоочередное жилищное строительство концентрируется на свободных территориях с тем, чтобы к полной реконструкции старого ядра города можно было приступить в дальнейшем.

Своеобразные черты имеют малые курортные города. Так, например, Зеленогорск — административный и культурный центр Ленинградского курортного района — является основным средоточием оздоровительных учреждений — санаториев, пансионатов, домов отдыха, которые группируются в наиболее благоприятных для отдыха местах, среди зеленых массивов, вблизи береговой линии залива.

Среди малых городов можно выделить группу городов, возникших в далеком прошлом и сохранивших на своей территории ценные памятники архитектуры и культуры (например, Ростов-Ярославский, Суздаль, Переяславль-Залесский). Эти города требуют благоустройства как историко-культурные центры страны с учетом природных условий. Они могут быть использованы для создания учреждений массового отдыха трудящихся в целях туризма. Так, например, в проектной схеме реконструкции Суздаля общий рост его предположено довести до 20 тыс. человек, т. е. до нижнего предела города оптимальной величины, в котором можно разместить весь комплекс общегородских обслуживающих зданий и устройств. Восточную часть города предположено отвести для размещения местной промышленности и здесь же развивать жилые массивы. Западная часть города, насыщенная памятниками архитектуры, рассматривается как зона отдыха республиканского значения и исторический заповедник. Здесь могут быть удобно размещены туристические базы и гостиницы.

При всем разнообразии преимущественного назначения малых городов решающим условием их успешного роста и благоустройства является всемерное развитие промышленных предприятий и других мест приложения труда. Недостаточное развитие мест приложения труда в малых городах задерживает их развитие. Необходимыми условиями для более активного роста и благоустройства малых городов, еще не затронутых реконструкцией, являются: наличие природных ресурсов, доступных для быстрого освоения и способных в короткий срок дать наибольший народнохозяйственный эффект; хорошая транспортная связь с местами нахождения промышленного сырья и потребителями изготовляемой продукции; наличие удобных территорий, где можно осуществлять строительство без лишних затрат на инженерную подготовку территории; наличие водных бассейнов, необходимых для развития промышленности и создания здоровых условий жизни населения.

Чтобы использовать все преимущества малых городов, следует сохранить при реконструкции компактность их селитебных территорий. Активные трудовые и культурно-бытовые связи и экономика инженерного оборудования удобства культурно-бытового обслуживания и быстрота сообщений—пешеходного и транспортного—могут быть обеспечены лишь при достаточной плотности городского заселения. Поэтому при определении последовательности и условий реконструкции малых городов необходимо концентрировать жилищное и культурно-бытовое строительство, так как только в этом случае устройство дорог, водопровода, канализации, электросети и других видов инженерно-коммунального оборудования и благоустройства будет рентабельно.

Соотношение отдельных частей селитебной территории малого города при примерной норме жилой обеспеченности до 15 *м*² показано в табл. 2.

ТАБЛИЦА 2

Элементы селитебной территории	% территории
Жилые территории	40—60
Участки общественных учреждений	18—20
Зеленые насаждения общего пользования	10—12
Улицы и площади	15—17

Последовательность и характер реконструкции жилой и культурно-бытовой застройки зависят от интенсивности застройки существующих жилых кварталов. В городах с разреженной ветхой застройкой может оказаться целесообразным по технико-экономическим показателям старые кварталы сплошь реконструировать. В городах с малыми размерами кварталов, большими плотностями существующего жилого фонда и капитальной многоэтажной застройкой, как правило, более экономично в первую очередь осваивать имеющиеся свободные территории, а застроенные кварталы реконструировать впоследствии.

В отличие от малых городов большинство сложившихся городов среднего размера развивается на основе устойчивой промышленной базы, причем некоторые из них являются не только центрами промышленности, но и административно-культурными центрами областей и автономных республик (Курган, Йош-

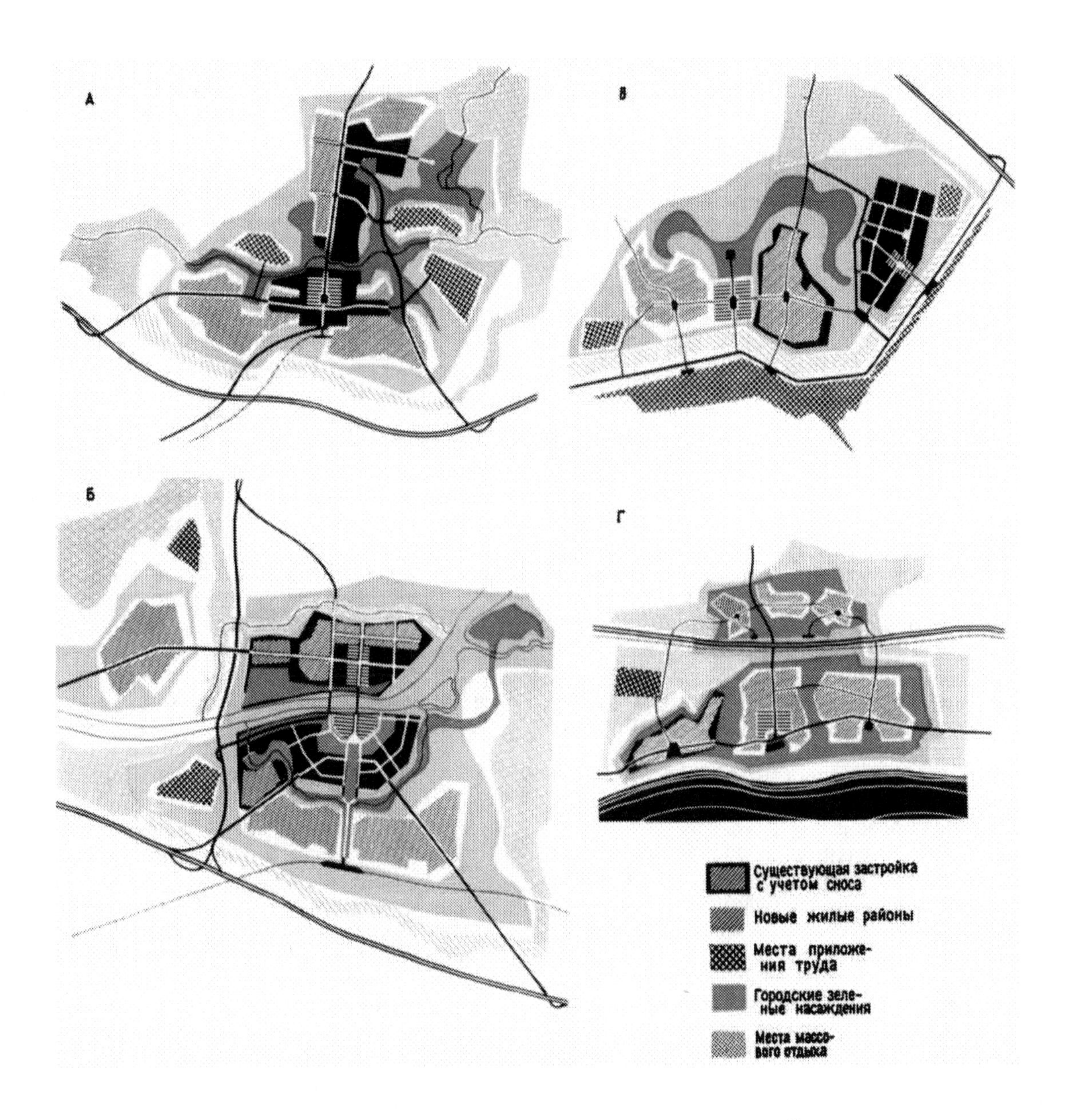

Рис. 8. Развитие сложившихся малых городов обычно не нарушает их компактной структуры. В процессе реконструкции улучшаются связи мест приложения труда — жилья — отдыха. В малом городе преобладают пешеходные связи. Транзитные автомобильные дороги прокладываются вне основной территории города. **А** — реконструкция и развитие города при его быстром промышленном развитии без использования старой планировочной структуры; **Б** — реконструкция и развитие города при его постепенном росте как административно-культурного центра с использованием старой планировочной структуры; **В** — реконструкция и развитие города при расположении у крупного транспортного узла; **Г** — реконструкция и развитие города как центра курортной зоны.

Fig. 8. The development of the existing small towns usually does not destroy the compactness of their structure. In the process of redevelopment the connections between work, living and recreation places are being improved. In a small town — pedestrian traffic prevails. Through motor roads do not cross the main built up territory of the town. **A** — The redevelopment and the extension of a town with fast industrial growth without using the old planning structure; **Б** — The redevelopment and the extension of a town with gradual growth as an administrative and cultural centre using the old planning structure; **B** — The redevelopment and the extension of a town, situated at a large transport junction; **Г** —The redevelopment and the extension of a town as the centre of a health-resort zone

кар-Ола, Чебоксары, Саранск), что усиливает темпы реконструкции их центральных районов, где концентрируются общественные здания общегородского значения.

Темпы роста ряда средних по величине городов видны из табл. 3.

ТАБЛИЦА 3

Город	Население в тыс. человек	
	в 1939 г.	в 1959 г.
Дзержинск	103	163
Бийск	80	146
Сызрань	83	148
Ленинск-Кузнецкий	83	132
Анжеро-Судженск	69	116
Ковров	67	100
Каменск-Уральский	51	141
Березники	51	106
Коломна	75	100
Псков	60	81
Владимир	67	154

Все эти города развивались и строились с учетом размещения определенной группы предприятий. В связи с возможным увеличением мощностей предприятий должно вырасти и население городов. Для его расселения потребуется освоение новых территорий. В тех случаях, когда свободных территорий в нужном количестве не хватает, актуальной становится реконструкция кварталов со старой застройкой.

Увеличение численности населения и рост городской территории предъявляют, в свою очередь, повышенные требования к построению транспортной сети и развитию инженерных коммуникаций.

Значительная часть средних городов в результате своего развития достигла к настоящему времени верхних пределов величины оптимального города — 200—300 тыс. человек — и даже начинает превышать эти пределы (табл. 4 и рис. 9).

ТАБЛИЦА 4

Город	Население в тыс. человек		
	в 1926 г.	в 1939 г.	в 1959 г.
Ульяновск	70	98	206
Курск	82	120	205
Калинин	108	216	216
Тула	155	272	316
Нижний Тагил	39	160	339

Рост средних и больших городов до их верхнего предела вызывает качественное изменение структуры города. Мы встречаемся с разнообразием планировочных решений, в которых отражены местные условия их развития и реконструкции (рис. 10). Например, Ульяновск, сложившийся на правом берегу Волги, включает теперь в свои границы новые крупные жилые и промышленные районы, развивающиеся вдоль берегов Волги и Свияги. Основные места приложения труда разместились на новой территории, за р. Свиягой вдоль автомобильной дороги. Создание Куйбышевского моря существенно изменило природные условия, в которых развивается город Ульяновск. Территории массового отдыха заняли не только берега р. Волги, но и пойму р. Свияги, где создается центральный парк города. В отличие от Ульяновска планировочная структура основной части Курска в процессе реконструкции сохраняет общую компактность, лишь отчасти нарушаемую пересеченным рельефом местности. Развитие же города происходит путем создания самостоятельного крупного района приложения труда. По этому же пути идет развитие Тулы, на основной территории которой сохраняется и совершенствуется сложившаяся радиально-кольцевая сеть улиц. Новые жилые районы создаются как самостоятельные образования: к северу — вдоль Московского шоссе, к юго-востоку — вдоль р. Упы, к северо-востоку и западу — в сторону лесных массивов, служащих местами массового отдыха.

Если в новой планировочной структуре Курска и Тулы при компактности основного ядра города, наметилась тенденция к созданию удаленных от основного массива города самостоятельных новых районов, то при развитии планировочной структуры Калинина предполагается сохранить, несмотря на его значительный рост, общую компактность построения плана, разделенного Волгой на две части. Следует лишь отказаться от создания концентрической системы обходных магистралей, которая в дальнейшем может затруднить развитие города.

Курск, Тула, Калинин и многие другие реконструируемые города развивались вокруг исторического ядра, включающего общегородской центр. Рост их не нарушал компактности основной городской территории. Иным было развитие Нижнего Тагила, который из небольшого уральского промышленного поселка вырос за годы Советской власти в крупный центр металлургической промышленности. Постройка новых промышленных предприятий и возникновение новых обширных районов привели к тому, что старый город превратился в один из районов развивающегося Нижнего Тагила, центр же его переместился к границе между старым городом и новыми районами. Из-за излишней разобщенности отдельных частей города система магистралей усложняется, по его территории проходят транзитные автомобильные дороги,

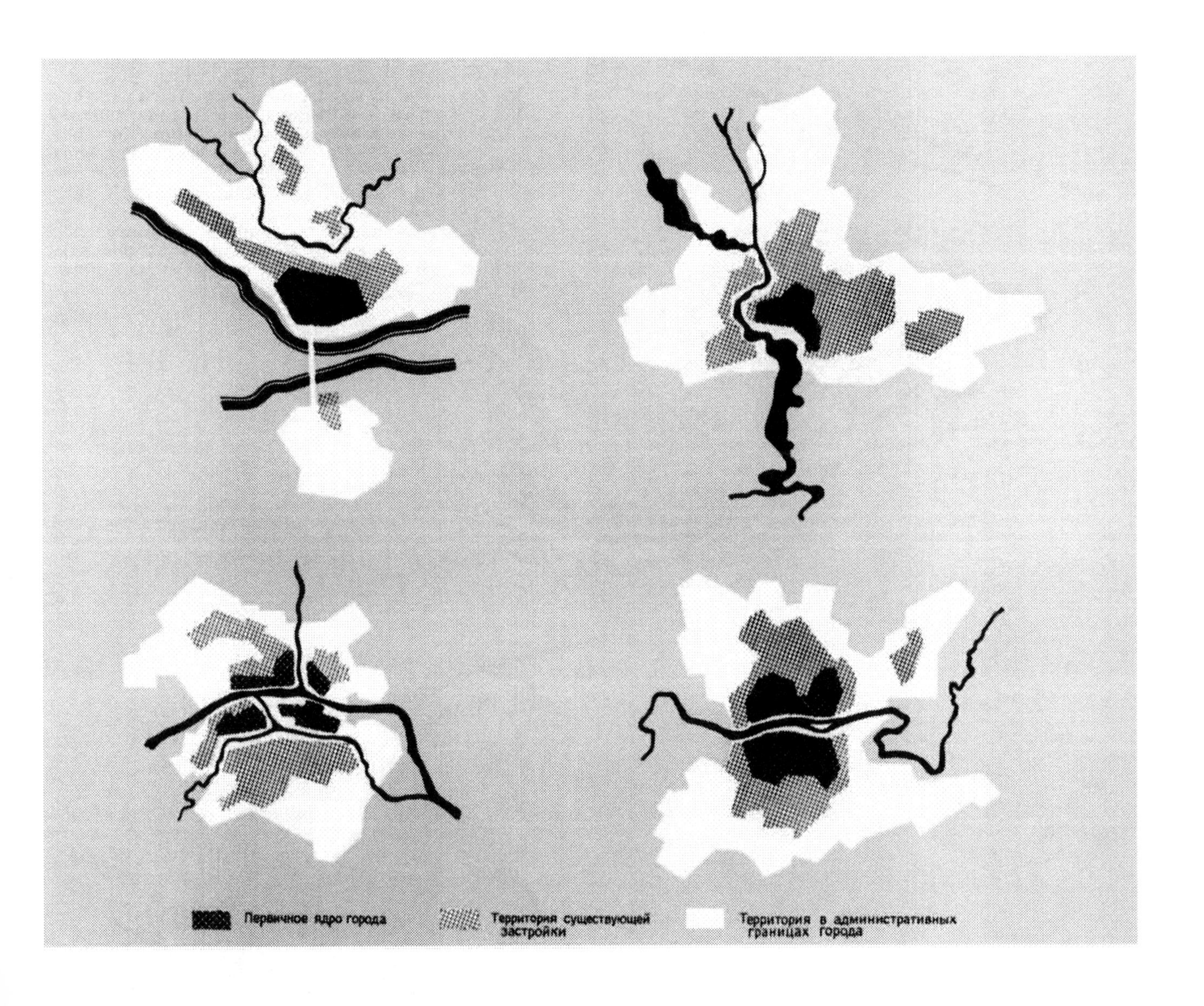

Рис. 9. Рост средних и больших городов требует освоения новых территорий и расширения границ городов

Fig. 9. The growth of middle-size towns and cities requires the development of new lands and the extension of city boundaries

которые используются также для связи отдельных удаленных районов города между собой.

При всем различии планировочной структуры городов с населением 100—250 тыс. жителей использование селитебной территории, при примерной норме жилой обеспеченности 15 $м^2$, может быть охарактеризовано общими показателями, приведенными в табл. 5.

ТАБЛИЦА 5

Элементы селитебной территории	% территории
Жилые территории	40—45
Участки общественных учреждений	20—22
Зеленые насаждения общего пользования	15—18
Улицы и площади	20—22

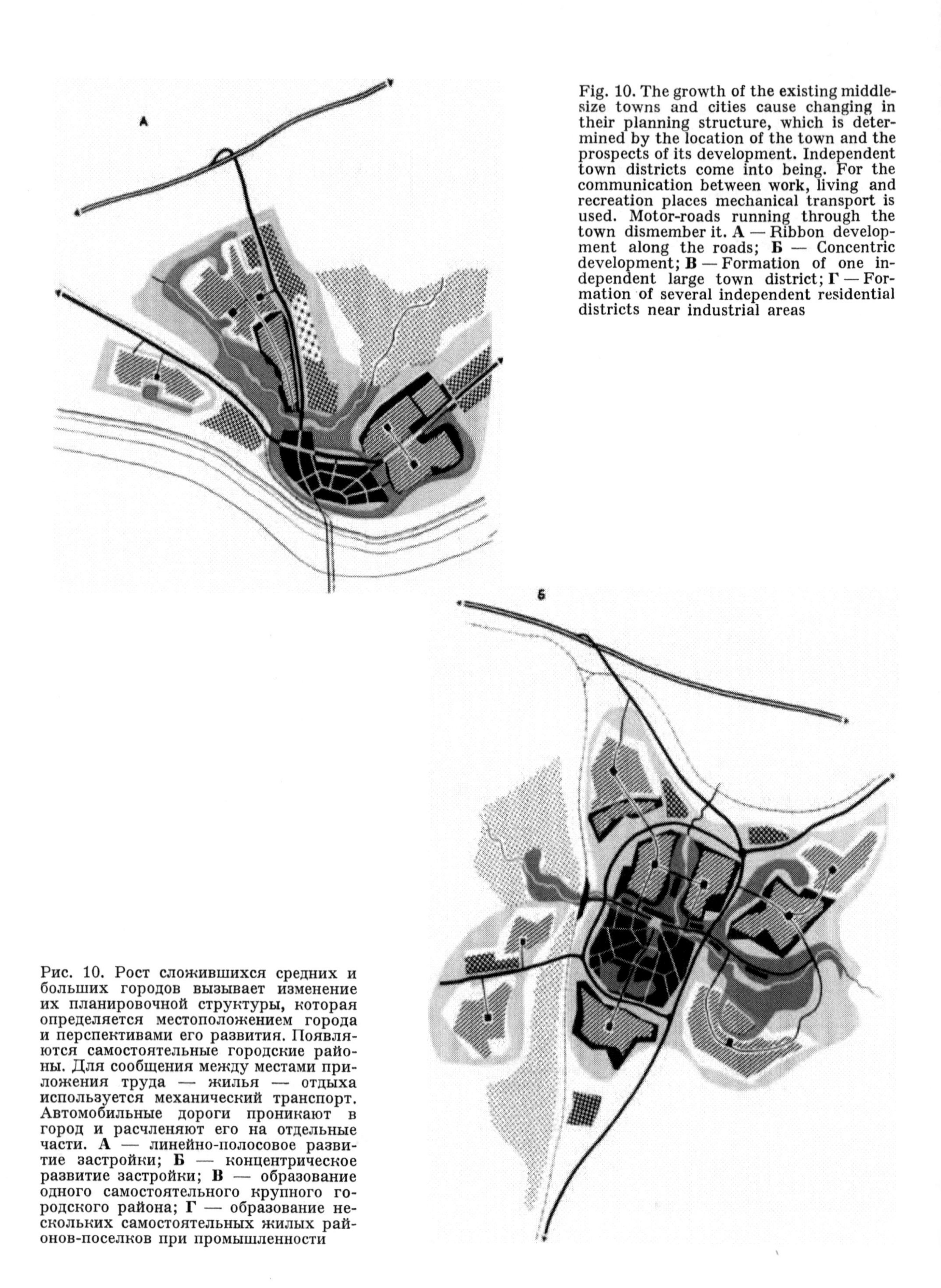

Fig. 10. The growth of the existing middle-size towns and cities cause changing in their planning structure, which is determined by the location of the town and the prospects of its development. Independent town districts come into being. For the communication between work, living and recreation places mechanical transport is used. Motor-roads running through the town dismember it. **A** — Ribbon development along the roads; **Б** — Concentric development; **В** — Formation of one independent large town district; **Г** — Formation of several independent residential districts near industrial areas

Рис. 10. Рост сложившихся средних и больших городов вызывает изменение их планировочной структуры, которая определяется местоположением города и перспективами его развития. Появляются самостоятельные городские районы. Для сообщения между местами приложения труда — жилья — отдыха используется механический транспорт. Автомобильные дороги проникают в город и расчленяют его на отдельные части. **А** — линейно-полосовое развитие застройки; **Б** — концентрическое развитие застройки; **В** — образование одного самостоятельного крупного городского района; **Г** — образование нескольких самостоятельных жилых районов-поселков при промышленности

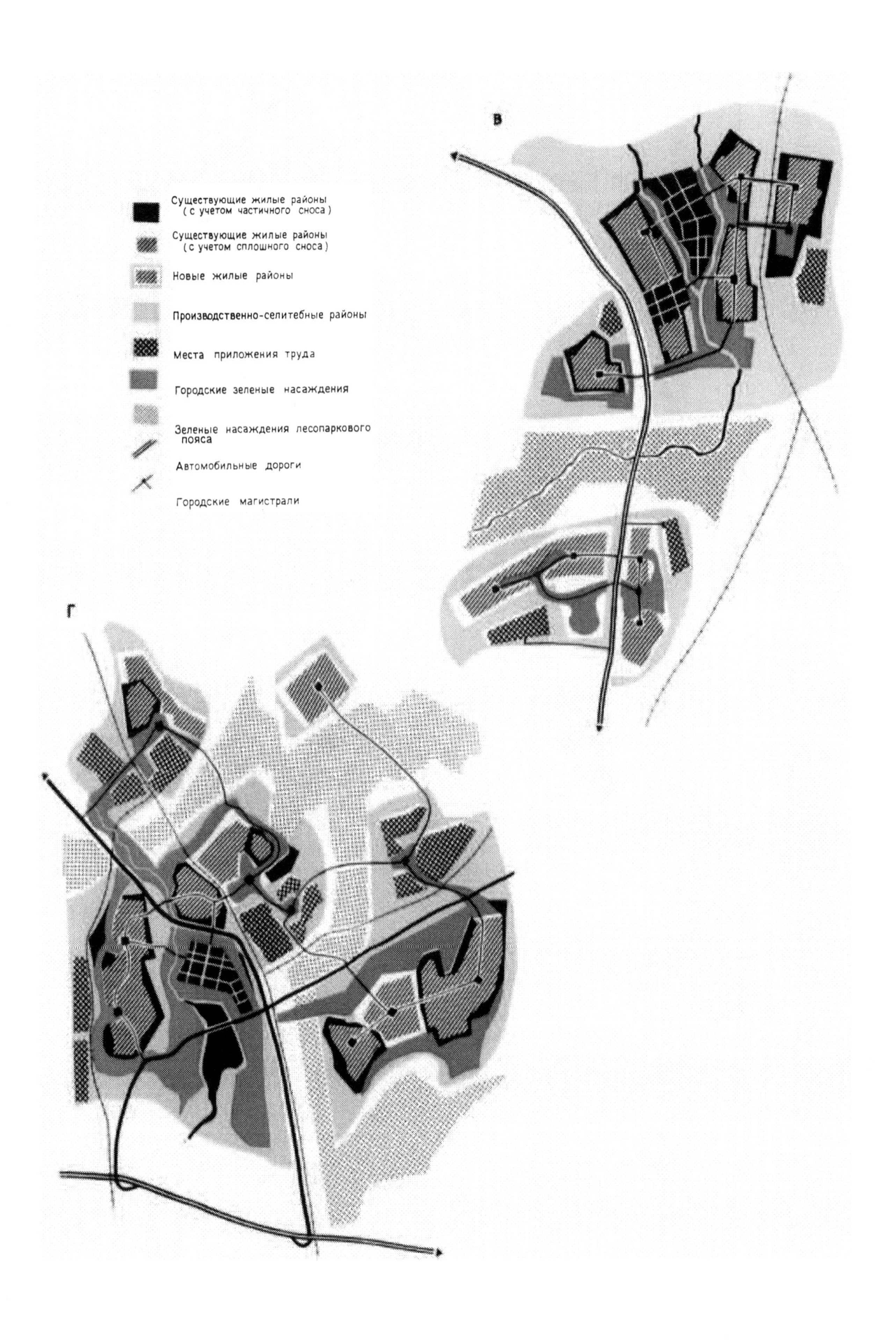
в
Существующие жилые районы (с учетом частичного сноса)
Существующие жилые районы (с учетом сплошного сноса)
Новые жилые районы
Производственно-селитебные районы
Места приложения труда
Городские зеленые насаждения
Зеленые насаждения лесопаркового пояса
Автомобильные дороги
Городские магистрали
г

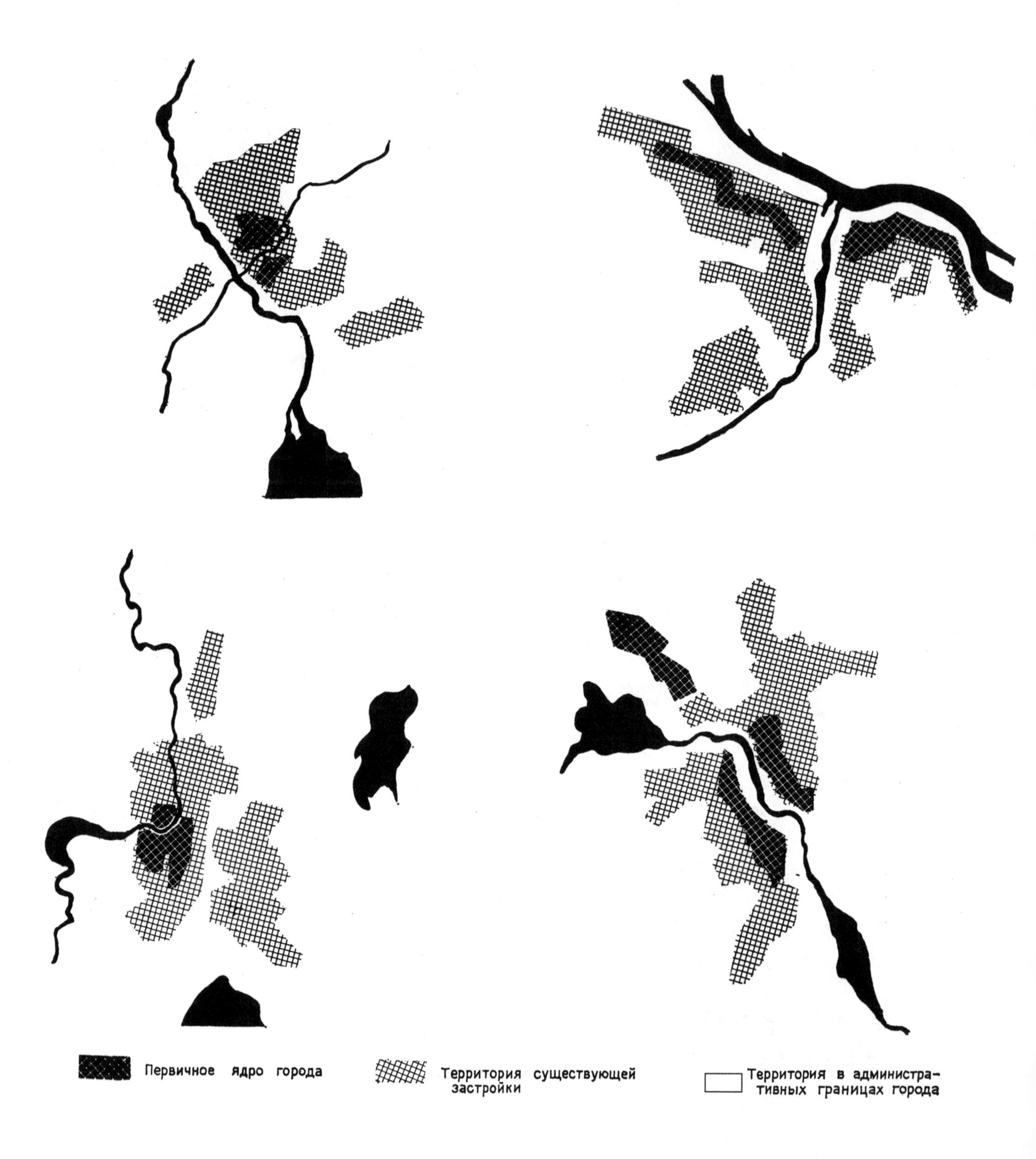

Рис. 11. Рост крупных городов связан с включением в их границы новых территорий

Fig. 11. The growth of large cities necessitates the including of new land into their boundaries.

Если сравнить эти данные с балансом селитебной территории малого города (см. табл. 2), то можно видеть снижение процента территорий, занятых жилой застройкой, за счет увеличения размеров территории, отводимой под улицы, площади и озеленение общего пользования. Размеры новых частей средних по размерам городов, особенно на верхнем пределе численности их населения, превышают размеры старых частей.

Приведенные примеры показывают различные случаи развития планировочной структуры реконструируемых средних и больших городов при их территориальном росте. Построение городов в этих случаях становится более расчлененным. Пути перехода от компактного к расчлененному построению разнообразны. Сложившаяся планировочная структура, механически продолженная на значительно увеличенную территорию, теряет прежнюю органичность и цельность. Рост среднего по размерам города от низшего до высшего предела не является механическим прибавлением мест приложения труда и количества жилых районов; происходит качественное изменение планировочной структуры, в зависимости от которой устанавливаются порядок, последовательность и масштабы работ по реконструкции застройки старых частей городов.

В большинстве случаев бывает трудно уловить при росте городов ту условную грань, при переходе которой уже меняется их планировочная структура. В современной практике реконструкции растущих средних и больших городов заметно стремление, с одной стороны, в наибольшей степени сохранить все выгоды компактного построения города, а с другой, использовать положительные черты расчлененного города в процессе его развития. Однако необходимо в каждом случае устанавливать те пределы роста городов, за которыми их компактная планировочная структура, удобная для небольших городов, должна стать качественно новой.

2. РАЗВИТИЕ СЛОЖИВШИХСЯ КРУПНЫХ ГОРОДОВ

В Советском Союзе имеется много крупных городов с населением более 500 тыс. человек. Рост этих городов и увеличивающаяся численность их населения наблюдаются во многих районах нашей страны. С 1926 по 1961 г. их число увеличилось с 3 до 26, а число населения в них — с 4,1 до 26,8 млн. человек. Около 22% общего прироста городского населения разместилось в крупных городах. Особенно сложны градостроительные проблемы в городах с населением более 1 млн. жителей (рис. 11).

Темпы роста населения некоторых крупных городов можно видеть в табл. 6.

ТАБЛИЦА 6

Город	Население в тыс. человек	
	в 1939 г.	в 1959 г.
Челябинск	273	689
Новосибирск	404	886
Минск	287	509
Свердловск	423	779
Волгоград	446	542
Харьков	833	934

Быстрый рост крупных городов происходит главным образом вследствие размещения в них новых промышленных предприятий и интенсивного развития существующих. Тяготение к размещению новой промышленности в крупных городах объясняется наличием в них квалифицированных кадров, устройств внешнего и внутреннего транспорта, развитых инженерных коммуникаций, энерго- и водоснабжения и т. д., которые легче и быстрее развить и расширить применительно к новым потребностям развивающейся промышленности, чем создавать заново в малых городах. Кроме того, в крупных городах существует развитая строительная база, имеются большой жилой фонд и учреждения обслуживания.

Недостатки существующих крупных городов общеизвестны. Возникают трудности сообщения жилых районов с местами приложения труда. Расстояние между периферийными и центральными районами города увеличивается, жители оказываются удаленными от крупных общественных зданий, сосредоточенных преимущественно в центре. Обширность территории города и чересполосное размещение мест приложения труда, жилых районов и зон массового отдыха все более усложняют внутригородские связи; возникает необходимость в развитой системе транспортных средств и организации скоростного внеуличного транспорта. Все же затраты времени на ежедневные передвижения жителей, в частности к местам приложения труда, остаются большими, а усложнение транспортных средств требует трудоемкой работы по расширению и реконструкции магистралей. Неизбежное следствие разрастания городов — все больший отрыв жилых районов от лесных массивов и мест массового отдыха. Усложнение транспортной системы вызывает излишние затраты на развитие и эксплуатацию коммунального городского хозяйства.

В качестве меры по упорядочению условий жизни в крупных городах выдвигается требование ограничения, сдерживания или стабилизации роста численности населения путем более целесообразного размещения мест приложения труда. Приостановка или сдерживание роста численности населения, живущего в административных границах крупного города и тяготеющих к нему пригородных районов, сами по себе еще не решают задачи упорядочения городской жизни. Причиной неудобств, возникающих в крупных городах, является не только их величина, но и наличие устарелых, ранее сложившихся планировочных систем. Развитие планировочной структуры крупных городов иногда происходило как механическое наращивание ранее сложившейся планировочной схемы. Система магистралей продолжала исторически сложившуюся сеть улиц, исправлялись лишь ее частные недостатки, причем предпочтение отдавалось радиалькольцевой структуре, а центру придавалось подчеркнуто парадное построение. Именно такой характер планировки большинства крупных городов и вызывает неблагоприятные последствия, приводящие к нарушению нормальных взаимосвязей между центральными и периферийными частями разрастающегося города.

Попытка и в дальнейшем развивать города на прежней основе приводит к несоответствию между их современными потребностями и устарелой планировочной структурой.

Реконструкция крупных городов заключается прежде всего в последовательном преодолении несоответствия между сложившейся, все более устаревающей планировочной структурой старых городов и новыми требованиями, определяемыми социальным прогрессом, современным народнохозяйственным профилем городов, растущими экономическими возможностями, общим повышением уровня строительной техники.

При обновлении планировочной структуры крупных городов не может быть однородных решений. В одном случае планировка города решается компактно или выделяется основная часть города, отличающаяся своими размерами и характером планировки; в других случаях расчлененность планировочной структуры проявляется более последовательно. Наконец, при ленточном развитии городов – вдоль крупных рек или в соответствующих условиях рельефа местности — самостоятельность отдельных частей города ощущается в еще большей степени.

Примерами первого случая, когда общая планировочная структура решается компактно, могут служить многие города (Харьков, Минск, Ташкент, Баку, Ереван и др.). В составлявшихся ранее проектах реконструкции городов этой группы развивались кольцевые направления (рис. 12, **А. Б**). Однако иметь кольцевые магистрали в центральном районе целесообразно далеко не всегда, так как территориальное увеличение периферийных районов города происходит неравномерно и неодинаково во всех направлениях. Поэтому трассы основных городских магистралей, в соответствии с кратчайшими направлениями пассажиропотоков, отходят от кольцевого начертания и представляют собой диаметры, проходящие по территории города, минуя его центральную часть и разгружая ее от транзитных потоков транспорта. Система внеуличного транспорта в значительной мере определяется характером развития периферийных районов растущего города. В прежних, устаревших вариантах проектов генеральных планов территории городов этой группы разбивались на однородные кварталы. Более правильной является разбивка городской территории на производственно-селитебные районы (при наличии соответствующих условий), жилые районы и микрорайоны.

Примером второго случая, когда в процессе развития планировочной структуры образуются крупные самостоятельные районы, может служить другая многочисленная группа городов. В них в связи со значительным ростом городских территорий появились новые части города, возникшие в связи с образованием крупных промышленных предприятий и научно-исследовательских учреждений (рис. 13, **А, Б**). Разросшаяся селитебная территория этих городов расчленена обширными промышленными площадками и широкими полосами линий железных дорог, а также естественными рубежами — поймами рек, прудами и оврагами. Новые городские территории включают места приложения труда и жилые районы, которые удалены от основной застройки на значительное расстояние и являются самостоятельными частями города. В составлявшихся ранее проектах генеральных планов развития городов этого типа сложившаяся прямоугольная регулярная система магистралей распространялась на всю территорию города, уличная сеть недостаточно дифференцировалась, магистрали рассчитывались на универсальное использование, автомобильные транзитные дороги намечались в виде концентрических колец, хотя такое их построение не вызывалось ни прошлой структурой, ни будущим развитием города. Для удобной связи различных, далеко отстоящих друг от друга частей города в таких случаях предпочтительнее предусмотреть прокладку городских скоростных автомобильных дорог в виде диаметров, идущих вне основной застроенной территории города, к местам загородного массового отдыха и к ближайшей группе городов-спутников.

В отличие от названных выше городов есть города, вытянувшиеся вдоль берега реки, причем территория их расчленена на отдельные самостоятельные части. По оврагам и балкам, выходящим к реке, идут полосы зеленых насаждений. Естественные условия местоположения города и размещение мест приложения труда привели к тому, что при реконструкции и упорядочении застройки города ему была придана расчлененная вытянутая планировочная схема, при которой жилые и промышленные территории растут параллельно, причем отдельные планировочные районы с местными административными и культурными центрами, включающие жилье и промышленность, отделены друг от друга естественными преградами и полосами зеленых насаждений. Продольные автомобильные дороги связывают все части города. Протяженность основного массива города составляет 30—40 *км*. Более удаленные районы, образованные на северном и южном флангах города, в частности построенные близ электростанции и шлюзов, являются самостоятельными частями города (рис. 14, **А, Б**).

Использование селитебной территории города с населением, превышающим 500 тыс. человек, при примерной норме жилой обеспеченности 15 $м^2$, можно охарактеризовать показателями, приведенными в табл. 7.

ТАБЛИЦА 7

Элементы селитебной территории	% территории
Жилые территории	35—40
Участки общественных учреждений	23—25
Зеленые насаждения общего пользования	25—30
Улицы и площади	23—25

Данные таблицы показывают, что по мере роста городов происходит дальнейшее изменение в соотношении отдельных элементов их селитебной территории. По сравнению с малыми и средними городами (см. табл. 2 и 5) процент жилых территорий в крупных городах уменьшается, а процент территорий, занятых зелеными насаждениями, инженерно-техническими и транспортными устройствами, увеличивается.

На перспективу рост населения крупнейших городов будет регулироваться путем запрещения размещения в них новых промышленных предприятий и развития только уже существующих промышленных предприятий без увеличения численности кадров, занятых на производстве.

В городах систематически проводятся широкие реконструктивные работы по переустройству промышленных районов и других мест массового приложения труда, по развитию жилых районов и организации сетей учреждений обслуживания, по упорядочению зеленых насаждений и использованию их для организации мест массового отдыха. Улучшаются транспортные связи между местами приложения труда, жилья, массового отдыха; расширяются и преобразуются общественные центры; осуществляются мероприятия по оздоровлению воздушного и водного бассейнов городов. В результате всех этих мер, крупный город последовательно и постепенно получает новое планировочное построение.

●

Из приведенных выше схем развития планировочной структуры реконструируемых городов различной величины можно видеть, что пути развития и усовершенствования планировочной структуры малых и средних городов, с одной стороны, и крупных городов, с другой, различны. Условия роста, развития и реконструкции каждой из этих групп городов требуют применения противоположных планировочных средств. Для крупных городов устанавливается оптимальная верхняя граница роста города, за пределами которой его структура излишне усложняется; для малых же городов, наоборот, существенно определить нижний предел их величины, достаточный для того, чтобы создание сети учреждений общегородского общественного обслуживания было удобным и экономически оправданным. В крупных городах центральные их части обычно тесно застроены и требуют в процессе реконструкции снижения плотности застройки. В малых и средних городах стоит другая задача — повысить плотность и создать современную капитальную застройку в центральных частях. Если для крупнейших городов характерно стремление ограничить развитие градообразующих факторов, то в малых и средних городах требуется развитие промышленности, что будет связано с ростом их населения. При реконструкции малых и средних городов ставится задача: сохраняя компактную структуру, активно и планомерно развивать их в пределах оптимальной величины, определяемой исходными градообразующими факторами, условиями культурно-бытового обслуживания, территориальными ресурсами, рентабельностью транспорта и всех видов инженерного оборудования и благоустройства. При реконструкции крупнейших городов необходимо сдерживать и регулировать их дальнейший рост.

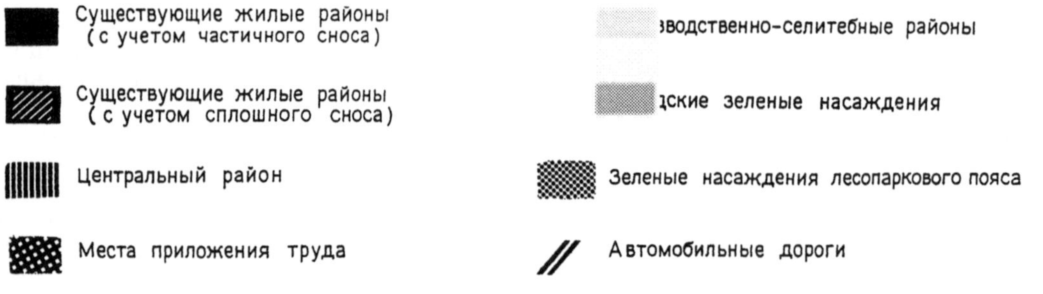

Рис. 12. Планировочная структура крупных городов (I). Устарелая планировочная структура крупных городов не соответствует современным потребностям их развития. В процессе реконструкции разросшийся и утративший целостность своей структуры город приобретает планировочное построение, отвечающее новым градостроительным требованиям. Появляются комплексные планировочные районы. Автомобильные дороги пересекают территорию города, расчленяя его на части. **А** — устарелая схема с радиально-кольцевой системой универсально используемых улиц; селитебная территория разделена на мелкие кварталы; **Б** — предпочтительная схема; выделены скоростные автомобильные дороги, внеуличный транспорт и магистрали, селитебная территория расчленена на планировочные и жилые районы

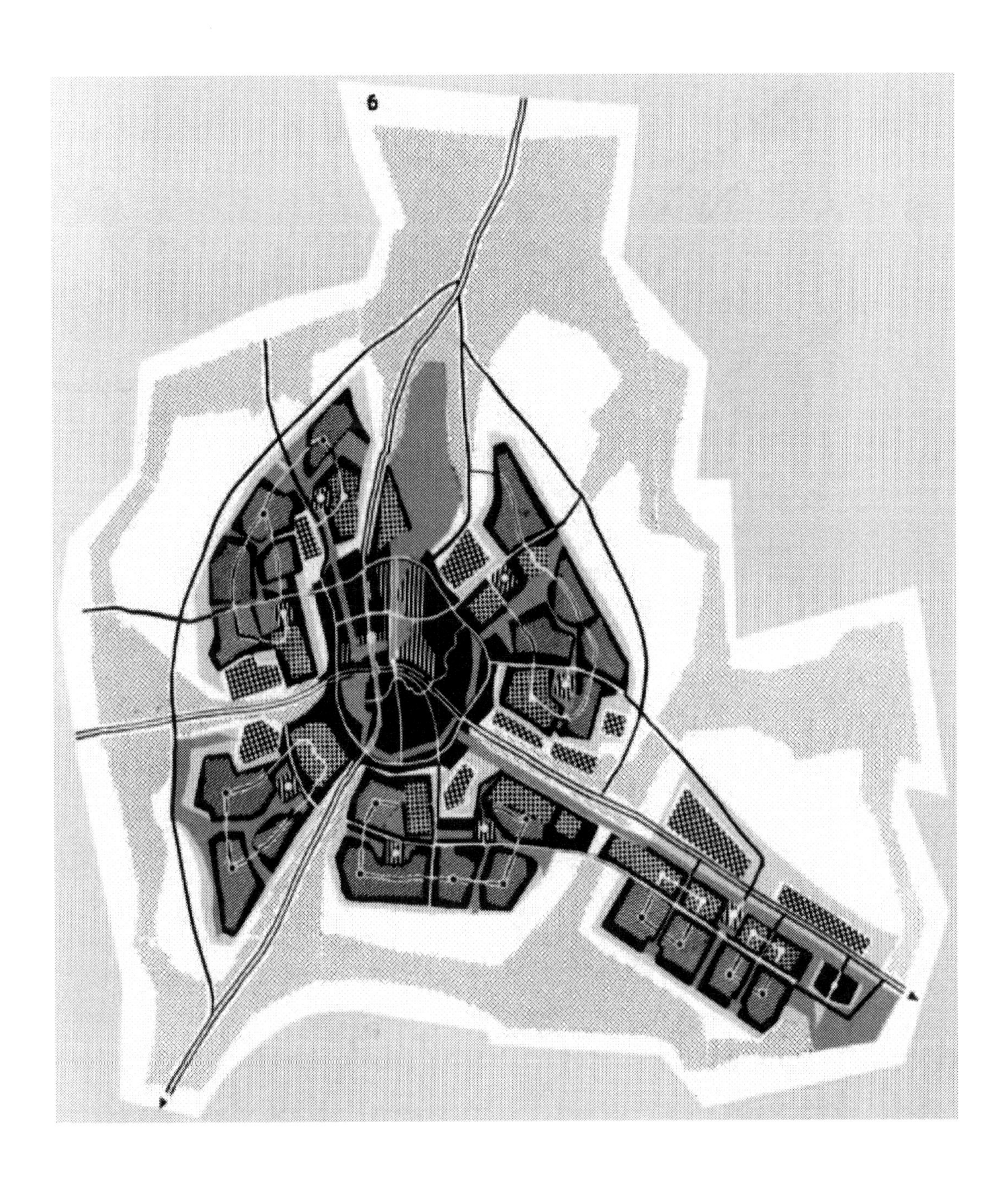

Fig. 12. Planning structure of large cities (I). Obsolete planning structure of large cities does not correspond to the up-to-date requirements of their development. In the process of redevelopment of a town, which has grown and lost the integrity of its structure, acquires planning texture, corresponding to the modern requirements of town planning. Comprehensive residential and industrial planning districts come into being. Motor roads cross the town territory, disuniting it. **A** — The old radial and ring pattern with all-purpose streets. Residential area is divided into small blocks; **Б** — Preferable pattern. Motor-roads, off-street transport and highways are pointed out. Residential areas are divided into greater districts and minor residential subdivisions.

Рис. 13. Планировочная структура крупных городов (II). **А** — устарелая схема с прямоугольной системой универсально используемых улиц; селитебная территория расчленена на мелкие кварталы; **Б** — предпочтительная схема; выделены скоростные автомобильные дороги, магистрали и внеуличный транспорт; селитебная территория расчленена на планировочные и жилые районы

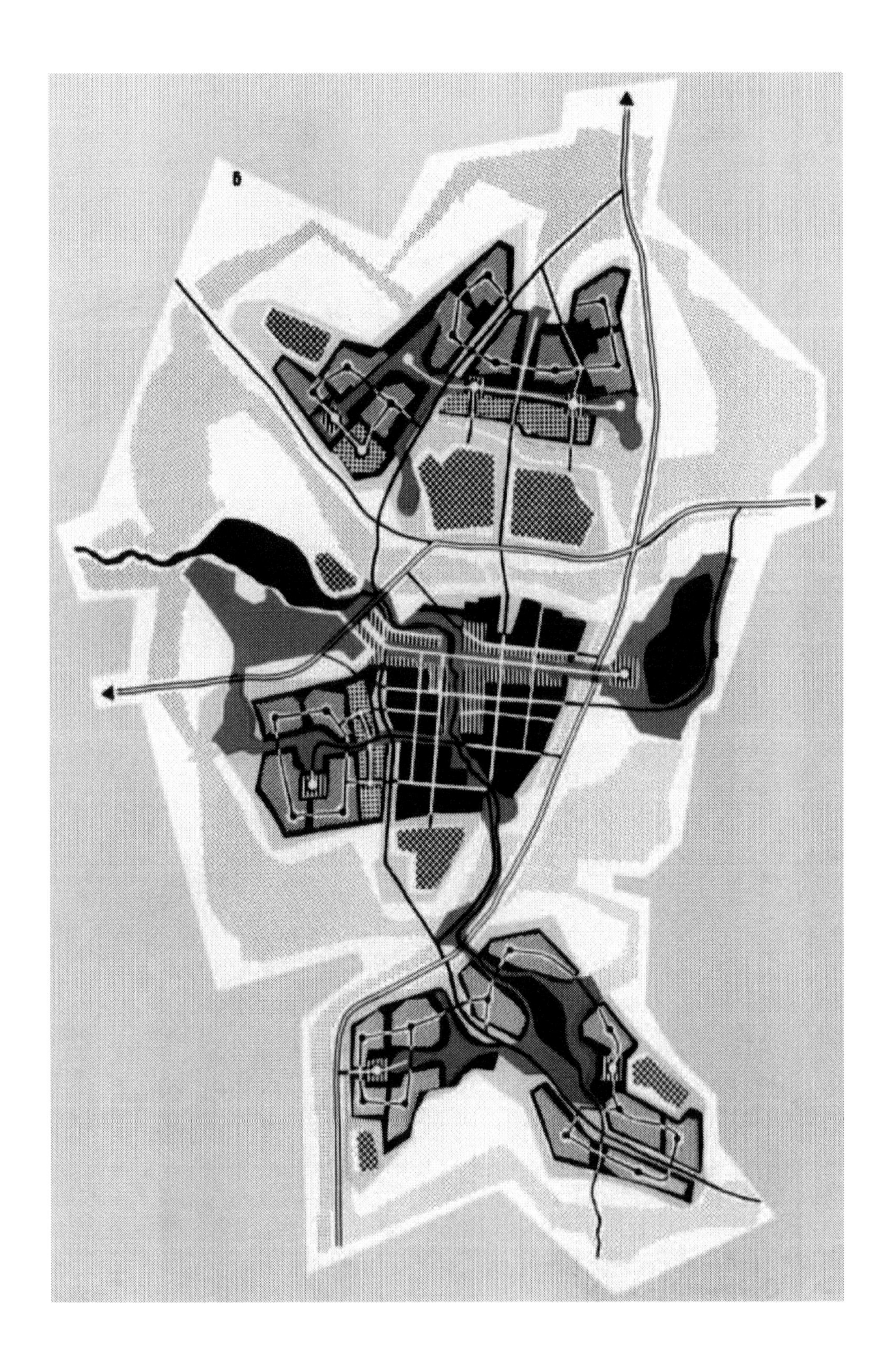

Fig. 13. Planning structure of large cities (II). A — The old pattern with gridiron network of universally used streets. Residential area is divided into small blocks; Б — Preferable pattern. Motor-roads, highways and off-street transport are pointed out. Residential areas are divided into greater district and minor residential subdivisions uncluding several neighborhoods each

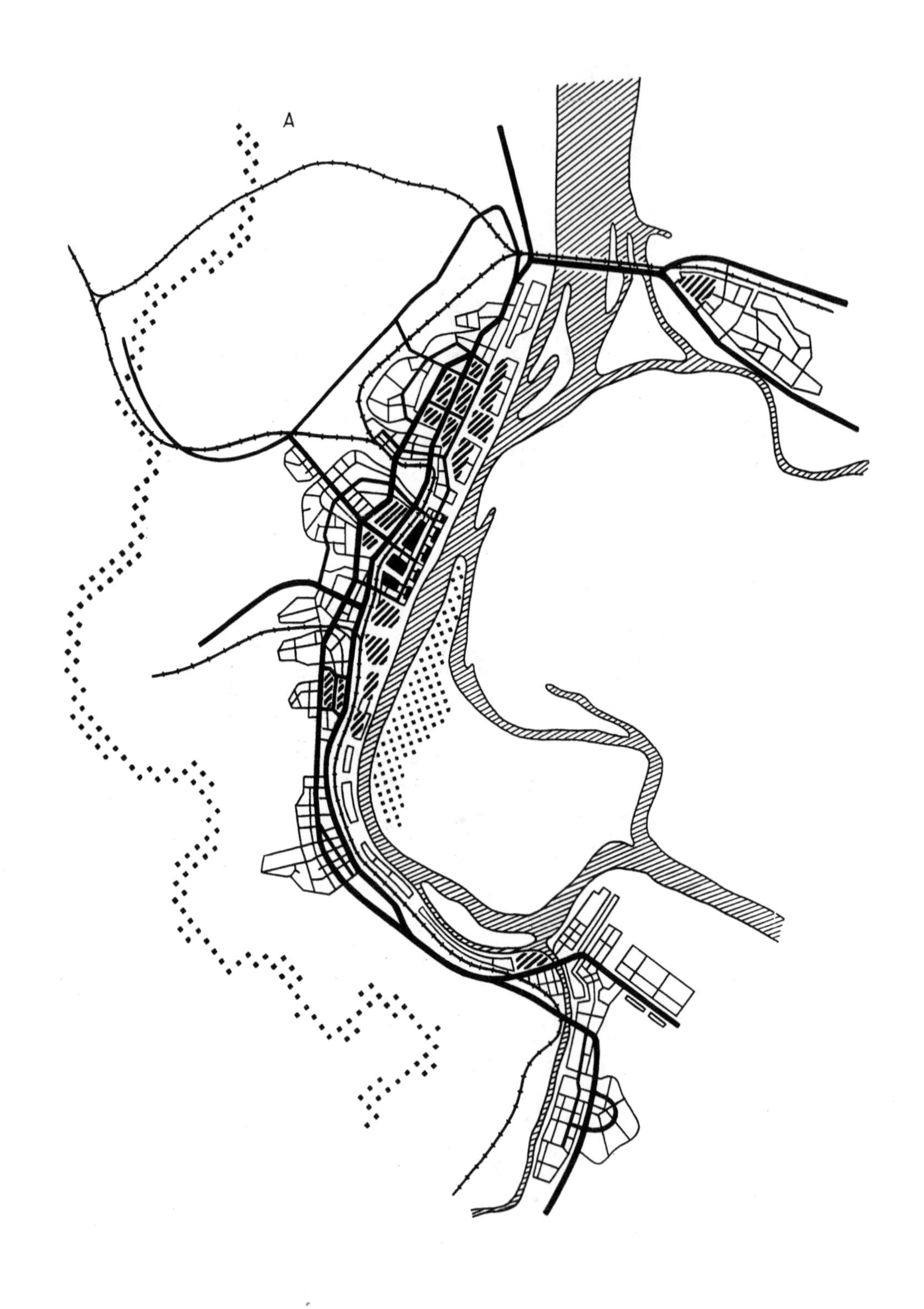

Рис. 14. Планировочная структура крупных городов (III). **А** — устарелая схема с универсальным использованием улиц и членением селитебной территории на мелкие кварталы; **Б** — предпочтительная схема; выделены скоростные автомобильные дороги, магистрали и внеуличный транспорт; селитебная территория расчленена на планировочные и жилые районы

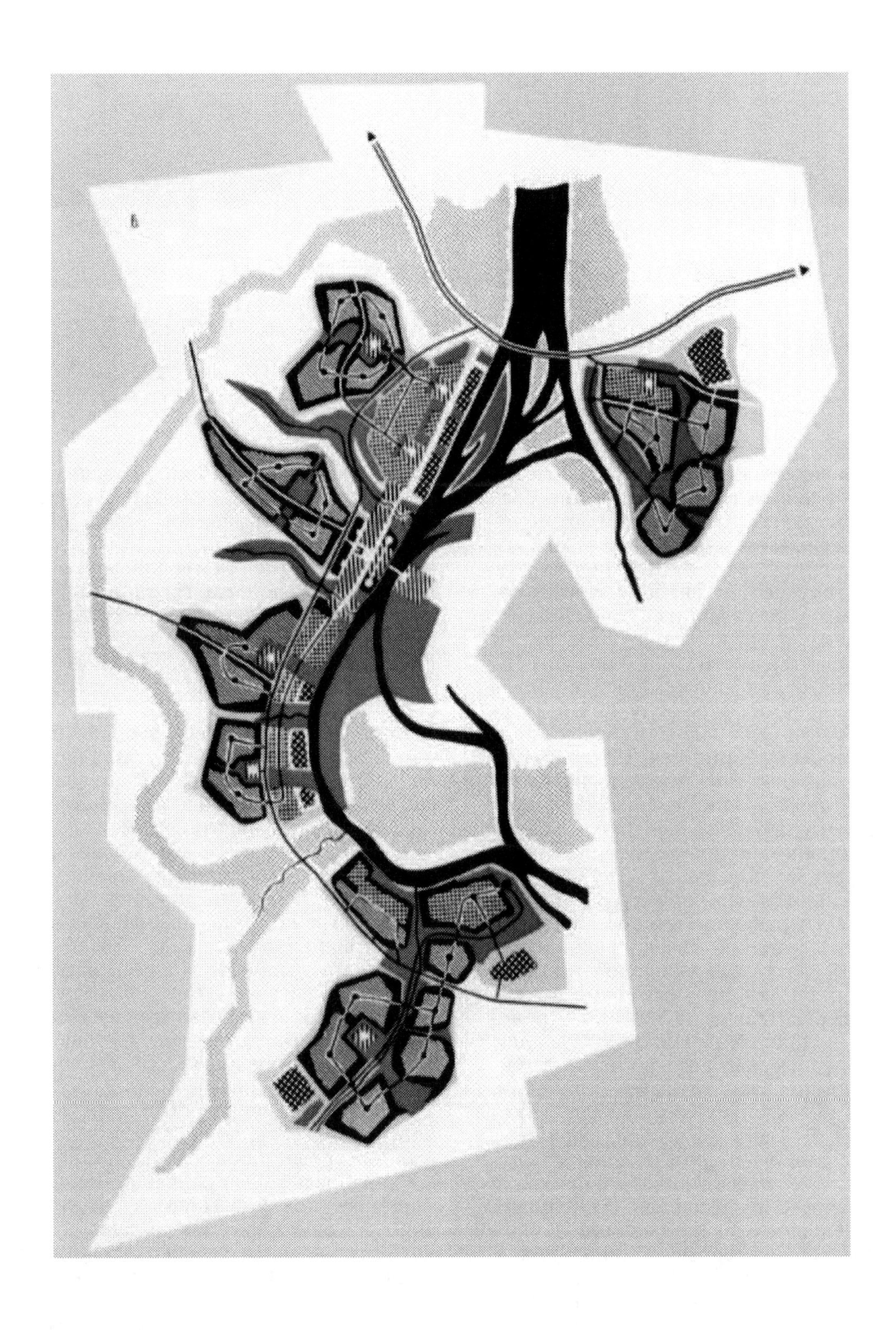

Fig. 14. Planning structure of large cities (III). **A** — Old pattern with the network of universally used streets, where the residential area is divided into small blocks; **Б** — Preferable pattern. Motor-roads, highways and off-street transport are pointed out. Residential areas are divided into greater districts and minor residential subdivisions including several neighborhoods each

Глава 3

ПРАКТИКА РЕКОНСТРУКЦИИ ГОРОДОВ

Процесс реконструкции городов складывался из освоения новых территорий и преобразования старых частей города. Несмотря на то, что до настоящего времени на всех этапах развития советских городов предпочтение в большинстве случаев отдавалось строительству на новых, неосвоенных территориях, результаты реконструктивных работ в целом велики — характер застройки, благоустройство и внешний облик многих городов значительно изменились, а в иных случаях отдельные части города или город в целом полностью перестроены. Например, Новосибирск в короткий срок превратился в крупный современный город — один из важных индустриальных и культурных центров Сибири. Огромное жилищное и промышленное строительство коренным образом изменило архитектурно-планировочную структуру города и его центрального района. Несопоставимы дореволюционный и новый Свердловск, выросший во много раз и превратившийся в один из крупнейших индустриальных городов Урала. Еще более разительны изменения, происшедшие с Челябинском, Нижним Тагилом или Новокузнецком, бывшими до реконструкции маленькими захолустными городами. Крупнейшие реконструктивные мероприятия осуществлены в Баку, Ереване, Тбилиси, Харькове, Ростове на-Дону и в десятках других городов, неузнаваемо изменившихся в советское время. В их центральных районах сооружены большие благоустроенные площади и крупные общественные здания, улицы расширены и приспособлены к современным условиям движения, набережные благоустроены, разбиты сады и парки. Города получили современное инженерное оборудование.

Индустриализация страны была одной из главных причин коренного изменения планировки и застройки сложившихся реконструируемых городов. Строительство крупных промышленных предприятий занимало значительные городские территории, расширялись старые и образовывались новые промышленные районы. Промышленное строительство вызывало развитие жилых районов и содействовало благоустройству городов.

В первые годы Советской власти, после окончания гражданской войны, шло восстановление транспорта и городского хозяйства. В декабре 1920 г. на VIII съезде Советов был утвержден план ГОЭЛРО, который В. И. Ленин назвал «нашей второй программой партии». Практическое выполнение этого плана означало начало работ по социалистическому преобразованию народного хозяйства страны на базе электрификации.

После окончания восстановительного периода началась индустриализация страны. В невиданно короткий исторический срок отсталая страна была превращена в могучую индустриальную державу. Были построены тысячи промышленных предприятий и среди них сотни гигантов тяжелой индустрии. Наряду с этим были перестроены старые промышленные предприятия, доставшиеся в наследство от дореволюционного времени; они превратились в крупнейшие государственные предприятия, оснащенные передовой техникой. Так, в годы первой пятилетки в Москве был построен шарикоподшипниковый завод, в Свердловске — Уральский завод тяжелого машиностроения, в Нижнем Тагиле — Уральский вагоностроительный завод, в Ростове-на-Дону — завод сельскохозяйственного машиностроения и т. д. Появление крупных промышленных предприятий, образовавших целые промышленные районы, требовало упорядочения их планировки, зонирования по производственному и санитарному признакам. При реконструкции существующих и строительстве новых предприятий были выделены зоны холодных и горячих цехов, энергетическая группа, транспортно-складское хозяйство, группа административно-обслуживающих зданий Промышленные территории были благоустроены и озеленены. В крупнейшее предприятие превратился, например, Московский автомобильный завод имени Лихачева, выросший в течение первых двух пятилеток на базе небольших авторемонтных мастерских. Его территория в процессе последовательной реконструкции увеличилась более чем в 4 раза.

Переустройство предприятий касалось не только территории собственно промышленного района. Чем шире развивалось промышленное строительство, тем в большей степени нужно было учитывать его градообразующее значение, взаимное расположение промышленных районов и мест проживания трудящихся. Для удобства связей были созданы крупные городские транспортные магистрали; предзаводские площади перепланированы, вокруг них сгруппированы административные и обслуживающие здания, как, например, у Волгоградского тракторного завода или Ульяновского автомобильного; предусмотрены в необходимых случаях санитарно-защитные зоны. В зависимости от положения предприятия по отношению к городской застройке выработаны правила планировки промышленных районов, учитывающие наряду с производственными требованиями создание лучших условий работы.

Одновременно с восстановлением и развитием промышленности шло строительство благоустроенных жилищ. Жилищная проблема являлась первоочередной и была постоянным предметом внимания на всех этапах развития советского государства.

Практические работы по реконструкции жилой застройки начались с переустройства пролетарских окраин, прежде всего в городах — основных промышленных центров страны. Уже в 20-е годы были перестроены многие окраины Ленинграда, Москвы, Баку и ряда других промышленных городов. Так, например, в Москве уже в 1925—1928 гг. был застроен район Усачевки. Здесь были созданы группы жилых домов, расположенных на озелененной, благоустроенной территории. Район получил хорошее обслуживание — магазины, амбулаторию, баню, несколько школ и детских садов. Подобного рода жилые массивы возникли и в других районах Москвы на более крупных участках — 40—50 *га* (Дангауэровка близ шоссе Энтузиастов, район Извозных улиц близ Можайского шоссе и др.).

В Ленинграде в 1925 г. за Нарвской заставой была начата застройка Тракторной улицы (3—4-этажными домами). Это один из первых примеров удачного решения жилой улицы простыми архитектурными средствами. Примером комплексной застройки целого квартала служит Палевский жилой массив за Невской заставой (1926—1928 гг.), куда были включены помимо жилых домов специальные здания, предназначенные для бытового обслуживания населения, сгруппированные вокруг большого озелененного пространства с игровыми площадками и прогулочными аллеями. Еще более последовательно принцип концентрированного комплексного строительства проводился в жилой застройке районов Малой Охты, Московского шоссе, Щемиловки, Автово и др. (1935—1941гг.). Здесь получили развитие особенности массового жилищного строительства, которому неизменно сопутствовало строительство учреждений обслуживания. Это были решительные шаги в деле ликвидации противоположности застройки и благоустройства центральных и окраинных частей Ленинграда.

Расширение старых и появление новых промышленных предприятий сопровождалось не только дальнейшим развитием новой жилой застройки на окраинах, но и строительством отдельных жилых и общественных зданий и их групп в центральных районах городов преимущественно путем выборочной реконструкции старой застройки вдоль улиц и набережных. В Москве и во многих других городах новое жилищное строительство размещалось, как правило, вдоль основных магистралей (рис. 15). Так как прежняя застройка магистралей, их устарелые поперечные профили и замощение препятствовали развитию городов, то одновременно с реконструкцией застройки расширялись и магистрали, они приспосабливались для условий современного движения. Застройка вдоль реконструируемых улиц велась обычно без благоустройства прилегающих кварталов, узкой полосой, что снижало ее бытовые и санитарно-гигиенические качества. Преобразование прилегающих кварталов относилось на будущее время, однако условия для этого далеко не всегда создавались заблаговременно. В таких условиях проходила начиная с 1936 г. застройка многоэтажными зданиями улицы Горького в Москве, причем одновременно реконструировались ее продольный и поперечный профили на всем трехкилометровом протяжении. В результате реконструкции улица Горького превратилась в главную магистраль города, подводящую к Красной площади. Ширина улицы увеличилась на среднем участке с 19—21 до 40 *м*, а на головном участке с 18—19 до 53—59 *м*. Это позволило более свободно организовать движение по направлению к центру и создать удобные подходы к Красной площади. В процессе реконструкции улицы Горького отдельные капитальные дома были передвинуты на новую красную линию улицы или в глубь прилегающих кварталов, чтобы освободить место для новых жилых зданий. Ценные в историко-художественном отношении здания были включены в современную застройку и ныне используются по новому назначению (рис. 16). Но большая плотность застройки примыкающих к улице Горького кварталов затрудняла их реконструкцию одновременно с переустройством самой улицы. Новые многоэтажные дома, в первых этажах которых размещены магазины, рестораны и различные учреждения общественно-бытового обслуживания, вытянулись сплошным фронтом по обеим сторонам улицы, что вызывало неудобства как для движения транспорта, так и для жителей домов, расположенных вдоль улицы.

Наряду с реконструкцией улицы Горького происходило и переустройство площадей — Красной (рис. 17), Советской (рис. 18), Пушкинской, Маяковского и у Белорусского вокзала.

Красная площадь — главная площадь Москвы — место массовых демонстраций. Южные и северные подходы к площади расчищены и освобождены от старых построек. Здесь воздвигнут Мавзолей В. И. Ленина, сооружены трибуны, образована мемориальная зона вдоль Кремлевской стены — места погребения выдающихся деятелей Советского государства. Запрещение движения транспорта на Красной площади еще более усилило ее общественную значимость. Площади Советская, Пушкинская, Маяковского и у Белорусского вокзала были расширены и получили новый архитектурный облик. На площадях построен ряд крупных общественных зданий массового посещения.

Рост движения потребовал специального регулирования и развязки в разных уровнях транспортных и пешеходных потоков на перекрестках. В настоящее время на улице Горького, Садовом кольце, проспекте Маркса и других наиболее напряженных транспортных магистралях осуществляется развязка движения в двух уровнях и построены пешеходные переходы.

С увеличением объемов многоэтажного строительства усилилась тенденция к концентрации его в крупные массивы и одновременной застройке целых жилых районов. Если реконструкция в центральных, плотно застроенных районах Москвы происходила выборочно, на отдельных участках или узкой полосой вдоль основных магистралей, то на периферийных территориях, экстенсивно застроенных ветхими домами, большие территории сплошь освобождались от старой застройки. Таким методом, начиная с 1946 г., был реконструирован большой район, ограниченный Комсомольским проспектом (рис. 19) и Фрунзенской набережной (рис. 20). На набережной и проспекте были выстроены дома высотой 7—14 этажей. Жилая застройка отделена от проезжих частей широкими полосами зеленых насаждений; внутренние пространства ее получили обширные озелененные дворы.

Фрунзенская набережная и Комсомольский проспект связывают центральную часть Москвы с новым Юго-Западным жилым районом и с Центральным стадионом имени В. И. Ленина в излучине Москвы-реки, занимающим территорию 135 *га*. Этот обширный спортивный комплекс был создан в короткий срок (1955—1957 гг.) на низкой и затопляемой территории, отрезанной от города железнодорожной насыпью (рис. 22). В состав стадиона входят главная спортивная арена с трибунами на 100 тыс. зрителей, плавательный бассейн, Дворец спорта, вмещающий 17 тыс. зрителей, и другие сооружения. Перед входами на стадион на территории 40 *га* отведены места для стоянок автомобилей и всех видов общественного транспорта. Помимо наземного транспорта стадион обслуживают две станции метро. К сожалению, транспортные подъезды и стоянки автомашин здесь решены без достаточного учета современных требований; уже сейчас стоянки не позволяют удобно разместить требуемое число автомашин и подъезды не рассчитаны на быструю эвакуацию массы автомобилей.

Рост городского движения и развитие всех видов транспорта, которых не знала старая Москва, вызвали коренную реконструкцию городских магистралей, в результате которой выросшая территория столицы связалась в одно целое, а внутригородская уличная сеть соединилась с внегородскими путями сообщения. Общая площадь усовершенствованных покрытий увеличилась в несколько раз против показателей 1940 г.; внешние автомобильные дороги, построенные в послевоенное время, связывающие Москву с Минском, Киевом, Горьким, Симферополем и другими крупными городами страны, являются продолжением системы внутригородских автомобильных дорог и магистралей. В современные городские магистрали превратились набережные Москвы-реки и Яузы, которые в прошлом использовались для размещения промышленных предприятий, складов и свалок. Сооружено 45 новых мостов и путепроводов (рис. 21).

Переустройство радиальных магистралей, таких как Ленинский, Кутузовский и Ленинградский проспекты, проспект Мира, шоссе Варшавское, Рязанское и Энтузиастов, наряду с общим упорядочением движения, повысило

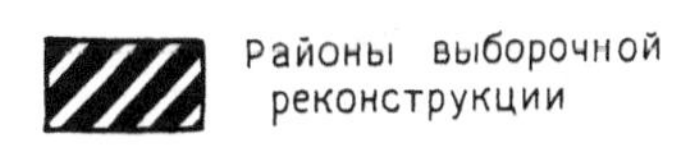

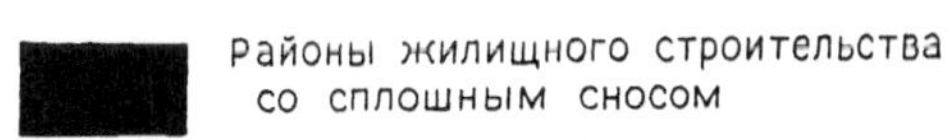

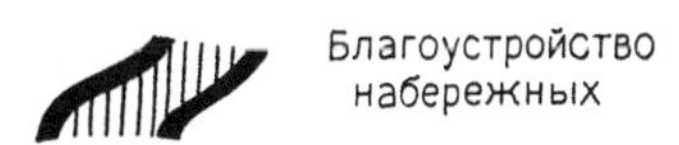

Рис. 15. Схема размещения мест осуществленной реконструкции в Москве

Fig. 15. A sketch of the main work carried out in the redevelopment of Moscow

пропускную способность уличной сети города и увеличило скорость движения транспорта. Комплексный характер реконструкции магистралей — отличительная черта послевоенного строительства.

Общее суммарное представление о развитии всех видов инженерного оборудования Москвы в послевоенный период дают следующие показатели (в % к показателям 1917 г.) в табл. 8.

ТАБЛИЦА 8

Показатели	Годы		
	1917	1945	1960
Потребление воды	100	707	1480
Протяженность уличной сети водопровода	100	221	372
Количество отводимых стоков	100	740	3500
Протяженность канализационной сети	100	170	310
Потребление газа	100	1180	59000
Количество газифицированных квартир	100	620	8000
Количество теплофицированных зданий	—	100	1900
Потребление электроэнергии	100	1500	4600

Если в Москве в достаточно большой степени проводилась реконструкция застройки основного ядра города, то в Ленинграде с его более капитальным фондом и плотно застроенными центральными районами новое строительство преимущественно размещалось на свободных периферийных городских территориях.

Наиболее значительные реконструктивные мероприятия в центральной части города были связаны с преобразованием районов вдоль набережных р. Невы. Крупным звеном в развитии ансамблей центральной части города стала новая площадь Ленина, посвященная историческому событию — возвращению В. И. Ленина в Россию в 1917 г.

В период блокады Ленинграда во время Великой Отечественной войны начата реконструкция района Финляндского вокзала. Была создана обширная площадь-сквер имени В. И. Ленина, раскрытая к просторам Невы. Памятник В. И. Ленину, сооруженный в 1926 г. у вокзала, перемещен в центральную часть сквера. Ряд крупных зданий образует береговой фронт застройки и обрамляет пространство площади. Новое здание Финляндского вокзала завершает площадь (рис. 23).

При реконструкции центральных районов Ленинграда большое внимание уделялось повышению благоустройства, увеличению зеленых массивов, улучшению транспортного

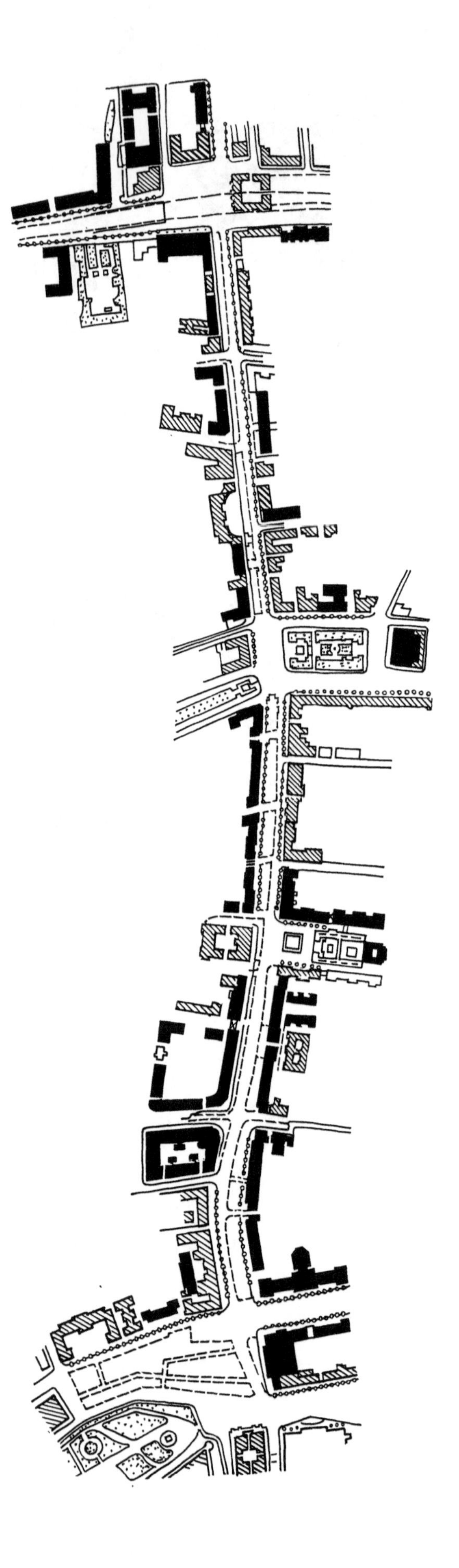

Рис. 16. Улица Горького в Москве — пример радикального переустройства главной магистрали города. Проезжая часть магистрали расширена и спрямлена. Осуществлено озеленение. Ранее неорганизованная и случайная застройка упорядочена. Большинство жилых зданий, выходящих на магистраль, выстроено заново. Схема плана улицы Горького. Застройка улицы Горького после реконструкции. Старая застройка

Fig. 16. Gorky street in Moscow—is an example of comprehensive redevelopment of the main highway of the city. The carriageway of the street is widened and straightened. Planting of trees has been carried out. Formerly random and fortuitous building—is now put in good order. The majority of the appartments (residential buildings), facing the street, have been built anew. A sketch plan of Gorky Street. Redeveloped Gorky Street. Gorky street before the redevelopment

Fig. 17. The Red Square is the main square of the capital, the place of the mass demonstrations. For a more convenient approach to the square, some of the old buildings have been pulled down. The memorial zone has been set up near the Kremlin Wall. Constructions of various epochs are united in the ensémble of the Square. General view of the redeveloped Square. A sketch of the former development of the square. A sketch of the redeveloped Square amenity

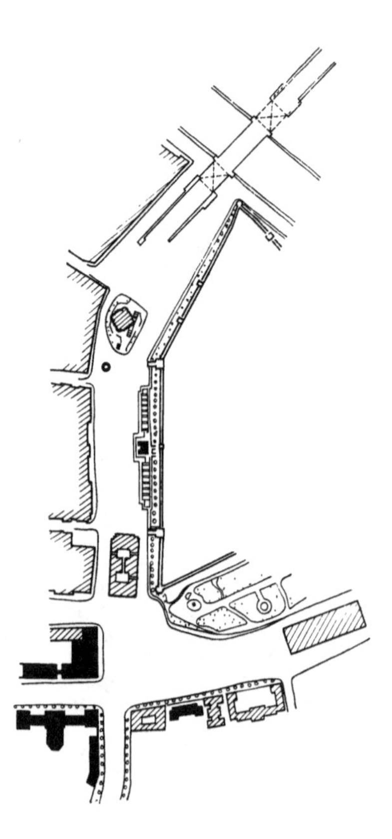

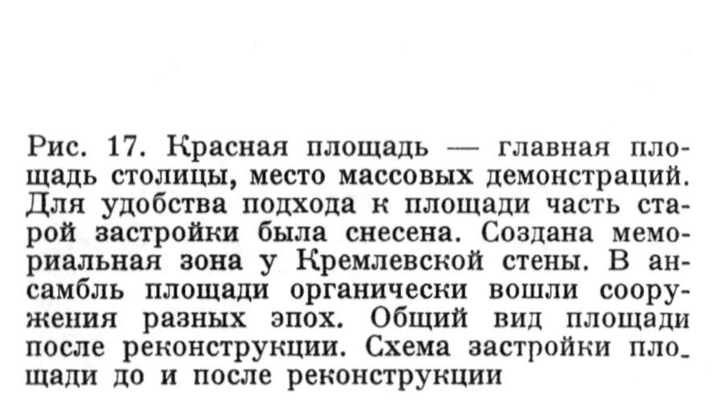

Рис. 17. Красная площадь — главная площадь столицы, место массовых демонстраций. Для удобства подхода к площади часть старой застройки была снесена. Создана мемориальная зона у Кремлевской стены. В ансамбль площади органически вошли сооружения разных эпох. Общий вид площади после реконструкции. Схема застройки площади до и после реконструкции

Рис. 18. Советская площадь расширена за счет передвижки здания Моссовета и сноса ряда старых строений. По границам площади возведены новые многоэтажные жилые дома. Схема застройки площади до и после реконструкции. Общий вид площади

Fig. 18. Sovietskaya Square has been widened at the expense of moving back the Moscow Soviet building and pulling down a number of old structures. Along the square boundaries new multistory appartments (residential buildings) have been built. A scheme of the development square before and after redevelopment. General view of Soviet square

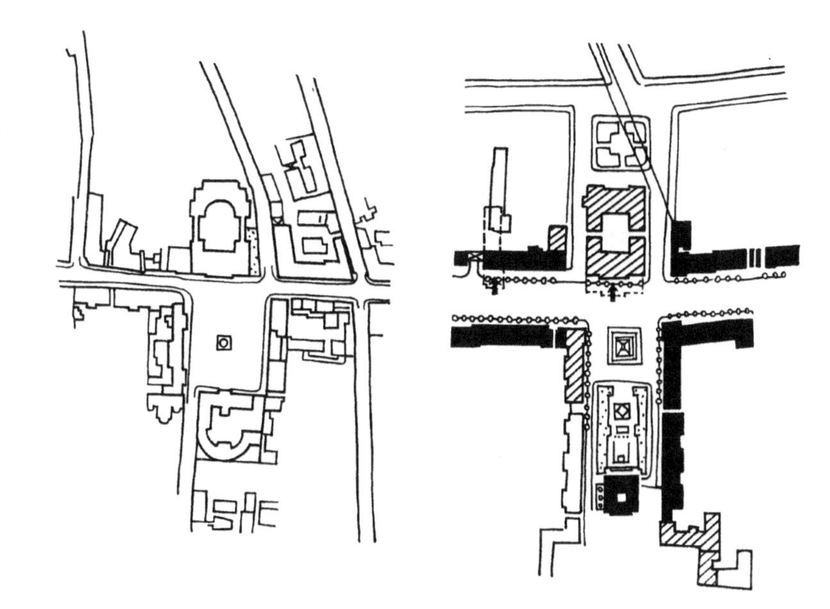

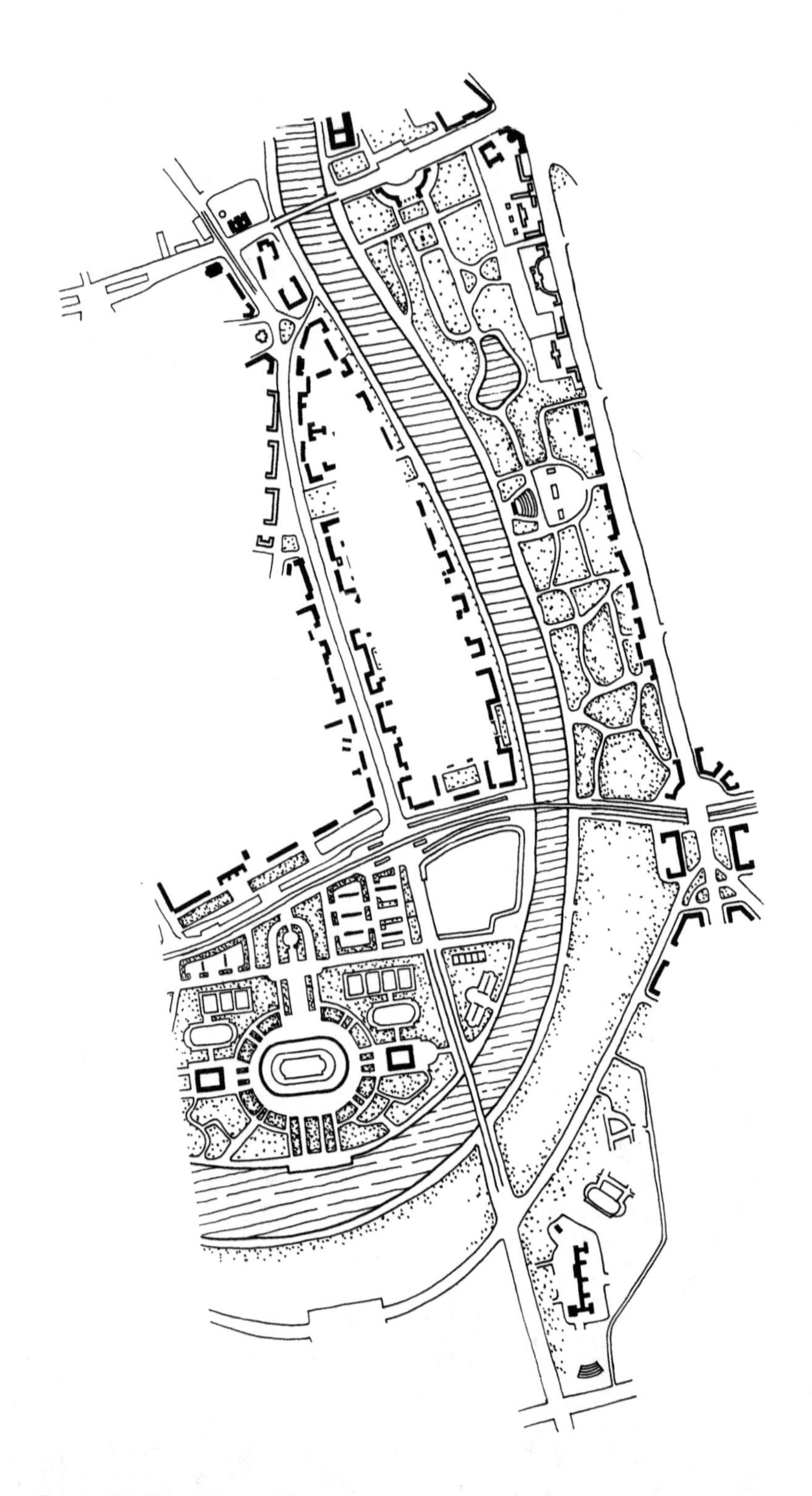

Рис. 19. Застройка Комсомольского проспекта — пример реконструкции со сплошным сносом. Из старой застройки здесь сохранились лишь здания, представляющие историко-художественную ценность. Схема застройки района Комсомольского проспекта. Застройка проспекта после реконструкции. Старая застройка района

Fig. 19. The Komsomolsky Prospect—is an example of redevelopment with total pulling down existing buildings. Only buildings of historical and artistic value have been preserved. A sketch of the development of Komsomolsky Prospect area. The redeveloped prospect. Old development of the area

Рис. 20. Фрунзенская набережная в Москве — пример создания новой застройки при полном сносе старой. Упорядочены береговые откосы, создан прогулочный бульвар

Fig. 20. Frunze Embankment in Moscow is an example of new development with the total pulling down of the old one. Riverside slopes have been put in order, a walking boulevard has been layed out

обслуживания и реконструкции застройки отдельных участков набережных. Было улучшено градостроительное качество ряда исторических ансамблей, что потребовало проведения тщательных реставрационных работ (рис. 24). Так, например, у Кировского моста, против Летнего сада, создана обширная площадь Революции. Мост соединяет ее с Марсовым полем, превращенным в первые годы революции в мемориальный сквер с памятником Жертвам Революции. От площади Революции начинается центральный городской парк, который будет продолжен на запад к побережью залива. К Марсову полю примыкает историко-архитектурный ансамбль Инженерного замка. Его территория озеленена, а случайные строения, появившиеся во второй половине XIX в., снесены (рис. 25).

Крупные комплексы реконструированной и новой застройки осуществлены на правом берегу р. Невы в районе Большой и Малой Охты. Они сочетаются с возникшими еще в конце XVIII в. на левом берегу ансамблями Смольного и Александро-Невской лавры. Жилищное строительство вдоль правого берега напротив лавры начало развиваться с 1936 г. (жилые массивы на Малой Охте). В настоящее время реконструируется район Большой Охты (рис. 26). Значительно преобразованы также и кварталы, непосредственно примыкающие к двум названным выше историческим ансамблям. Коренным образом усовершенствована застройка старой части Московского проспекта. Его головной участок выборочно застроен; площади Мира (бывш. Сенная) и Обуховская на берегу р. Фонтанки перестроены. Полностью реконструирована территория бывш. Старой и Новой деревни, где создан благоустроенный, широко озелененный жилой район и крупный Приморский проспект, ведущий в курортный район Ленинграда на Карельском перешейке. К этому району непосредственно примыкает реконструируемая зона вдоль Ланского шоссе, ранее беспорядочно застроенная складскими зданиями и промышленными базами. Здесь создан новый проспект и крупные жилые микрорайоны (рис. 27, 28).

Реконструкция многих центральных и окраинных частей Ленинграда, начатая во время блокады и развернувшаяся после окончания Великой Отечественной войны, являлась творческим процессом восстановления города. В процессе ликвидации разрушений военного времени были успешно проведены в жизнь современные, более совершенные принципы планировки и застройки города, воссозданы отдельные исторические архитектурные ансамбли площади Искусств, района Инженерного замка, Сенной площади и др., нарушенные в конце XIX в., а также созданы новые архитектурные ансамбли площади Ленина и Революции, Театра юных зрителей (бывш. ипподром) и др.

В Москве и Ленинграде реконструкция основных магистралей, застроенных капитальными зданиями, носила выборочный характер. Иное положение сложилось в крупных индустриальных центрах Урала и Сибири, таких как Челябинск, Нижний Тагил, Новосибирск, Омск, Свердловск и др., где даже в центре города преобладала деревянная 1—2-этажная застройка, иногда ветхая, а малоэтажные дома составляли от 30 до 70% и более жилого фонда (по данным на 1960 г.) с плотностью нетто, не превышающей 400—1500 *м²/га*. Такая экстенсивная застройка свидетельствует о наличии в городской черте больших территориальных резервов, которые можно более активно использовать для массового капиталь-

Рис. 21. Новые мосты изменили масштаб набережных и потребовали создания обширных предмостных площадей. Транспортная площадь у Калининского моста в Москве

Fig. 21. New bridges changed the scale of quays and necessitated laying out large bridge-squares. Transport square at the Kalininsky bridge in Moscow

Рис. 22. Центральный стадион имени В. И. Ленина, созданный на низменном берегу Москвы-реки в Лужниках, где раньше находились огороды и пустыри. Стадион предназначен для проведения в Москве международных и всесоюзных соревнований и игр. Общий вид сооружений стадиона. Общий вид территории Лужников до реконструкции

Fig. 22. Lenin Central Stadium, constructed on the low-lying Moskva-river shore in Luzhniki, on the place of former kitchengardens and waste lands. The stadium is used for holding the international and all-union contests and games. A general view of stadium buildings. A general view of the area before redevelopment

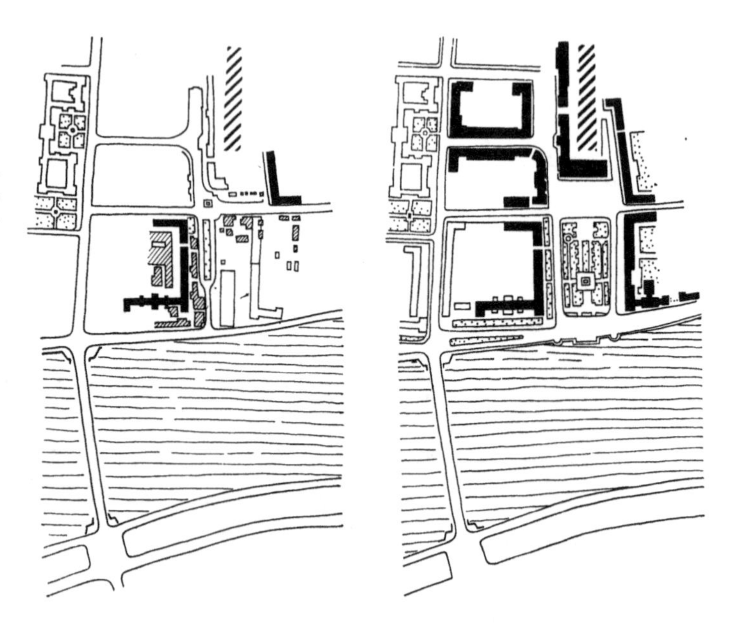

Рис. 23. Новая площадь Ленина у Финляндского вокзала может служить примером коренной реконструкции данной части Ленинграда. Ансамбль посвящен историческому событию — возвращению В. И. Ленина из-за границы в 1917 г. Общий вид площади после реконструкции. Схема прежней застройки площади. Схема современной застройки площади

Fig. 23. New Lenin Square near the Finlyandsky railway station is an example of the radical redevelopment of a square and its opening towards the river. The ensémble is devoted to the historical event — Lenin's return from abroad in 1917. General view of the square after the redevelopment. A sketch of the former development of the square. A sketch of contemporary development of the square

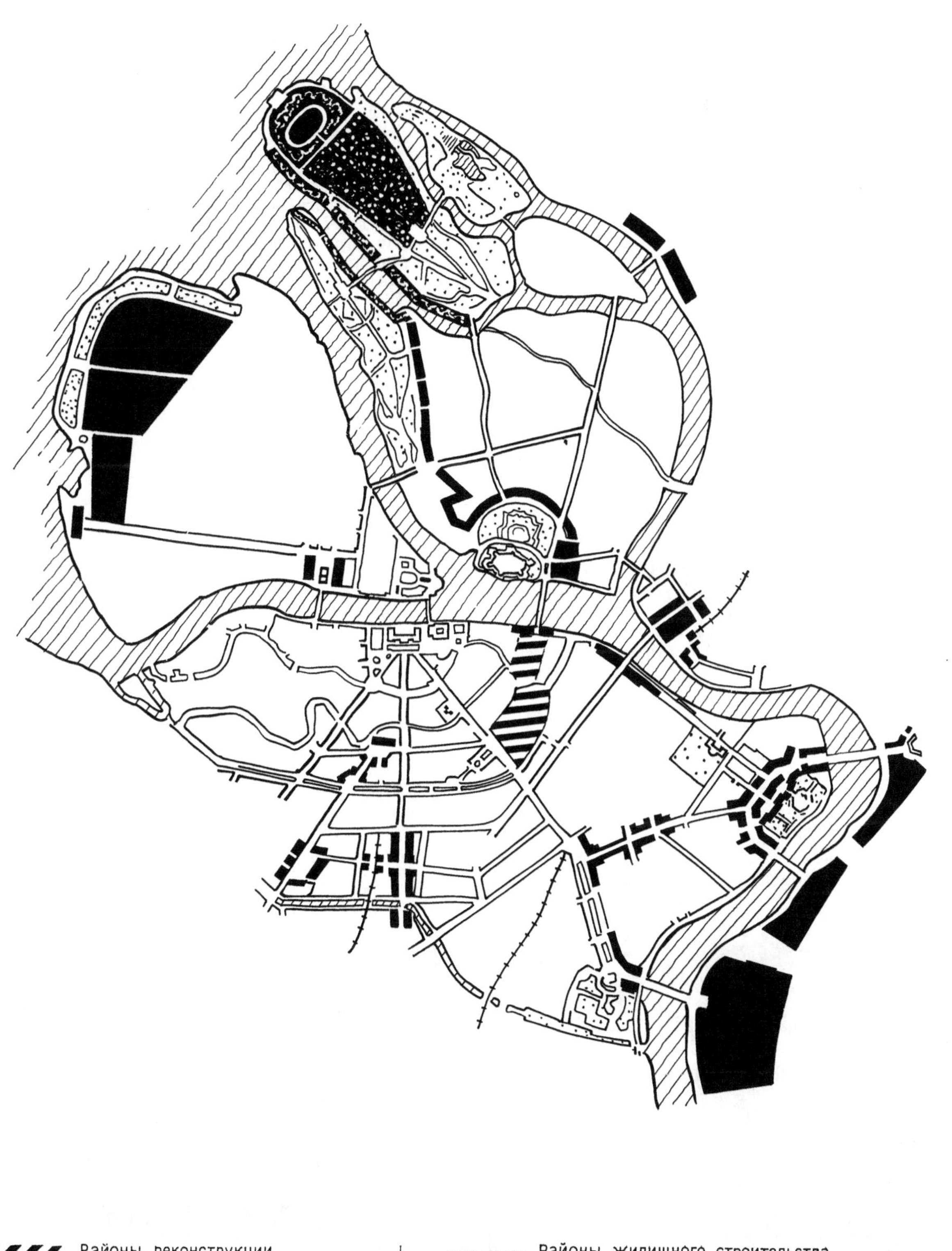

Рис. 24. Схема размещения основных мест осуществленной реконструкции в Ленинграде

Fig. 24. A sketch plan of the main work carried out in the redevelopment of Leningrad

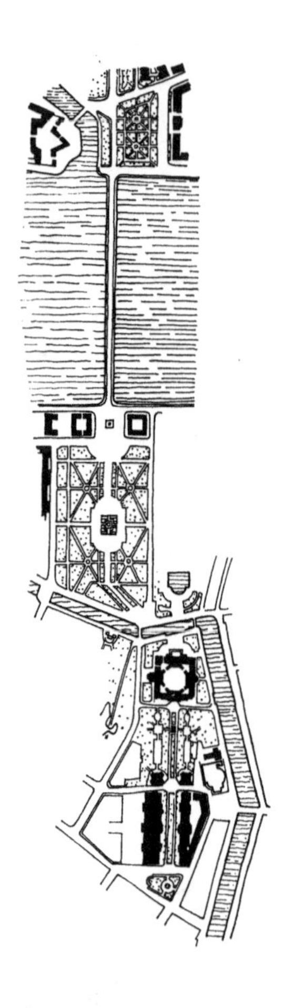

Рис. 25. Реконструкция района площади Революции, Марсова поля и Инженерного замка. Схематический план. Общий вид площади Жертв Революции (Марсово поле), 1918—1920 гг. (слева). Район Инженерного замка, 1944—1945 гг. (справа)

Fig. 25. Due to the partial pulling down of unimportant structures and landscaping a valuable architectural ensémble has been recreated in the centre of the city. A sketch plan. A scheme of the improvement of the Revolution square and the area of the Engineering Castle. General view of the square Revolution Victims (Marsovo Pole), 1918—1920 (left). The redeveloped area of the Engineering Castle, 1944—1945 (right)

ного жилищного строительства наряду с освоением незастроенных земель. Это позволяло, застраивая главные магистрали, почти полностью заменять старую застройку, одновременно расширяя и благоустраивая проезжую часть и включая в реконструкцию прилегающие к магистрали кварталы. Так была реконструирована улица Ленина в Челябинске (рис. 29), центральные улицы Свердловска и Нижнего Тагила.

Во время Великой Отечественной войны Киев и Минск, особенно в своих центральных районах, были сплошь разрушены. Восстанавливались города на основе новых социальных и архитектурно-художественных требований, значительно повысился уровень удобств; обе республиканские столицы приобрели новые архитектурные черты.

Облик главной улицы Киева — Крещатик,— сложившийся на грани XIX и XX вв., был характерен для главных улиц больших городов времен капитализма. Реконструкция Крещатика, начавшаяся после объявления Киева столицей УССР в 1932 г., была прервана войной. Во время оккупации города фашистскими захватчиками застройка Крещатика была почти полностью разрушена. После войны здесь была создана по существу новая главная улица, получившая укрупненные масштабы, при средней высоте жилых зданий 7 этажей. В новой застройке Крещатика западная сторона, вогнутая в плане и поэтому лучше обозримая, застроена сплошным фронтом общественных и жилых зданий, среди которых выделяется здание горсовета; противоположная сторона застроена с разрывами зданиями, поставленными отдельными группами, между которыми в промежутках открываются глубинные перспективы на застройку прилегающих кварталов. Поднимающаяся амфитеатром площадь Калинина замкнута в перспективе высотным зданием гостиницы. Сочетание этих двух приемов позволило пространственно раздвинуть планировочные границы магистрали, связать ее с окружающей застройкой. Общая ширина Крещатика увеличена с 34 до 52 *м* (проезжая часть 24 *м* и тротуары по 14 *м* каждый; рис. 30, 31). Непосредственно на Крещатике и в различных частях центрального района Киева появились крупные общественные здания — Дом правительства, здание Верховного Со-

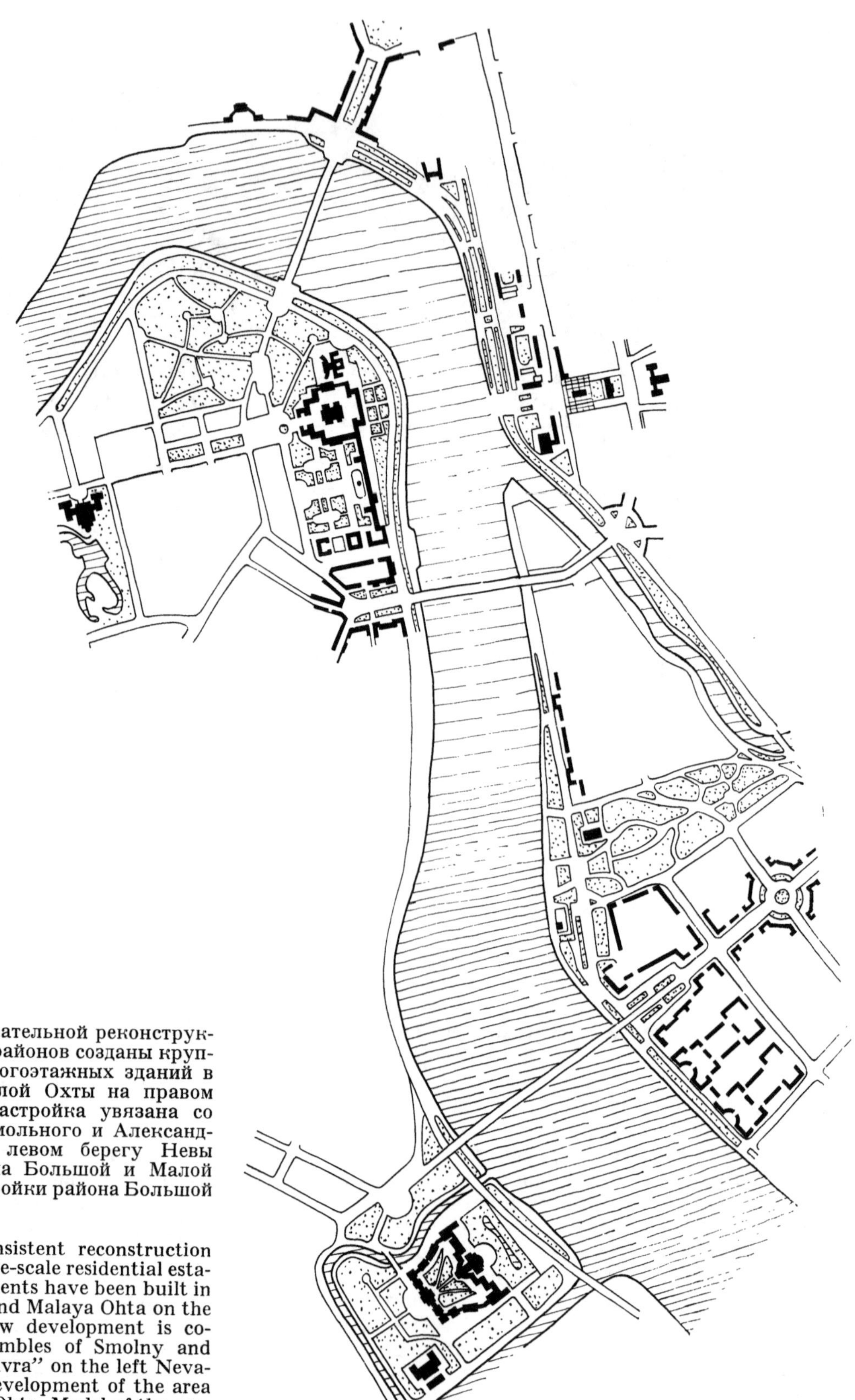

Рис. 26. Путем последовательной реконструкции слабо застроенных районов созданы крупные жилые массивы многоэтажных зданий в районе Большой и Малой Охты на правом берегу Невы. Новая застройка увязана со старыми ансамблями Смольного и Александро-Невской лавры на левом берегу Невы Схема застройки района Большой и Малой Охты. Макет новой застройки района Большой Охты

Fig. 26. Due to the consistent reconstruction of scantily built areas, large-scale residential estates of multistory appartments have been built in the district of Bolshaya and Malaya Ohta on the right Neva-riverside. New development is coordinated with old ensémbles of Smolny and "Alexandro-Nevskaya Lavra" on the left Neva-riverside. A sketch of development of the area of Bolshaya and Malaya Ohta. Model of the new development of the district of Bolshaya Ohta

Рис. 27—28. Реконструкция одного из периферийных жилых районов с полным сносом существующих строений (на примере района Новой деревни в Ленинграде). Общие виды района до и после реконструкции. Схема застройки района

Fig. 27—28. The redevelopment of one of the outlying residential districts with total pulling down of the existing structures (Lanskoje highway in Leningrad is the example). Novaya Derevnya before and after redevelopment. A sketch of the redeveloped district

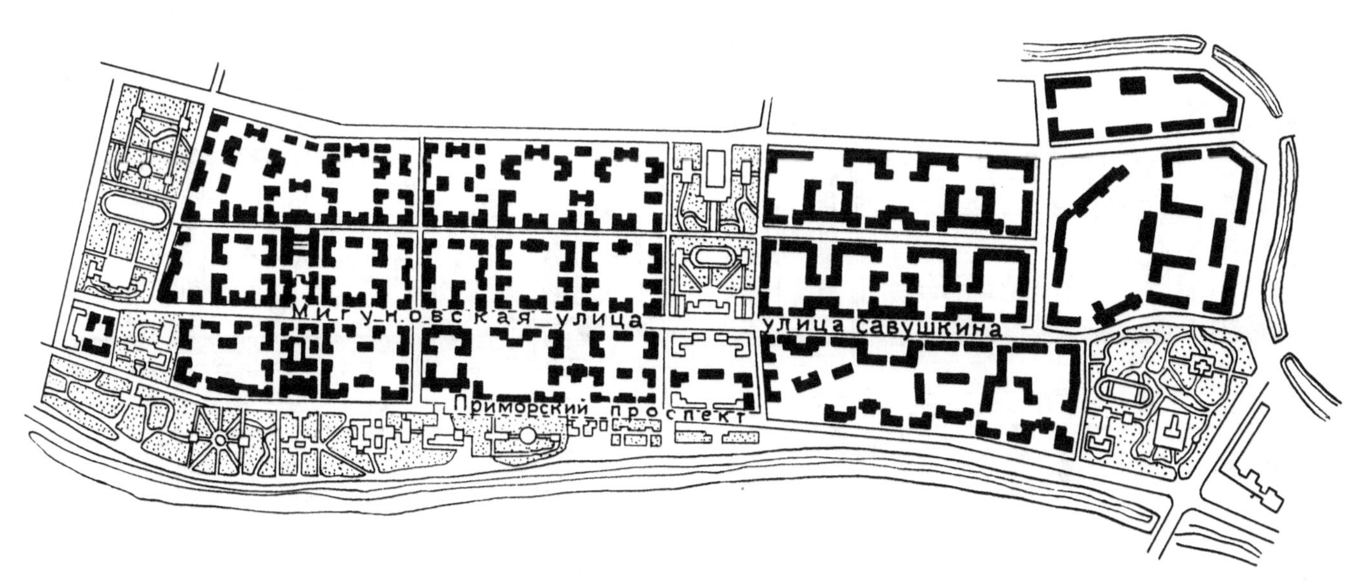
Мигуновская улица
улица Савушкина
Приморский проспект

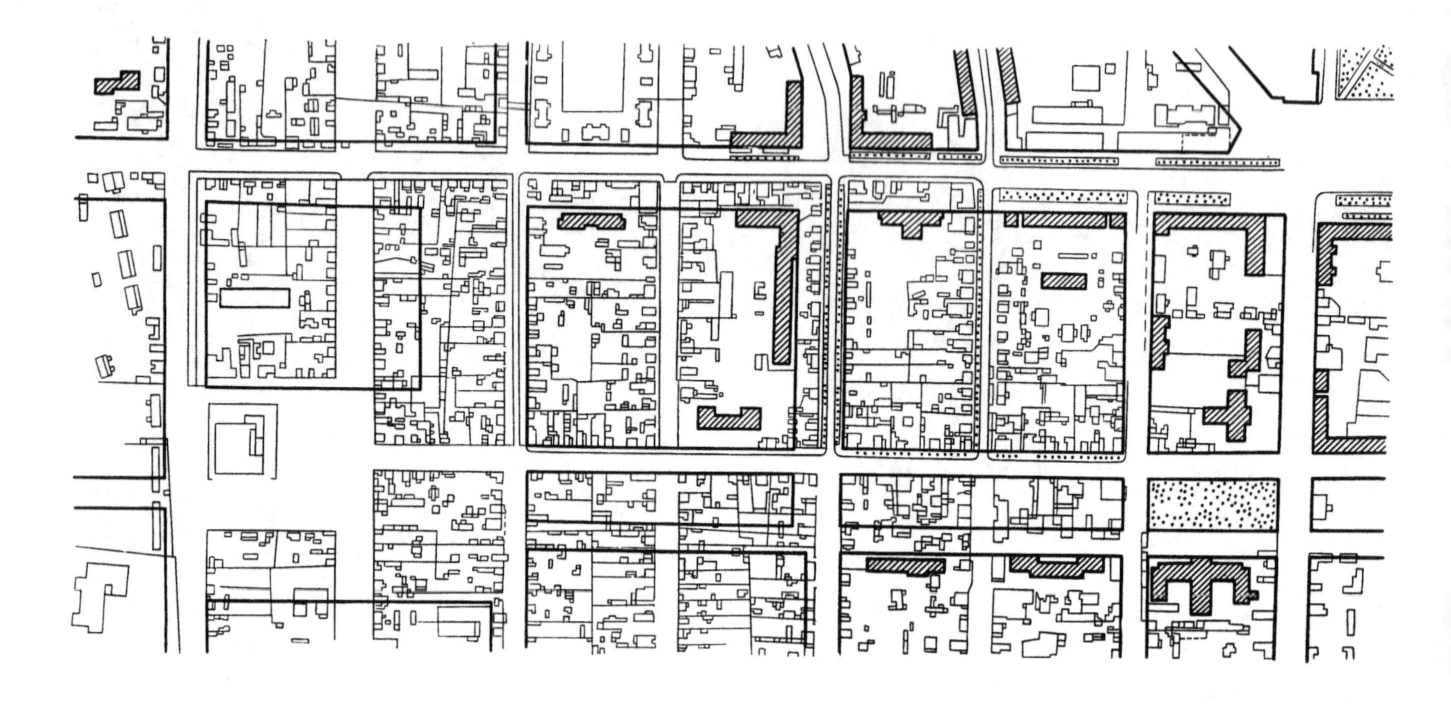

Рис. 29. Главная улица города Челябинска — проспект Ленина — создана заново после полного сноса деревянной застройки. Схема старой застройки центра города. Схема застройки района проспекта Ленина после реконструкции. Застройка района проспекта Ленина после реконструкции. Застройка улицы Ленина до реконструкции

Fig. 29. The main street in Thceljabinsk—Lenin Prospect after total pulling down of the existing structures was created anew. A sketch of old development of the town centre. A sketch of development of the area of Lenin Prospect after reconstruction. The development of the area of Lenin Prospect after reconstruction. Lenin Street before reconstruction

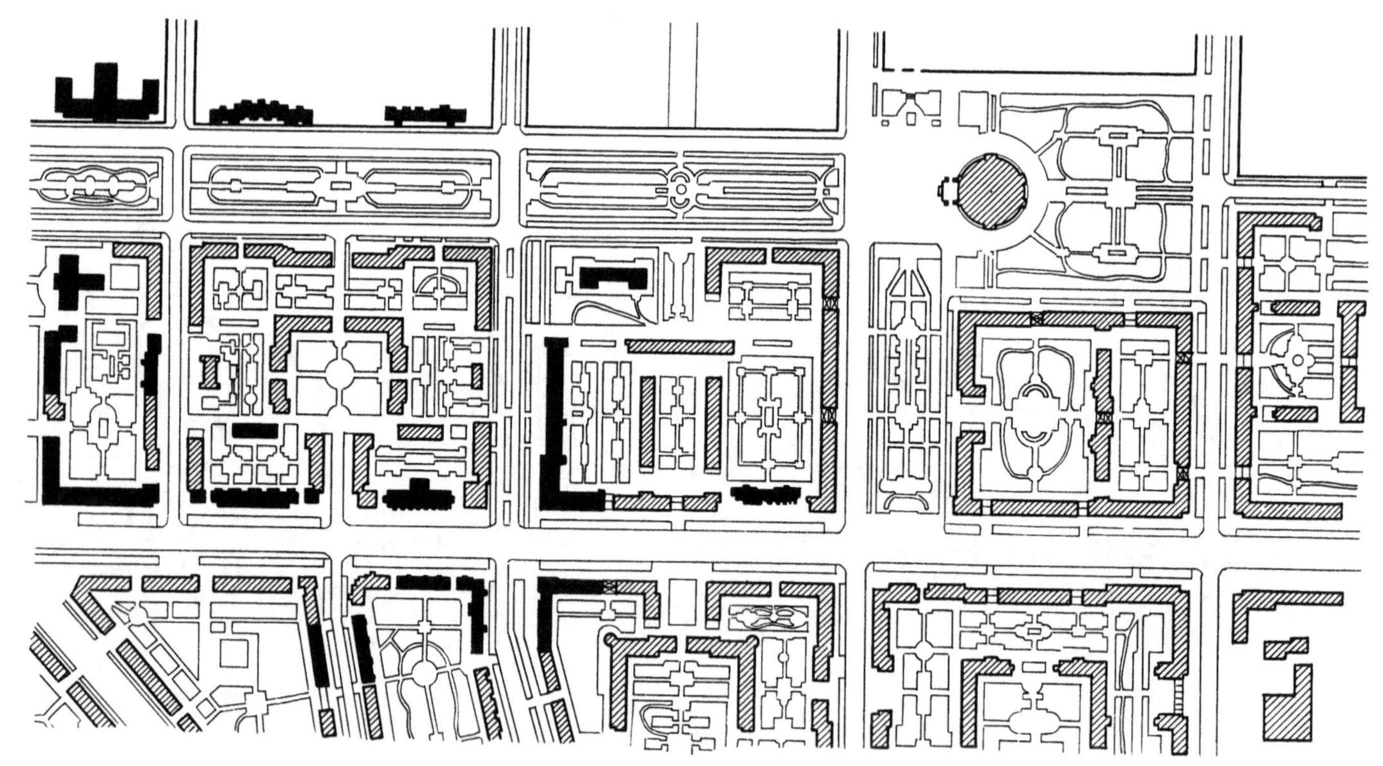

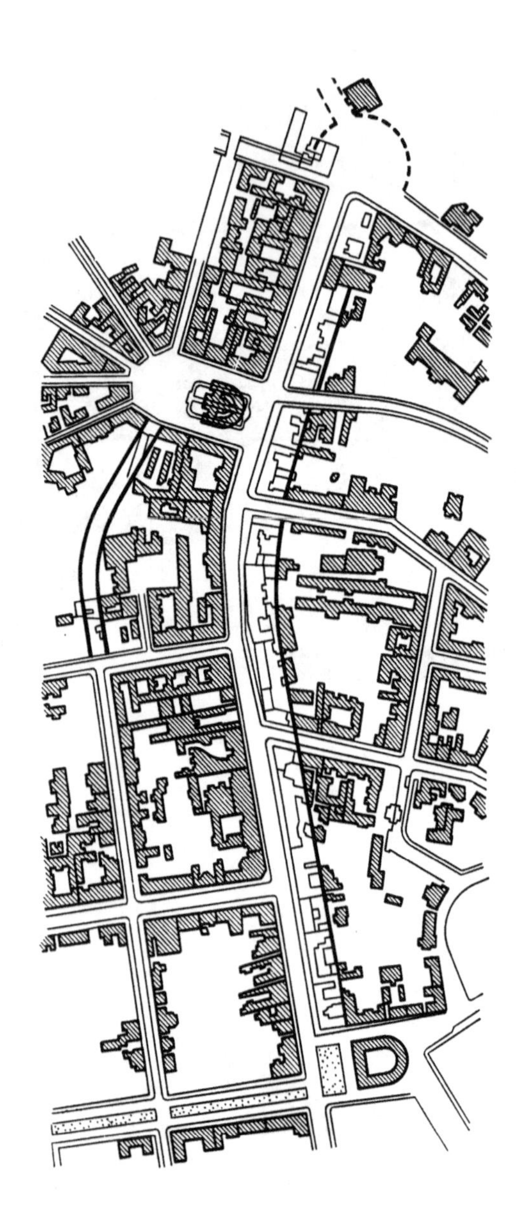

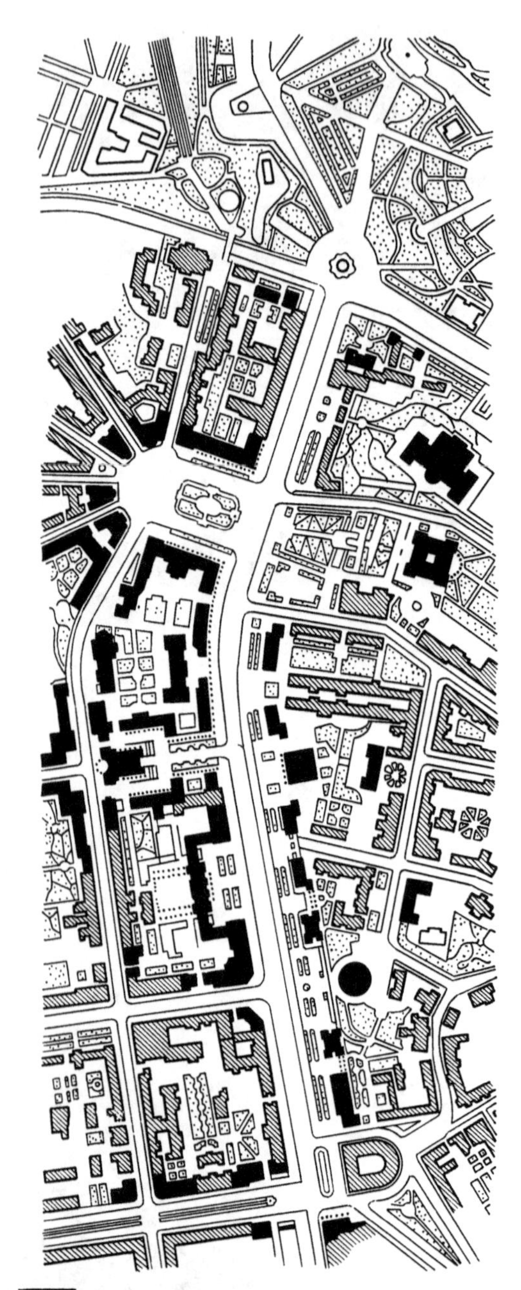

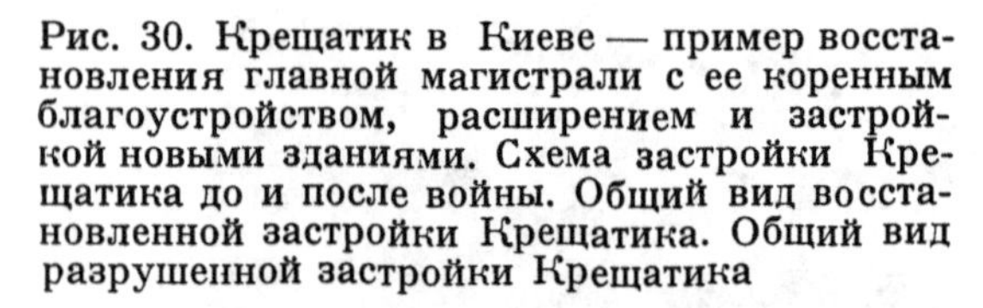

Рис. 30. Крещатик в Киеве — пример восстановления главной магистрали с ее коренным благоустройством, расширением и застройкой новыми зданиями. Схема застройки Крещатика до и после войны. Общий вид восстановленной застройки Крещатика. Общий вид разрушенной застройки Крещатика

Fig. 30. Kreschatic street in Kiev—is an example of the redevelopment of a main street radically improved, widened and built up anew. A sketch of Kreschatic as developed before the war. A sketch of the reconstructed Kreschatic. General view of reconstructed Kreschatic. General view of the destroyed Kreschatic area

Рис. 31. Для новой застройки площади Калинина в Киеве характерно удачное использование сильно выраженного рельефа

Fig. 31. Making a good use of strongly marked relief is characteristic of the new development of Kalinin square in Kiev

Рис. 32. Дворец Спорта в Киеве

Fig. 32. The Palace of Sports in Kiev

Рис. 33. Озеленение и благоустройство поймы р. Днепра превратило прибрежную территорию в район массового отдыха, непосредственно входящий в центральный район столицы УССР

Fig. 33. Planting, improving and creating of amenities in the flood-lands of the Dnieper-river changed the riverside area into an area of mass recreation, forming a part of the central district of the capital of the Ukrainian Soviet Socialist Republic

вета УССР, здание ЦК КПУ, Дворец спорта и др., придавшие городу новый масштаб (рис. 32). Значительные массивы зелени сосредоточены в широкой пойме Днепра, с обширным гидропарком, являющейся центральной осью современного Киева. Крутые склоны правого берега образуют впечатляющую панораму, развертывающуюся с низкого пойменного берега р. Днепра, из района нового крупного жилищного строительства.

В свою очередь, с высокого берега раскрывается широкий вид на Днепр и левобережье (рис. 33).

В совершенно других природных условиях находится столица БССР Минск. Для территории города характерен спокойный рельеф местности без большого перепада отметок. Небольшая узкая река Свислочь пересекает город с северо-запада на юго-восток. Минск — крупный промышленный и культурный центр республики — во время войны был сильно разрушен; здесь было уничтожено около 80% всего жилого фонда города, сожжены и разграблены научные и культурные учреждения, выведена из строя промышленность.

В процессе восстановления город коренным образом перестроен; его планировочная структура, сеть магистралей и улиц полностью изменились; проведено обводнение и озеленение прибрежной зоны. Новую архитектурно-планировочную и пространственную композицию получил центр Минска, его архитектурный облик преобразился. Ранее криво-

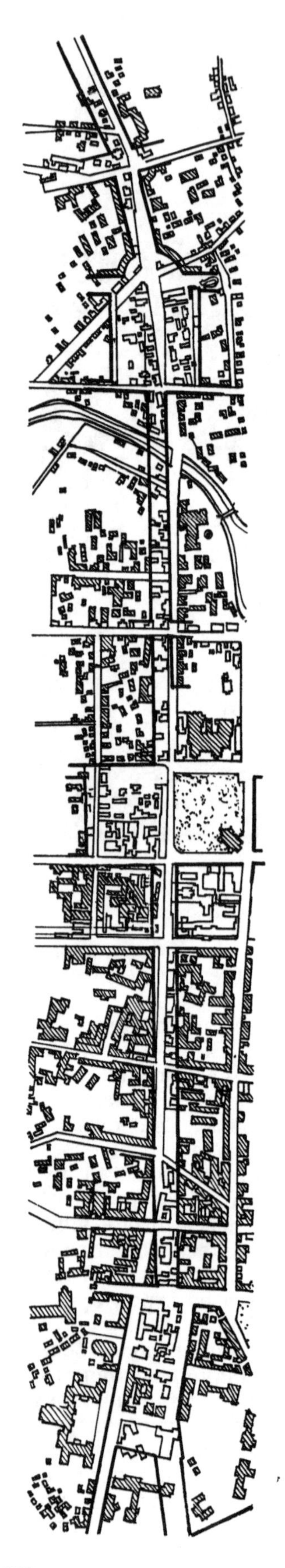

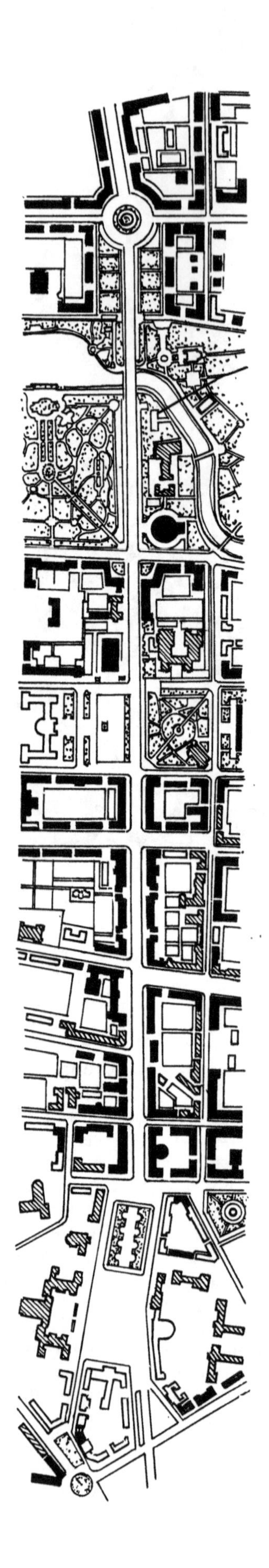

Опорная застройка

Здания, построенные до 1941 г.

Здания, построенные в 1945-1957 г.г.

Проектируемые здания

Рис. 34. Проспект Ленина в Минске — пример восстановления главной магистрали города с коренным изменением ее продольного и поперечного профилей. Схема застройки проспекта Ленина до войны и после восстановления. Общий вид новой и восстановленной застройки проспекта Ленина. Общий вид разрушений в районе проспекта Ленина

Fig. 34. Lenin Prospect in Minsk is an example of the redevelopment of the main highway of the city with radical change in its development and cross-section. A sketch of the Lenin Prospect development before the war. A sketch of Lenin Prospect after the reconstruction. General view of the reconstructed Lenin Prospect. General view of destructions in the area of Lenin Prospect

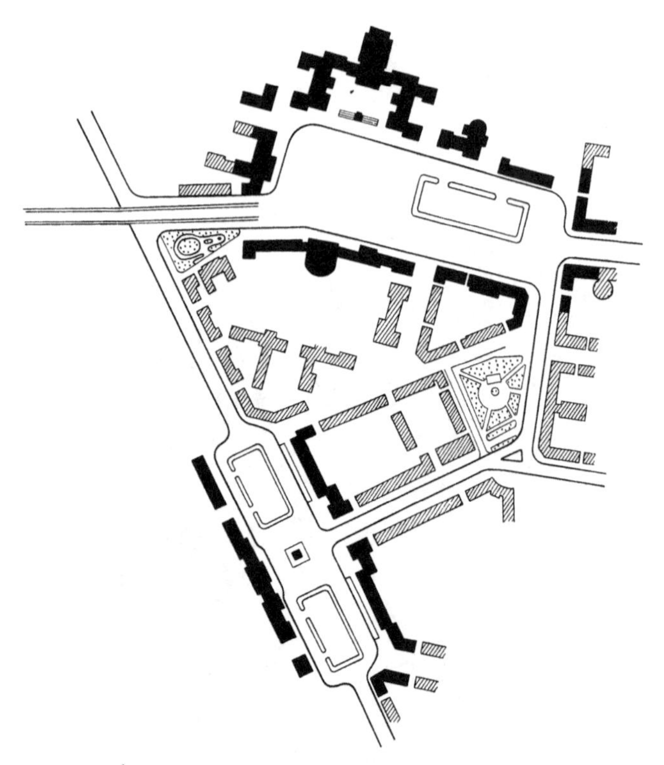

Рис. 35. Площадь Ленина и административное здание придали новый столичный масштаб центру Минска. Административное здание на площади. Схема планировки площади

Fig. 35. Lenin square and the administrative building added to the centre of Minsk a new metropolitan importance. The administrative building in the square. A sketch plan of the square

линейная по своему начертанию в плане и узкая в поперечном сечении Советская улица (теперь проспект Ленина) была спрямлена и расширена. Застройка проспекта полностью обновлена. Прежняя его ширина составляла 12—20 *м*, а продольный уклон на отдельных участках доходил до 8,5%, что не позволяло организовать троллейбусную линию и затрудняло движение других видов механического транспорта. Ширина проспекта в настоящее время доходит до 48 *м*. Его начертание в плане выпрямлено, продольные уклоны смягчены и не превышают 5%. Общая длина проспекта между площадью Ленина и Круглой площадью с обелиском в честь белорусских партизан 3 *км*. Площадь Ленина перед Домом правительства расширена, образованы две новые площади — Центральная и Вокзальная. Реконструкция проспекта потребовала инженерной подготовки территории и больших земляных работ (рис. 34, 35). Общий архитектурный замысел, удобная проезжая часть, широкие тротуары, обрамленные зелеными насаждениями, выделяют проспект как главную магистраль столичного города. Серьезным недостатком реконструкции центра является отсутствие транспортных магистралей, дублирующих проспект Ленина, в силу чего главная улица города стала напряженной транзитной транспортной магистралью. Этот недостаток предполагается в дальнейшем устранить.

Как уже указывалось, восстановление Минска было связано с большими озеленительными работами, регулированием и обводнением ранее мелководной реки Свислочи (рис. 36). В городе созданы Центральный парк вдоль берегов Свислочи (расширяемой в этом месте), спортивный парк со стадионом «Динамо», ботанический и зоологический сады и обширный пригородный парк Победы, в котором на основе крупного водохранилища и лесопарка организовано прекрасное место отдыха (пляжи, водные станции, дома отдыха, туристские базы).

Огненный смерч войны превратил в руины крупнейший волжский промышленный и культурный центр — Волгоград, который в течение 160 дней являлся полем одной из величайших битв в мировой истории. Город был полностью разрушен; его предстояло строить заново. Создание селитебной части было связано с полной перестройкой уличной сети города и всей его планировочной структуры, с постройкой новых современных жилых домов и общественных зданий, озеленением набережных. Центральная часть города на всем своем протяжении получила выход к Волге (рис. 37).

Реконструкция и восстановление городов сопровождались большими работами по благоустройству и инженерно-техническому оборудованию их территории. Были благоустроены и озеленены прибрежные территории в

Рис. 36. Благоустройство и озеленение набережных р. Свислочи в Минске может служить примером обводнения и озеленения центрального района города

Fig. 36. Creating of amenities and planting on the Svisloch-river embankments in Minsk—is an example of the irrigation and planting in the towns central district

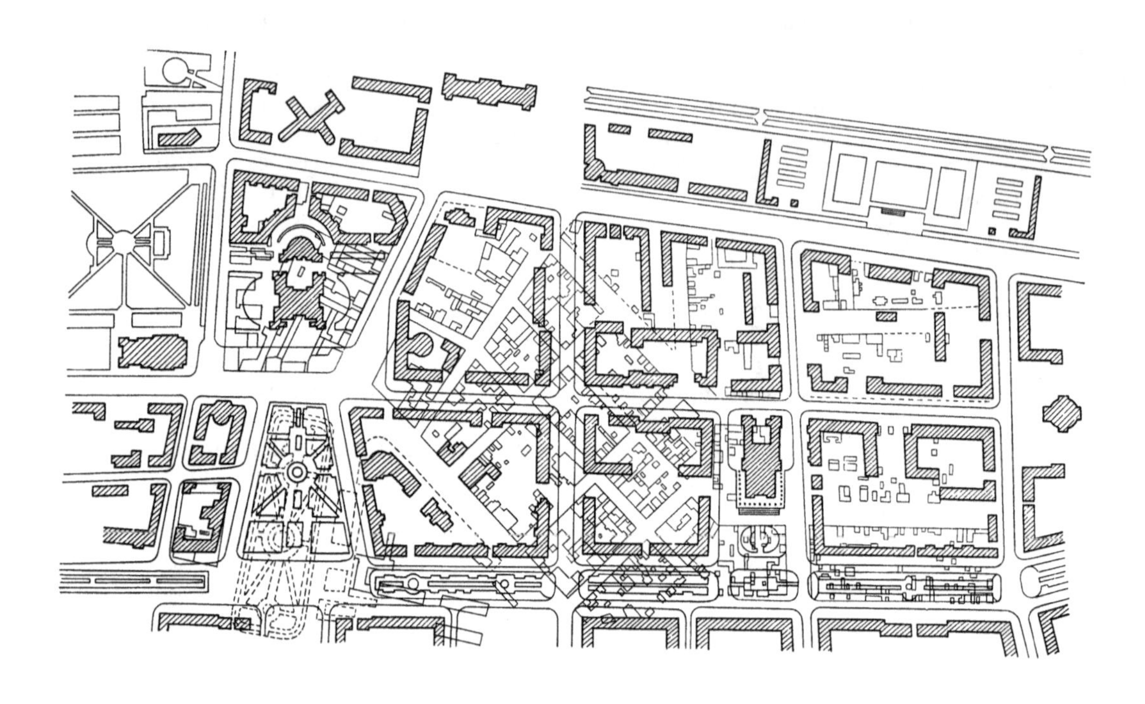

Рис. 37. Восстановление центральной части Волгограда было связано с полной перестройкой уличной сети, изменением направления улиц и созданием укрупненных жилых кварталов. Совмещенная схема застройки центральной части города до войны и после восстановления. Восстановленная застройка центральной части. Разрушения в центральной части города

Fig. 37. The reconstruction of the central part of Volgograd was closely bound with the complete rebuilding of the street network, changing the directions of the streets and developing large-scale residential blocks. A combined sketch of the development of the central part of the town before the war and after the reconstruction. The reconstructed central part. Destructions in the central part

Куйбышеве, Ростове-на-Дону (рис. 38), Баку (рис. 39) и других городах, ранее загроможденные грузовыми причалами и складскими устройствами. Так, например, Баку, расположенный на берегу обширной бухты, в дореволюционное время был отрезан от берега моря складами, промышленными предприятиями и причалами, не имел достаточного водоснабжения и был лишен зелени. Жилой фонд города в большей своей части не отвечал элементарным санитарно-гигиеническим и бытовым условиям жизни населения. В городе не было театров, библиотек, музеев, высших учебных заведений, научно-исследовательских и проектных центров, больниц, достаточного числа школ, бань и прачечных.

В советское время город совершенно преобразился и стал современным крупнейшим промышленным и культурным центром страны. Здесь созданы первоклассная промышленность, обширные, отвечающие бытовым архитектурным и гигиеническим требованиям жилые районы и места отдыха. Построены оперный и драматический театры, музеи, выставки, библиотеки и другие крупные культурно-просветительные и зрелищные здания; на вновь созданной Главной площади выстроен Дом Советов. Город стал важным научным центром страны. Полностью изменилась и его архитектурная характеристика. На протяжении нескольких километров Баку вышел к берегу моря, вдоль которого протянулась широкая озелененная набережная. Со стороны моря открывается величественная панорама города. В городе созданы нагорный парк имени С. Кирова, парки имени Дзержинского и поэта Низами, много зеленых насаждений среди массивов жилой застройки.

Сооружение мощного Шаларского водопровода, коллекторы которого протянулись на 160 *км*, обеспечило город современным водоснабжением. Баку теплофицирован, полностью перестроена канализация. Не только в Баку, но и в сотнях крупных и малых городов проведена коренная реконструкция инженерного оборудования. Для решения проблемы водоснабжения потребовалось строительство таких уникальных сооружений, как канал имени Москвы, канал Северный Донец—Донбасс и др. Число городов, имеющих канализацию, выросло в десятки раз. Общий уровень водопотребления в городах значительно поднялся и составляет в среднем около 150 *л* на человека в сутки. Для нужд производства созданы самостоятельные системы водоснабжения с неочищенной водой и экономичные оборотные системы. Во многих городах печное отопление заменено центральным и взамен индивидуальных котельных введено теплоснабжение от крупных теплоэлектростанций и районных котельных. Переход к централизованному теплоснабжению позволяет оздоро-

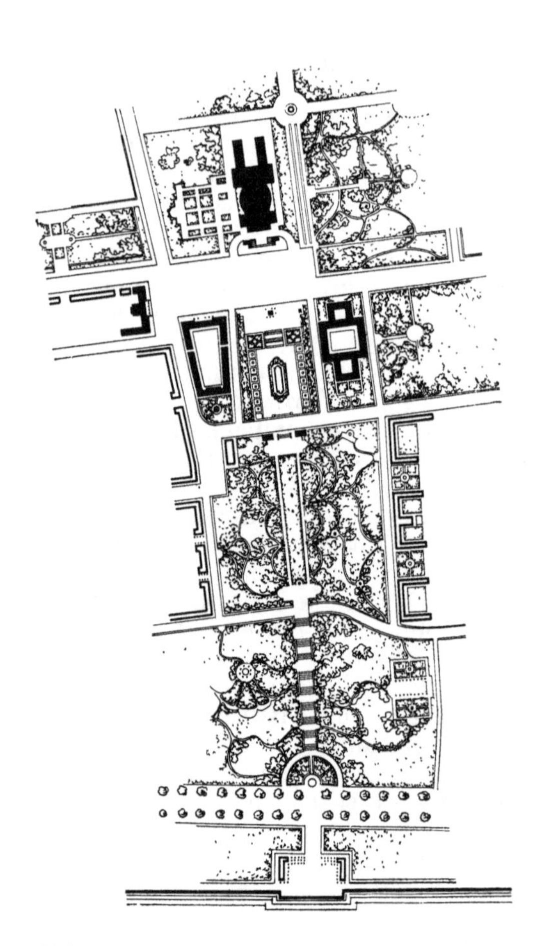

Рис. 38. В процессе восстановления и реконструкции Ростова-на-Дону город получил широкий выход к р. Дону путем создания новых набережных. Участок набережной. Схема планировки площади Горького

Fig. 38. The restoration and reconstruction of Rostov-Don makes it possible to create a large open space with an exit to the Don River by means of constructing new embankments. A section of the Don-River quay. A sketch of the planning of Gorky square

Рис. 39. Приморская набережная в центральной части Баку

Fig. 39. The sea embankment in the central part of Baku

вить воздушные бассейны городов и улучшить их санитарное состояние. В стране созданы единые энергосистемы. После войны особенно развилась газовая промышленность и увеличилось потребление природного газа, причем газ все шире используется не только для бытовых, но и для промышленных нужд.

Все это громадное по своему масштабу и объему строительство было направлено на преобразование старых городов. Ликвидированы контрасты благоустроенных центральных районов и убогих пролетарских окраин; реконструктивные мероприятия намечаются последовательно, планомерно и комплексно, охватывая все стороны городского строительства. Большие успехи в области совершенствования планировки, застройки, благоустройства и инженерного оборудования старых городов стали возможны вследствие постепенного, последовательного улучшения приемов, методов и техники городского строительства.

В процессе реконструкции городов и их отдельных частей имели место и существенные недостатки. Они были вызваны многими причинами. Основные магистрали, ведущие к центру, по своим размерам и поперечному профилю не могли пропускать увеличивающиеся потоки движения. Между тем расширению существующих магистралей и пробивке новых не уделялось нужного внимания. Не проводилась их дифференциация по назначению и транспортному использованию. Обходные магистрали для транзитных потоков, намечаемые в проектах генеральных планов городов, практически не получали реализации. Отсутствовали свободные территории, на которых можно было бы организовать стоянки автомашин. К устройству пересечений потоков движения в двух уровнях было приступлено в последнее время лишь в нескольких крупнейших городах.

В пределах промышленных районов размещение отдельных предприятий далеко не всегда было взаимно увязано в технологическом отношении. Недостатки в размещении промышленности были отчасти вызваны узковедомственными тенденциями; планировка и застройка отдельных промышленных площадок и их местоположение определились без должной увязки друг с другом и с общим планировочным развитием города. В некоторых случаях размещение промышленных предприятий оказывалось неудачным по отношению к селитебным территориям.

Развитие жилищного строительства отставало от роста промышленности, осуществление благоустройства, культурно-бытового и коммунального обслуживания шло еще медленными темпами. Застройка узкими полосами вдоль дорог и магистралей была неэкономична в отношении инженерных коммуникаций и неудобна для населения. Организация микрорайонов шла недостаточно комплексно в связи с отставанием строительства общественных зданий и недостатками благоустройства.

Сплошная нерасчлененная застройка лишала быстрорастущие города достаточных открытых пространств и санитарных разрывов. Не хватало зеленых массивов, необходимых для организации массового отдыха, а те, какие были, располагались в большинстве случаев разрозненно, бессистемно. Освобождающаяся от ветхой застройки территория в центральных районах городов, бедных зеленью, далеко не всегда представлялась для устройства скверов, городских районных садов и спортивных площадок.

В центральных районах городов не резервировались участки, необходимые для будущего строительства крупных общественных зданий, хотя в связи с быстрым ростом большинства городов их старые общегородские общественные центры становились тесными; появлялась необходимость в новых типах общественных зданий для обслуживания нужд трудящихся. Немало недостатков можно отметить и в организации мест массового отдыха и инженерно-техническом оснащении городов.

Неравномерность и непропорциональность темпов реконструкции отдельных частей городов была следствием быстрых темпов их роста. Последовательное увеличение средств, вкладываемых в жилищное строительство и реконструкцию существующей застройки и благоустройство, является условием последовательной и полной ликвидации устарелого строительного фонда.

Многочисленные и разнообразные сложности и противоречия, затрудняющие развитие и реконструкцию старых городов, являются временными и по мере дальнейшего развития народного хозяйства и укрепления технической базы строительства с успехом изживаются. Работа по реконструкции городов продолжается, и для перестройки их будут требоваться все более возрастающие усилия, средства и время.

Глава 4

ОСНОВНЫЕ НАПРАВЛЕНИЯ РЕКОНСТРУКЦИИ ГОРОДОВ И ОЧЕРЕДНОСТЬ ОСУЩЕСТВЛЕНИЯ РЕКОНСТРУКТИВНЫХ МЕРОПРИЯТИЙ

Дальнейшее улучшение условий труда, быта и отдыха населения, повышение уровня обслуживания трудящихся, оздоровление городов и безопасность передвижения в их пределах требуют все большего внимания к вопросам реконструкции. Они будут решаться по-разному в зависимости от значения городов в системе расселения, от их величины, природного местоположения и условий прошлого развития. Но во всех случаях реконструкция городов будет производиться в соответствии с социальным и научно-техническим прогрессом в следующих основных направлениях:

переустройства городских промышленных районов и других районов и мест приложения труда;

переустройства жилых районов и совершенствования организации общественно-бытового обслуживания населения;

преобразования общественных центров городов;

организации мест массового отдыха и переустройства пригородных зон;

улучшения транспортных связей между местами приложения труда, районами жилья и отдыха;

оздоровления городов путем улучшения природной среды, развития системы зеленых насаждений и очистки воздушного и водного бассейнов городов;

улучшения архитектурно-художественных качеств городской застройки и использования исторически сложившихся ансамблей в процессе реконструкции городов.

Все эти многообразные задачи реконструкции городов решаются в определенной последовательности с тем, чтобы перспективные мероприятия и конечные цели увязывались и согласовывались с первоочередными действиями и промежуточными этапами осуществления реконструктивных работ.

1. ПЕРЕУСТРОЙСТВО ГОРОДСКИХ ПРОМЫШЛЕННЫХ РАЙОНОВ И ДРУГИХ МЕСТ ПРИЛОЖЕНИЯ ТРУДА

Если в новых городах имеются все возможности с самого начала рационально разместить промышленные районы и правильно организовать места приложения труда в техническом и гигиеническом отношениях, то в старых городах приходится иметь дело с исторически сложившимися, часто неблагоприятными условиями их распределения на городской территории. В дореволюционное время предприятия размещались, как правило, неорганизованно с отдельным для каждого из них инженерным и транспортным хозяйством, с нерациональным использованием территории, с пересечением подъездными путями прилегающих жилых районов и т. п. Один из наиболее сложных и неотложных вопросов реконструкции городов — исправление унаследованных от прошлого недостатков в планировке промышленных районов и других мест массового приложения труда.

Быстрый рост большинства старых городов в СССР был связан с новым промышленным строительством и расширением имевшихся промышленных предприятий, научно-исследовательских институтов, высших учебных заведений, сооружений транспорта и др. Это положение сохранится и в дальнейшем, поскольку наращивание производственных мощностей, в результате реконструкции и расширения существующих предприятий, может быть произведено в более короткие сроки, чем строительство новых заводов. Развитие действующих предприятий предстоит не только в небольших, но и в крупных городах. Реальные возможности улучшения планировки и застройки промышленных предприятий появляются в связи с тем, что при бурном научно-техническом прогрессе существующие производственные здания и их оборудование довольно быстро устаревают и становятся непригодными. В силу этого реконструкция промышленных объектов происходит гораздо быстрее, чем, например, гражданских зданий и сооружений.

При реконструкции промышленных предприятий необходимо обеспечивать: улучшение планировки, застройки и благоустройства промышленных районов и значительное снижение вредных выделений путем совершенствования технологии производства или путем установки эффективных дымо- и газоулавливателей. В отдельных случаях, при необходимости полной перестройки устаревших предприятий, может быть более целесообразным строительство нового или расширение другого аналогичного предприятия на специально выделенной территории.

Реконструкция старых промышленных районов осуществляется с тем, чтобы:

улучшить условия для производственной деятельности предприятий на основе модернизации технологии и применения более совершенных видов энергии;

улучшить условия труда на предприятиях, создать сети учреждений общественного обслуживания трудящихся и организовать места отдыха для них;

упорядочить размещение промышленных предприятий, ликвидировать мелкие предприятия и сосредоточить промышленность на специально выделенных территориях;

улучшить санитарно-гигиенические условия на территории промышленных районов и прилегающих селитебных районов путем изменения технологии производства, создания наиболее эффективных улавливающих устройств, санитарно-защитных зон или (как крайняя мера) путем вывода из города наиболее вредных по своим выделениям предприятий;

упорядочить промышленный транспорт в пределах всего города и для отдельных промышленных районов, последовательно ликвидируя малодеятельные пути, особенно пересекающие жилые районы, и улучшая транспортные связи между местами приложения труда и местами проживания трудящихся;

расширить и ускорить процесс кооперирования между отдельными предприятиями, между предприятиями и городским хозяйством в целях создания общих транспортных устройств, энергоснабжения, водопровода, канализации, очистки сточных вод;

повысить эффективность использования городской территории, с учетом специализации промышленных районов (рис. 40).

В малых и средних реконструируемых городах часто активно развивается и расширяется их производственная база, строятся новые промышленные предприятия. Размещение новых промышленных районов надо сочетать с планировкой и перспективным развитием этих городов. В проектах реконструкции промышленные районы следует решать в соответствии с технологическими связями отдельных предприятий на основе полной взаимосвязи с улицами, транспортными устройствами и инженерными сооружениями селитебной части городов. В одном промышленном районе группируются предприятия, технологически связанные между собой, имеющие одинаковую степень вредности и одинаковые потребности во внешнем транспорте. Корректируется размещение промышленности и с точки зрения удобств пользования городским транспортом для трудовых поездок населения.

В малых и средних городах при отсутствии больших современных предприятий имеется больше возможностей, чем в крупных городах, для последующего улучшения существующей планировки и застройки промышленных районов и достаточно четкого выделения промышленных территорий по принципу производственной связи и кооперирования предприятий в области инженерно-технического, транспортного и других видов обслуживания. В крупных городах при неудачном размещении старых промышленных предприятий и запрещении строительства новых некоторое улучшение планировки и застройки промышленных районов возможно путем частичного кооперирования в использовании таких обслуживающих технических сооружений и устройств, как теплоэлектроцентрали, сети электропередач, подъездные железнодорожные пути, автодороги и акватории, водопроводные и канализационные устройства.

Часто в старых городских промышленных районах территории используются в пределах 30—40%. Кооперирование обслуживающих цехов и складов, централизация энергетических систем, инженерного оборудования и железнодорожных устройств могут сократить общую территорию промышленного района и способствовать более рациональному ее использованию, следствием чего является возможность разместить в существующих границах этих территорий новые производственные корпуса при расширении действующих предприятий, а в отдельных случаях и обслуживающие учреждения, учебные заведения, зеленые насаждения, а также спортивные площадки.

Увеличение размеров промышленных территорий в реконструируемых городах в связи с расширением действующих предприятий сообразовывается во всех случаях с наличием территориальных возможностей, которые определяются проектами генеральных планов городов, при этом резервные территории промышленности должны иметь достаточные санитарно-защитные зоны. Данные, взятые из примеров проектирования новых промышленных предприятий различных отраслей, показывают, что для металлургических заводов возможно поднять процент застройки с 18—20 до 26—30%, для машиностроительных заводов — с 20—25 до 40—45% для предприятий химической промышленности — с 24 до 35, для предприятий строительной индустрии — до 45—50%. Механизация внутризаводского транспорта позволяет сократить размер промышленных территорий на 10—15%. Эти данные могут быть использованы при реконструкции существующих предприятий, так как большинство из них должно подвергнуться значительному переустройству.

Особое внимание при реконструкции и расширении промышленных районов надо уделять созданию единой транспортной системы, обслуживающей все промышленные предприятия, входящие в пределы района, с рациональным распределением перевозок между различными видами транспорта. Улучшение транспортных связей следует обеспечивать также между местами приложения труда и районами расселения трудящихся.

В старых городах наряду с крупными промышленными районами имеется немало случайно и разновременно возникших мелких производств, разбросанных по всему городу без какой-либо системы. Многие из них находятся в непосредственном соседстве с жилой застройкой, а иногда даже занимают часть жилых зданий. Такого рода предприятия следует выводить за пределы жилой застройки и объединять путем строительства новых корпусов вблизи селитебных территорий, если объединяемые мелкие производства не выделяют производственных вредностей, имеют небольшой грузооборот и не создают шумов, нарушающих условия нормального проживания в жилом районе. При объединении такого рода мелких предприятий целесообразно сооружать многоэтажные универсальные промышленные здания, что может помимо производственных удобств, приблизить места приложения труда к месту жительства и обеспечить их пешеходную доступность.

Наиболее сложной частью реконструкции и упорядочения застройки промышленных районов является вывод за пределы города предприятий, вредных в санитарном отношении, взрыво- и пожароопасных, особенно имеющих крупный грузооборот и не обладающих достаточной санитарно-защитной зоной. Это — крайняя мера, когда исчерпаны все другие возможности устранения неприемлемых в условиях города особенностей предприятия. Само собой разумеется, что вывод предприятий должен в каждом случае быть обоснован в экономическом и санитарно-гигиеническом отношениях и не наносить ущерба развитию данной отрасли промышленности.

При реконструкции промышленных районов города целесообразно предусматривать возможность создания общественного центра промышленного района, входящего в общую систему общественных центров города. В этом центре могут размещаться учреждения культурно-бытового обслуживания трудящихся района: общие для нескольких предприятий фабрики-кухни (заготовочные), предприятия торговли, комбинаты бытового обслуживания, поликлиники, административные здания, электронно-счетная станция, выставочные павильоны и т. д. Иногда в таких центрах могут располагаться (в зависимости от санитарно-гигиенических условий предприятий) общезаводские клубы и спортивные устройства. Необходимость постоянного повышения квалификации рабочих и творческая самодеятельность могут вызвать потребность в школах, техникумах, а повышающаяся роль научных исследований в улучшении производства обусловливает создание научно-исследовательских центров (рис. 41).

При реконструкции промышленных районов или отдельных предприятий, не выделяющих производственных вредностей, возможно создавать комплексные промышленно-селитебные районы на основе объединения производственных территорий и мест расселения трудящихся с единым общественным центром. Создание комплексных районов помимо транспортных удобств позволяет кооперировать инженерно-техническое и коммунально-бытовое обслуживание.

Наряду с промышленностью требуют упорядочения и коммунально-складские устройства. Сейчас они размещены в значительной мере случайно. В процессе реконструкции необходимо оставлять в пределах города только розничные склады, а все другие вынести за пределы города.

При едином государственном планировании коммунально-складское хозяйство получает новые формы централизованного хозяйства. В процессе реконструкции городов ставится цель сократить количество складских участков, бессистемно располагающихся на городской территории, и более целесообразно их разместить, объединив общей системой железнодорожных подъездных путей, автомобильных дорог, инженерного оборудования и благоустройства на основе общих тех-

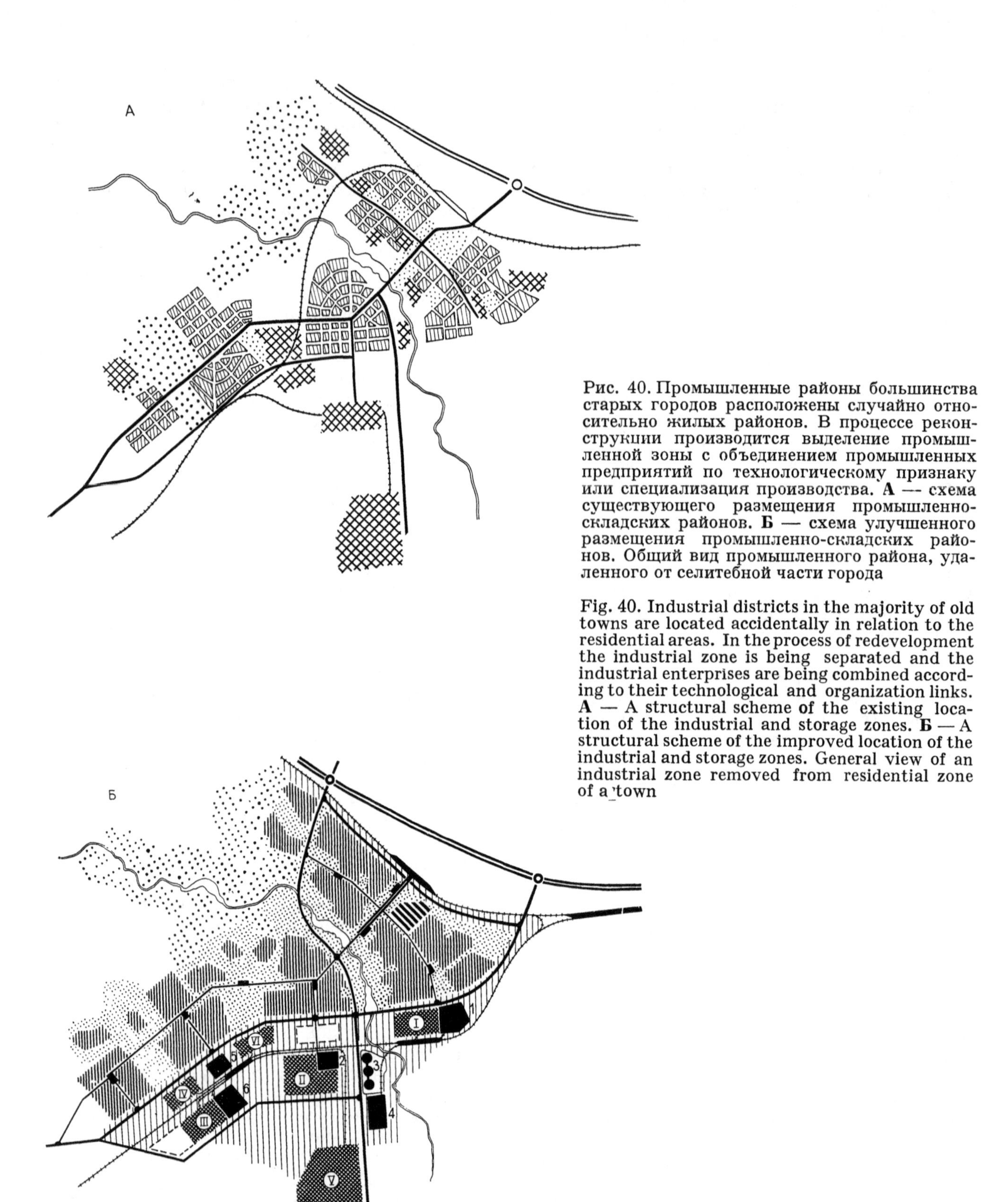

Рис. 40. Промышленные районы большинства старых городов расположены случайно относительно жилых районов. В процессе реконструкции производится выделение промышленной зоны с объединением промышленных предприятий по технологическому признаку или специализация производства. **А** — схема существующего размещения промышленно-складских районов. **Б** — схема улучшенного размещения промышленно-складских районов. Общий вид промышленного района, удаленного от селитебной части города

Fig. 40. Industrial districts in the majority of old towns are located accidentally in relation to the residential areas. In the process of redevelopment the industrial zone is being separated and the industrial enterprises are being combined according to their technological and organization links. **А** — A structural scheme of the existing location of the industrial and storage zones. **Б** — A structural scheme of the improved location of the industrial and storage zones. General view of an industrial zone removed from residential zone of a town

нологических, санитарных и противопожарных требований. Так, например, склады промышленных предприятий сосредоточиваются на специально выделенных территориях промышленных районов или поблизости от них с учетом необходимости централизованного снабжения промышленного узла и хранения однородных грузов для нескольких промышленных районов. Складские территории транспортных коммуникаций включаются в состав территории соответствующего вида транспорта, учитывая вид груза, его транспортабельность и назначение. Склады торговых организаций с предметами массового потребления могут в зависимости от величины располагаться в пределах жилой застройки или на ее периферии. Склады строительных и коммунальных предприятий и других учреждений города надо выносить за пределы его селитебной территории. Склады заготовительных организаций и материальных государственных резервов имеют большие радиусы обслуживания, распространяющиеся на целый экономический район; их следует располагать вне городов.

Рациональное переустройство отдельных промышленных предприятий и складов и объединение их в районы, связанные по технологическому или административно-хозяйственному признаку, не исчерпывают всей проблемы реконструкции мест приложения труда. Рост общественно-политической и хозяйственной деятельности и развитие всех видов общественного обслуживания населения обусловливают увеличение количества городских учреждений: культурных, научных, учебных, торговых, коммунальных, медицинских и др. Они являются наряду с промышленностью более или менее крупными пунктами приложения труда.

В настоящее время численность кадров, занятых в этих учреждениях, составляет от 20 до 40% всего самодеятельного населения в реконструируемых городах различной величины и имеет тенденцию к увеличению в связи с развитием культурно-бытового об-

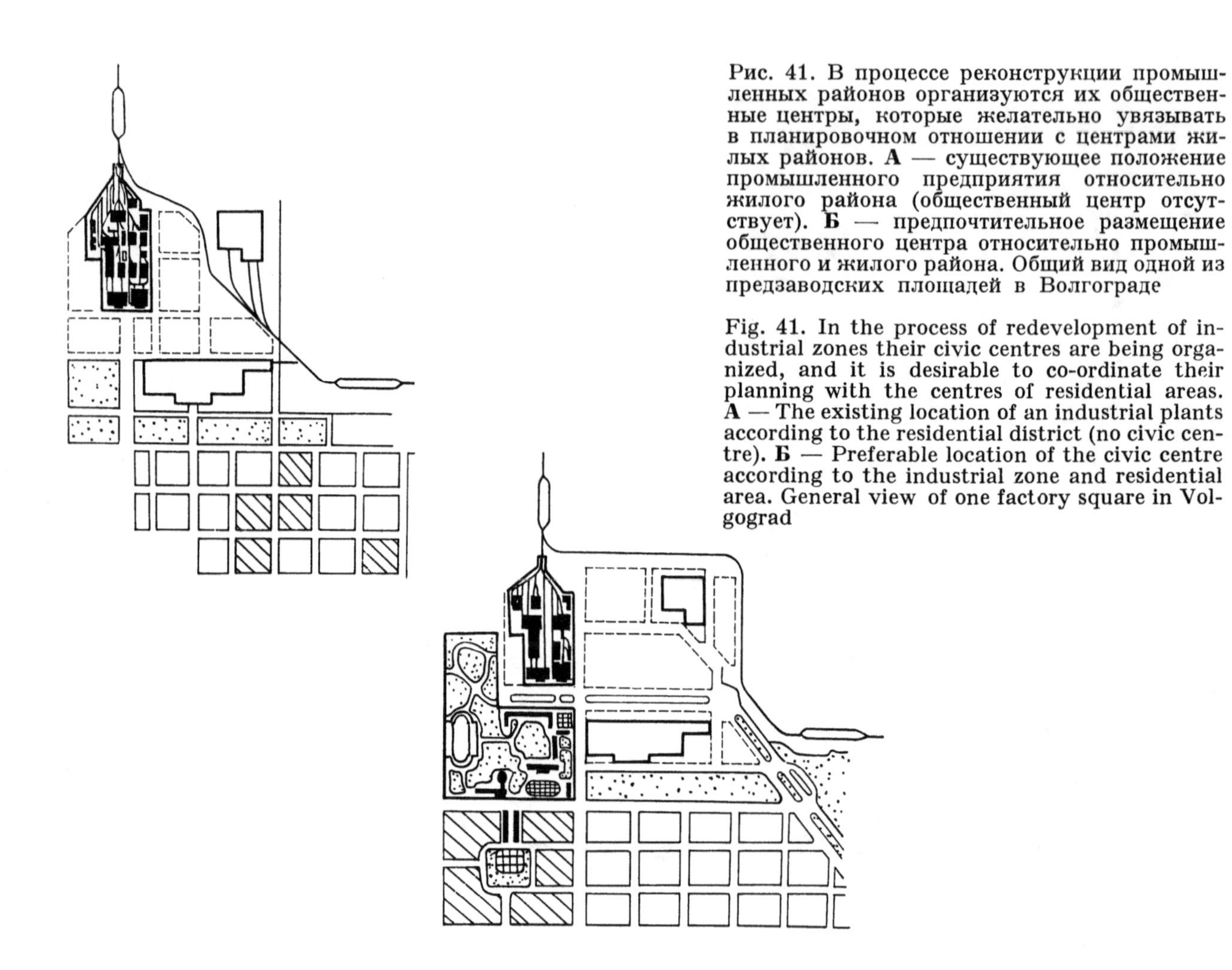

Рис. 41. В процессе реконструкции промышленных районов организуются их общественные центры, которые желательно увязывать в планировочном отношении с центрами жилых районов. **А** — существующее положение промышленного предприятия относительно жилого района (общественный центр отсутствует). **Б** — предпочтительное размещение общественного центра относительно промышленного и жилого района. Общий вид одной из предзаводских площадей в Волгограде

Fig. 41. In the process of redevelopment of industrial zones their civic centres are being organized, and it is desirable to co-ordinate their planning with the centres of residential areas. **A** — The existing location of an industrial plants according to the residential district (no civic centre). **Б** — Preferable location of the civic centre according to the industrial zone and residential area. General view of one factory square in Volgograd

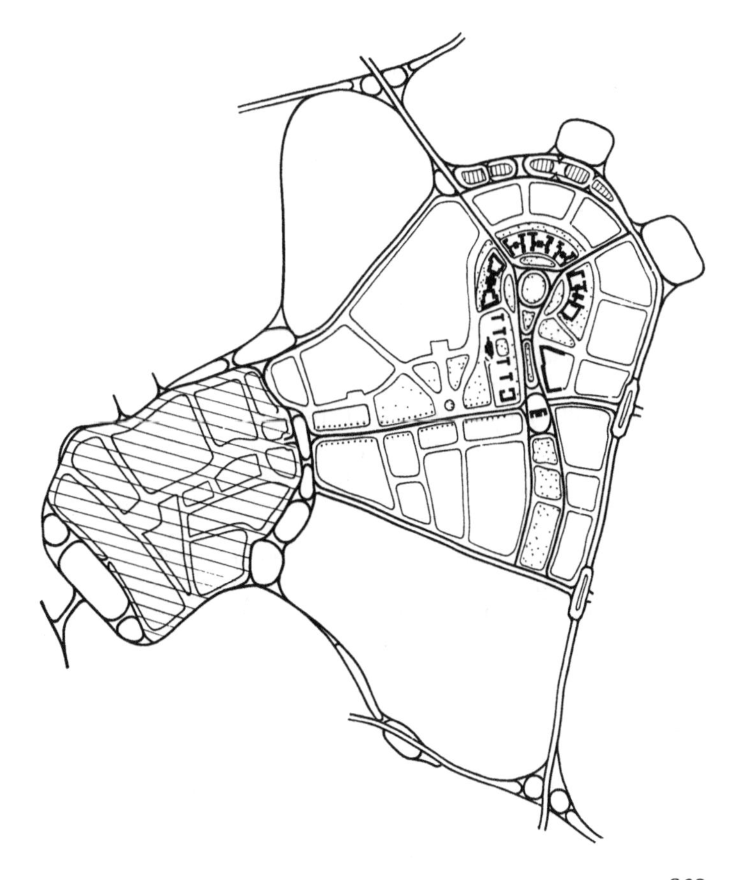

Рис. 42. Район приложения труда, образованный административно-хозяйственными учреждениями, сосредоточивает большое количество занятого здесь населения. В таком районе требуется тщательная организация системы транспортных подъездов и пешеходных подходов к зданиям массового посещения. Общий вид площади Дзержинского в Харькове. Схема размещения группы административно-хозяйственных зданий на центральной площади города

Fig. 42. The area of work-places, formed by the administrative buildings and offices, concentrates a great number of population working here. In such an area a careful organization of the system of transport access roads and pedestrian approaches to buildings of mass attendance is required. A scheme of the location of a group of administrative buildings and offices on the central town square. General view of Dzerzhinskaya Square in Kharkov

служивания. Не исключено, что таких учреждений будет больше, как и занятых в них кадров. Многие из этих учреждений сосредоточены в центре города. Потоки трудящихся, работающих в них, в ряде случаев столь же мощны, как и потоки к промышленным районам, размещенным на периферии. Например, к району площади Дзержинского в Харькове тяготеют 20—25 тыс. трудящихся (рис. 42). Этого нельзя не учитывать при реконструкции застройки. Упорядочение такого рода учреждений является частью более общего вопроса — преобразования административно-общественных общегородских центров.

В отличие от промышленных предприятий, которые имеют относительно устойчивое количество кадров рабочих, ежедневно передвигающихся от места жительства к месту работы по определенным маршрутам, некоторые административно-общественные учреждения общегородского значения имеют гораздо более многосторонние связи, так как обслуживают жителей самых различных частей города. Поэтому административно-обслуживающие учреждения массового посещения располагаются в основном в наиболее доступных и равномерно удаленных местах города, т. е. в его центральном районе, или в составе местных городских центров, где пересекается большинство городских транспортных путей. При этом следует учитывать дальнейшее развитие и увеличение разнообразия форм обслуживания, имея в виду, что даже при передаче ряда государственных функций общественным организациям масштабы административно-организаторской работы останутся достаточно широкими.

Одна из существенных задач реконструкции города в части упорядочения размещения мест приложения труда (наряду с упорядочением промышленных районов) — осуществить более планомерное размещение учреждений различного назначения и их разумное рассредоточение для удобства трудящихся, облегчения нагрузки транспорта, улучшения работы самих учреждений. Должна возникнуть целая сеть улиц местного значения, рассчитанная на обслуживание зданий массового посещения; должны быть предусмотрены автостоянки для машин индивидуального пользования и уточнены маршруты общественного транспорта с удобным размещением остановочно-пересадочных пунктов.

Одновременно с упорядочением размещения мест приложения труда и зданий массового посещения, распределенных более равномерно на территории селитебной и промышленной частей города, необходимо обратить большое внимание на создание развитой сети улиц местного значения.

2. ПЕРЕУСТРОЙСТВО ЖИЛЫХ РАЙОНОВ И ОРГАНИЗАЦИЯ ОБЩЕСТВЕННО-БЫТОВОГО ОБСЛУЖИВАНИЯ

Цель переустройства жилых районов городов — дальнейшее улучшение условий жизни населения. Строительство жилищ тесно связано с организацией массового общественного обслуживания многообразных культурных и бытовых потребностей населения.

Селитебная территория в реконструируемых городах может увеличиться в дальнейшем в 2—2,5 раза в связи с постепенным повышением нормы обеспеченности жилой площадью и развитием придомовых зеленых насаждений, обслуживающих учреждений и устройств. Повышение нормы жилой площади потребует не только освоения новых территорий, но и более целесообразного использования ранее застроенных селитебных территорий.

Как указывалось ранее, строительство жилищ на новых территориях реконструируемых городов и последовательная реконструкция слабозастроенных окраинных районов и переуплотненных жилых кварталов центральных частей города — это разные стороны одной и той же проблемы: коренного преобразования селитебных территорий городов в целом. Однако эта проблема решается разными путями в условиях реконструкции старых жилых кварталов и нового строительства. Создание в ближайшие годы значительного жилого фонда на свободных территориях позволит осуществлять во все более увеличивающихся масштабах реконструкцию жилой застройки тех частей города, где необходимы снос и замена обветшалого и устаревшего фонда, что позволит снизить чрезмерную плотность застройки.

Обновление жилой застройки будет происходить в зависимости от ее технического состояния, прежнего формирования и практического использования. Но во всех случаях реконструкция селитебных зон городов должна осуществляться в направлении постепенного создания структуры микрорайонов и жилых районов, обеспеченных развитой сетью культурно-бытовых учреждений, образующих систему первичных общественных центров.

Основой планировочной структуры реконструированной селитебной зоны города становится ступенчатая система культурно-бытового общественного обслуживания, рассчитанная на данную численность населения и определенный режим пользования: повседневное первичное обслуживание — в микрорайоне, периодическое обслуживание — в пределах жилого района и эпизодическое обслуживание — в общегородском центре. Такая система обеспечивает полное удовлетворение всех потребностей населения, удобство пользования всеми видами обслуживающих учреждений и экономическую целесообразность построения сети учреждений обслуживания. Преобразование квартальной системы планировки и застройки жилых зон в микрорайонную — сложный процесс, происходящий по-разному в окраинных районах с ветхими малоценными домами и в центральных районах с большим количеством капитального жилого фонда.

Во многих случаях экстенсивно застроенные территории можно рассматривать уже на ближайшую перспективу как значительные внутренние резервы для размещения нового жилищного строительства. Реконструкция таких территорий с одноэтажной, преимущественно ветхой застройкой уже осуществляется в ряде городов. Так, например, в части центрального района одного из сибирских городов старая ветхая застройка сплошь заменена, а квартальная система преобразована в микрорайонную. В ходе реконструкции мелкие кварталы были укрупнены и застроены 3—4—5-этажными домами, в связи с чем их общая жилая площадь увеличилась с 14 800 до 151 600 $м^2$, а плотность жилого фонда (нетто) доведена с 430 до 5150 $м^2/га$. Перестроенная часть центрального района полностью благоустроена, озеленена, имеет основные учреждения общественного обслуживания (ранее полностью отсутствовавшие) и полное инженерное оборудование. Работы по сплошной реконструкции центрального района города продолжаются (рис. 43).

Сравнительные расчеты показывают, что реконструкция жилых районов и кварталов со сносом малоэтажного ветхого малоценного фонда по сравнению со строительством на новых территориях стоит примерно одинаково или в ряде случаев даже меньше. Анализ проектных данных по размещению жилищного строительства на 1959—1965 гг. в различных городах показал, что стоимость 1 $м^2$ жилой площади при строительстве на свободных территориях приближается к стоимости строительства в реконструируемых районах (табл. 9).

ТАБЛИЦА 9

Город	Затраты на 1 $м^2$ жилой площади в руб.	
	на новых территориях	в районах реконструкции
Москва	194	193
Горький	150	156
Куйбышев	160	153
Калуга	150	140
Оренбург	145	144
Владимир	140	135
Свердловск	160	130

Примечание. Показатели даны в ценах для Москвы на 1961 г.

Сравнительно незначительные колебания стоимости в разных городах объясняются местными условиями, характером сносимого фонда и характером компенсации, получаемой взамен сносимых зданий. Эти местные особенности проявляются более ясно при сравнении затрат по отдельным видам строительства в новых и реконструируемых районах. Для сравнения взяты данные по городам Оренбургу, Туле, Владимиру, Омску (табл. 10).

ТАБЛИЦА 10

Вид строительства	Затраты на 1 $м^2$ жилой площади в руб.	
	в районах нового строительства	в районах реконструкции
Жилищное строительство и внутреннее благоустройство	118,7—135	118,7—135
Жилищное строительство взамен сносимого жилого фонда (компенсация)	—	1,4—15
Культурно-бытовое строительство	11,2—18,2	5—17
Подземные инженерные коммуникации и озеленение	4,2—7,1	2,3—5,8
Дороги и транспорт	0,3—3,7	0,4—3,7
Инженерная подготовка территорий	0,5—0,7	0,7—1,1

В целом затраты колеблются между освоением новых и реконструируемых районов указанных четырех городов в пределах от 140,6 до 161,6 руб. на 1 $м^2$ жилой площади в новых районах и от 132,5 до 143,4 руб. на 1 $м^2$ жилой площади в реконструируемых.

Показатели строительства культурно-бытовых учреждений на новых и реконструируемых территориях разнятся в зависимости от того, насколько реконструируемый район уже обеспечен учреждениями обслуживания. Что касается существующего инженерного оборудования (водопровод, канализация, теплоснабжение, газификация) и проведенных ранее мероприятий по инженерной подготовке (вертикальная планировка, дренаж и др.), то они могут быть учтены лишь частично, так как имеющиеся коммуникации не всегда могут обеспечить новое строительство из-за увеличения общего объема жилого фонда, роста норм потребления, повышения степени благоустройства и др. Обветшавшее оборудование обычно требует замены из-за неудовлетворительного технического состояния. Тем не менее степень возможного использования отдельных видов инженерного оборудования и осуществленных мероприятий по инженерной подготовке территории (особенно в тех районах, где сети проложены сравнительно недавно) в некоторых случаях доходит до 75%. При этих условиях использование существующих дорог и инженерных сетей в реконструируемых жилых районах с малоценной застройкой является одним из путей снижения единовременных затрат на строительство.

Разумеется, замена одноэтажной ветхой застройки современной капитальной застройкой, имеющей все инженерное оборудование, всегда дает большие удобства населению, и количество жителей, которое можно разместить на таких реконструированных, ранее экстенсивно застроенных территориях, увеличивается.

Во многих городах велик процент старой двухэтажной, преимущественно деревянной застройки. Так, например, в Москве, Архангельске, Вологде, Иванове, Костроме, Перми она все еще составляет от 10 до 40%. Поэтому вслед за обновлением районов с одноэтажным устарелым жилым фондом будет в ближайшие два десятилетия осуществляться реконструкция и районов двухэтажной застройки.

Примером может служить реконструкция жилых кварталов в одном из больших городов (рис. 44). Здесь 1—2-этажная, преимущественно деревянная или смешанная застройка плотностью (нетто) до 4000 *м²/га* заменяется капитальными 5—9-этажными домами. Вместо небольших, изолированных заборами участков созданы обширные озелененные дворы, площадки для игр, построены детские учреждения и другие предприятия обслуживания. В результате реконструкции плотность жилого фонда (нетто) увеличилась с 4100 до 5600 *м²/га*, а средняя этажность застройки возросла с 3,9 до 5,2; площадь зеленых насаждений общего пользования увеличилась с 1,9 до 3,6 *м²*, а величина участков для размещения культурно-бытовых и обслуживающих зданий — с 3 до 9 *м²* на человека. Все же сеть общественных учреждений повседневного обслуживания оказалась здесь недостаточно развитой из-за желания разместить на территории первой очереди реконструкции возможно большее число жилых домов. Некоторые учреждения обслуживания здесь расположены на случайных местах и встроены в первые этажи жилых домов. Не осталось достаточного места для учреждений периодического общественного обслуживания и для зеленых насаждений общего пользования. Поэтому при дальнейшей реконструкции района необходимо будет предусмотреть места для удобного размещения недостающих учреждений обслуживания с тем, чтобы после завершения реконструктивных работ по району полностью обеспечить население всеми видами общественного обслуживания.

В тех же условиях, но более последовательно намечены работы по реконструкции застройки жилых кварталов, примыкающих к Лиговскому проспекту в Ленинграде (рис. 45). Это пример последовательной реконструкции плотно застроенного жилого района, рассчитанной на три очереди. Работа началась с расчистки территории от устаревшего жилого фонда, строительства необходимых обслуживающих учреждений и улучшения внешнего благоустройства. Шесть маломерных кварталов объединяются в микрорайон площадью до 27 *га* с населением до 12 тыс. человек (при норме жилой площади 9 *м²* на человека). Характер реконструктивных мероприятий на каждом этапе виден из табл. 11.

ТАБЛИЦА 11

Показатели	До реконструкции	Этапы намечаемой реконструкции		
		I	II	III
Площадь культурно-бытовых учреждений (к общей площади микрорайона) в %	7,4	18	21,4	21,4
Площадь зеленых насаждений микрорайона (к общей территории) в %	7,3	68	67	69,5
Объем жилищного строительства (к суммарному объему) в %	—	22,5	61,5	16
Объем сноса жилого фонда (к существующему положению) в %	—	4,8	24	33
Плотность жилого фонда в *м²/га*:				
брутто микрорайона	3900	4000	4000	3750
нетто жилых территорий	6000	6400	7000	6600

Количество жилых домов уменьшается, но остающиеся здания надстраиваются. Появляется ряд новых домов повышенной этажности, что позволяет сохранить плотность жилого фонда в пределах 4000 *м²/га* при большом снижении процента застройки. Освободившаяся от сноса ветхого фонда территория используется для озеленения и размещения учреждений обслуживания. Благодаря снижению площади застройки с 34 до 18%, сокращению длины внутриквартальных проездов с 10,4 до 6,8% и другим мероприятиям в реконструируемом микрорайоне норма обеспеченности зелеными насаждениями увеличится с 0,8 до 15 *м²* на человека. Кроме того, будет выделена достаточная (до 20%) территория для размещения общественных обслуживающих зданий. Предполагается провести значительные работы по усовершенствованию транспортной сети района; намечено

Рис. 43. Реконструкция жилого района в центре старого промышленного города с полным сносом существующего фонда. Общий вид центральной части города до и после реконструкции. **А** — схема старой застройки района; **Б** — схема застройки района после реконструкции

Fig. 43. The redevelopment of a residential district in the central area of the old industrial town in with the total pulling down of the existing structures. General view of the central area before and after their redevelopment. **А** — A sketch of the old development of the district. **Б** — A sketch of the redeveloped district

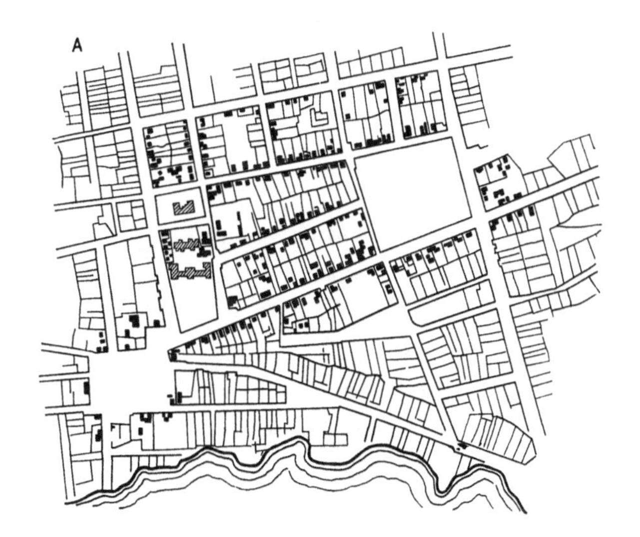

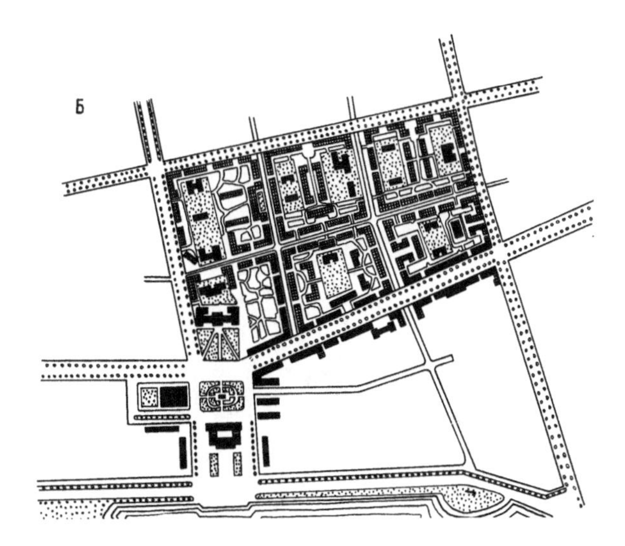

В

Магистральные улицы
Местное движение
Пешеходное движение
Сады при детских учреждениях
Сады микрорайонов
Сады жилого района
Продовольственные магазины
Промтоварные магазины
Универмаги
Детские учреждения
Школы
Клубы, кинотеатры

Рис. 44. Единовременная реконструкция жилого района с небольшим количеством капитального опорного фонда. **А** — схема старой застройки с выделением опорного фонда. **Б** — схема реконструкции района. **В** — схема общественного обслуживания района. **Г** — схема озеленения района. **Д** — схема путей сообщения. Общие виды старой и новой застройки

Fig. 44. Simultaneous redevelopment of a residential district with a small basic fund of buildings. **A** — A sketch of the old development with pointing out the fund of basic buildings. **Б** — A sketch of the redevelopment district. **В** — Scheme of the location of social services in the district. **Г** — A sketch of the green development district. **Д** — A sketch of the network of regional transport. General viewes of new and old development

расширить проезжую часть городской магистрали путем устройства тротуаров в галереях первых этажей и уменьшить количество выездов из микрорайона непосредственно на магистраль. После завершения реконструкции количество жителей в пределах этого района останется примерно тем же, но им будут предоставлены лучшие условия жизни.

Необходимо отметить, что эффективность реконструкции такого рода кварталов может быть повышена, так как принятый процент застройки не является предельным, а территория, намеченная под озеленение, в условиях реконструкции может быть уменьшена.

При анализе условий, в которых происходит реконструкция кварталов, примыкающих к Лиговскому проспекту, может возникнуть вопрос, что же в данном случае предпочтительнее — реконструкция или комплексный капитальный ремонт? Ответ на этот вопрос дается в зависимости от наличия капитальных зданий и их сохранности. Так, на-

А

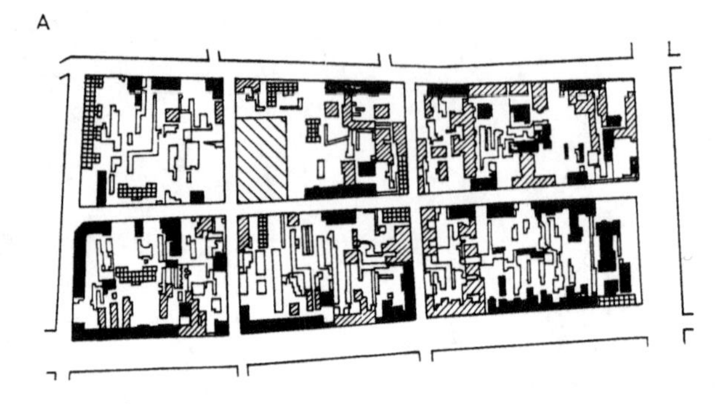

Б

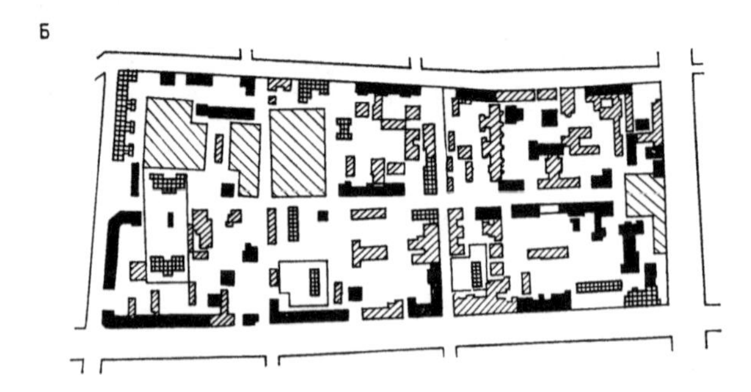

В

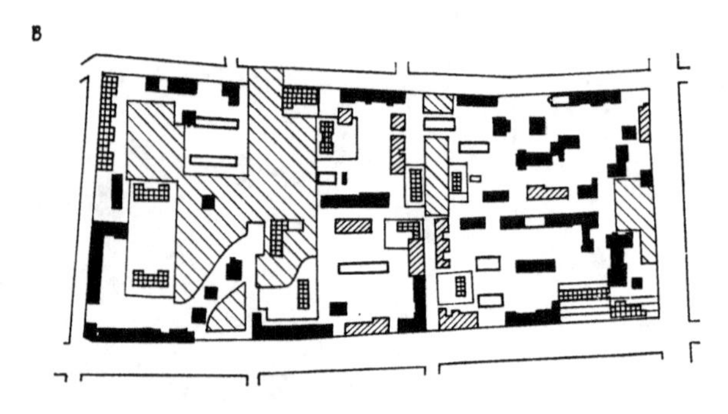

Г

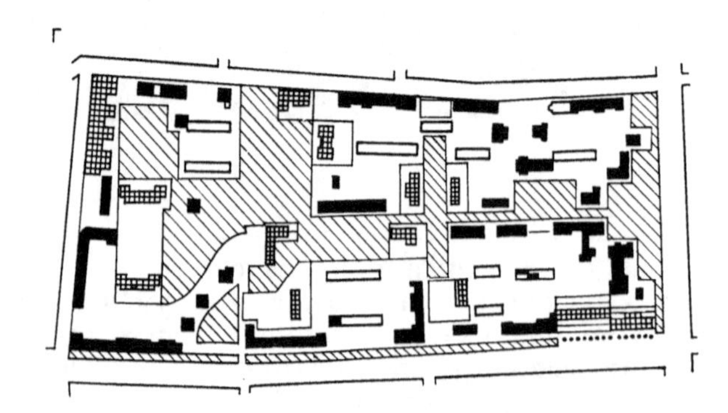

Сохраняемый капитальный жилой фонд
Сносимый капитальный фонд
Сносимая ветхая застройка
Новые жилые здания
Общественные здания
Общественная зелень

пример, при преобладании зданий, степень износа которых не превышает 40%, возможен комплексный капитальный ремонт с обеспечением благоустройства территории и устройством нужного количества учреждений первичного общественного обслуживания.

Гораздо более сложна реконструкция центральных кварталов крупнейших капитально застроенных городов с многоэтажной застройкой и плотностью жилого фонда более чем 3000—4000 *м²/га*. Широкая реконструкция такой застройки не может осуществляться в ближайшее время, так как требует больших материальных и финансовых затрат. Целесообразны лишь разработка проекта реконструкции и проведение подготовительных работ. Может быть начато освобождение жилых кварталов от инородной застройки — сараев, мелких гаражей, мастерских и предприятий, затрудняющих нормальную эксплуатацию жилых территорий. Необходимо подчеркнуть, что выборочная застройка отдельными жилыми домами и учреждениями обслуживания привела в ряде случаев к увеличению плотности застройки, в результате чего в ряде капитально застроенных кварталов были сведены к минимуму свободные от застройки территории, которые можно было бы использовать для развития сети обслуживания, детских учреждений и озеленения. Между тем учреждения различных видов культурно-бытового обслуживания распределены неравномерно и иногда недостаточны по количеству; дополнительные места для их развития, как правило, могут выделяться лишь по мере сноса старых зданий.

В качестве примера кварталов капитальной старой застройки, подлежащих будущей реконструкции, можно привести группу жилых кварталов на территории 40 *га* в центре крупного города (рис. 46). Плотность жилого фонда здесь доходит до 5500 *м²/га*, а процент застройки, включая хозяйственные постройки, — до 60, достигая в отдельных местах 80—90. Жилые дворы незначительны по размерам — на одного жителя приходится 3 *м²*

Рис. 45. Проект поэтапной реконструкции жилого района с небольшим количеством капитального фонда (на примере района Лиговки в Ленинграде). **А** — схема размещения опорного фонда. **Б, В** — схемы первого и второго этапов реконструкции. **Г** — схема конечной реконструкции

Fig. 45. A project of stage redevelopment of a residential district with a small fund of basic buildings (the district of Ligovka in Leningrad is the example). **А** — A sketch of the location of the basic fund. **Б** and **В**—The sketches of the first and second stages of redevelopment. **Г**—A sketch of the final stage of redevelopment

свободной и 0,5 $м^2$ озелененной территории при полном отсутствии зелени общественного пользования. Кроме того, на территории жилого района находятся административные, транспортные и складские устройства, занимающие до 11,5% всей территории. Высокая плотность застройки и крайне узкие разрывы между домами (в 0,5—1,5 их высоты) являются причиной недостаточной инсоляции дворов и неудовлетворительного естественного освещения квартир и их проветриваемости. Частая сеть интенсивно используемых проездов создает непрерывный шумовой фон во всем жилом массиве.

Как уже отмечалось, комплексное переустройство такого рода кварталов не может быть первоочередным, вероятно, будет осуществляться длительно, поэтапно, на протяжении многих лет.

В экспериментальном проекте (вариант **А**) реконструкции упомянутой группы кварталов предусматривается сохранение в перспективе существующего капитального жилого фонда с постепенным приспособлением его к современным требованиям. Первичной планировочной ячейкой культурно-бытового обслуживания будет группа жилых домов. В процессе разработки предварительных проектных решений по исследуемому массиву размер жилой группы определился в 13—16 тыс. $м^2$ жилой площади, что при норме жилой площади 9 $м^2$ на человека соответствует количеству населения 1,5—1,8 тыс. человек. При таких размерах жилых групп учреждения первичного обслуживания можно разместить в радиусе не более 150 *м* от жилья. При постепенной, последовательной реконструкции для размещения культурно-бытовых учреждений приходится приспосабливать существующие здания. Поэтому конечные результаты реконструкции корректируются местными условиями и сложившейся ранее застройкой (рис. 46, **А**).

В другом экспериментальном проекте (вариант **Б**) предложено осуществить реконструкцию в более короткие сроки, сохранив меньшую часть жилого фонда. В этих условиях возникают более благоприятные условия для формирования полноценных микрорайонов и создания четкой архитектурно-планировочной организации как отдельных жилых групп, так и микрорайона в целом. Увеличиваются свободные пространства между зданиями, что позволяет создать сады непосредственно при жилых домах и разместить при каждой жилой группе детские учреждения, рассчитанные на полный охват детей этой группы домов и располагаемые на обособленном участке. Сделана попытка выделить большие участки для сада и спортивных площадок, что важно при общем недостатке зеленых территорий в жилых районах центра города (рис. 46, **Б**).

Примерные сравнительные показатели вариантов **А** и **Б** (длительная и единовременная реконструкция) при примерной норме жилой обеспеченности 15 $м^2$ на человека приведены в табл. 12.

ТАБЛИЦА 12

Элементы территории	Вариант А — длительная реконструкция		Вариант Б — единовременная реконструкция	
	Площадь территории в %	Плотность населения в $м^2$ на человека	Площадь территории в %	Плотность населения в $м^2$ на человека
Жилая зона	62	28	53	24
Участки культурно-бытовых учреждений	19	8,7	23	10,4
Зеленые насаждения общего пользования и физкультурные площадки	14,7	6,6	19,6	8,9
Проезды	4,3	2	4,4	2
Плотность жилого фонда (нетто) в $м^2/га$	5350		6200	
Плотность жилого фонда (брутто) в $м^2/га$	3300		3300	

Приведенные данные позволяют сделать вывод, что при более быстрой реконструкции можно добиться лучших результатов. Но этот вариант требует больших единовременных затрат и, несмотря на некоторые преимущества, уступает варианту постепенной поэтапной длительной реконструкции в силу его большей реальности. При всех случаях реконструкции жилой застройки особое внимание должно быть обращено на то, чтобы каждый этап реконструкции представлял собой законченный цикл комплексных мероприятий по улучшению условий жизни населения.

При реконструкции районов с плотной капитальной застройкой возникает вопрос о возведении домов повышенной этажности, позволяющих разместить большее количество жилой площади без ухудшения санитарно-гигиенических условий жизни населения.

В настоящее время стоимость возведения отдельно взятого крупнопанельного 9-этажного жилого дома выше стоимости 5-этажного дома на 3—8%. Степень удорожания зависит от типа дома, инженерных конструкций, организации строительных работ и др. Эксплуатационные расходы для 9-этажного дома также увеличиваются до 15% в связи с содержанием лифтового хозяйства.

Однако если сравнивать не отдельные жилые дома, а целый жилой комплекс, то представляется возможным добиться выравнивания расходов на строительство 5- и 9-этажных домов. За счет благоустройства территории, инженерного оборудования и транспортного обслуживания снижение стоимости может достигнуть 25% на 1 м² жилой площади. Это объясняется возрастанием плотности жилого фонда и снижением плотности застройки, которых можно добиться при увеличении высоты застройки с 5 до 9 этажей. Повышение этажности застройки может дать также некоторый экономический эффект в отношении зданий культурно-бытового обслуживания населения жилого района — примерно до 8% на 1 м² жилой площади, но лишь в том случае, если такое повышение будет связано с увеличением общей численности населения данного микрорайона.

Если рассматривать суммарные строительные затраты при застройке жилого района зданиями в 5 и 9 этажей, то дополнительные строительные затраты по 9-этажным крупнопанельным зданиям могут быть компенсированы и даже перекрыты экономией средств, затрачиваемых на сети инженерного оборудования, на благоустройство, прокладку дорожной сети и использование общественного транспорта. Общая экономия денежных средств в расчете на 1 м² жилой площади доходит до 2,5—5 руб., а иногда и больше. Как показали расчеты, здания повышенной этажности можно допустить в условиях Мурманска, Архангельска, Киева, Ленинграда и других крупных городов. В табл. 13 дан сравнительный анализ стоимости застройки 5- и 9-этажными домами жилых районов центрального района в Новосибирске, района Большие овраги в Горьком и центрального района Мурманска (стоимость дана в руб. на 1 м² жилой площади).

Как видно из таблицы, 9-этажная застройка оказалась дешевле примерно на 2—4% за счет главным образом работ по благоустройству и инженерной подготовке территории строительства. Исходя из градостроительных требований предпочтительно применять смешанную застройку в 5—9 этажей. К этому следует добавить, что повышение высоты застройки до 9 этажей наиболее целесообразно в крупных городах, где инженерные сооружения, за счет которых выравнивается стоимость строительства жилых районов с домами той и другой этажности, более капитальны, а следовательно, требуют больших затрат для своего осуществления. Экономический эффект, получаемый от повышения этажности жилой застройки (по строительным затратам), может быть увеличен на 15% для города в 500 тыс. человек (по сравнению с городом в 30 тыс. человек), а для города в 1 млн. жителей — почти в 2 раза.

ТАБЛИЦА 13

Характер затрат	Центральный район Новосибирска		Район Большие овраги в Горьком		Центральный район Мурманска	
	Количество этажей					
	5	9	5	9	5	9
Жилая застройка....	123,7	128,9	117,6	122,4	139,5	153,4
Инженерное оборудование и благоустройство	26	20,2	38,92	29,73	102,4	83,5
Объекты культурно-бытового обслуживания	19	18,8	15,5	14,7	—	—
Затраты на снос строений........	42,6	33,2	46,8	36	—	—
Всего...	211,3	201,1	218,82	202,83	241,9	236,9

Однако из приведенных сравнительных данных не следует делать непосредственный вывод об экономической эффективности 9-этажной застройки во всех случаях. Условия, способствующие суммарному снижению затрат при увеличении этажности, должны быть каждый раз проверены в отношении топографии местности, характера грунтов, гидрологических условий, объема и качества сноси-

Рис. 46. Проект перспективной реконструкции плотно застроенного жилого района с большим количеством капитального фонда (на примере центральных кварталов крупного города). Существующая застройка (макет). **А** — схема размещения опорного фонда. **Б** — схема конечной стадии реконструкции. **В** — сравнительно аналитические схемы организации общественного обслуживания, транспорта и озеленения при единовременной и поэтапной реконструкции ▶

Fig. 46. Proposed redevelopment of a densely built residential district with big fund of basic buildings (central blocks of the big city are the example). The existing development of the district (model); **A** — A sketch of the location of the basic fund. **Б** — A sketch plans of the final stage of redevelopment. **B** — Comparative analytic schemes of the organization of social services, transport and landscaping by simultaneous and staggered redevelopment

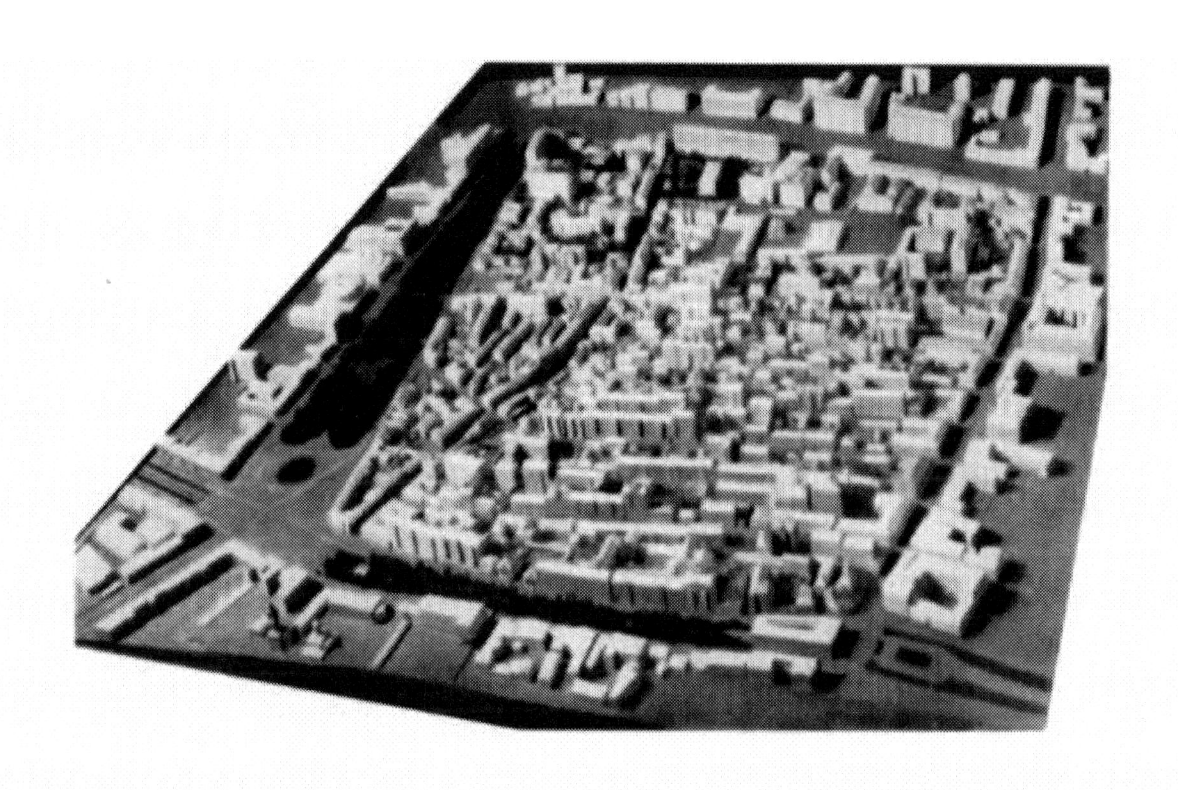

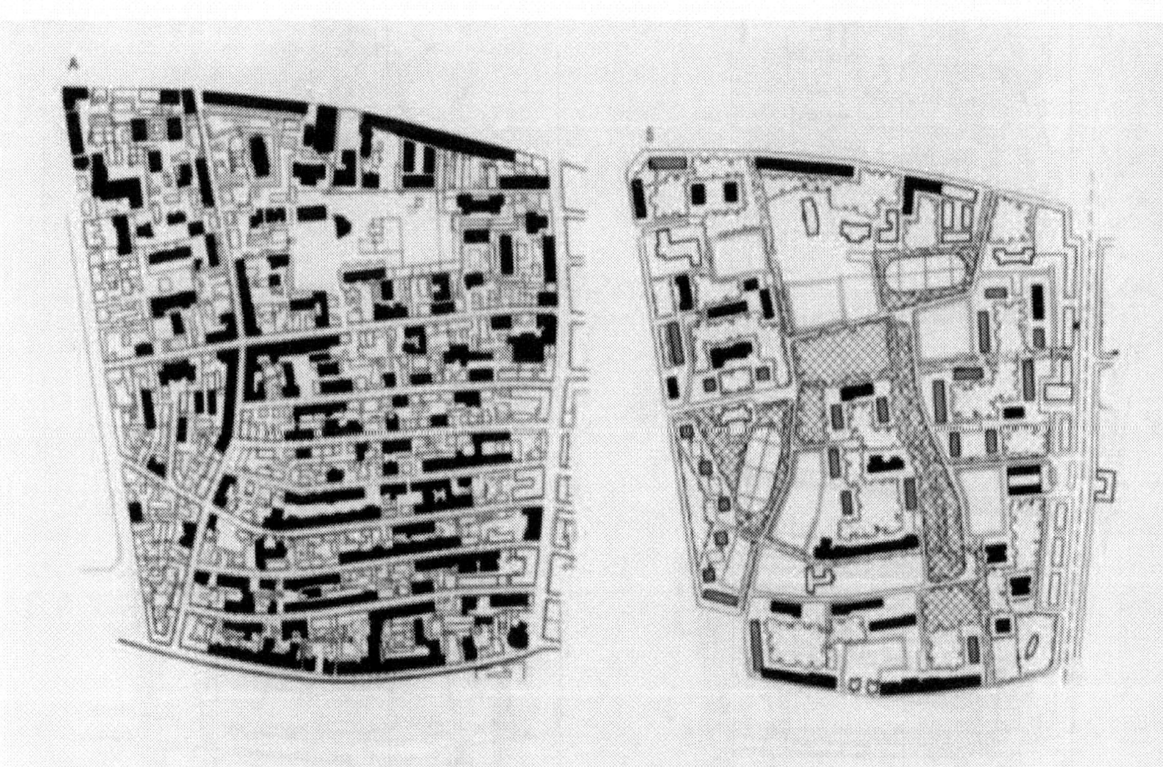

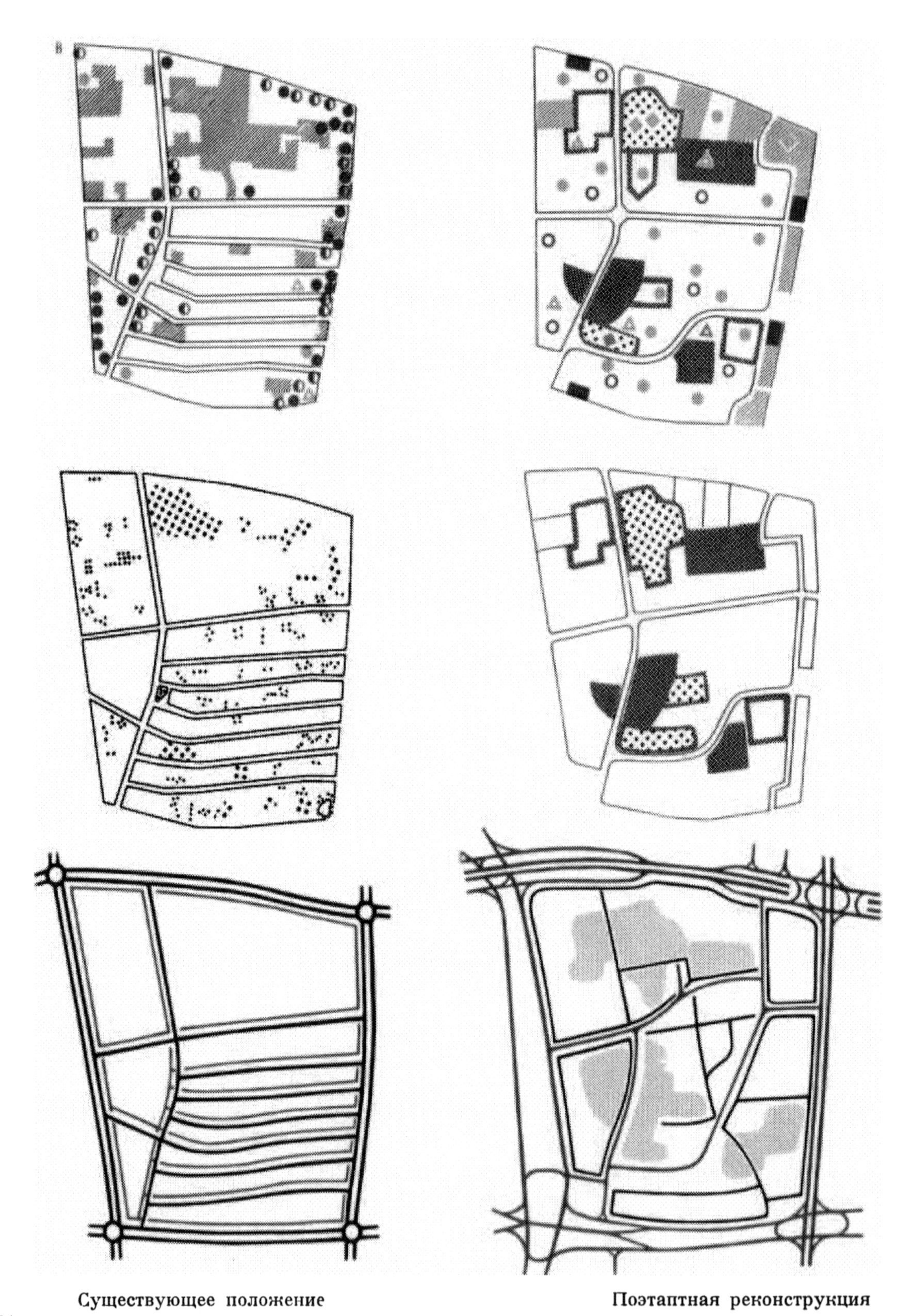

Существующее положение

Поэтаптная реконструкция

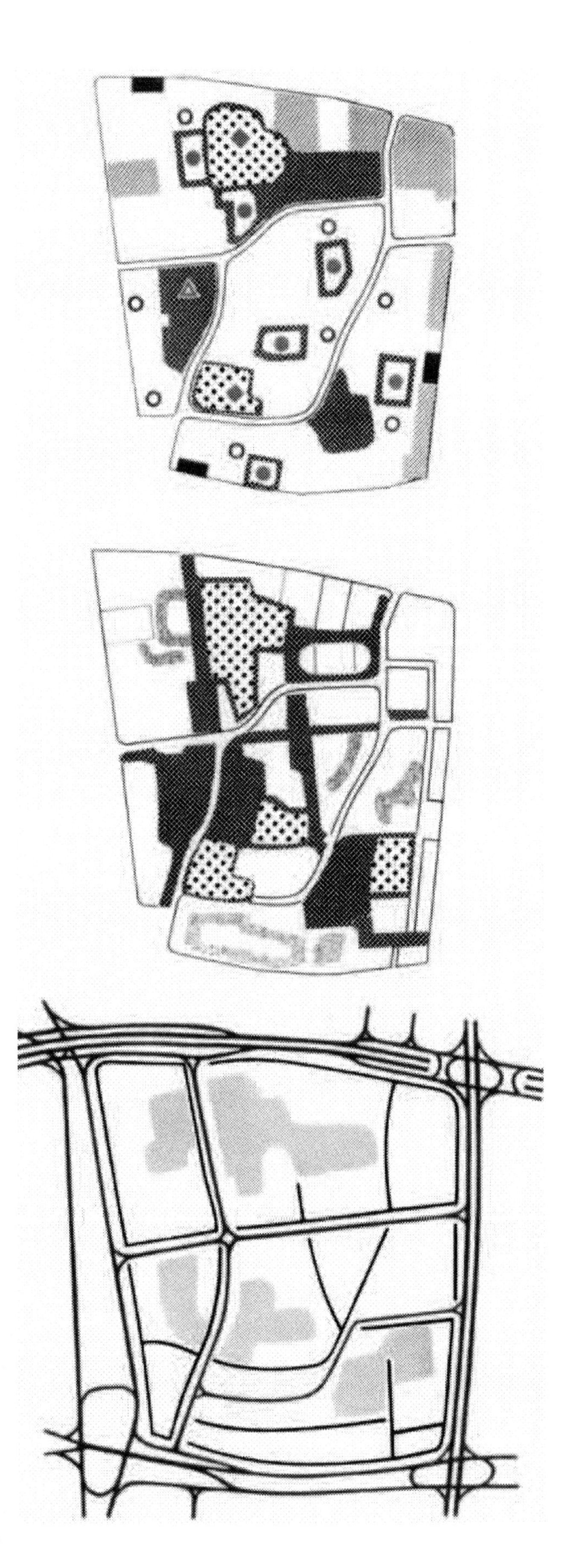

Единовременная реконструкция

мой застройки, типа вновь возводимых зданий и т. д. В каждом конкретном случае необходимо производить проверочный расчет и анализ технико-экономических показателей путем разработки сравнительных схем планировки и застройки данного жилого района, его инженерного оборудования и благоустройства с учетом стоимости сносимых зданий и стоимости убыли жилищ, т. е. затрат на расселение жильцов сносимого ветхого фонда.

Что касается строительства жилых домов в 16 этажей и выше, то их стоимость по сравнению с домами в 9 этажей в настоящее время превышает 5—10%. В этих условиях экономия за счет организации культурно-бытового обслуживания, инженерного оборудования и благоустройства не перекрывает разницу в строительной стоимости зданий той и другой этажности. Нужны особые условия, например неблагоприятные грунты (скала или торфяники), резко удорожающие нулевой цикл строительства, отсутствие или ограниченность территорий для развития города, чтобы добиться относительно благоприятных экономических показателей для введения в жилую застройку домов в 16 этажей. Поэтому, если в ряде случаев можно рекомендовать при тщательных и всесторонних технико-экономических обоснованиях реконструкцию жилой застройки с применением 9-этажных домов, то дома большей этажности следует допускать преимущественно в составе смешанной застройки реконструируемого жилого района.

Замена в процессе реконструкции малоэтажных домов новой многоэтажной застройкой ведет в отдельных районах к увеличению плотности жилого фонда, снос же части домов в переуплотненных частях города несколько снижает плотность их застройки. Это постепенно приводит к выравниванию общей средней плотности застройки всей селитебной территории города. Увеличение плотности застройки в пределах нормативов обеспечивает более экономичное использование территории и сокращает стоимость инженерного оборудования, приходящуюся на 1 $м^2$ жилой площади, но повышение плотности сверх нормативов за счет сокращения участков школ, детских учреждений и других объектов общественного обслуживания неминуемо ведет к ухудшению условий жизни населения и не должно допускаться.

Часть жилых домов выходит на магистральные улицы. Сложившаяся ранее периметральная застройка неудобна для населения. Исправить это положение — важная часть работы по реконструкции. Если в условиях сплошного сноса старого фонда и полного обновления застройки имеется воз-

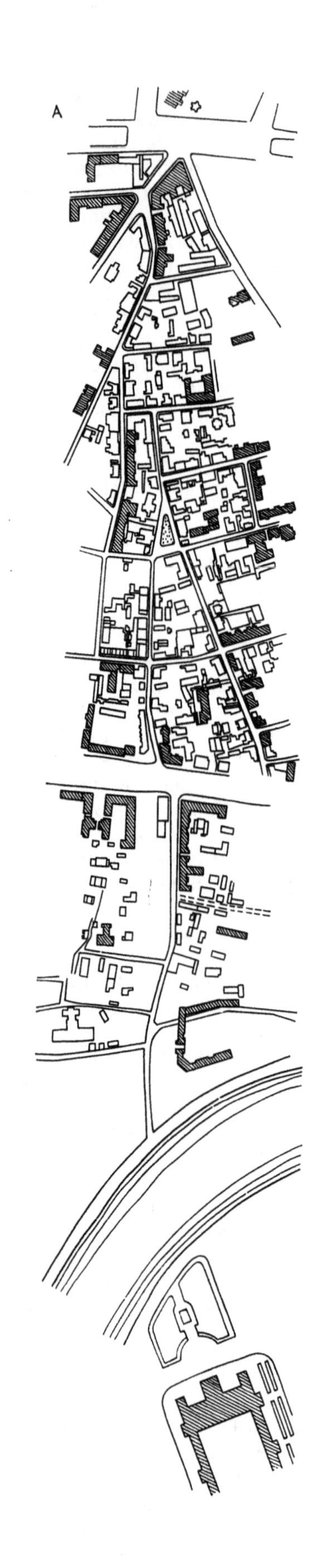
А

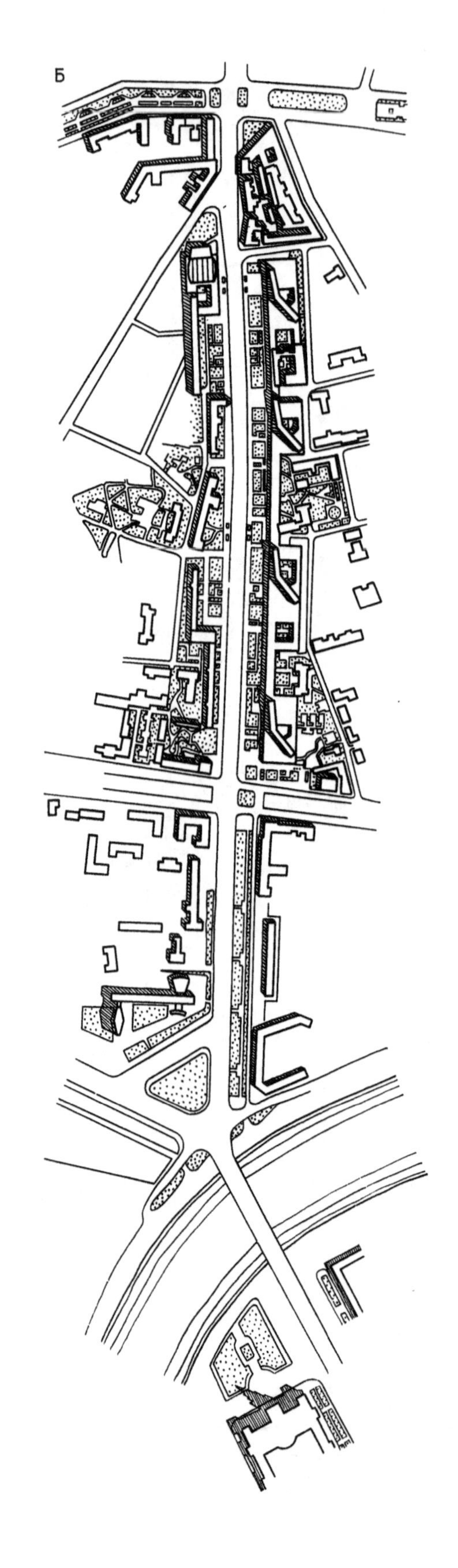
Б

Рис. 47. Реконструкция жилой застройки вдоль магистральных улиц (на примере района проспекта Калинина в Москве). **А** — схема застройки района до реконструкции. **Б** — проект застройки района проспекта Калинина. Конечный этап реконструкции проспекта Калинина (макет). Общий вид старой застройки района

Fig. 47. Proposed construction of a new area of Kalinin Avenue in Moscow. An example of redevelopment. **A** — A sketch of the building of the area before redevelopment. **Б** — Proposed development scheme of the Kalinin avenue area. The final stage of the Kalinin avenue redevelopment (model). General view of the old development of the area

можность отодвинуть жилые дома от магистрали и проложить достаточной ширины полосы защитного озеленения (рис. 47), то в условиях капитальной многоэтажной застройки увеличить ширину улиц и создать защитные зоны нельзя. В этих случаях надо стремиться к радикальному снижению движения на магистрали и превращению ее в обычную жилую улицу. При этом необходимо создать новую транспортную магистраль-дублер, отвечающую современным градостроительным требованиям.

3. ПРЕОБРАЗОВАНИЕ ОБЩЕГОРОДСКИХ ОБЩЕСТВЕННЫХ ЦЕНТРОВ

В советских городах большую роль играет общегородской центр как место сосредоточения общественной деятельности всего городского населения. Однако центр города не противопоставляется всей остальной его застройке.

Общественные центры современного советского города представляют собой взаимосвязанную систему, которая включает центр общегородского значения, целый ряд местных центров, обслуживающих жилые и промышленные районы, и, наконец, широко развитую первичную сеть повседневного обслуживания. Такая система обеспечивает наилучшие условия для полноценного общественного обслуживания населения. В этой системе главенствующее положение остается за общегородским центром.

Кроме того, в городах создаются или развиваются специализированные центры — лечебные, научно-исследовательские, учебные и др., которые предпочтительнее размещать вне системы административно-общественных центров, в периферийных, а иногда и пригородных районах исходя из специфических требований каждого из этих центров.

Независимо от того или иного планировочного решения, общегородские административно-общественные центры являются узловыми пунктами планировочной структуры и пространственной композиции всего города, они объединяют план города и определяют в значительной мере общий характер его застройки. Без них город распадается на ряд частей, не связанных архитектурно-пространственным замыслом. Во внешнем облике общественных центров все яснее проступают отличительные черты советского общества, его подлинная демократическая сущность. Именно в них может быть ярко выражена идейная, социальная основа общества при помощи разнообразных градостроительных средств, отражающих особенности нашего времени.

Общая задача реконструкции общественных центров городов — привести их в соответствие с современными социально-политическими и деловыми требованиями и поднять их значение как мест средоточия общественной жизни, многообразной в своих проявлениях. Развитие общественной жизни и организация системы общественных центров станут все более определяющими факторами в формировании планировочной структуры города, предъявляющими к ней большие специальные требования. Не считаться с этим невозможно.

В градостроительной практике 1935—1960 гг. планировочная структура городов и их центральных районов не всегда решалась в соответствии с задачами по упорядочению планировки и застройки городов, выдвигаемыми всем ходом и темпами современного развития. Старые архитектурно-планировочные приемы, как бы привлекательны и совершенны они ни были, обычно не годятся для решения современных задач. Предпринимавшиеся неоднократно попытки приспособить их для нынешней практики строительства городов (например, трехлучевое построение главных улиц в Новокузнецке, Нижнем Тагиле, Засвяжском районе Ульяновска и других местах) привели в конце концов к пересмотру и изменению подобного рода планировочных решений, неуместных в современных условиях.

Происходит радикальный пересмотр выработанных веками канонизированных планировочных приемов, во многом уже устаревших и превратившихся в тормоз для дальнейшего успешного развития советского градостроительства.

Преобразование общегородских центров должно постепенно и последовательно изменять и совершенствовать их исторически сложившуюся планировочную структуру в соответствии с новым содержанием застройки и на основе использования передовой градостроительной техники.

Реконструкция общегородских центров осуществляется путем их перестройки в существующих границах или их территориального развития путем создания дополнительных административно-хозяйственных и культурно-просветительных комплексов, соразмерных с растущим городом, при радикальном изменении городского движения, проходящего по территории центра города. В процессе реконструкции должны быть созданы такие условия, чтобы общегородской центр в полной мере удовлетворял широким и разносторонним общественным запросам населения.

Общегородские центры советских городов разнообразны по составу учреждений. Здесь размещаются и к ним тяготеют наиболее значительные административные, зрелищные, культурные, торговые и другие сооружения общественного обслуживания. Главные площади и улицы центров привлекают население и поэтому должны предназначаться преимущественно для пешеходного движения и проведения массовых демонстраций, народных гуляний, военных и физкультурных парадов в праздничные дни.

Разнообразное назначение и рост количества общественных зданий, необходимость формирования индивидуального характерного архитектурного облика определяют многообразные приемы планировки и застройки городских общественных центров. Однако все градостроительные решения центров должны соответствовать высокой гуманной цели, которой подчинено советское градостроительство,— созданию наиболее благоприятных условий для общественной деятельности трудящихся.

Реконструкция центров осуществляется поразному для крупных и малых городов разного назначения, для городов, возникающих в разнообразных климатических и природных условиях. Для малых городов, различных по своему историческому формированию, местоположению, назначению, количеству населения и планировочной структуре, характерно стремление к той или иной степени компактности общего планировочного построения. В крупных городах неизбежно создание более развитой и расчлененной структуры центра, которая распространяется на обширную территорию и в планировочном отношении представляет сочетание общественных площадей, бульваров, свободных пространств, транспортных узлов и магистральных улиц. Соотношение старых реконструируемых и вновь создаваемых частей центрального района различно, что можно видеть на примерах Минска, Свердловска, Харькова, Ярославля и других городов (рис. 48). Центр свердловска показан на рис. 49.

Центры Свердловска и Минска могут быть сближены по своей исторически сложившейся регулярной структуре. Среди однообразной сетки частых улиц выделялись главные транзитные дороги, пересекающие территорию города из конца в конец. В наше время они превратились в главные улицы центрального района, застраивавшиеся лучшими зданиями города. Перспективная реконструкция упорядочит эту общественную застройку путем расчленения городского центра на функциональные зоны и перевода транзитного движения с главной улицы на параллельные магистрали. Территорию городского центра пересекают реки. В Свердловске — это Исеть с Верхне-Исетским прудом, в Минске — Свислочь. Вдоль их берегов намечено осуществить широкие полосы зелени, переходящие в обширные парки, где размещаются культурно-зрелищные здания и спортивные устройства.

В Харькове небольшой по территории и плотно застроенный исторический центр давно перестал удовлетворять требованиям разросшегося города. Уже в 30-х годах многие крупные административно-общественные здания разместились вне его пределов. Новой частью общегородского центра стала площадь Дзержинского, где возведены крупные административные здания, гостиница, университет. Общественное значение этой площади в системе центра еще более увеличилось после сооружения памятника В. И. Ленину. Радиально-кольцевое построение старого плана Харькова определило планировочную структуру его нынешней центральной части. Расширившись, она все же сохранила в новых условиях своего развития некоторые черты старой схемы при дифференциации улиц и площадей по характеру использования.

В крупнейших городах общегородской центр занимает обширные территории. Так, например, Ленинград, который представляет собой один из лучших примеров гармоничного развития и расширения старого центра с большим количеством ценных в архитектурном отношении зданий, составляющих законченные ансамбли, получил широкое пространственное развитие. Его городской центр создавался в течение двух веков трудами многих поколений русских зодчих. Архитектурный облик центра в первые же годы строительства определился двумя сооружениями, увенчанными золочеными шпилями: Петропавловской крепостью и Адмиралтейством, на которые были направлены перспективы трех сходящихся к центру городских проспектов и перспективы загородных дорог. Здание Биржи замкнуло перспективу вниз по течению Невы, а купол Исаакиевского собора господствовал в силуэте города.

В советское время содержание застройки развивающегося центра Ленинграда изменилось. В дворцах и храмах, являющихся памятниками архитектуры, разместились музеи, крупные культурные, научные и административные учреждения. Территория центра города значительно расширилась.

В начальных вариантах, относящихся к 1935 г., развитие центра намечалось к югу, на удаленную от морских берегов территорию. Однако после тщательной проверки оказалось, что намеченная территория общегородского центра преувеличена и создание его в южной части Ленинграда нереально. За время

А Существующее положение

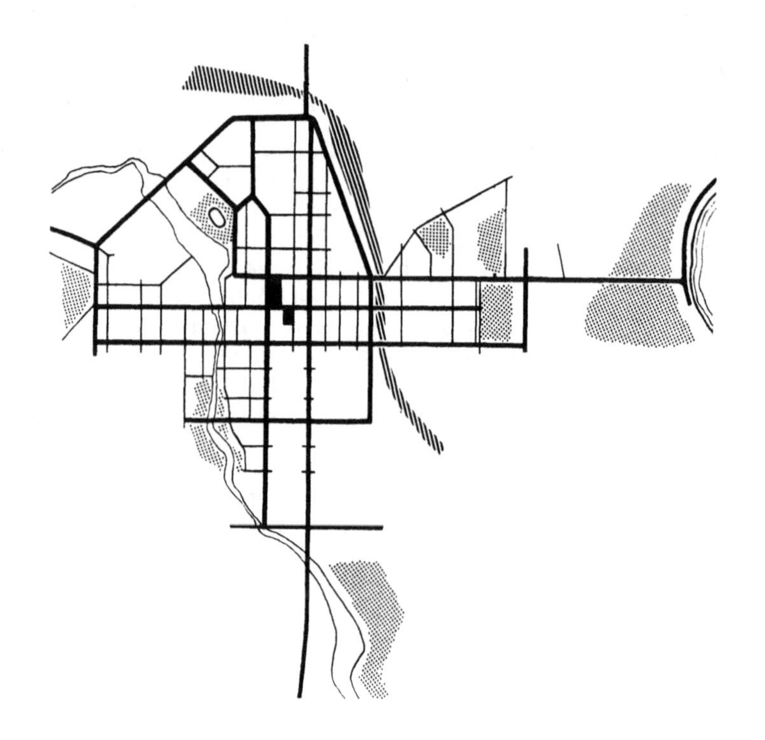

А Вариант реконструкции

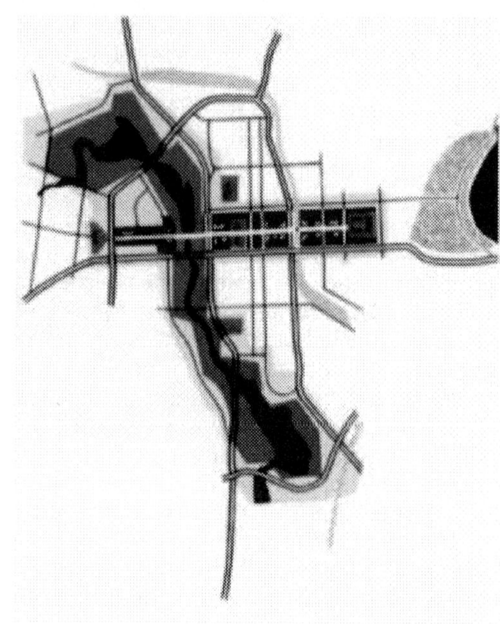

Б Существующее положение

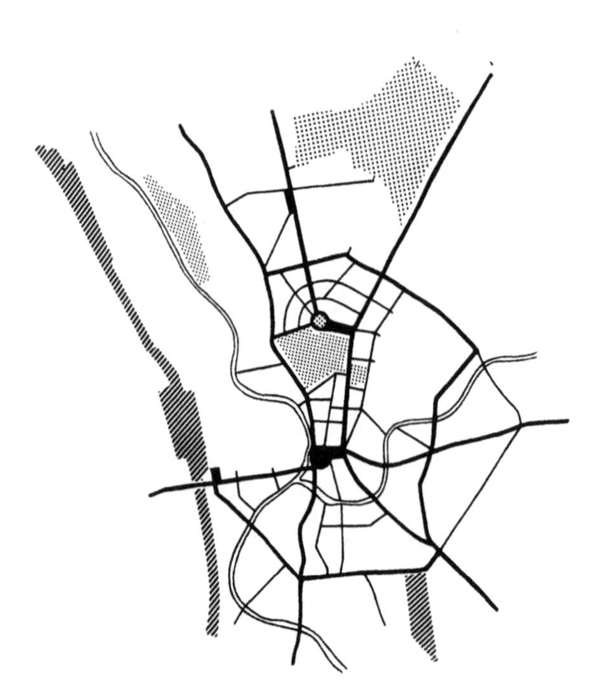

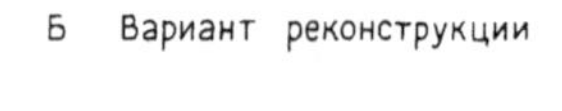

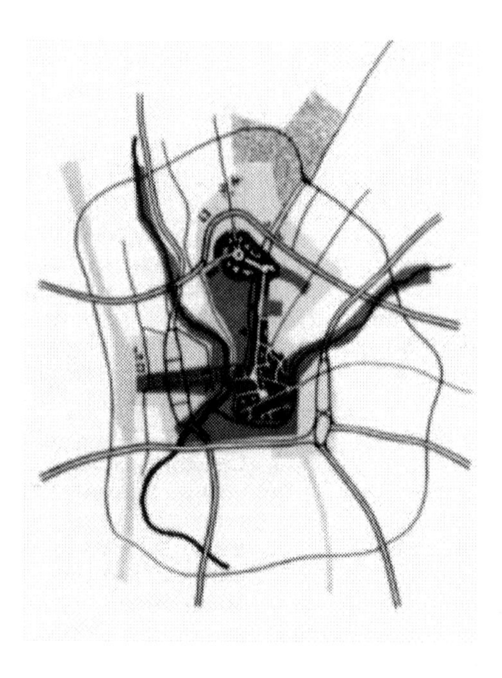

Рис. 48. Схемы реконструкции общественных общегородских центров городов **А, Б** — с протяженным развитием центра вдоль магистралей. **В** — с концентрическим развитием центра, ограниченным обходной магистралью. **Г** — с петлевой системой обходных магистралей

В Существующее положение

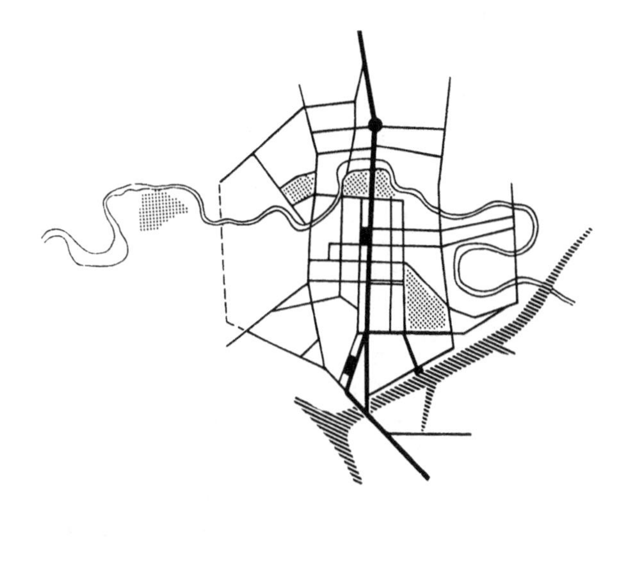

В. Вариант реконструкции

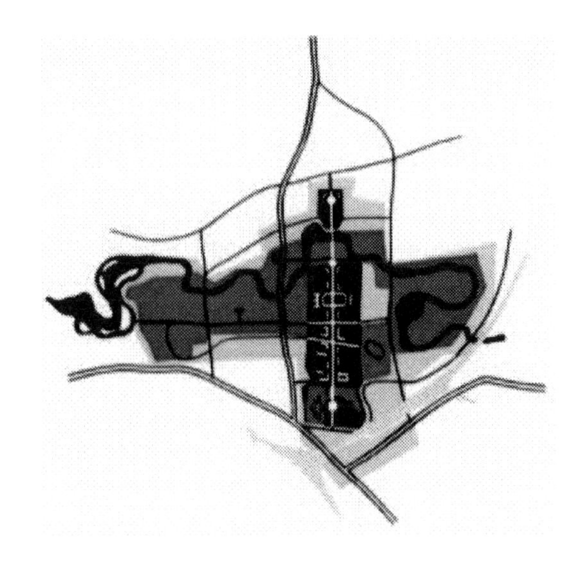

Г. Существующее положение

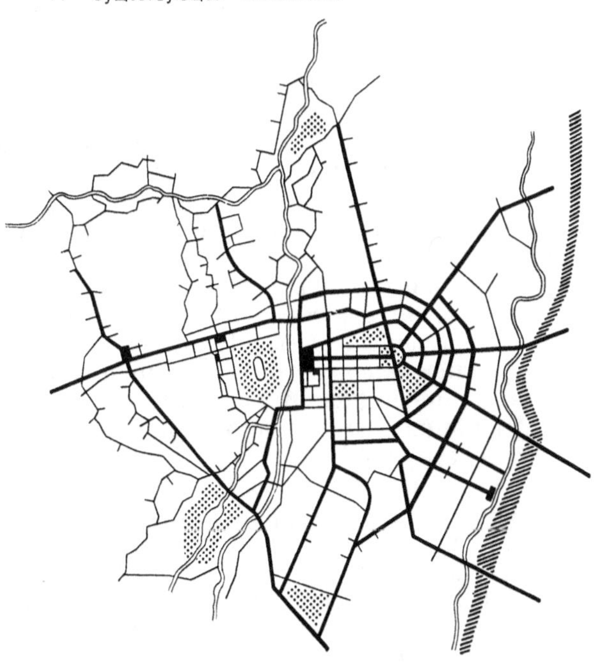

Г Вариант реконструкции

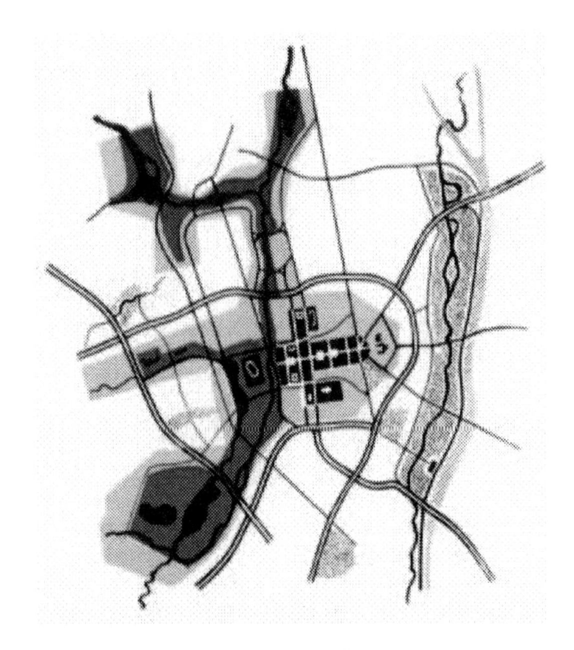

Fig. 48. Sketch plans of the redevelopment of civic centres of towns. **А, Б** — With stretched development of the centre along the main streets; **В** — With the concentric development of the centre, limited by the ring road; **Г** — With the system of loops linked with by-passing arterial roads

Второй Отечественной войны и в месяцы блокады Ленинграду были нанесены тяжелые разрушения. Вместе с восстановлением застройки центрального района города было намечено путем реконструкции устранить исторически сложившиеся недостатки его планировки. Был выдвинут вариант расширения трехлучевой системы плана и развития двух параллельно идущих боковых лучей — Московского проспекта и проспекта Майорова. Но правильное решение было найдено лишь в третьем варианте, разработанном в 1943—1948 гг., который предусматривал развитие нового центра к берегам залива. Основное внимание в этом проекте уделяется созданию системы ансамблей от исторически сложившегося центра вдоль фарватера Малой Невы и освоению прибрежной части Васильевского острова. Исторически сложившийся центр получает непосредственный выход к взморью. Создается величественная панорама центрального района Ленинграда со стороны моря.

Расширение центрального ансамбля Ленинграда происходит также и в противоположном направлении — вверх по течению Невы. До недавнего времени эту часть города украшали только ансамбли Таврического дворца, Смольного и Александро-Невской лавры, не связанные друг с другом и отрезанные от реки неорганизованной застройкой. Теперь осуществляется расчистка набережных, ведется их новая застройка. Важным звеном этой части центрального района города становится расширенная и благоустроенная, раскрытая в сторону Невы площадь Ленина перед Финляндским вокзалом, замыкающая перспективу вдоль Невы со стороны Адмиралтейства и Биржевой стрелки. Пример Ленинграда указывает на то, что создание общегородского центра крупнейших городов возможно только в тесной связи с активным и продуманным использованием ландшафтных особенностей города (рис. 50—52).

Примером осуществления развитого общегородского центра и широко разветвленной системы локальных центров, распространившейся на новые, ранее окраинные территории, служит Москва. Общественные центры столицы — это сложная целостная развитая система, основу которой составляет общегородской центр. Территория исторически сложившегося центра, в пределах Садового кольца, довольно четко разделяется на две части. В первой, составляющей основное ядро (первое кольцо), сосредотачиваются преимущественно общественные здания с относительно небольшим числом жилых домов, которые в перспективе будут выведены. Во второй части, занимающей участки между Бульварным и Садовым кольцами, остается жилая застройка. Что касается основного ядра города, то оно и впредь останется местом проведения массовых собраний и митингов, празднеств, демонстраций и народных гуляний. Это потребует расширения площадей и открытых пространств, способных вместить большие массы населения. Существующая сеть театров, концертных залов, выставочных помещений, музеев и библиотек уже сейчас характеризует центр как средоточие культурно-просветительных учреждений общегородского масштаба и общесоюзного значения. Ядром исторического центра остается Кремль. Заслуживает поддержки намерение превратить территорию Китай-города в современный общественный центр, дополняющий кремлевский ансамбль, который был бы ярким отражением советской эпохи.

Открытые пространства Москвы-реки, центральные скверы и сад напротив Кремля через бульвары вдоль набережных сливаются с зелеными массивами парка имени Горького, центрального стадиона имени В. И. Ленина и Ленинских гор.

В проекте реконструкции столицы, составленном в 1935 г., общегородской центр замыкался в пределах Садового кольца. Здесь намечалось строительство Дворца Советов и концентрировались наиболее крупные высотные здания города. В процессе дальнейшей проработки вопросов развития Москвы стало ясным, что общегородской центр должен получить более широкое пространственное развитие. В настоящее время в Юго-Западном районе намечено сосредоточение целого ряда крупных общественных зданий, каждое из которых могло бы образовать самостоятельный общественный центр. К настоящему времени реализована застройка района университета, композиционно связанного со спортивным комплексом на противоположном берегу Москвы-реки.

Еще в первом проекте реконструкции Москвы намечалось устройство зеленого клина, который, начинаясь в центре города, доходил бы до парковых массивов Останкина, ВДНХ и Ботанического сада. Значение этого паркового района как составной части общегородского центра нельзя недооценивать. В нем будут преобладать выставочно-зрелищные сооружения и места отдыха. Здесь же следует найти место и для районного общественного центра. Основной и наиболее обширной частью северного общегородского центра является территория ВДНХ с группой крупных выставочных павильонов. Существенное место в пространственной организации северного общественного центра займут башня общесоюзного телецентра высотой до 500 *м* и круп-

Рис. 49. На главной магистрали Свердловска — проспекте Ленина — возведены крупные общественные здания

Fig. 49. Large public buildings have been constructed on Lenin Prospect, — the main highway of Sverdlovsk

ный историко-культурный, художественный памятник—Останкинский дворец—с примыкающим к нему парком, который восстанавливается.

Все эти три части единого общегородского центра столицы должны быть объединены озелененным диаметром. Кроме того, в пределах планировочных границ города создается система районных и местных центров во вновь образуемых периферийных планировочных районах. Их значение будет увеличиваться в зависимости от степени обособленности данного планировочного района. Складывающийся общегородской центр столицы будет не только удовлетворять современным требованиям, но и соответствовать непрерывно возрастающим потребностям населения в более отдаленном будущем (рис. 53—56).

Независимо от той или иной планировочной структуры общественного центра советских городов неотъемлемой его частью являются обширные центральные площади, предназначенные для проведения массовых парадов, празднеств и народных демонстраций. Крупные открытые общественные площади, способные вместить большие народные массы, почти совсем отсутствуют в современных проектах переустройства городов капиталистических стран, хотя мы можем в них встретить большое разнообразие пространственных решений. В этом отношении показательно сопоставление материалов двух конкурсов на реконструкцию центрального района Берлина, организованных в Германской Демократической Республике и Федеративной Республике Германии. В первом случае главной частью центра является обширная площадь Маркса—Энгельса, в то время как в другой группе проектов отсутствует сколько-нибудь значительная главная площадь столицы, пред-

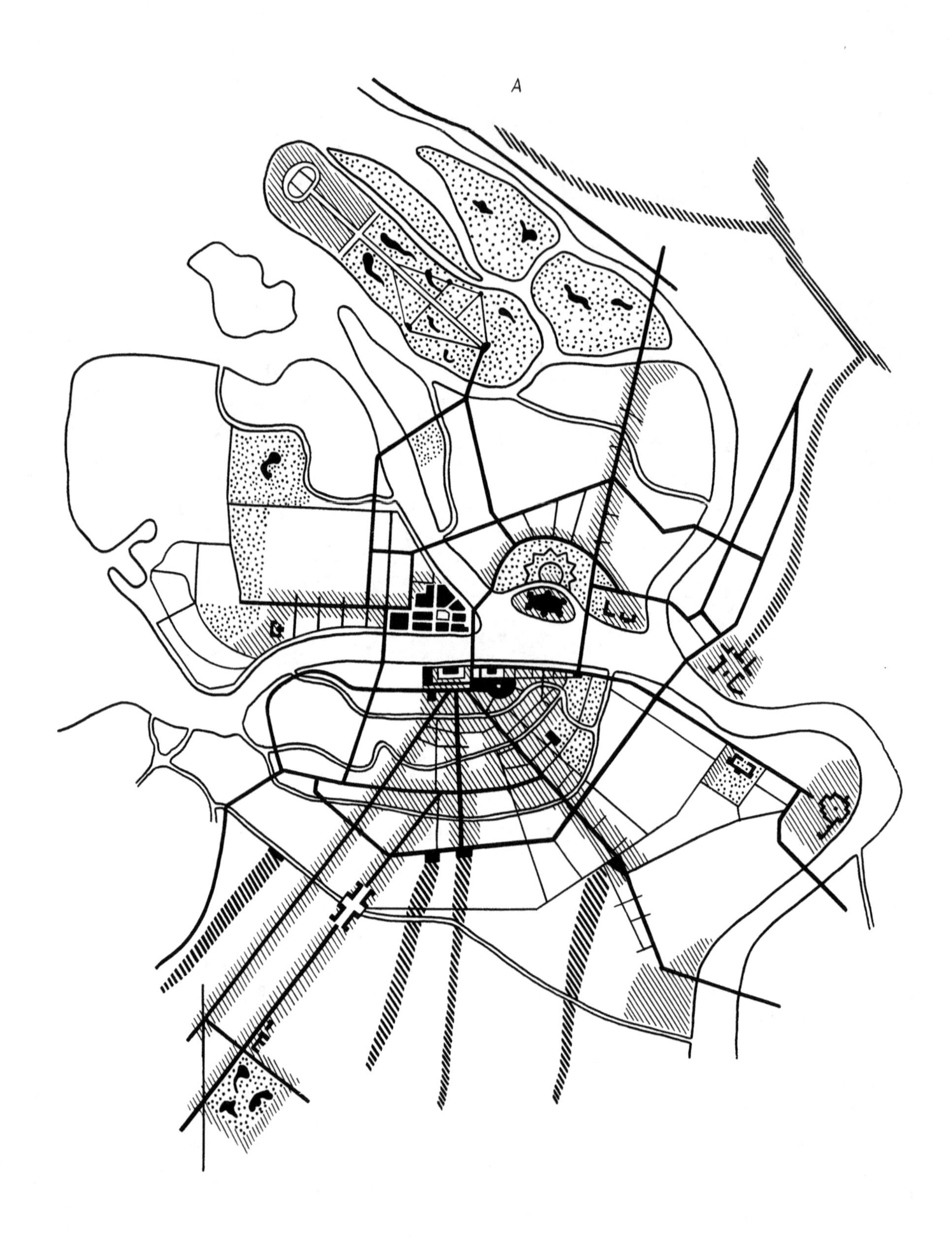

Рис. 50. Частично перестраиваемый центр Ленинграда территориально расширяется. Благодаря созданию зеленых массивов центрального парка, Приморского парка Победы и реконструкции западной части Васильевского острова исторически сложившийся центр города получает непосредственный выход к морю. Расширение центрального района происходит также и вверх по течению Невы. **А** — схема существующего положения. **Б** — схема одного из вариантов реконструкции

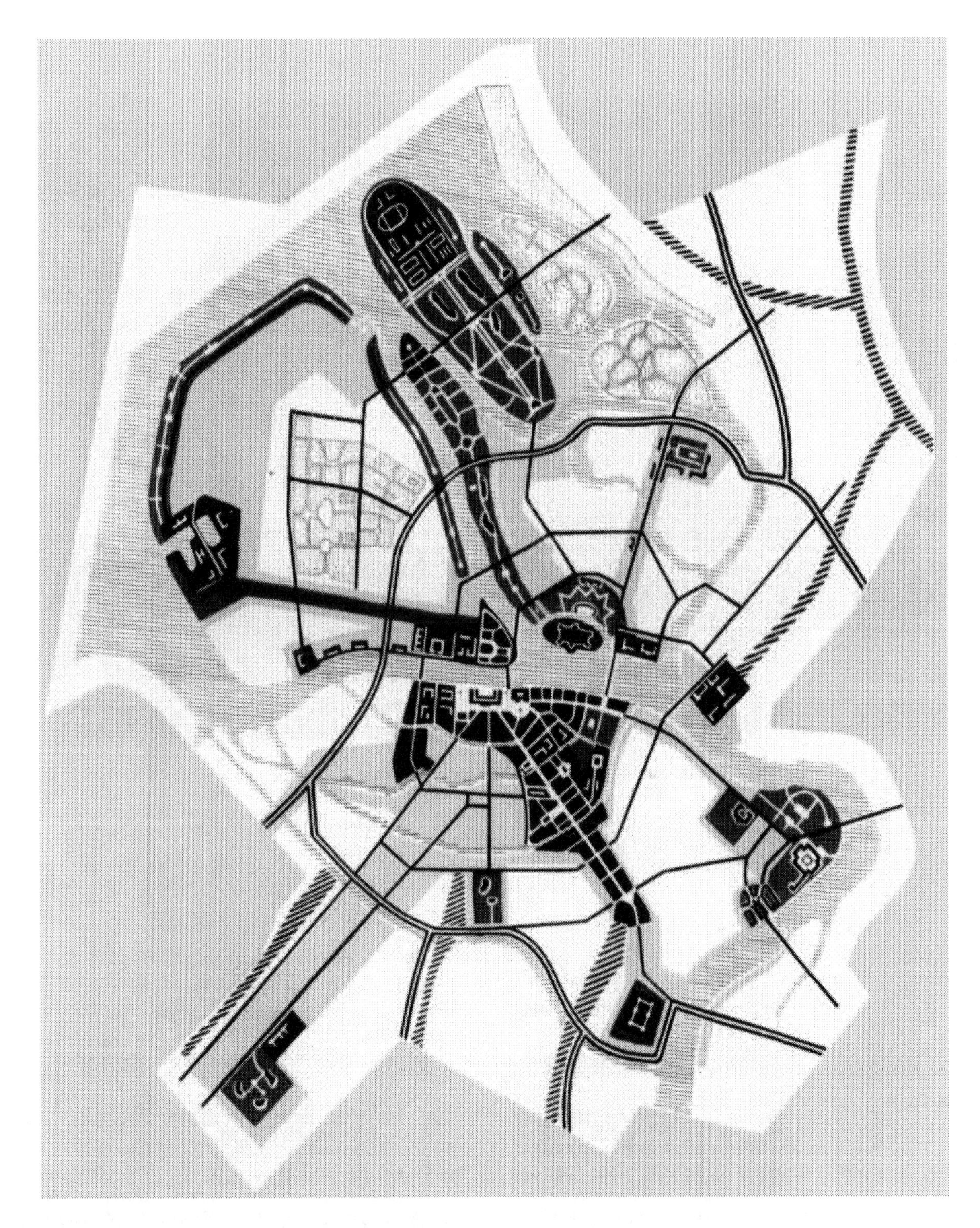

Fig. 50. Portially reconstructed centre of Leningrad is being extended. Due to the organization of large tracts of green areas, such as the central park, the sea-side Park "Pobeda" and due to the redevelopment of the western part of Vasilievsky Island, — the historically established centre of the city gets the direct way out to the sea. The extension of the central area takes place also in the up-stream of the Neva-river. **A** — A sketch of the existing conditions; **Б** — A sketch of one of the alternative plans of redevelopment

Рис. 51. Ленинград. Район бывш. ипподрома после реконструкции и постройки Театра юных зрителей

Fig. 51. Leningrád. The area of former hippodrome after the redevelopment and building the Children's theatre

назначенная для массовых народных собраний и демонстраций.

Практика проектирования и осуществления общегородских центров различного масштаба показывает их композиционное разнообразие в зависимости от конкретных условий размещения того или иного общественного центра, от содержания его застройки и местных природно-климатических условий. С самого начала работ по реконструкции центров следует предусматривать направление общего развития и дальнейшего территориального расширения общегородского общественного центра или его частичного перемещения на новое место с учетом будущих масштабов и возможных изменений общих размеров и планировочной структуры городов с тем, чтобы необходимая для развития центра города территория не была занята случайной застройкой, что может повлечь за собой непоправимые ошибки, помешать обшей композиции ансамбля и создать трудности в дальнейшей реконструкции центра. Быстрое развитие транспорта особенно ощутимо в центральных районах городов с их устаревшей системой улиц и площадей, не приспособленных к новым условиям движения. Здесь особенно остро чувствуются противоречия между новыми задачами и сложившимися планировочными приемами, между характером застройки и современными требованиями движения.

Рис. 52. Ленинград. Застройка Московского проспекта

Fig. 52. The development of the Moscow Prospect in Leningrad

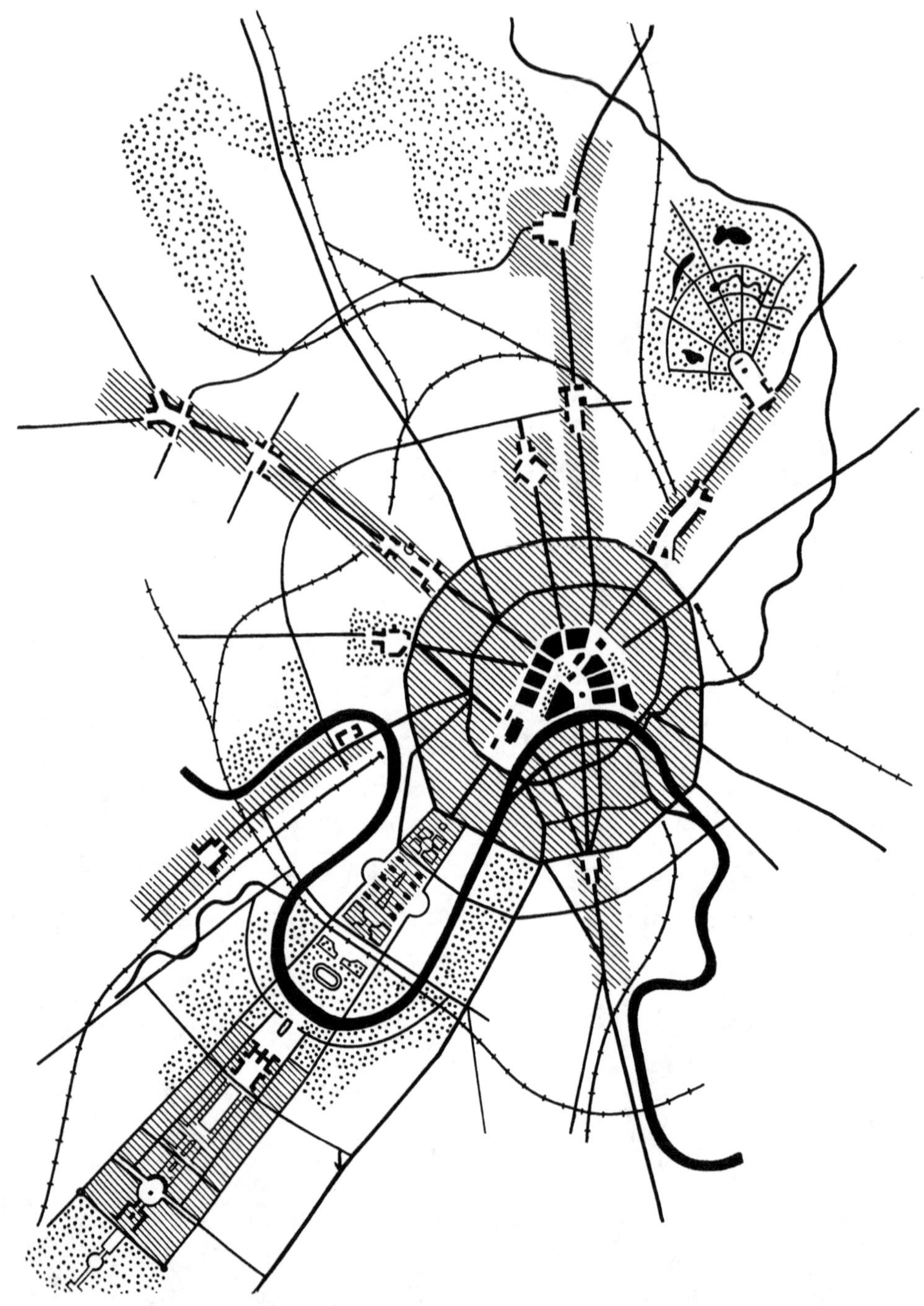

Рис. 53. Центр Москвы коренным образом реконструируется. Основой его остается исторически сформировавшееся ядро города и Кремль. В состав центра входят район Ленинских гор. Здесь намечается размещение группы административно-общественных зданий общегосударственного значения. Возможно развитие центрального района также к северу, по направлению парковых массивов Выставки достижений народного хозяйства. **А** — схема одного из первоначальных проектов реконструкции центра. **Б** — схема одного из возможных вариантов реконструкции центрального района

Fig. 53. The centre of Moscow is being radically redeveloped. Its core is the historically formed main nucleous of the city and the Kremlin. The centre comprises the area of Lenin Hills where a group of administrative and public structures of government buildings will be located. The development of the central district to the North and in the direction of parks of the Exhibition of Peoples' Economic Achievements, — is also possible. **A** — A sketch of one of the first projects of the redevelopment of the centre. **Б** — A sketch of one of the possible alternatives of the redevelopment of the central district

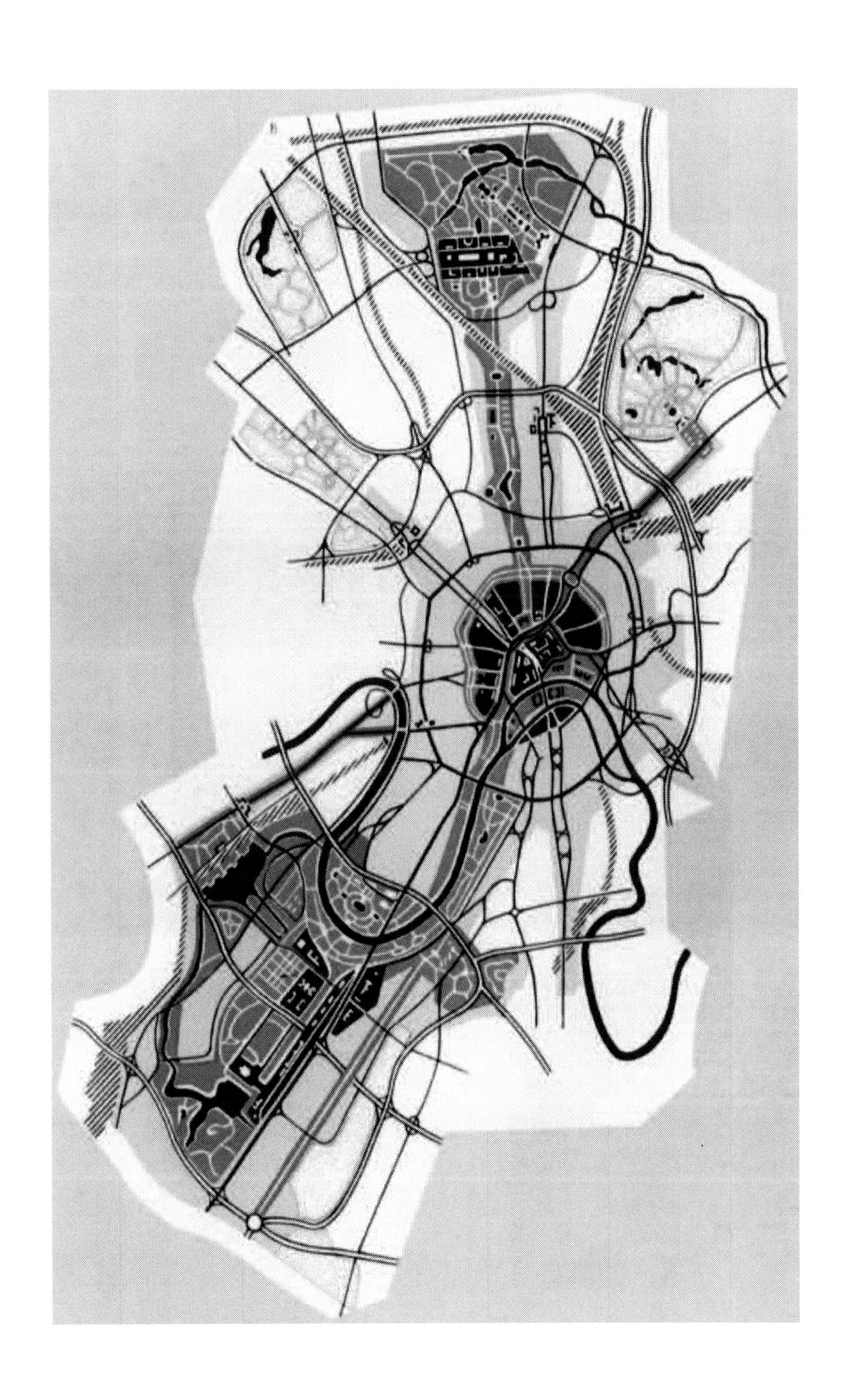

Рис. 54. Застройка центрального участка проспекта Маркса в Москве

Fig. 54. The development of the central part of Marx Prospect in Moscow

Рис. 55. Дворец Съездов в Московском Кремле

Fig. 55. The Palace of Congresses in the Moscow Kremlin

Рис. 56. Здание Московского Государственного университета имени М. В. Ломоносова на Ленинских горах

Fig. 56. The building of Moscow Lomonosov State University on Lenin Hills

4. ПЕРЕУСТРОЙСТВО ПРИГОРОДНОЙ ЗОНЫ, ОРГАНИЗАЦИЯ МЕСТ МАССОВОГО ОТДЫХА

Одной из важнейших проблем реконструкции городов являются переустройство, рациональная планировка и застройка пригородной зоны, являющейся резервом развития города и местом удобного размещения мест массового отдыха городского населения среди зелени, вблизи водных бассейнов. Важной частью переустройства пригородной зоны является создание или благоустройство лесопарков и водоемов. От планировки пригородной зоны, ее санитарно-гигиенических качеств, наличия удобных мест кратковременного и длительного отдыха населения зависит уровень удобств жизни горожан. Поэтому разработка проекта переустройства пригородной зоны должна сопутствовать разработке генерального плана реконструкции и дальнейшего развития городов.

В пригородной зоне и находящемся в ее составе лесопарковом поясе могут быть удобно расположены:

учреждения кратковременного отдыха, т. е. базы однодневного отдыха, туристические, охотничьи, рыболовные и спортивные устройства, пляжи и водные станции, лесопарки и мемориальные парки, рестораны, кафе, гостиницы;

учреждения длительного отдыха лечебно-оздоровительного характера, санатории, дома отдыха, спортивные и пионерские лагеря и др.;

учреждения смешанного длительного и кратковременного отдыха, как, например, гостиницы-пансионаты, туристические базы, кемпинги, мотели.

В зависимости от местных природных условий и планировочной структуры города лесопарковая зона может полностью окружать город или охватывать его с двух-трех сторон.

В организации мест массового отдыха трудящихся в отношении их местоположения, оборудования и удобств транспортных связей все еще имеется много недостатков; учреждения и базы отдыха размещены случайно, благоустройство их находится на низком уровне, они трудно доступны из-за отсутствия транспортных связей. В ряде городов лесопарковая защитная зона используется непродуманно и случайно.

По мере сокращения продолжительности рабочего дня потребность в пригородных территориях для организации отдыха населения будет все более возрастать. Потребуется расширение массивов зеленых насаждений, благоустройство береговых зон рек, озер, морей или искусственных водоемов, которые могли бы быть использованы для массового отдыха. Необходимо широко развить сети пригородных дорог, увеличить число транспортных средств, учреждений кратковременного и длительного отдыха, загородных гостиниц-пансионатов, домов отдыха и санаториев, мотелей и кемпингов. Учитывая имеющийся опыт организации массового отдыха городского населения и перспективы развития городов, можно считать, что в дальнейшем в нерабочие дни в пригородной зоне будет отдыхать до 40—45% населения города и зоны, а из них до 15% будет пользоваться учреждениями длительного отдыха.

Реконструкция пригородных территорий и лесопарковых зон должна предусматривать упорядочение размещения мест и учреждений массового отдыха, улучшение существующей сети и выявление мест ее возможного развития. С этой целью должны быть составлены для реконструируемых городов схемы курортологического зонирования пригородных территорий, которые позволят правильно разработать проекты планировки и рационально использовать наиболее ценные пригородные территории. Удобство размещения мест массового кратковременного отдыха определяется, помимо природных качеств территории, временем, затрачиваемым на поездку к месту отдыха, и его продолжительностью. Поэтому места кратковременного отдыха должны находиться в пределах затрат времени на поездку порядка 1—1,5 *ч*.

Размещение мест отдыха в пригородной зоне может быть различным в зависимости от размеров города и естественных условий окружающей город местности. В одном случае целесообразно равномерно рассредоточенное размещение основных зон отдыха, в других случаях необходима концентрация их на нескольких наиболее благоприятных в природном отношении участках; наконец, возможно образование больших массивов отдыха, особенно при наличии подходящих курортологических данных. Так, например, при реконструкции малых и средних городов учреждения и места отдыха в пригородной зоне целесообразно организовывать в виде одного-двух крупных зеленых массивов комплексного профиля. Их развитие в одну сторону относительно селитебной части города в районах, наиболее благоприятных для организации всех видов отдыха, не отнимает излишнего времени у пассажиров, следующих из города в зону отдыха. При реконструкции крупных городов намечается, как правило, несколько зон отдыха, расположенных рассредоточенно в различных частях пригородной территории.

Однако конкретное размещение мест отдыха определяется прежде всего природными условиями. Так, например, в пригородной зоне Минска, где не было привлекательных в природном отношении территорий, для развития загородных мест отдыха предусмотрено несколько водохранилищ на реке Свислочь (западнее и севернее Минска). Самое большое водохранилище — Заславское — стало основным местом массового отдыха населения. На его берегах созданы дома отдыха, санатории, базы кратковременного отдыха, водные станции. Зона отдыха соединена железной и автомобильной дорогами с городом.

Групповое размещение учреждений и мест отдыха характерно для Киева и Харькова. Здесь в нескольких наиболее благоприятных пригородных районах сосредоточено значительное количество санаториев и домов отдыха. Окрестности Киева богаты лесами, лесопарками, лугопарками, живописными озерами. Ближайшие лесопарки правобережья и левобережья будут соединены проектируемой кольцевой автодорогой. Парки, расположенные по берегу Днепра, связывает широкая прогулочная дорога-аллея. Парки входят в середину городской территории, что вносит своеобразие в архитектурный облик столицы Украины.

Примером большого комплекса оздоровительных и санаторных учреждений является курортная зона Ленинграда на Карельском перешейке, протянувшаяся вдоль северного побережья Финского залива от Лахты до Черной речки более чем на 50 *км*. Здесь сосредоточено более 80 оздоровительных учреждений, использующих многочисленные естественные пляжи и сосновые леса. В летние дни отдыха число отдыхающих составляет 400—500 тыс. человек.

Во всех случаях организация крупных мест отдыха на территории до 8—10 тыс. *га* как комплексных, включающих разнообразные виды отдыха, так и специализированных с преобладанием одного-двух видов отдыха имеет преимущества перед излишне рассредоточенным размещением учреждений и мест отдыха. Эти преимущества заключаются в более широких возможностях инженерно-строительного освоения территории, в удобстве организации специальных линий транспорта, подвозящего население к зонам отдыха, в большей эффективности эксплуатации. Однако при переустройстве и создании новых мест отдыха в пригородной зоне реконструируемых городов нельзя допускать чрезмерного сосредоточения учреждений отдыха различного профиля в одном пункте, так как это ведет к деградации природных условий. К тому же одним из условий отдыха в пригородной зоне, особенно кратковременного, является полная смена обстановки и приближение к природе. Наиболее ценные части пригородного ландшафта охраняются как заповедники или могут быть использованы для туризма — одной из самых распространенных форм отдыха (рис. 57).

Леса на пригородных территориях некоторых городов сильно пострадали, другие города расположены в неблагоприятном природном окружении. В этих условиях нужно позаботиться об обогащении пригородного ландшафта. Для коренного улучшения планировочной организации мест массового отдыха, — помимо мер по охране существующих насаждений и благоустройства берегов рек, — проводится улучшение ландшафта путем создания, где это представляется возможным, новых массивов зелени и водохранилищ. Примерами улучшения и обогащения ландшафта для организации массового отдыха населения могут служить пригородные зоны Минска, Харькова, Москвы (рис. 58). Озеленение пригородных районов в процессе их реконструкции и улучшения зон отдыха тесно связано с всемерной охраной природного ландшафта, особенно тех его участков, которые находятся под угрозой порчи или полного уничтожения из-за разработки полезных ископаемых, строительства дорог, прокладки линий электропередач и неорганизованной застройки пригородных территорий.

В состав мер по развитию и реконструкции пригородных мест отдыха должно быть включено тщательное изучение особенностей пригородной зоны, выделение специальных зон охраняемого ландшафта, находящихся под постоянным наблюдением, и установление условий застройки и режима пользования определенных частей пригородной зоны, ценных по своим природно-декоративным качествам. В отношении видовых перспектив все разнообразие пригородных ландшафтов можно разделить на закрытые, обрамленные зелеными насаждениями, и открытые, где преобладают луга, поля, небольшие групповые посадки и водные пространства. При проведении восстановительно-оздоровительных работ, замене погибших или больных насаждений, посадке новых зеленых массивов и обводнении территории необходимо заботиться о сохранении и развитии характерных природных данных, об обогащении ассортимента зеленых насаждений, о создании водных пространств, сохранении и упорядочении рельефа местности, связанного с выявлением лучших видовых пунктов. Помимо природных заповедников существенное значение в ряде случаев имеет использование историко-архитектурных памятников и ансамблей, которые часто значи-

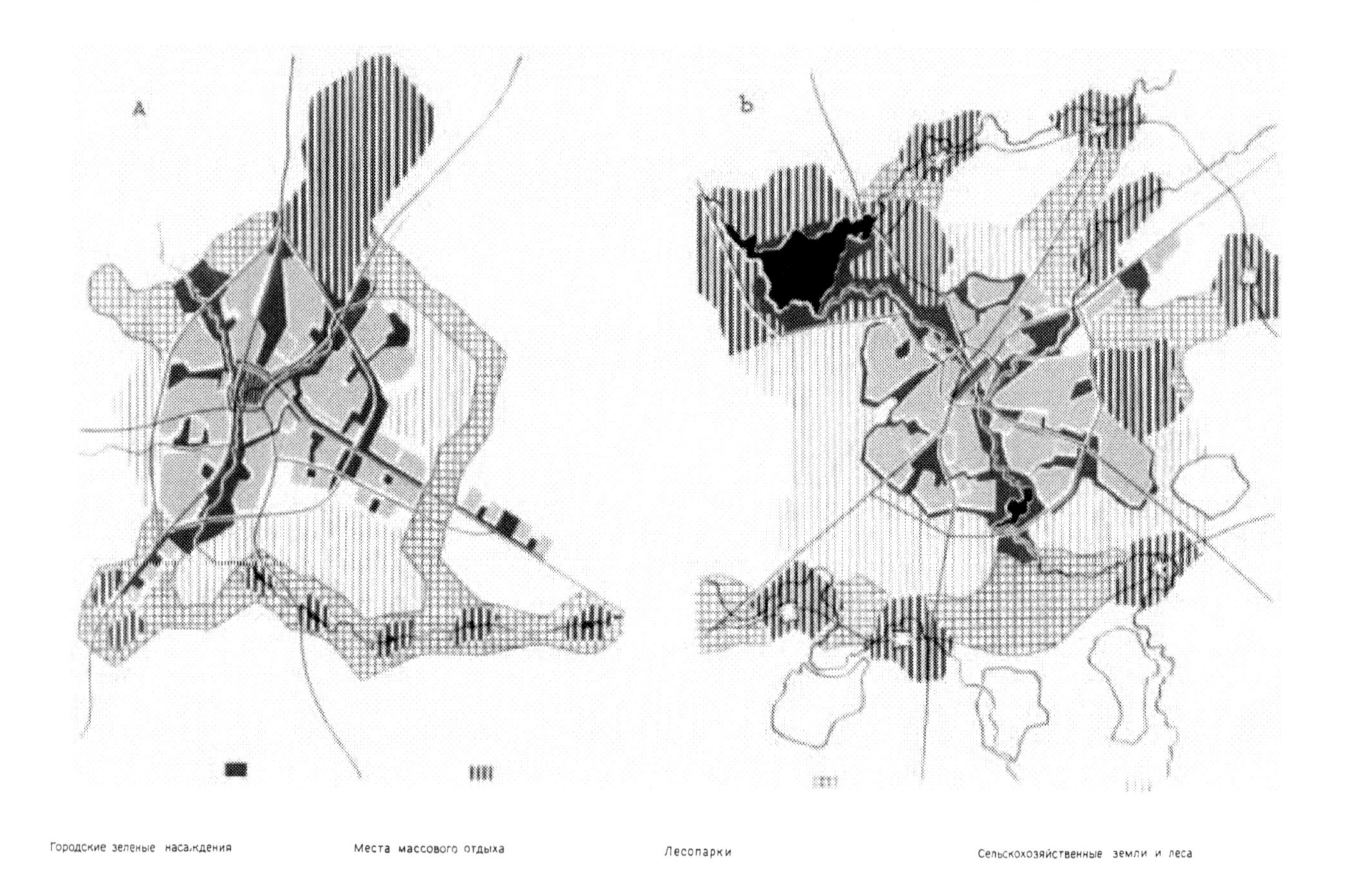

Рис. 57. Система зеленых насаждений и мест размещения массового отдыха в условиях искусственно создаваемого ландшафта (**А, Б**) и при использовании существующих природных условий (**В, Г**). Ландшафт пригородной зоны

Fig. 57. The system of open spaces and places of mass recreation in the artificially created landscape (**А, Б**); using the existing natural conditions (**В, Г**). Landscape of the suburban zone

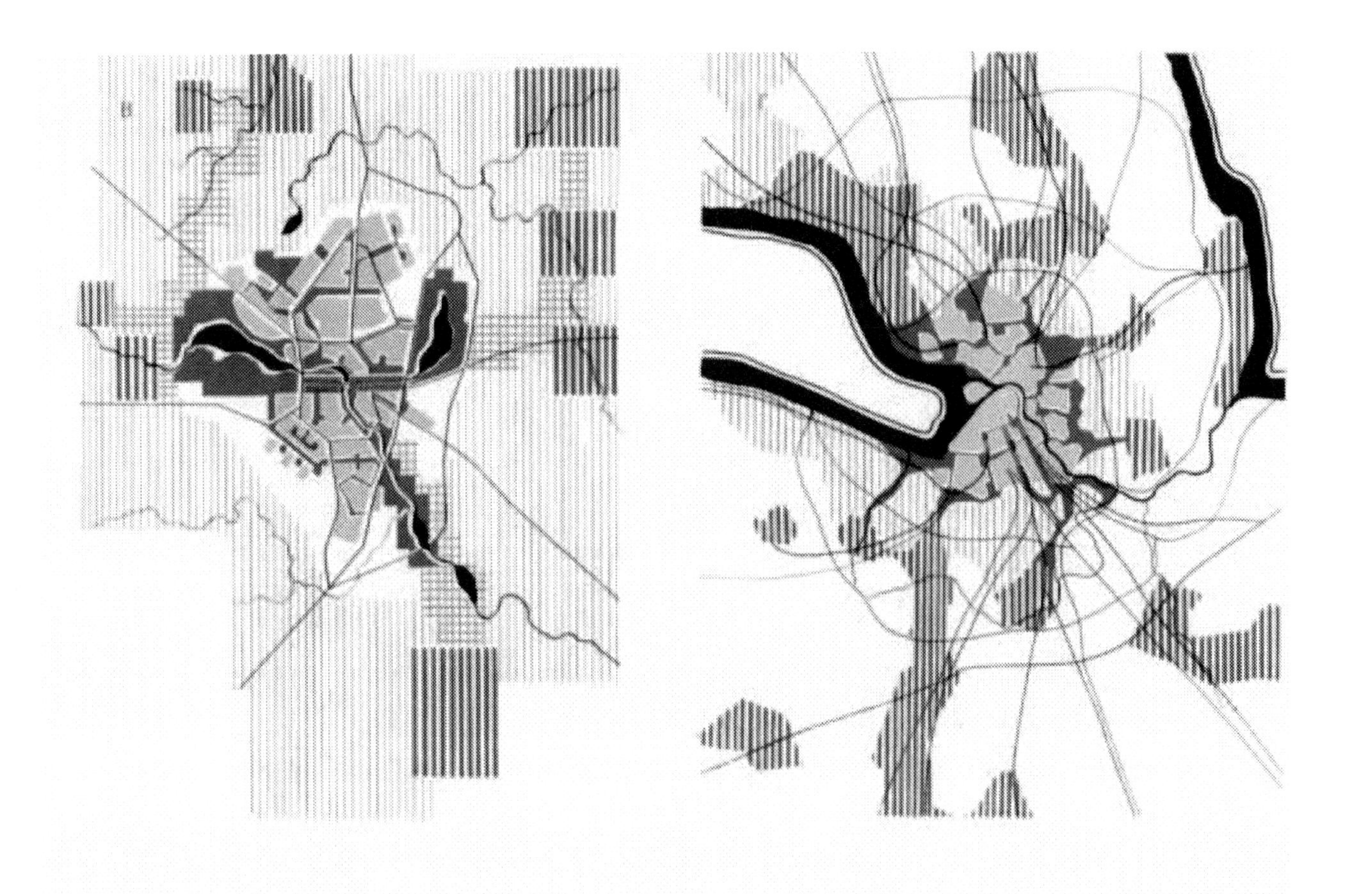

Рис. 58. Пригородные зоны городов используются для массового отдыха населения. Ландшафты пригородных зон

Fig. 58. Suburban areas of towns are used for mass recreation of the population. Landscapes of the suburban zones of mass recreation

тельно обогащают художественные качества ландшафта.

Реальные условия создания, сохранения и улучшения озелененных мест загородного массового отдыха связаны с организацией развитой сети питомников, подготовкой посадочного материала, проведением соответствующих агротехнических мероприятий, способствующих усовершенствованию системы зеленых насаждений в районе мест отдыха и улучшению санитарно-гигиенического режима.

5. УЛУЧШЕНИЕ ТРАНСПОРТНЫХ СВЯЗЕЙ МЕЖДУ МЕСТАМИ ПРИЛОЖЕНИЯ ТРУДА, РАЙОНАМИ ЖИЛЬЯ И МАССОВОГО ОТДЫХА

Современный город характеризуется большой подвижностью населения. В его пределах осуществляются производственные, трудовые и культурно-бытовые поездки, которые при больших затратах времени на передвижение и чрезмерной интенсивности ухудшают удобства жизни населения и санитарно-гигиенические условия. Значительно уличшить положение, т. е. сократить время на передвижение, можно путем более удобного взаимного размещения районов проживания, мест приложения труда и территорий массового отдыха, а также совершенствуя магистрали и транспортные средства.

Разработке проектов реконструкции и усовершенствования транспортной сети в реконструируемых городах должно предшествовать определение возможности более удобного взаимного размещения мест жительства и мест приложения труда.

Как уже указывалось, приближение места проживания трудящихся к местам приложения труда возможно при реконструкции тех городов, в которых намечается значительное расширение производственной базы. Новые предприятия, не выделяющие производственных вредностей и не нуждающиеся в железнодорожных подъездных путях, можно размещать в непосредственном соседстве с жилой зоной. Но даже в малых городах ряд предприятий, например добывающей промышленности, будет находиться в отдалении от селитьбы, и удобная связь мест приложения труда и мест жительства может быть обеспечена лишь совершенными видами скоростного транспорта. В крупных городах, где строительство новых предприятий не предусматривается, неравномерность размещения мест проживания и мест приложения труда не может быть полностью устранена. Тогда становится необходимым создание новых или радикальная реконструкция существующих транспортных магистралей, связывающих жилые районы города с промышленными.

Одним из средств упорядочения взаимного размещения жилых территорий, мест приложения труда и зон массового отдыха может быть создание, в процессе реконструкции города, комплексных производственно-селитебных районов, включающих жилые районы, промышленные предприятия, не выделяющие вредных выбросов, и общественные центры. Осуществление комплексных производственно-селитебных районов упрощает связь между местами приложения труда и жительства, сокращая протяженность и общее количество поездок.

В отличие от городов капиталистических стран в наших городах независимо от их величины основным является массовый общественный транспорт. Удобное и быстрое внутригородское сообщение достигается увеличением количества и всемерным усовершенствованием различных средств массового общественного транспорта. Это положение имеет большое градостроительное значение, так как индивидуальный транспорт значительно увеличивает потоки автомобилей, что вызывает рост объема и стоимости работ по реконструкции транспортных магистралей.

Можно допустить, что в реконструируемых городах по мере обновления их планировочной структуры будут действовать условия, равно снижающие потребность жителей в передвижениях и увеличивающие эту потребность. Например, в дальнейшем сообщения между местами проживания и приложения труда могут стать менее напряженными в связи с уменьшением численности работающих на предприятиях (благодаря повышению производительности труда, осуществлению комплексной механизации и автоматизации производственных процессов), а также в связи с увеличением категории трудящихся, занятых на предприятиях обслуживания населения близ мест своего проживания. При усовершенствовании технологии производства увеличатся возможности для размещения градообразующих предприятий и учреждений ближе к селитьбе и даже в непосредственном соседстве с ней. Наряду с этим увеличится и подвижность населения. Возникнут новые производства, размещенные на значительном расстоянии от селитьбы, вырастет селитебная территория городов, приходящаяся на одного жителя (в результате повышения обеспеченности жилищем и более свободного расселения и освоения для массового жилищного строительства периферийных районов города). Возрастут культурные запросы и интересы людей, которые уже не смогут быть удовлетворены в одном районе города, неподалеку от мест жительства. Можно ожидать, что в этих условиях средняя длина поездок в городах увеличится. Большие удобства и скорости передвижения сделают поездки менее обременительными, что также увеличит подвижность населения.

Для удобства, скорости и безопасности движения необходимы дифференциация уличной сети, усовершенствование городских улиц и магистралей, создание скоростных автомобильных дорог, внеуличных средств сообщения (для крупнейших городов) и пешеходных дорог. В центральных районах городов — местах скопления больших масс населения — пешеходам должно быть отдано в ряде случаев предпочтение перед транспортом.

Все эти части единой городской транспортной системы — скоростные автомобильные дороги, внеуличное сообщение и внутригородские магистрали — в своей совокупности образуют новую планировочную структуру реконструируемого города.

6. ОЗДОРОВЛЕНИЕ ГОРОДОВ

Оздоровление старых городов имеет целью улучшить условия жизни населения, уменьшить заболевания и увеличить долголетие жителей путем развития зеленых насаждений и очистки городского воздушного и водного бассейнов. Радикальное проведение мероприятий по оздоровлению городов возможно при использовании передового инженерно-технического оборудования и в условиях высокоразвитого коммунального хозяйства города.

Улучшение озеленения городов. Оздоровление городов и радикальное повышение их санитарно-гигиенического уровня тесно связаны с развитием озеленения. Городские зеленые насаждения защищают от ветра, пыли и шума, регулируют тепловой и радиационный режимы и таким образом способствуют созданию благоприятного микроклимата и обеспечивают комфортные условия жизни населения.

Реконструкция зеленых насаждений городов направлена на то, чтобы все внутригородские зеленые насаждения, существующие обычно в виде отдельных разрозненных массивов, привести в определенную планировочную систему и устранить недостатки, в той или иной степени характерные для подавляющего числа старых городов. К этим недостаткам относятся: малое количество крупных зеленых массивов, которые могли бы повлиять на микроклимат и гигиеническое состояние города и быть полноценно использованы для организации массового отдыха населения; неравномерность распределения существующих крупных зеленых массивов, что затрудняет правильное размещение сети учреждений массового отдыха; несвязанность между собой крупных зеленых массивов, что лишает систему зеленых насаждений единства, снижает их санитарно-гигиеническое значение и мешает их использованию для создания внутренних пешеходных путей.

Основой системы городских насаждений служат крупные зеленые массивы общегородского значения, предназначенные для массового отдыха населения. С ними должны быть связаны местные насаждения жилых районов и микрорайонов, составляющие основную часть зеленых насаждений, предпочтительно размещаемых в пределах жилых территорий городов. При этом каждый житель сможет от места своего проживания пройти до мест приложения труда и в районы массового отдыха по озелененным территориям, аллеями и бульварами. При объединении внутриквартальных насаждений они могли бы образовать достаточные зеленые массивы, входящие в общую систему озеленения, с которыми можно было бы связать учреждения первичной сети массового отдыха.

В систему общегородского озеленения входят санитарно-защитные зоны промышленности. Наряду с активной борьбой с производственными вредностями не исключается необходимость устройства санитарных озелененных разрывов между промышленными и жилыми районами. Значение их для оздоровления частей города, примыкающих к промышленным предприятиям, не следует преуменьшать и в дальнейшем.

Единая система зеленых насаждений, с самого начала предусматриваемая в новых городах, в условиях реконструкции создается постепенно, в процессе обновления планировочной структуры городов. При этом, чтобы обеспечить населению реальное улучшение микроклиматических условий, основные зеленые массивы должны укрупняться и располагаться на территории города более равномерно. Необходимо проводить систематическое обновление старых садов и парков, в частности имеющих историческое значение, как, например, Летний сад в Ленинграде. При разуплотнении застройки центральных частей городов не должна быть упущена возможность отвести освобождающуюся территорию для озеленения, чтобы поднять норму обеспеченности жителей зелеными насаждениями, пополнить недостающий фонд зелени и организовать хотя бы кратковременное пребывание населения на небольшом сквере или лужайке с площадкой для игр.

Ликвидация непригодных территорий. В границах реконструируемых городов имеются значительные территории, не пригодные для использования без предварительной подготовки. Это заболоченные, затопляемые или изрезанные оврагами земли. Часть пригородных территорий иногда бывает приведена в негодность после выработки полезных ископаемых. Преобразование не удобных для застройки участков с проведением инженерно-мелиоративных работ по укреплению существующих оврагов и осушению заболоченных территорий изменяет городской ландшафт, являясь эффективным способом не только оздоровления, благоустройства и озеленения городов, но и расширения территорий, предназначенных для массового отдыха.

При реконструкции нужно использовать для зеленых насаждений не только вполне пригодные земли, но и неудобные территории со сложным рельефом и высоким стоянием грунтовых вод, поскольку современная техника позволяет с достаточной экономической эффективностью использовать эти территории, считавшиеся ранее не пригодными для застройки, озеленения и благоустройства. Широкое внедрение гидромеханизации земляных работ дает возможность увеличивать площадь сплошной подсыпки заболоченных территорий, засыпать овраги и строить защитные дамбы, что значительно увеличивает площадь пригодных городских земель. Необходимо исходить из того положения, что нет территорий, полностью не подходящих для использования, равно как нет городских территорий, полностью пригодных в их естественном состоянии, так как во всех случаях требуются вертикальная планировка и правильная организация поверхностного водоотвода.

Очистка воздушного и водного бассейнов городов. Наряду с озеленением не меньшее значение для санитарно-гигиенического режима старых, давно сложившихся городов имеет оздоровление их воздушного и водного бассейнов. При реконструкции городов очистка воздушного и водного бассейнов предусматривается путем усовершенствования технологических процессов, обезвреживания отходов производства и установки дымо- и газоулавливающих устройств.

Борьба с загрязнением водоемов решается путем очистки в первую очередь промышленных сточных вод. Внедрение газификации, теплофикации и электрификации, применение на предприятиях новой технологии и очистных установок уже в настоящее время значительно улучшили состояние воздуха и водных пространств во многих городах страны.

Наиболее успешно очистка воздушного бассейна достигается путем изменения технологических процессов на производстве, введения более совершенного оборудования и установки эффективных устройств для улавливания вредных отходов производства. Обезвреживание вредных отходов позволяет правильнее размещать промышленность на территории города, целесообразнее осуществлять и использовать защитные зоны с тем, чтобы на границе с жилой застройкой концентрация загрязнителей в воздухе не превышала допустимого уровня. Уменьшению загрязненности воздушных бассейнов способствуют электрификация железнодорожных узлов и внутризаводского транспорта и перевод заводских котельных на газовое топливо. Все это позволит сократить количество предприятий, которые подлежат выводу за пределы городов в связи с необходимостью их оздоровления. Своевременное проведение этих мероприятий тем более важно, что вынос крупных, выделяющих вредности предприятий из города трудно осуществим, дорог и обычно затягивается на длительное время.

В связи с увеличивающимся движением механического транспорта в городах все большее значение приобретает борьба с загрязнением воздуха выхлопными газами автомашин. Помимо усовершенствования конструкций автомобильных двигателей и перевода транспорта на лучшие виды топлива, немалое значение имеют планировочные мероприятия по упорядочению движения автотранспорта в пределах города и введение в процессе реконструкции приемов планировки, застройки, озеленения и благоустройства городов, направленных к наибольшей изоляции проезжей части от пешеходов и жилых домов.

В процессе реконструкции городов предпринимаются меры борьбы с загрязнением водоемов и рек промышленными сточными водами, чтобы сделать их пригодными для хозяйственного использования, культурно-спортивных и оздоровительных целей. Это относится прежде всего к таким крупным водным артериям страны, как Волга, Кама, Ока и др., на берегах которых расположено большое количество старых расширяющихся промышленных городов, а также к водоемам крупнейших промышленных районов Донбасса, Урала, Кузбасса и др. Комплексный подход к решению вопросов использования водных источников и канализования обеспечивает более рациональное размещение промышленных предприятий, устраняет неоправданное увеличение капиталовложений и удорожание эксплуатации технических сооружений водопровода и канализации и вместе с тем улучшает санитарное состояние водоемов, дополняя и развивая естественный ландшафт города и его окрестностей.

7. ПОВЫШЕНИЕ АРХИТЕКТУРНО-ХУДОЖЕСТВЕННОГО УРОВНЯ ПЛАНИРОВКИ ГОРОДА

В условиях реконструкции приходится иметь дело с преобразованием застройки и включением в новую застройку исторических ансамблей. В процессе реконструкции городов возникает необходимость установить степень использования выработанных ранее композиционных приемов, выявить новые возможности и средства художественной выразительности.

Эстетические критерии в градостроительстве меняются вместе с новыми социальными условиями и развитием новой техники. Многие привычные, устоявшиеся и проверенные на примерах прошлого оценки художественных качеств не подходят для современных условий роста и развития городов. Так, например, организация движения в современном городе, крупные размеры зданий, сложные технические устройства, разветвленность общественных центров — все это обусловило изменение масштабных соотношений в городе.

Прошлая историческая практика строительства городов выработала на протяжении веков свои устойчивые представления о масштабности городских сооружений и пространств. Те или иные размеры и величины приспосабливались к более ограниченным в прошлом возможностям восприятия человеком строительных объемов и ориентации в пространстве. Были установлены определенные модульные и гармонические пространственные соотношения, которые позволяли человеку воспринимать тот или иной композиционный замысел. Для крупных общественных, культовых и других зданий, главенствующих в городе, был характерен монументальный масштаб, способствующий выделению такого рода зданий среди рядовой массовой застройки.

В настоящее время старые масштабные представления в значительной мере поколеблены в связи с ростом реконструируемых городов, возросшей быстротой передвижения, увеличением размеров зданий, введением новых строительных материалов и конструктивных систем, появлением в городе всякого рода инженерных и технических устройств, к которым нельзя приложить установившиеся художественные критерии. Все эти условия заставляют по-новому относиться к проблеме масштабности и пропорциональности в градостроительстве. Так, например, в современных условиях более ограниченное применение могут иметь выработанные еще в XVIII в., в эпоху Классицизма, рекомендации по установлению оптимальных соотношений между линейными размерами площадей и высотой окружающей площадь застройки.

Способы передвижения, насыщение городов автотранспортом, увеличение скорости движения также оказывают решающее влияние на масштабность улиц и площадей. Их размеры и протяженность укрупнились; увеличились расстояния между перекрестками; отдельные отрезки магистралей, лежащие между перекрестками, удлинились. Было бы бессмысленно в этих условиях применять сложившиеся масштабные соотношения путем механического увеличения отдельных частей городской застройки или рассчитывать на восприятие той или иной группы сооружений с одной, твердо зафиксированной точки зрения. Характерными чертами нашего времени являются гораздо большие скорости передвижения и в результате быстрая смена точек зрения и разнообразие аспектов восприятия, что должно получить отражение в масштабном строе ансамблей.

Все более важной становится задача повысить эстетический уровень и художественное осмысливание произведений инженерного искусства. Разнообразные обслуживающие и технические хозяйственные и санитарно-гигиенические устройства, транспортные развязки городского движения в нескольких уровнях, уходящие вдаль широкие ленты автомобильных дорог, мосты, виадуки, телевизионные мачты, промышленные устройства, территории коммунального использования, имеющие крупные размеры и занимающие большие площади, предъявляют свои требования к обновляемой планировочной структуре города и внесут свои особые, характерные черты в его внешний облик.

Размещение городской застройки по высоте и в связи с рельефом местности, распределение открытых зеленых пространств и массовой застройки являются пространственной основой формирования силуэта и панорамы города. Для каждой эпохи характерны свое соотношение и соподчиненность зданий города. Силуэтные абрисы и панорамно-пространственные построения имеют разный характер в зависимости от величины города, его прошлого развития, степени сохранности исторических сооружений, природных условий местоположения.

Одним из важнейших средств достижения художественного единства города является усиление значения системы общественных центров, возглавляемой общегородским центральным ансамблем. В городах прошлого основные усилия обращались на то, чтобы всеми возможными композиционными средствами выделить общегородской центр и противопоставить его остальной застройке города, подчеркнуть его уникальный характер. В условиях развития и реконструкции советских городов значение городского центра возрастает. Вместе с тем общественная жизнь населения городов широко развивается, и ее организационные формы не укладываются в пределы только общегородских центров. По мере развития городов все большее значение будут приобретать многочисленные местные центры общественной жизни в жилых и промышленных районах, в местах массового отдыха. Для архитектурно-планировочной структуры современного города, в отличие от всех предшествующих исторических эпох, характерно равномерное размещение общественных центров в микрорайонах и жилых районах, промышленных районах и местах массового отдыха, что должно получить отражение в композиционной структуре общегородского центра, становящегося не изолированным построением, а частью разветвленной пространственной системы. Это, однако, не должно ослабить формирующую роль общегородского центра.

Включение исторически сложившихся ансамблей в современную застройку. В условиях реконструкции старых городов своеобразие их архитектурного облика определяется историческими памятниками. Отдельные группы памятников архитектуры в сочетании с новыми зданиями и сооружениями придают индивидуальное лицо городской застройке. Возникает специальная задача: включить их в современную застройку, использовать их художественные качества для формирования нового архитектурного облика реконструируемых городов, правильно определить их практическое использование в современных условиях.

В одних городах в определенные исторические периоды их развития сформировались выразительная и целостная планировочная структура, придавшая характерность городу, основы которой дошли до нашего времени. Это относится, например, к центральным частям некоторых городов Русского государства, возникшим или коренным образом перестроенным в XVIII или в начале XIX в. на основе планировочных принципов классицизма: Тверь (теперь Калинин), Кострома, Ярославль, Полтава. В других городах сохранились отдельные значительные памятники архитектуры или их группы, придающие городу своеобразный облик. К таким городам можно отнести Новгород, Псков, Смоленск, центральные части городов прибалтийских республик — Риги, Таллина, Вильнюса, старые города среднеазиатских республик — Самарканд, Бухару, Хиву и др. Почти в каждом городе с длительной историей мы можем обнаружить в той или иной мере и планировочные системы, пригодные для дальнейшего развития, и отдельные историко-художественные сооружения, которые следует сохранить и использовать как материально-художественные ценности при современной реконструкции города.

При реконструкции исторически сложившихся городов, насыщенных памятниками архитектуры и сохранивших гармонически развившуюся планировочную систему, естественно желание в наибольшей степени использовать положительный опыт прошлого, установить преемственность между планировочными достижениями прежнего времени и предположениями на будущее. Основным критерием в использовании опыта прошлого должно быть полное и всестороннее удовлетворение требований современного развития города. Оправданные в прошлом планировочные приемы далеко не всегда связываются с задачами современной реконструкции. Поэтому изменения в исторически сложившейся планировочной структуре должны быть тщательно и всесторонне обоснованы практическими соображениями, учитывающими всю сумму многообразных требований, предъявляемых к застройке города его перспективным развитием. Работы по охране, реставрации и эксплуатации памятников архитектуры, по воссозданию исторически сложившихся ансамблей кремлей, крепостных башен и стен, дворцов и других исторических зданий, сохранившихся в наших городах до нынешнего времени и составляющих народное достояние, — должны согласовываться с требованиями нового строительства, мероприятиями по усовершенствованию транспортных сетей, инженерного оборудования и улучшению санитарно-гигиенического состояния городов и их центральных районов.

В современных растущих городах, когда они достигают крупных размеров, структура города приобретает рассредоточенный характер, а застройка растягивается на многие километры и не может быть обозрима в целом. В этих условиях было бы нереальным добиваться единства города, применяя старые планировочные приемы. Но как бы ни были разобщены отдельные части города и как бы далеко ни простиралась его застройка, не снимается вопрос об общности замысла всей планировочной структуры города, понимаемого не как непосредственное, явно ощутимое, жестко связанное композиционное построение, а как свободное, многоступенчатое сочетание отдельных частей города.

В построении материальной, функциональной, инженерно-технической структуры городов закладываются черты их нового архитектурно-художественного облика. Планировочная структура городов отвечает не только утилитарным, но и эстетическим запросам общества, представляя собой архитектурно-художественное целое, выражающее общее идейное содержание своего времени. Единства планировки и застройки реконструируемого города можно достигнуть лишь при неразрывности и связанности решений функциональных и художественных вопросов. Было бы неправильно думать, что планировка города осуществляется сначала с учетом практических требований, а затем в него привносятся художественные требования, что может повести по пути внешне показных художественных эффектов, к эклектике и украшательству в ущерб жизненным нуждам. Отбор тех или иных композиционных приемов и их сочетание не должны выливаться в произвольное формотворчество. В каждом случае должны быть использованы такие приемы, которыми можно наиболее полно решить современные задачи.

●

Комплексное, взаимосвязанное решение всех вопросов реконструкции приведет в ближайшие десятилетия к обновлению и совершенствованию планировочной структуры сложившихся городов. Необходимо в каждом случае определить направленность и разработать методы их реконструкции, дать разумные и в то же время радикальные предложения по регулированию их дальнейшей планировки и застройки с тем, чтобы увеличение жизненных удобств населения и мероприятия по оздоровлению городов были тесно связаны с рациональным и экономным расходованием средств на реконструкцию, преобразование и обновление застройки.

Комплексный характер совершенствования планировочной структуры городов требует длительного времени. Поэтому важно определить последовательность реализации перспективных предложений, установить первоочередные мероприятия и последующие этапы реконструкции.

На первом этапе будет ликвидирован недостаток в жилищах. В дальнейшем будет осуществлено более широкое комплексное развитие гражданского строительства. Исходя из этого преимущественным направлением в застройке реконструируемых городов в ближайшее время будет создание новых жилых массивов на свободных территориях для обеспечения наиболее быстрого прироста жилой площади. Одновременно будет проводиться реконструкция транспортных коммуникаций, увеличится площадь озеленения, расширятся сети культурно-бытового обслуживания населения в старых городских районах, будет совершенствоваться инженерное оборудование, а также реконструироваться кварталы с ветхой застройкой. Наряду с этим получит все бóльшие масштабы перестройка старых жилых районов и работы по реконструкции городских центров.

Вместе с решением жилищной проблемы будет повышаться уровень общественного обслуживания, что потребует изменения исторически сложившейся планировочной структуры старых городов на основе преобразования жилых кварталов в микрорайоны с общественными центрами.

В процессе обновления застройки старых городских районов будет достигнуто равномерное распределение сети культурно-бытовых учреждений и предприятий как в новых, так и в старых частях городов и образована законченная система общественных центров.

Быстрее может быть обновлена застройка городов, где имеются предприятия обрабатывающей промышленности, развитие которых связано с увеличением мощности основных предприятий и возникновением новых предприятий на базе основных. Более стабильны города с добывающей промышленностью, а также города с обрабатывающей промышленностью местного значения, обслуживающей сельскохозяйственные районы и перерабатывающей продукцию сельского хозяйства. Но даже при небольшом увеличении численности населения, как это наблюдается в городах, развивающихся на базе легкой промышленности, территории города растут в процессе повышения обеспеченности жилищем и улучшения культурно-бытового обслуживания. В связи с этим необходимо, обновляя планировочную структуру города, предусматривать возможности его дальнейшего территориального развития.

Разработка очередности осуществления реконструктивных мероприятий особенно важна для центральных, плотно застроенных частей города. В пределах центральных районов надо уже сейчас на основе проектов реконструкции резервировать подходящие участки для размещения общественных, хозяйственных и обслуживающих зданий, потребность в которых будет возрастать по мере обеспечения населения жилищами. С самого начала работ по реконструкции, при реализации первоочередных мероприятий должна предусматриваться возможность общего развития и дальнейшего территориального расширения общегородского общественного центра или его частичного перемещения на новое место с учетом будущих масштабов и возможных изменений общей планировочной структуры с тем, чтобы нужная для развития центра города территория не была занята случайной застройкой. Какими бы ни были первоочередные и последующие реконструктивные мероприятия по своему объему и значению — временные или капитальные, текущие или рассчитанные на будущее, — все они должны сообразоваться с перспективными замыслами, учитывать конечный результат реконструкции отдельных частей города и с самого начала закладывать основы его полной реконструкции в будущем.

Реконструкция сложившихся городов — это широкий комплекс многосторонних мероприятий, изменяющий материальную среду, в которой живут и трудятся люди советского общества. На основе научного и технического прогресса создается рациональная планировочная структура применительно к всесторонним запросам членов советского общества, с широко развитой системой общественных учреждений, которые обеспечивают гармоническое духовное и физическое развитие населения наряду с удовлетворением индивидуальных бытовых потребностей.

Социалистическая система исключает стихийный характер переустройства городов. Однако ее преимущества нужно умело использовать, направляя процесс реконструкции городов в нужное русло, упорядочивая его и устанавливая действенные формы контроля над ним. При этом в равной мере должны учитываться как данные народнохозяйственных планов ближайших лет, так и прогнозы роста производственных сил страны на более отдаленные сроки.

Реконструкция городов, выполняя свою роль улучшения материальной пространственной среды для различных жизненных и трудовых процессов, вместе с тем должна способствовать эстетическому воспитанию народа, прививая хороший вкус и любовь к прекрасному, одухотворяя труд, украшая быт и облагораживая человека. В процессе реконструкции городов необходимо добиваться единства планировки и застройки города, неразрывности решения функциональных и художественных вопросов, так как в этой непосредственной связи материальных и духовных сторон заключается огромная сила воздействия градостроительного искусства.

Городское движение и транспорт

Раздел IV
Section IV

Глава 1

ЗНАЧЕНИЕ ПРОБЛЕМЫ

Двадцатый век во всех странах мира характеризуется быстрым ростом городов, сопровождающимся бурным ростом транспортной подвижности населения. Улицы городов заполнялись различными средствами передвижения общественного транспорта и в особенности автомобилями, размеры уличного движения возросли в несколько десятков раз, в то время как площадь, занимаемая улицами в старых городах, увеличилась лишь незначительно.

Таким образом, вопросы транспортных передвижений в городах повсеместно выросли в сложную проблему. Острота этой проблемы неодинакова в различных странах, так как она в сильной степени зависит от степени автомобилизации стран, роли общественного транспорта в перевозках и, наконец, от размеров и планировки городов.

В СССР общественный транспорт является основным средством передвижения жителей, частные легковые автомобили берут на себя не более 3—4% всех поездок населения.

В связи с огромным ростом перевозок в городах СССР проведены большие работы по развитию общественного транспорта. Так, трамвайная сеть за последние 20 лет увеличилась в 1,5 раза, троллейбусная сеть — почти в 10 раз. Бурно развиваются в последнее десятилетие в городах и пригородных зонах автобусные перевозки. В Москве с 1935 г. введен в строй метрополитен, протяженность линий которого к 1965 г. достигнет 100 *км*. Построены и продолжают развиваться сети метрополитенов Ленинграда, Тбилиси и Киева. В крупных городах электрифицированы головные участки железных дорог, что позволило значительно поднять скорости пригородных сообщений и сделать пригородный транспорт более комфортабельным.

Однако, несмотря на значительное повышение уровня обслуживания населения городским общественным транспортом, его развитие еще недостаточно. В часы «пик» подвижной состав общественного транспорта в городах с ярко выраженным промышленным профилем переполнен; скорости сообщения недостаточны; только 5% перевозок городского транспорта в СССР производится скоростным транспортом — метрополитеном, остальное количество перевозок осуществляется тихоходным уличным транспортом — трамваем, троллейбусом, автобусом.

Возможности повышения скоростей тихоходного уличного общественного транспорта весьма ограничены, так как возрастающее городское движение является, как правило, причиной снижения скорости сообщения в центральных районах города. Вследствие этого скорость общественного транспорта колеблется в зависимости от интенсивности движения от 12 до 18 *км/ч*. Трудности в работе общественного транспорта в крупных городах усугубляются также ограниченной пропускной способностью улиц.

В советских городах размеры грузового движения больше, чем в городах капиталистических стран, вследствие громадного промышленного и жилищного строительства. Поэтому при относительно слабом насыщении наших городов легковыми автомобилями большое значение должно придаваться организации движения грузовых автомобилей, заполняющих улицы, в особенности в периферийных районах городов и нередко в непосредственной близости к жилым массивам. Шум, газы и пыль от грузовых автомобилей создают для населения, проживающего вдоль загруженных грузовых магистралей, неблагоприятные условия для жизни. Безопасность движения пешеходов и транспорта обеспечена недостаточно.

В целях ускорения движения автотранспорта, увеличения безопасности движения

Рис. 1. В городах Советского Союза проведен ряд крупных работ по строительству новых магистральных улиц и реконструкции существующих улиц, отвечающих современным потребностям уличного движения. Ленинский проспект в Москве

Fig. 1. In many towns of the USSR there were built new wide and convenient arterial roads and many of the existing roads were reconstructed which meets the demands of the street traffic to the full. Lenin Avenue in Moscow

Рис. 2. Магистральные проезды вдоль набережных Москвы-реки на участке между реконструированным Бородинским и вновь сооруженным Калининским мостом

Fig.2. Arterial thoroughfares along the embankments of the Moscow River between the reconstructed Borodino Bridge and the newly built Kalininsky Bridge

Рис. 3. Проспект Ленина в Минске — одна из крупных магистральных улиц в восстановленных советских городах

Fig. 3. Lenin Avenue in Minsk which is one of the important arterial roads in the reconstructed cities of the Soviet Union

Рис. 4. Новая часть Кутузовского проспекта в Москве и развязка в разных уровнях при въезде на проспект

Fig. 4. The rebuilt Kutuzov Avenue and the intersection by grade separation by the opening of the avenue

транспорта и пешеходов в крупнейших городах Союза, и прежде всего в Москве, проведен ряд реконструктивных мероприятий: строительство новых, расширение существующих улиц (рис. 1—4), сооружение развязок в разных уровнях в центрах, на магистралях и по пути массовых грузовых потоков автомобилей, создание обходных дорог вокруг городов и т. д. (рис. 5).

В крупных капиталистических городах трудности, связанные с городским движением, более значительны в связи с чрезмерным количеством легковых автомобилей индивидуального пользования. Условия, создавшиеся в этих городах (рис. 6), наглядно убеждают в том, что чрезмерная перегрузка улиц транспортом ведет к резкому падению скоростей движения автомобилей и общественного транспорта, многочисленным авариям и несчастным случаям, невозможности организации временных стоянок автомобилей, антисанитарному состоянию городов.

Трудности движения вынудили крупные города США к строительству скоростных автомобильных дорог, полностью изолированных от застройки и связанных с системой магистральных улиц через развязки в разных уровнях. Системы их наиболее развиты в Нью-Йорке, Лос-Анжелосе и Детройте.

В таких европейских городах, как Лондон, Париж, Гамбург, Брюссель, Вена, транспортные затруднения еще тяжелее, чем в городах США, несмотря на меньшую степень насыщения автомобилями. Это объясняется средневековой планировочной структурой этих городов со множеством узких улиц и крайне ограниченным числом широких и удобных для движения магистралей, огромной плотностью капитальной застройки и значительно меньшим, чем в городах США, рассредоточением населения.

Временные стоянки автомобилей (рис. 7) — не меньшая проблема, чем пропуск их по улицам: в Париже многие второстепенные улицы превращаются в автомобильные стоянки; а некоторые бульвары, предназначенные для отдыха населения, сплошь заняты автомобилями (рис. 8). Огромные затраты на сооружение скоростных автомобильных дорог, многочисленных развязок в разных уровнях на пересечениях улиц, многоэтажных гаражей и обширных автостоянок лишь в некоторой степени позволяют смягчить трудности уличного движения, но при существующей автомобилизации городов ни в какой мере не могут их разрешить.

В ряде капиталистических стран делаются попытки разрешить транспортную проблему. Наиболее прогрессивные деятели США и Англии рекомендуют снова вернуться к общественному транспорту как основному виду городских сообщений. Появились некоторые признаки усиления средств общественного транспорта, например строительство метрополитена в Кливленде и Торонто, проектирование метрополитена в Лос-Анжелосе, строительство новой экспрессной линии метрополитена в Париже, сооружение железнодорожного диаметра в Вене с функциями городского внеуличного транспорта.

Однако в целом при продолжающемся росте автомобилизации транспортная проблема в городах капиталистических стран находится в безнадежном состоянии, в особенности в старых городах Европы, из-за отсутствия реальной возможности вложения крупных средств на коренную реконструкцию уличных сетей.

Рис. 5. В СССР строятся городские скоростные дороги. В 1962 г. введена в эксплуатацию кольцевая скоростная дорога в Москве протяжением 109 км. Вид пересечения кольца с одной из радиальных автомагистралей

Fig. 5. The USSR has begun to construct high-speed urban roads. In 1962 a high-speed ring road was completed having the length of 109 km. The view of the ring road's intersection with one of the radial motorways

Рис. 6. В США улицы и мосты с трудом пропускают потоки автомобилей. Мост имени Вашингтона в Нью-Йорке

Fig. 6. In the USA streets and bridges can scarecly carry the streams of multiple cars. The Washington Bridge in New-York.

Рис. 7. Для стоянок автомобилей в городах США не хватает места, хотя все свободные территории используются для этой цели. Стоянка автомобилей перед промышленными предприятиями (вверху). Даже крыши некоторых зданий в центрах городов используются для стоянки (внизу). Стоянки автомобилей перед торговым центром в пригородной зоне крупного города (справа).

Fig. 7. In the USA towns there is an acute shortage of parking space, though all the free sites are used for the purpose. Parking in front of plants (above). Cars are parked even on the roofs of some buildings in the town centre (left, below). Parking space in front of a shopping centre in the suburban area of a big town (right)

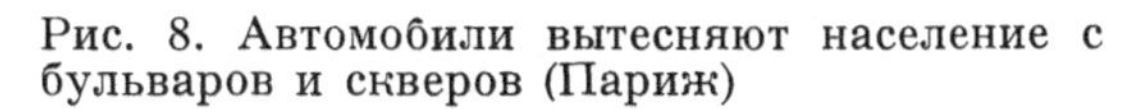

Рис. 8. Автомобили вытесняют население с бульваров и скверов (Париж)

Fig. 8. Cars press out the people from the boulevards and public gardens (Paris)

При социалистическом общественном строе проведение ряда комплексных планировочных и технических мер поможет более кардинально решить транспортную проблему прежде всего посредством:

ограничения роста больших городов;

осуществления промышленного строительства преимущественно в новых и небольших существующих городах;

улучшения планировочной структуры городов путем создания близкого размещения мест труда к месту жительства;

развития широкой сети культурно-бытового обслуживания, приближенной к населению в жилых районах и микрорайонах.

В этих условиях потребность в транспортных передвижениях населения в будущем существенно не должна измениться под действием факторов, противоположно влияющих на величину подвижности.

С одной стороны, трудовые поездки в часы «пик» несколько сократятся вследствие приближения мест жительства населения к местам работы, особенно в связи с увеличением обслуживающей группы самодеятельного населения; с другой стороны, потребности в культурно-бытовых поездках возрастут вследствие сокращения рабочего дня и увеличения тем самым свободного времени населения.

Потребности в поездках с бытовыми целями (покупки, посещения комбинатов бытового обслуживания) должны быть сокращены благодаря расположению магазинов с широким ассортиментом товаров и пунктов обслуживания в центрах жилых районов и организацией доставки товаров на дом. Однако среднее количество поездок на одного жителя будет возрастать вследствие большего удовлетворения потребностей населения в транспортных перевозках.

Ожидаемая транспортная подвижность населения соизмерима с существующей, но распределение поездок между различными видами городского транспорта, технические и бытовые их условия должны существенно измениться. Преждевсего неизбежно значительное увеличение перевозок с использованием легковых автомобилей. Если в настоящее время поездки на легковых автомобилях составляют не более 3—4 % общего количества транспортного передвижения населения (против 30—60% в городах США), то через двадцать лет они могут составить 15—20%.

Известно, что легковой индивидуальный транспорт имеет в 5—6 раз меньшую провозную способность, чем массовый транспорт, и для перевозки одного и того же количества пассажиров нуждается в значительно большей площади улиц для движения (в 10—15 раз) и для стоянок (в 8—10 раз). Таким образом, сохранение за общественным транспортом преимущественной роли в перевозках оградит города от переполнения улиц транспортом.

Развитие организованного комфортабельного и быстроходного общественного транспорта может оказать серьезное сдерживающее влияние на рост легкового автомобильного транспорта.

Большая часть населения при условии хорошо организованного общественного транспорта не будет стремиться к приобретению личных автомобилей и будет пользоваться в необходимых случаях таксомоторами или прокатными автомобилями, что освобождает от лишних хлопот по содержанию и хранению автомобилей. Тем не менее количество легковых автомобилей на улицах и дорогах наших городов будет увеличиваться, поэтому необходимо подготовить и осуществить широкую программу развития и реконструкции улично-дорожных систем в крупных городах, а также предусмотреть в новых городах такую транспортную сеть, которая удовлетворяла бы предстоящим размерам движения.

Уличные сети в городах должны обеспечить высокие скорости движения и его безопасность и обладать достаточной пропускной способностью. Эта сеть должна быть организована таким образом, чтобы население прилегающих районов находилось в полной безопасности и было бы защищено от шума, газа и пыли уличного движения. Все это требует перевести массовые транспортные потоки там, где это необходимо, на городские скоростные дороги, изолировать жилые районы от массового транспортного движения, создать сети аллей для пешеходов, пешеходные мосты и туннели, оборудовать развязки в разных уровнях по направлениям движения различных видов транспорта и ряд других градостроительных мероприятий.

Особо остро стоит проблема размещения автомобильных стоянок и хранения автомобилей в городах; решение этого вопроса в настоящее время встречает значительные трудности.

Нельзя не отметить еще одну сторону транспортной проблемы в городах, касающуюся многочисленных, сложных и обширных по территории устройств внешнего транспорта (станции, порты, железнодорожные линии и подъездные пути). Исторически сложившиеся запутанные схемы этих устройств нередко сковывают нормальное развитие города, неудобны для города и эксплуатации, неэкономно используют территорию. Вместе с тем вынести эти устройства из городов в большинстве случаев невозможно, поскольку они обслуживают его потребности. Только путем длительных, но строго плановых работ можно постепенно разгрузить города от устройств внешнего транспорта без ущерба для транспортных перевозок.

Решению транспортной проблемы будет способствовать не только введение разнообразных новых транспортных средств, но и технический прогресс в области городского движения и транспорта. Уже в ближайшие годы можно добиться снижения шума и уменьшения выделения газов автомобилями путем усовершенствования двигателя, лучшего ухода за ним, перехода на более эффективное горючее. В более отдаленном будущем следует ожидать перевода автомобилей на электроэнергию, что избавит население городов от транспортного шума и отработанных газов. Следует ожидать внедрения новых видов быстроходного и экономичного общественного транспорта (монорельсовых дорог и др.) и значительного усовершенствования существующих, а также появления достаточно мощных, но малошумных летающих аппаратов (типа вертолетов) как средства наиболее быстроходного пригородного общественного транспорта.

Автоматизация процессов движения безрельсового транспорта может значительно облегчить труд водителей. Уже имеются опытные разработки и практические осуществления различных радарных или электронных систем, обеспечивающих автоматическую остановку автомобиля перед внезапно возникающим препятствием или автоматическое соблюдение интервалов в транспортном потоке. Проводились исследования на моделях в целях полной автоматизации управления автомобилем. Еще более широкое поле автоматизации открывается в области управления транспортными потоками на всей уличной сети города. Уже имеются отечественные кибернетические системы одновременного регулирования движения на группе перекрестков. Сложные кибернетические системы реализованы на магистралях ряда зарубежных городов. Благодаря автоматизации управления транспортных потоков повысится скорость движения в пределах города, увеличится пропускная способность улиц и дорог, а также будет полностью обеспечена безопасность городского движения.

Итак, транспортная проблема в городах может быть решена лишь одновременным применением всех планировочных и технических средств. Осуществление по срокам тех или иных мероприятий не будет совпадать по времени, и отсутствие одних мероприятий будет компенсироваться другими. Так, например, автоматизация управления транспортными потоками, очевидно, будет осуществлена быстрее, чем переустройство уличных и дорожных сетей в крупных городах; таким образом, может быть облегчена транспортная работа городов до осуществления больших планировочных мероприятий.

Однако планировочные работы по защите от транспортного шума могут (при новом строительстве) осуществляться уже в настоящее время, в то время как перевод всего автомобильного парка на электротягу — дело достаточно отдаленного будущего.

Таким образом, проблема городского движения и транспорта является важнейшей проблемой современного градостроительства, и ее решению должно уделяться самое большое внимание на всех стадиях проектирования и градостроительства.

В заключение необходимо отметить, что в проектах планировки многих крупных городов до настоящего времени еще не уделяется достаточного внимания решению транспортных проблем. Так, лишь в немногих городах в последнее время осуществлено достаточно удовлетворительное обследование городского движения и транспорта (например, в Москве, Риге, Тбилиси, Свердловске, Красноярске); в других городах перспективные транспортные схемы, как правило, не получили еще достаточных обоснований. Не проводятся и вариантные расчеты в целях выбора оптимальных решений улично-дорожной и транспортной сетей. Значительное улучшение качества проектных работ в области планировки транспортных сетей является неотложной задачей научно-исследовательских и проектных организаций.

Глава 2

ПЕРСПЕКТИВЫ РАЗВИТИЯ ГОРОДСКОГО ОБЩЕСТВЕННОГО ТРАНСПОРТА

Перевозки на городском общественном транспорте в городах Советского Союза с 1950 по 1963 г. возросли в 3,6 раза.

За этот период, и в особенности за последние годы, произошли существенные изменения в удельном весе перевозок каждого вида общественного внутригородского транспорта. Так, за пять лет (1958—1963 гг.) перевозки на безрельсовом транспорте возросли в два раза, в то время как на рельсовом транспорте — только в 1,6 раз. Табл. 1 и рис. 9 показывают, как изменялось количество пассажиров в процентах по видам транспорта с 1950 по 1962—1964 гг. (в таблице за 100% приняты перевозки 1950 г.).

ТАБЛИЦА 1

Вид транспорта	1963 г.	1964 г.
Трамвай	155	160
Автобус	1430	1598
Троллейбус	379	418
Метрополитен	229	249

Эти цифры показывают относительное падение значения трамвая и быстрое развитие автобусных перевозок, занявших в 1961 г. первое место по количеству перевезенных пассажиров.

Процесс уменьшения значения трамвайных перевозок при нарастающем темпе развития перевозок на безрельсовом транспорте до некоторой степени повторяет процесс, происходивший за последние десятилетия в зарубежных странах, в особенности в США, Англии (рис. 10) и Франции. Например, в Лондоне, Париже, Нью-Йорке уличный трамвай полностью снят.

Причина уменьшения роли трамвая в работе городского транспорта заключается в несовместимости трамвайного движения с интенсивным уличным движением на узких улицах старых городов. В капиталистических условиях к этому добавляется и необходимость крупных вложений в реконструкцию трамвайной сети, что нерентабельно при непрерывном сокращении перевозок общественным транспортом под влиянием продолжающегося роста перевозок на легковых автомобилях.

Первостепенная роль автобуса во внутригородских и пригородных перевозках во всем мире объясняется его маневренностью при минимуме капиталовложений на организацию транспортных маршрутов, поскольку для движения автобусов используется, как правило, сложившаяся дорожная сеть. В наших условиях при стремительном росте существующих и строительстве новых городов возможно организовать внутригородские автобусные перевозки в предельно короткие сроки при минимуме капиталовложений.

Как отмечалось выше, главнейшей задачей развития общественного транспорта в советских городах является сохранение за ним в перспективе преимущественного значения во внутригородских перевозках, несмотря на значительное развитие легкового автомобильного движения. Постановка этой задачи в условиях соревнования общественного транспорта с легковым подчеркивает ее остроту и трудность решения. Основные предпосылки, которые обеспечили бы успех в осуществлении поставленной задачи, заключаются в следующем.

Прежде всего необходимо создать преимущественно в крупных городах с их большими территориями и растянутыми коммуникациями скоростные средства сообщения, рассчитанные на различные мощности пассажиропотоков.

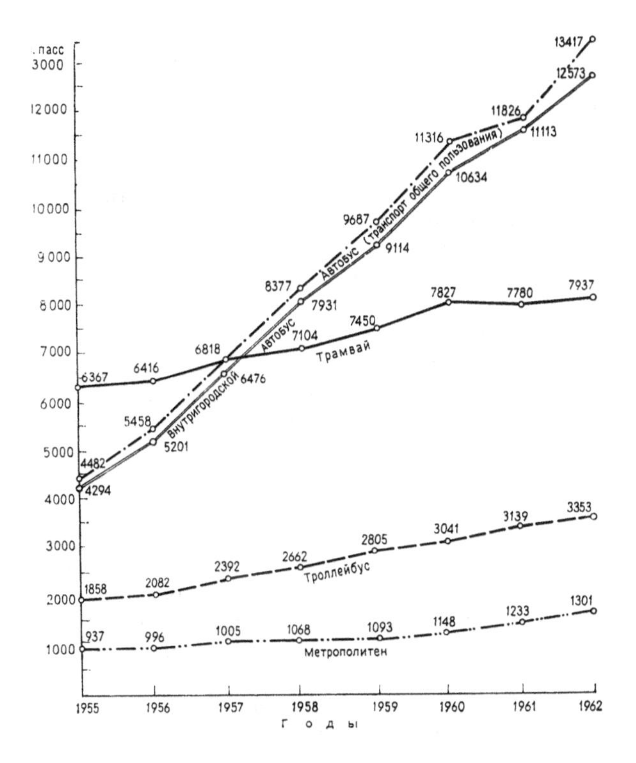

Рис. 9. В СССР непрерывно возрастают перевозки по всем видам городского транспорта и особенно автобусные. Здесь показан рост перевозок за 1955—1962 гг

Fig. 9. In the USSR the number of passengers carried by all kinds of urban traffic, especially by buses, is steadily growing. Here is the increase of trips in 1955—1962

Борьба за увеличение скорости передвижения не ограничивается непосредственной заботой о сокращении затрат времени на поездки общественным транспортом. Она распространяется на весь путь пассажира, включая пешеходные подходы, время на ожидание транспортных средств и на пересадки. Сокращение всех этих непроизводительных затрат времени имеет не меньшее значение, чем увеличение скорости движения общественного транспорта.

Далее необходимо обеспечить на общественном транспорте полную комфортабельность перевозок, которая определяется прежде всего предоставлением всем пассажирам мест для сидения. Обеспечение плавности и бесшумности движения, комфортабельности салонов подвижного состава является не менее важной задачей.

Наконец, при усилении средств общественного транспорта и значительном увеличении количества подвижного состава, приходящегося на единицу селитебной территории, особо необходимо обеспечить надежную изоляцию населения от транспорта для безопасности и защиты от шума, пыли и транспортных газов. Эти требования равнозначны для всех видов уличного транспорта.

Существенным преимуществом общественного транспорта в будущем будет являться бесплатный проезд для населения городов, как это предусматривается в Программе КПСС.

Расчеты показывают, что только в крупнейших городах с миллионным населением скоростной рельсовый транспорт при сильно развитых сетях сможет взять на себя около половины всех внутригородских пассажирских перевозок. Магистральные железные дороги, обычно, принимают на себя незначительную часть внутригородских перевозок. Таким образом, хотя общий процент перевозок на скоростном рельсовом транспорте в перспективе увеличится, основные перевозки будут осуществляться безрельсовым транспортом. В связи с этим общественному безрельсовому транспорту, так же как и созданию новых видов общественного транспорта, должно уделяться не меньше внимания, чем развитию скоростных рельсовых сообщений.

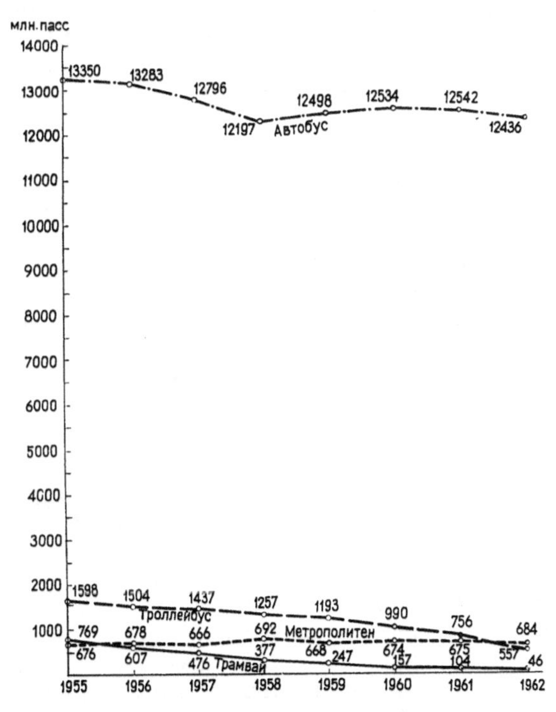

Рис. 10. Количество пассажиров, перевозимых общественным транспортом в капиталистических городах, не увеличивается. В Англии, например, работа общественного транспорта за период с 1955 по 1960 г. оставалась на одном уровне. Трамвай в Англии почти исчез

Fig. 10. The number of passengers using the public transport does not increase in the capitalist countries. In England, for instance, the work of public transport remained at the same level from 1955 to 1960. The tram has almost disappeared in England

1. СКОРОСТНОЙ ОБЩЕСТВЕННЫЙ ТРАНСПОРТ

Высокие скорости сообщения могут быть достигнуты как безрельсовым, так и рельсовым транспортом. Из безрельсовых видов транспорта применяется для скоростных сообщений автобус. В тех случаях, когда автобус движется в общем потоке автомобилей на улицах, его скорость в большой степени зависит от смешанного транспортного потока. Высокие скорости движения автобусов возможны только на специализированных полосах скоростных автомобильных дорог. Автобусные скоростные маршруты могут обслуживать как относительно большие потоки пассажиров — порядка 6 тыс. человек в час в одном направлении, так и весьма малые потоки. Наибольший эффект автобусы-экспрессы по скорости сообщения дают при редких остановках — на расстоянии 2—3 *км* друг от друга. Скорости сообщения автобусов-экспрессов на магистральных улицах в смешанном потоке колеблются от 22 до 30 *км/ч*. На пригородных участках автомобильных дорог, а также на городских скоростных автомобильных дорогах эта скорость сообщения может составлять от 30 до 60 *км/ч* в зависимости от перечисленных выше факторов и от расстояния между остановками. Учитывая, что автобусы-экспрессы обслуживают относительно небольшие потоки, их применение возможно и весьма целесообразно в городах, где возникает необходимость ускорения движения потоков пассажиров в количестве 1—3 тыс. человек в час в одном направлении на расстоянии 5 *км* и более. Поэтому маршруты автобусов-экспрессов целесообразно организовать в любых городах как больших, так и малых, например при необходимости связи города с отдаленным промышленным районом.

Учитывая, что организация маршрутов автобусов-экспрессов способствует увеличению скорости движения общественного транспорта, необходимо при составлении генеральных планов городов, а также текущих планов развития общественного транспорта проектировать их сети, тщательно отбирая для этой цели направления, которые необходимо обеспечить транспортными связями и которые располагают наиболее благоприятными условиями для достижения высоких скоростей сообщения (широкие проезжие части, редкие перекрестки, непрерывность движения на перекрестках и площадях, хорошая изоляция от пешеходов и пр.).

Преимущество рельсового скоростного общественного транспорта перед безрельсовым заключается в возможности перевозить мощные потоки пассажиров (порядка 30—50 тыс. человек в час) в одном направлении (15—25 тыс. человек при предоставлении каждому пассажиру места для сидения,) а также в изоляции трассы от остального городского движения, что дает возможность развивать большие скорости в условиях полной безопасности движения при современных средствах сигнализации и блокировки. Перенос с улиц мощных потоков пассажиров на внеуличные пути скоростного транспорта значительно разгружает центральные районы городов от уличного общественного транспорта, в частности от трамвайного движения, как, например, было сделано в центре Москвы (рис. 11).

В крупных городах с населением около 1 млн. человек там, где имеют место большие и сосредоточенные потоки пассажиров (порядка 10—20 тыс. человек в один час в одном направлении), необходима организация скоростного внеуличного рельсового транспорта — метрополитена, скоростного трамвая. В некоторых случаях для связи с пригородами может быть использована монорельсовая дорога, позволяющая развивать при редких остановках (через 4—5 *км*) скорость 100—150 *км/ч*. Это такие города, как Горький, Баку, Свердловск, Новосибирск, Харьков, где возникают мощные пассажиропотоки на основных транспортных направлениях в часы «пик». В этих городах необходимо предусматривать строительство линий метрополитена и бронировать для его сооружения необходимые территории.

Чтобы приблизить сроки строительства метрополитена в ряде крупных городов Союза, необходимо создать облегченные типы метрополитенов, у которых средняя стоимость 1 *пог. м* линий была бы меньше соответствующей стоимости осуществленных линий в Москве, Ленинграде и Киеве. При относительно небольших размерах пассажиропотоков нецелесообразно строить сооружения исключительно подземного типа. Там, где это позволяют условия застройки и использования территории, следует сокращать протяжение туннелей путем пропуска линий на поверхности земли в открытых выемках с выполнением всех пересечений с улицами, дорогами, железнодорожными линиями и пешеходными потоками в разных уровнях. Туннели должны сооружаться лишь в центральных, плотно застроенных районах города.

Современную скорость сообщения метрополитена, составляющую в зависимости от расстояний между станциями от 25 до 40 *км/ч*, нельзя считать достаточной. Следует принять все меры для увеличения этой скорости путем повышения общей мощности электромоторов. Чтобы повысить сцепление

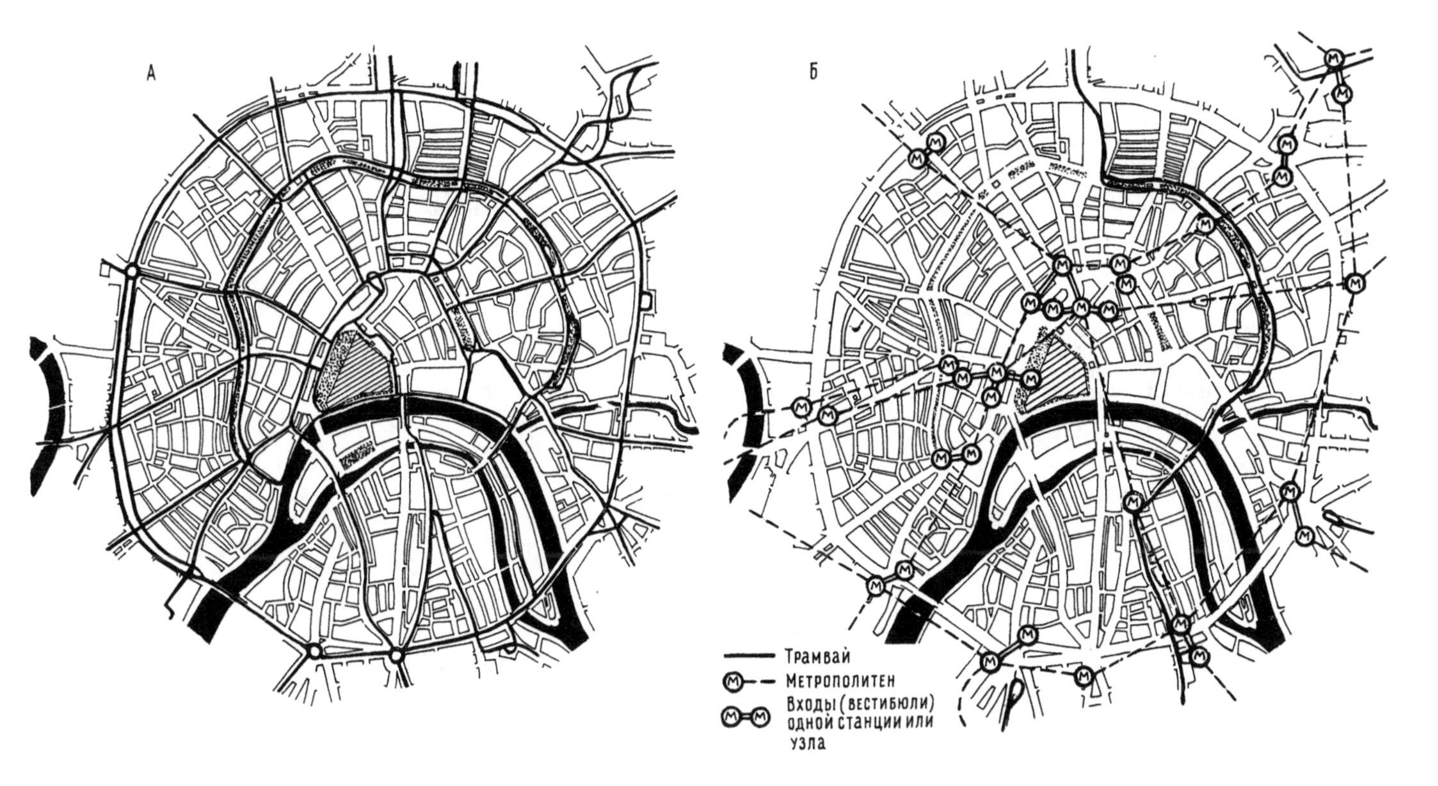

Рис. 11. Сооружение линий метрополитена позволяет, в частности, разгрузить центр города от отдельных видов транспорта. **А** — сеть линий трамвая в центре Москвы до сооружения метрополитена (1935 г.). **Б** — сеть линий трамвая после сооружения метро (1964 г.)

Fig. 11. Construction of the underground makes it possible to diminish the street traffic in the city centre. **A** — the network of the tram lines in the centre of Moscow before the construction of the underground (1935). **Б**— the network of the tram lines after the construction of the underground — (1964)

ведущих осей с верхним строением пути, возможна замена металлических бандажей пневматическими по образцу Парижского метрополитена и по последним экспериментальным образцам подвижного состава монорельсовых дорог. Кроме того, необходимо уменьшить шум от движения поезда, что особенно важно в условиях преимущественного пропуска линий метрополитена открытой трассой. Большое внимание должно также быть уделено уменьшению веса подвижного состава, что также улучшит динамические качества вагонов.

Примерами отдельных наземных линий метрополитена являются Филевская линия Московского метрополитена, Дарницкая линия Киевского и северный участок Тбилисского метрополитенов (рис. 13—16).

Кроме метрополитена к скоростному рельсовому транспорту часто относят скоростной трамвай. Иногда под ним подразумевают обычный трамвай, уложенный на обособленном полотне улицы и, в лучшем случае, имеющий редкие остановки. Скорость сообщения при этом оказывается не более 25 *км/ч*. Для того чтобы трамвай был действительно скоростным, необходимо сделать его внеуличным. Организация скоростного трамвая, обеспечивающего в городских условиях скорость сообщения не менее 30 *км/ч*, требует нового подвижного состава, рассчитанного на высокие скорости, капитального устройства пути и, наконец, дорогостоящих пересечений в разных уровнях по всей трассе как для транспорта, так и для пешеходов. Кроме того, некоторые участки линий должны быть опущены под землю, в туннели, для разгрузки центральных улиц и узлов (рис. 17).

В условиях предполагаемого удешевления строительства линий метрополитена, когда значительная часть их будет находиться на поверхности, а туннели будут главным образом мелкого заложения, технические и планировочные характеристики скоростного трамвая и метрополитена очень приблизятся друг к другу. Поэтому можно говорить лишь о том, что внеуличный рельсовый транспорт в зависимости от размеров пассажиропотоков и требований, предъявляемых к величине ско-

В крупных городах линии метрополитена связывают новые районы массового жилищного строительства с местами приложения труда и центром города. Начертание сетей метрополитена определяется планировочной структурой городов: в Ленинграде — возникновением крупных жилых районов в южной части города (Автово, Московский, Невский), в Тбилиси — линейным развитием города вдоль р. Куры и т. д.

In large towns underground railways connect new housing areas with industrial districts and the city centre. Configuration of underground networks is determinated by the town planning structures, in Leningrad by development of large new housing areas on the south of the town, in Tbilisi by linear development of the town along the Kura valley, etc.

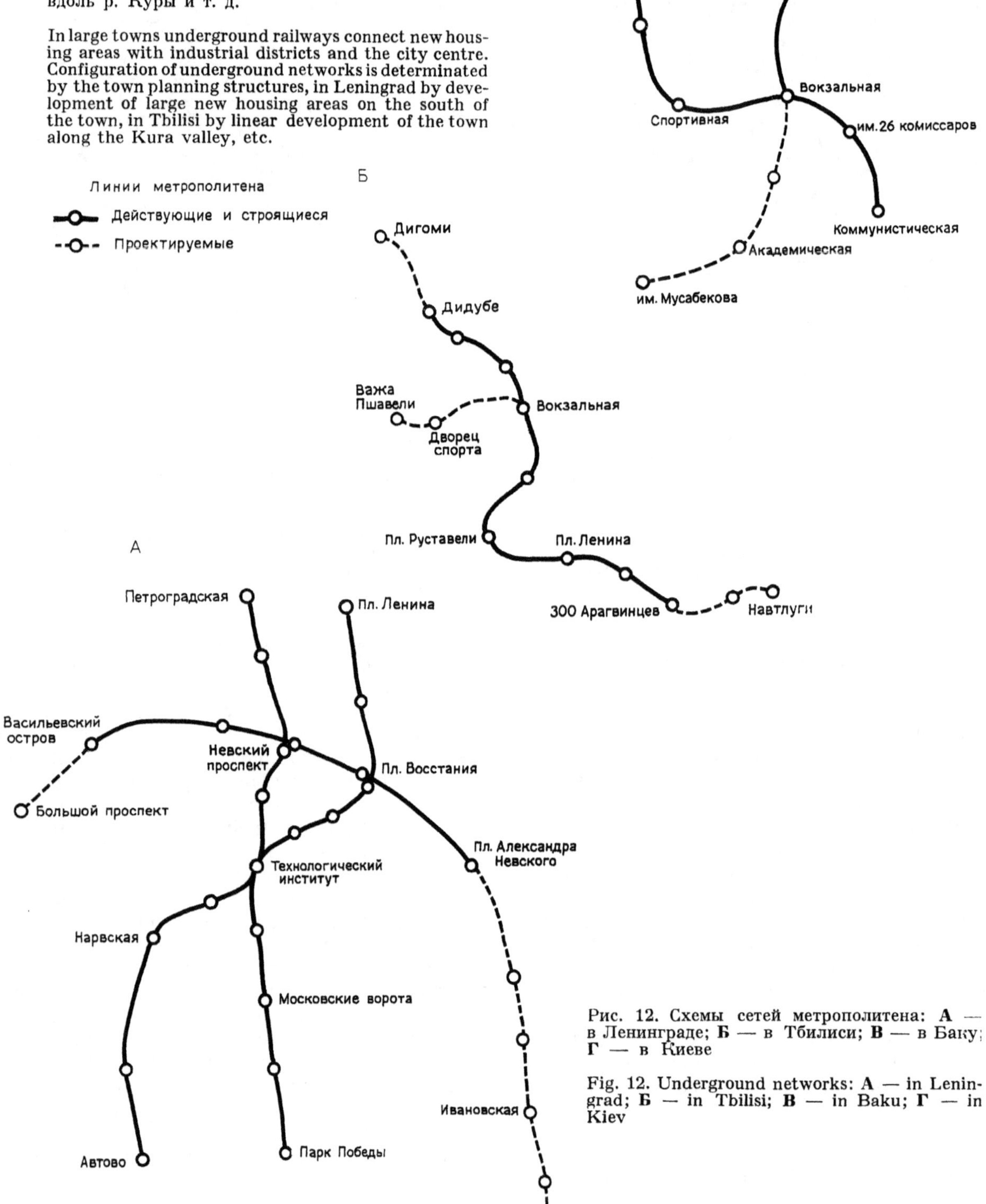

Рис. 12. Схемы сетей метрополитена: **А** — в Ленинграде; **Б** — в Тбилиси; **В** — в Баку; **Г** — в Киеве

Fig. 12. Underground networks: **A** — in Leningrad; **Б** — in Tbilisi; **В** — in Baku; **Г** — in Kiev

Рис. 13. Для строительства подземных участков метрополитена мелкого заложения целесообразно сооружение станций типа построенных на Покровском и Калужском радиусах метрополитена в Москве — без наземных вестибюлей. На рисунке станция «Первомайская»

Fig. 13. Stations like those for Kaluzhsky and Pokrovsky radii of the Moscow underground are expedient to construct on non-deeply laid lines. These stations have no surface halls. The figure shows the station of "Pervomaiskaya"

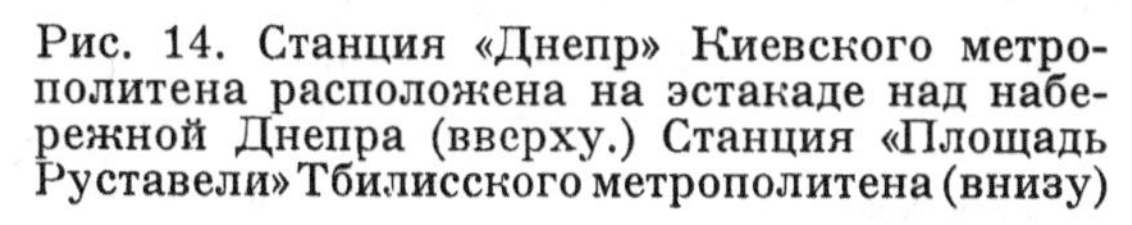

Рис. 14. Станция «Днепр» Киевского метрополитена расположена на эстакаде над набережной Днепра (вверху.) Станция «Площадь Руставели» Тбилисского метрополитена (внизу)

Fig. 14. Station of "Dniepr" of the Kiev underground situated on the viaduct above the Dniepr embankment (above).
The hall of the "Rustavelli square" station at ground level of the Tbilisi underground (below)

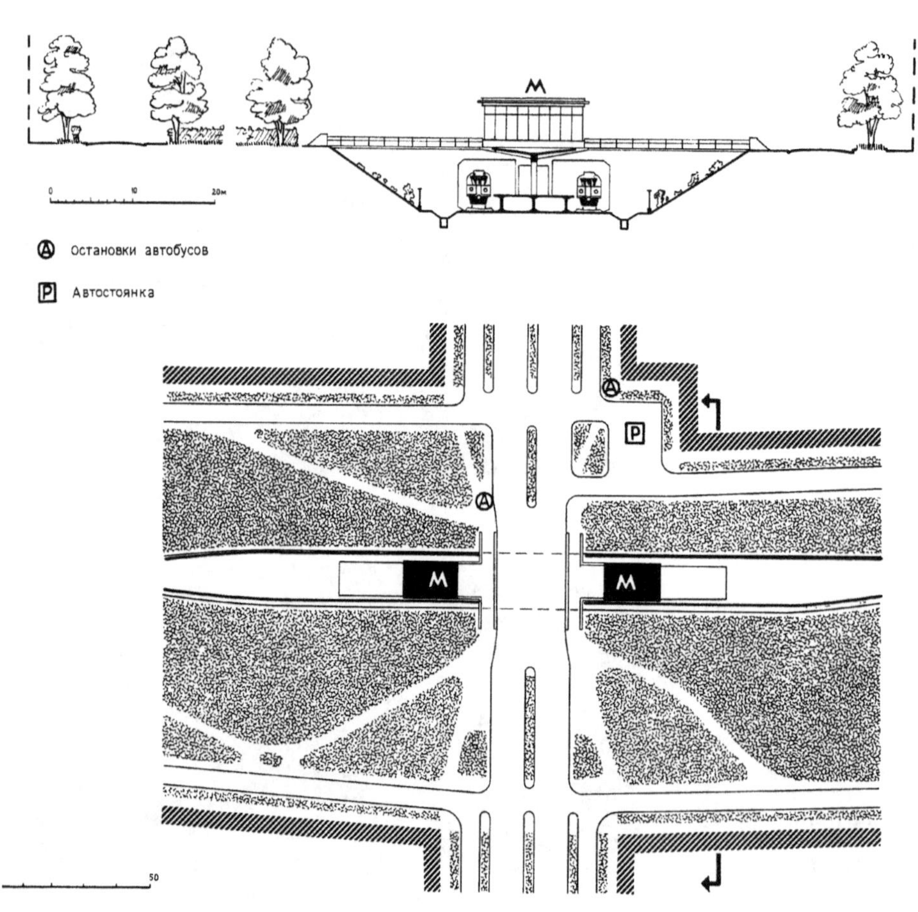

Рис. 15. Станции метрополитена открытых участков следует располагать на пересечениях с магистральными улицами, что обеспечивает минимум затрат времени пассажирами при пересадке с метрополитена на уличный общественный транспорт. Два вестибюля станции или входа на станцию, располагаемые с каждой стороны магистральной улицы, освобождают от необходимости пересечения улицы пассажирами. Станция «Филевский парк» Московского метрополитена построена по этому принципу. Общий вид вестибюля. Разрез. Схематический план

Fig. 15. Stations of open underground lines should be sited at the crossings with arterial roads. It minimizes the passengers time necessary for changing public street-transport. The station has two halls on both sides of the street, owing to which the passengers will spare the street crossing. "The Philyovsky Park" station in Moscow are built according to that principle. The general view of the hall. Section. A schematic diagramme

Рис. 16. Наземная линия метрополитена облегченного типа с применением туннельных участков мелкого заложения в районах с плотной застройкой — наиболее целесообразный тип скоростного общественного рельсового внеуличного транспорта для крупных городов с населением порядка 1 млн человек и больше. Открытые участки Московского метрополитена до некоторой степени могут дать представление о будущих линиях метрополитена в ряде городов. Открытая линия метрополитена в районе Фили—Мазилово (вверху и посредине). Станция «Измайловская» в Первомайском районе (внизу)

Fig. 16. A subway line at ground level of light construction with stretches of non-deeply laid tunnels in the densely built up areas in the most expedient off-street public highspeed rail transport in big cities with the population of 1 mln. and more. Open sections of the Moscow underground can give an idea of the future underground lines to be constructed in a number of the Soviet cities. The open underground line in the Moscow residential district of Phili—Mazilovo (above and between). The station "Izmailovskaya" in Pervomaiskiy district (below)

Рис. 17. В городах, где строительство метрополитена не экономично, а трамвайные сети сохранятся на долгие годы, может оказаться целесообразным провести трамвай в центральных районах города (на узких улицах, в транспортных узлах или в условиях тяжелого продольного профиля) в туннелях мелкого заложения, а иногда на эстакадах. Подземная станция трамвая в Вене (слева). Проект туннельно-эстакадного участка трамвая на пересеченной местности в центре крупного города, устраиваемого в целях смягчения продольного профиля полотна трамвая (внизу)

Fig. 17. In the towns where the construction of the underground is not economically expedient and the tram network will have to serve for many years to come, it migth prove worthwhile place the tram lines in the town's central area along narrow streets, near the traffic junctions or, in case of difficult topographic conditions, in non-deeply laid tunnels and sometimes on the viaducts. An underground tram station in Viena (left). Design of section of a tram line with tunnels and viaducts in a centre of a large city sited in an area of excessibe slopes to soften longitudinal sections of the tram road-bed (below)

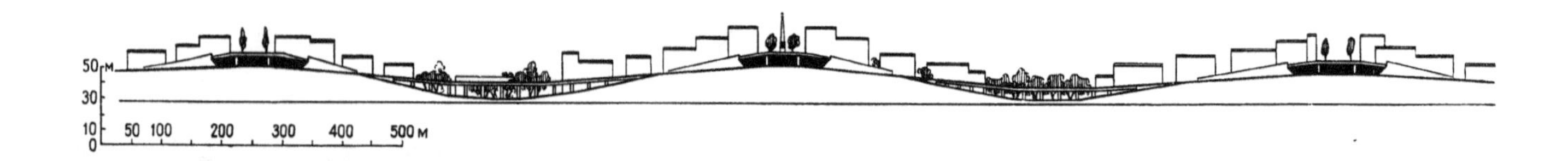

рости сообщения, должен иметь различную степень технической вооруженности, разные габариты вагонов, длину станций, мощность верхнего строения.

В последнее время изучается возможность строительства монорельсовых дорог. Конструкция монорельсовой дороги выполняется в металле или чаще в железобетоне и бывает навесного типа (рис. 18) и подвесного. Вагоны современных однорельсовых дорог выполняются на резиновом ходу, чем достигается относительная бесшумность движения. При строительстве опытных образцов за рубежом приняты все меры к снижению веса вагонов и улучшению тяговых характеристик двигателей.

Существующие экспериментальные образцы монорельсовых дорог по длине трассы не превышают 1—2 *км*, вследствие чего к выводам о значительных достоинствах монорельсовых дорог на основе зарубежной информации приходится относиться с известной осторожностью. Однако можно отметить следующие достоинства монорельсовых дорог:

более высокая, чем у действующих метрополитенов, скорость сообщения, большие ускорения и замедления при трогании с места и перед остановкой, более высокие установившиеся скорости, в том числе на уклонах и кривых (на кривой радиусом 150 *м* скорость может быть 100 *км/ч*);

большие допускаемые уклоны (10%), позволяющие преодолевать значительные неровности рельефа без развития трассы и опускаться на станциях до уровня земли;

быстрота постройки;

возможность в некоторых случаях проникать непосредственно на территорию промышленных предприятий, используя малые радиусы закруглений, легко обходить заводские сооружения и доставлять трудящихся непосредственно к крупнейшим цехам, что может дать существенную экономию времени (в пределах 5—15 *мин*) на трудовые пешеходные передвижения на промышленных территориях (например, на территории металлургического комбината).

Несмотря на отмеченные достоинства, практическое применение монорельсовых дорог встречает еще много трудностей. Монорельсовые дороги мало маневренны, по крайней мере в настоящее время, вследствие громоздкости стрелочных переводов; поэтому организация ремонта, осмотра и очистки составов монорельсовых дорог представляет для городов очень сложную и пока еще практически нерешенную задачу. Пропуск монорельсовых дорог на эстакадах по улицам города (рис. 18) исключается по архитектурным и санитарно-гигиеническим соображениям (шум, пыль, поднимаемые в условиях больших скоростей движения крупных масс поезда).

Все это говорит о том, что применение монорельсовых дорог в качестве основного скоростного средства внутригородских сообщений в крупных городах вряд ли возможно. Однако возможно их использование в пригородах крупных городов для скоростной связи с аэропортами, связи конечных станций метрополитена или других городских транспортных узлов с местами массового отдыха, крупными населенными пунктами и т. д. Особо следует обратить внимание на возможность применения монорельсовых дорог для обслуживания трудящихся больших промышленных предприятий в пределах промышленных территорий, в особенности в условиях расположения вредных предприятий за городом. В этом случае монорельсовая дорога может связать город с предприятием и развозить трудящихся по отдельным цехам.

Направление технического прогресса разных видов рельсового скоростного транспорта — метрополитен, скоростной трамвай, монорельсовые дороги, пригородные железные дороги — в основном одинаково: резкое облегчение веса подвижного состава, применение легких материалов для строительства вагонов, перевод лучших образцов этих видов транспорта на резиновый ход. Этим достигается, с одной стороны, бесшумность и, с другой стороны, высокая степень ускорения при разгоне и торможении.

В городах на пересеченной местности с сильно выраженным рельефом получат распространение специальные виды транспорта: фуникулеры и канатные подвесные дороги. Эти виды транспорта в состоянии преодолевать уклоны, недоступные другим видам рельсового транспорта. Сооружаемые часто на трассах короткого протяжения и эффективные при пассажиропотоках, значительно меньших, чем это требуется для метрополитена и монорельсовых дорог, фуникулеры и канатные дороги могут быть применены не только в крупных городах, но в случае необходимости и в породах средних и малых. На рис. 19—20 показана эстакада фуникулера в Баку и промежуточная станция того же фуникулера. На рис. 21 можно видеть пассажирскую канатную дорогу в Тбилиси.

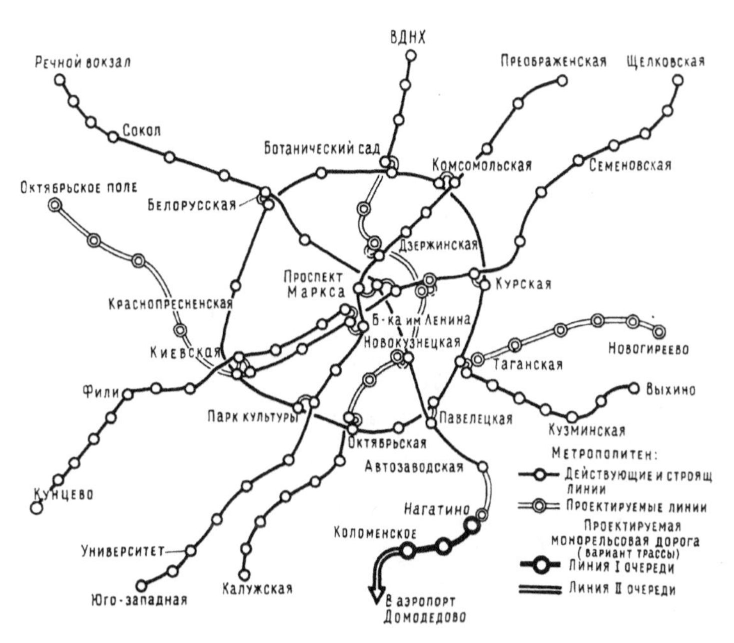

Рис. 18. Монорельсовые дороги могут быть использованы в основном на маршрутах в периферийных районах и пригородной зоне крупных городов. Прокладка монорельсовых дорог в сложившихся районах с плотной застройкой не может быть рекомендована. Вариант трассы монорельсовой дороги в Москве, проектируемый для связи с аэропортом в Домодедове (длина всей трассы — около 36 км, в том числе длина первоочередного участка — 8 км). Монорельсовая дорога навесного типа протяжением 2 км, связывающая город Сиэтл с территорией Всемирной выставки (США)

Fig. 18. Monorails may be used mainly in the suburbs of large cities. The monorails are not to be recommended in existing residential districts with high density. A variant of the monorail in Moscow for the connection with the airport Domodedovo (the length of the whole line is about 36 km, including 8 km of the first stage site), (above).
Suspendet type of monorail 2 km long, connecting Seattle with the territory of the World fair (USA), (below)

Ряд городов Советского Союза имеет сложный рельеф. Эскалаторы, подвесные дороги и фуникулеры должны получить в них самое широкое применение

A number of the towns in the USSR have difficult topographical conditions. Such towns should make a wide use of escalators, suspended ways, funiculars

Рис. 19—20. Фуникулер в Баку, связывающий город с Приморским парком культуры и отдыха имени С. М. Кирова. Эстакада. Промежуточная станция

Fig. 19—20. The funicular in Baku which connects the city with the Primorsky Park named after S.M. Kirov. Trestle-bridge. Intermediate station

Рис. 21. Подвесная канатная дорога в Тбилиси

Fig. 21. The cable way in Tbilisi

2. УЛИЧНЫЙ БЕЗРЕЛЬСОВЫЙ ТРАНСПОРТ

Многообразие условий, в которых применяется автобус, требует применения автобусов различных типов по вместимости и конструктивной скорости. Для крупных городов, а также при потоках, достигающих 5—6 тыс. человек в час в одном направлении, необходимы вместительные автобусы, имеющие 40—50 мест для сидения; при меньших потоках — средние по вместимости автобусы (на 25—30 мест) и, наконец, автобусы малой вместимости, имеющие 10—12 мест для сидения (микроавтобус).

В настоящее время существует большой разрыв между эксплуатационными качествами индивидуального легкового и качествами массового транспорта с подвижным составом большой емкости. Поэтому помимо применения обычных форм общественного транспорта целесообразно создать промежуточный вид общественного транспорта, который объединил бы в себе преимущества как индивидуального легкового, так и общественного транспорта.

Таким перспективным транспортом для городов, видимо, явится микроавтобус, который может работать как маршрутное такси. Малое количество пассажиров в машине позволяет останавливаться по требованию, благодаря чему значительно повышается скорость сообщения. Кроме того, на маршрутах с малым пассажиропотоком может быть организовано достаточно частое сообщение. Микроавтобусы могут стать весьма эффективным видом транспорта общественного пользования, в частности для поездки на работу группы проживающих в одном микрорайоне трудящихся. Преимущество легкового автомобильного транспорта, обеспечивающее ему наибольшую скорость сообщения, заключается в непосредственном следовании автомобиля от двери отправления до двери назначения. В организации трудовых поездок населения при помощи общественного транспорта есть возможность приблизиться к этому основному преимуществу легкового автомобиля. При этом обеспечивается скорость сообщения порядка 30—35 *км/ч*, т. е. близкая к скорости легкового автомобиля. Микроавтобус является также прекрасным средством группового выезда в зону массового загородного отдыха в выходной день. Массовое применение автобусов, особенно малой вместимости, в часы трудовых поездок может полностью ликвидировать напряженность в движении легковых автомобилей в часы «пик». Работа остального общественного транспорта при этом полностью сохраняет свои функции, но в сокращенном виде.

Первое широкое применение микроавтобус получил в городах Южной Америки — Сан-Паоло, Буэнос-Айрес и др. Здесь в короткое время большеемкие автобусы были полностью заменены подвижным составом малой емкости. В настоящее время микроавтобусы используются для обслуживания центральной зоны Парижа, Гамбурга и ряда других городов Европы. Микроавтобусные маршруты хорошо развиваются и в Москве, а также в других городах Советского Союза.

В настоящее время в советских городах все больше применяется троллейбусное сообщение. Его развитие будет продолжаться и в дальнейшем, так как оно имеет явное преимущество перед автобусным в отношении сохранения чистоты городского воздуха и относительной бесшумности. Применение сочлененных троллейбусов позволяет обслуживать достаточно мощные потоки — порядка 6—8 тыс. человек в час в одном направлении без перегрузки подвижного состава. В то же время троллейбус уступает автобусу в отношении маневренности и загромождает пространство улицы подвеской контактных проводов. Стремлением преодолеть эти недостатки и определяются попытки применить в городах различные виды электробусов — аккубусы, жиробусы, вечебусы, что может оказаться перспективным. Внешне все виды электробусов подобны обычному автобусу.

В последние годы обсуждался вопрос о так называемом «высокочастотном транспорте». Весьма низкий ожидаемый коэффициент полезного действия (большое рассеивание энергии и ее поглощение грунтом), а также неизвестное биологическое действие токов высокой частоты на человека делают применение этого вида транспорта в городах пока проблематичным и малоубедительным. В ближайшие десятилетия следует ожидать появления либо усовершенствованных аккумуляторов, либо других способов хранения энергии. Во Франции уже появились новые серебряно-цинковые аккумуляторы, которые в 7 раз легче существующих. На базе таких аккумуляторов построены электромобили. Французский опыт открывает новые пути для развития электромобильного транспорта, ко-

Рис. 22. Крытый эскалатор в парке на Ленинских горах в Москве

Fig. 22. A roofed excalator in the Lenin Hills, Moscow

торый в какой-то степени снизит общую загрязненность городского воздуха.

Целесообразность применения электробусов на маршрутах, обслуживающих центральные районы города, может быть оправдана требованиями охраны чистоты воздушного бассейна города, даже при менее выгодных по сравнению с автобусом экономических показателях. Таким образом, следует ожидать появления в перспективе единого вида безрельсового транспорта на электрической тяге, более совершенного, чем существующие виды.

Непрерывный транспорт. К новым видам транспорта, еще слабо используемым в практике, но представляющим градостроительный интерес, следует отнести карвейер и движущиеся тротуары. Предложения об использовании карвейера как мощного вида городского общественного транспорта имеются в США, хотя практического использования он еще не получил. По американским данным, требующим уточнения, карвейер может иметь провозную способность до 30—40 тыс. человек в час и среднюю скорость сообщения 20—25 *км/ч*. Вместо движения отдельных поездов с необходимыми между этими поездами интервалами система карвейера производит непрерывное движение кабинок небольшой вместимости. Посадка и высадка пассажиров происходит на ходу поезда с движущегося перрона. Расстояния между станциями карвейера принимаются в 300—400 *м*, т. е. как на линиях уличного транспорта.

Применение карвейеров ограничивается (сравнительно с метрополитеном) относительно небольшой скоростью передвижения. Поэтому карвейеры, по-видимому, будет целесообразно применять на относительно коротких расстояниях (4—5 *км*), но при наличии массовых потоков пассажиров, перегружающих тротуары улиц и уличный общественный транспорт. Так, применение карвейера может быть целесообразным вдоль улицы Горького в Москве, что позволило бы частично снять с улицы безрельсовый общественный транспорт и частично разгрузить тротуары от пешеходов. Одновременно таким образом можно было бы несколько разгрузить Горьковский радиус метрополитена на наиболее загруженных его перегонах (проспект Маркса — Белорусский вокзал). В городах без метрополитена карвейер мог бы быть использован с теми же целями на наиболее загруженных направлениях в центральных районах города. Для окончательного решения вопроса о целесообразности применения карвейеров необходимо устройство его опытного образца.

Большое распространение в будущем могут получить движущиеся тротуары и эскалаторы при укладке их преимущественно в туннелях. Движущиеся тротуары уже имеют применение за рубежом, но пока главным образом для передвижения в пределах крупных общественных зданий. Движущиеся тротуары могли бы удачно использоваться для передвижения пассажиров на короткие расстояния в пределах общественных и торговых центров, а также в сложных транспортных узлах с массовым пропуском пешеходов в разных направлениях и уровнях по отношению к пропускаемому транспорту (вокзальные комплексы, аэропорты, городские площади с вестибюлями метрополитенов, развязки в разных уровнях, пешеходные туннели и пр.). Важной областью применения движущихся тротуаров и эскалаторов на перспективу станут города с сильно выраженным рельефом; на участках улиц с подъемами более 3—4% устройство движущихся тротуаров при больших потоках пешеходов весьма желательно. Хотя скорость линий движущегося тротуара не превышает 4—4,5 *км/ч*, но в данном случае она слагается со скоростью движения пешехода, идущего по движущейся ленте, вследствие чего суммарная скорость его движения может составлять 8—9 *км/ч*.

На участках с более крутым падением рельефа целесообразно сооружение эскалаторов. На рис. 22 показан эскалатор в наземной галерее на Ленинских горах в Москве. Провозная способность движущихся тротуаров и эскалаторов определяется в 30—40 тыс. человек в час на каждый метр ширины ленты.

Длинные ленточные транспортеры для пешеходов, уложенные в туннелях вдоль улиц, могут разделяться на отдельные перегоны для организации выхода на улицу или на пешеходные аллеи, у перекрестков или общественных и торговых зданий. Длина перегонов должна составлять 100—150 *м*.

3. ГРУЗОВОЙ ТРАНСПОРТ

В области внутригородского грузового транспорта стоят две перспективные задачи. Одна из них — обеспечить по возможности безвредность грузового транспорта (выделение газов). Улучшение качества горючего и ухода за автомобилями, а также конструктивное улучшение двигателей внутреннего сгорания могут лишь отчасти исправить положение, потому что только переход грузовых автомобилей на электротягу в перспективе может по-настоящему решить эту большую проблему.

Вторая задача заключается в том, чтобы максимально снять грузовое движение с поверхности улиц и даже городских дорог. Это может быть достигнуто дифференциацией городских магистралей и переводом массовых грузовых потоков на специальные улицы или дороги с преимущественным использованием их для грузового движения. В самых сложных случаях возможно создание специального грузового, по преимуществу подземного, внеуличного транспорта в виде непрерывного конвейера либо по типу трубопроводного транспорта с движением гидравлическим способом.

Вопрос о целесообразности применения в городах грузовых конвейеров как целой транспортной системы является частью проблемы организации грузовых перевозок и складского хозяйства в городах в целом (см. главу 5). Очевидно, что значительная централизация складского хозяйства и централизованное управление им позволят часть грузов, в особенности потребительских и продовольственных, перевести на конвейерную систему перевозок. При достаточной мощности потоков эта система может быть оправдана. Так, возможно устройство конвейеров между товарными станциями и крупными складами, не имеющими подъездных путей, между этими складами и крупными товарными центрами, а также между предприятиями промышленных районов.

В следующих главах изложены конкретные выводы и рекомендации для современной практики градостроительства, вытекающие из планируемого развития и совершенствования транспортных средств, в части построения магистральных сетей улиц и дорог в городах, а также планировочных параметров транспортных и дорожных сооружений.

Не все необходимые транспортные и дорожные сооружения в городах могут быть построены в ближайшие годы и даже в пределах расчетного срока генерального плана, но территории для этих сооружений должны резервироваться уже сегодня.

Глава 3

ГОРОДСКИЕ УЛИЦЫ, ДОРОГИ, АВТОМОБИЛЬНЫЕ СТОЯНКИ, ПЕШЕХОДНЫЕ УСТРОЙСТВА

В современных условиях в новых и реконструируемых городах улично-дорожную сеть необходимо проектировать с учетом предстоящего значительного увеличения размеров городского движения.

К недостаткам массового автомобильного движения следует отнести, в первую очередь, большое количество несчастных случаев с людьми при наездах на пешеходов и при аварии автомобилей, отравление отработанными газами и вредное воздействие на людей шума от проходящих автомобилей. В связи с этим основная задача планировочной организации массового автомобильного движения заключается в возможно большей изоляции населения города от городского движения. Очевидно, что чем больше загрузка на городской артерии движения, тем более совершенной должна быть изоляция от него. С другой стороны, необходимо обеспечить беспрепятственный пропуск по улицам и дорогам города больших потоков автомобилей и других механических средств передвижения с достаточно удовлетворительными скоростями движения в пределах городов, хотя бы в некоторой степени соответствующими высоким конструктивным скоростям.

Поэтому вторая задача заключается в том, чтобы увеличить пропускную способность внутригородских транспортных коммуникаций, а также скорость сообщения на них. Также очевидно, что эту вторую задачу целесообразнее решать на тех артериях, где движение особенно велико и где оно совершается на значительные расстояния, так как только в этом случае технические устройства, обеспечивающие большую пропускную способность и скорость сообщения, могут быть экономически обоснованы. Поэтому в современной советской и зарубежной практике градостроительства дифференцируют внутригородские транспортные коммуникации по их назначению, размерам движения и скорости сообщения.

Все эти классификации, несмотря на некоторые различия в деталях в разных странах, основываются на трех хорошо известных категориях: городские улицы, дороги, пешеходные дороги (аллеи). Из этих трех категорий улицы в большинстве случаев рассматриваются как неизбежное наследие старых городов, городские же дороги и сеть пешеходных аллей — как прогрессивные и обязательные элементы новых и реконструируемых городов.

Четкая дифференциация городских улиц и дорог является обязательной в плане любого города в целях выделения наиболее интенсивного движения на магистральные пути следования, которые имеют большую пропускную способность и устройства, обеспечивающие безопасность пешеходов и движущихся экипажей.

На рис. 23 дана схема генерального плана реконструируемого города, где показаны сети основных городских коммуникаций, скоростные дороги и магистральные улицы.

1. ГОРОДСКИЕ СКОРОСТНЫЕ ДОРОГИ

Городские скоростные дороги проходят вне городской застройки и отделены от нее зелеными зонами. Это наиболее современная и прогрессивная форма городских транспортных коммуникаций прежде всего потому, что позволяет наиболее полно изолировать население от движения транспорта. Непосредственные выезды автомобилей из местных улиц и внутренних проездов микрорайонов на скоростные дороги полностью исключаются. Проезжая часть дороги не доступна для пешеходов и тротуары вдоль проезжей части ее не устраиваются. Связь скоростной дороги с магистральной сетью города осуществляется на развязках в разных уровнях. При движении в таких узлах полностью исключается пересечение автомобилей в одном уровне; допускается лишь попутное движение автомобилей при правых и левых поворотах. Таким образом, при высокой пропускной способности дорог обеспечивается максимальная безопасность движения автомобилей и особенно пешеходов.

Скоростные дороги прокладываются в обход жилых районов, административно-общественных центров и других территорий города, имеющих строго функциональное назначение (места отдыха населения, учебные и спортивные комплексы, научные центры и т. д.). Общественные, культурные и торговые центры нецелесообразно приближать к скоростной дороге; с внешних сторон этих центров должны проходить лишь местные проезды, обеспечивающие их связь с дорогой и внутренними проездами прилегающих микрорайонов.

Городские дороги могут удобно соединять любые районы города через пункты пересечения с другими городскими дорогами или магистральными улицами.

В наиболее крупных городах с населением 1—1,5 млн. человек и выше, с территориями более 150—200 *км*², где коммуникации сильно растянуты и в определенных направлениях возникают мощные потоки автомобилей, неизбежно строительство в ближайшем будущем городских скоростных дорог непрерывного движения, широко примененных за последние 20 лет в крупных городах США. В таких городах они необходимы для создания скоростной связи между их районами, а также непосредственной связи с загородными автодорогами. Именно в таких городах с большими территориями становится ощутимой экономия времени при пользовании скоростными дорогами. Уже сейчас в ряде крупных городов можно ставить вопрос об устройстве сети скоростных дорог, хотя это требует больших затрат. В СССР к таким городам помимо Москвы, Ленинграда и Киева можно отнести Горький, Челябинск, Свердловск, Волгоград, Новосибирск, Харьков, Омск, Донецк и некоторые другие. В ряде генеральных планов из числа перечисленных крупных городов предусматривается сооружение скоростных дорог (см. главу 4).

Скоростное автодорожное кольцо протяженностью 109 *км* (рис. 24), сооруженное вокруг Москвы, проходит вне городской застройки, что позволило применить любые развязки, в том числе и развязки в форме полного клеверного листа, требующего большой площади. Как показывает проектирование скоростных дорог в других советских городах, они также в значительной степени будут проходить вне застройки. Поэтому практика проектирования и строительства кольцевой скоростной дороги Москвы весьма существенна и для этих городов.

Так как городские скоростные дороги помимо высоких скоростей сообщения имеют и высокую пропускную способность (1200—1500 автомобилей в час на одну полосу движения вместо 500 автомобилей в среднем в час на магистральных улицах), они значительно уменьшают нагрузку магистральной сети городов благодаря отвлечению на себя потока автомобилей. Такое отвлечение происходит естественным порядком вследствие высоких скоростей сообщения на них — 70—80 *км/ч* для легковых автомобилей вместо 30—40 *км/ч* на нормально загруженных магистральных улицах (при запасе не менее 30% пропускной способности улиц) и 10—15 *км/ч* на перегруженных участках (обычно в центре города). При меньшем количестве населения (примерно до 300 тыс. человек) скоростные дороги в перспективе будут необходимы для вытянутых в длину городов с растянутыми коммуникациями или с сильно рассредоточенным по территории населением и, наконец, для городов с крупными промышленными районами, находящимися за пределами города. Если автомобильные потоки будут во всех этих случаях не менее 2,5—3 тыс. в час в главном направлении движения (или 25—35 тыс.

Рис. 23. Схема проекта планировки реконструируемого города с населением 1 млн. человек с сетью городских скоростных дорог и магистральных улиц. Проект предусматривает членение города на жилые и промышленные районы, а также зоны отдыха и укрупнение уличной сети в старых районах города. Сеть магистральных улиц с общественным уличным транспортом в новых районах города запроектирована плотностью 2—2,5 км/км², в старых центральных районах — плотностью 2,5—3 км/км² ▶

Fig. 23. The draft scheme of a redeveloped city with the population of 1.000 thousand people having a network of city high-speed roads and arterial roads. The scheme proposes to divide the city into residential and industrial districts and recreation zones and to improve the street pattern of the old parts of the city. The planned density of arterial roads with public transport in the new parts of the city will be 2—2.5 km/km² and in the old central districts — 2.5—3 km/km²

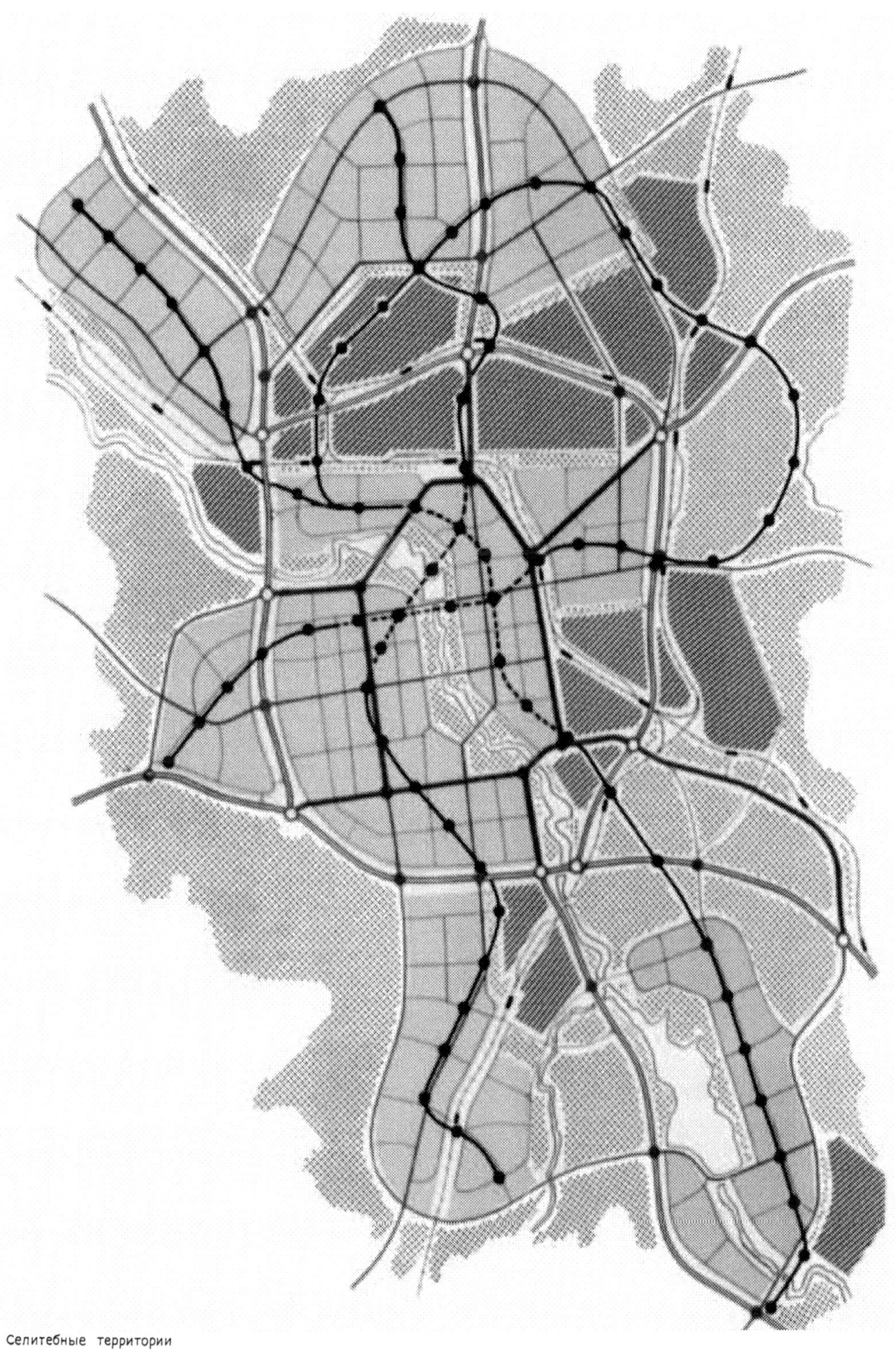

Селитебные территории

Промышленные территории

Места отдыха и зеленые насаждения

Железные дороги и пассажирские станции

Метрополитен (подземные участки)

Метрополитен (наземные участки)

Городские скоростные дороги

Магистральные улицы непрерывного движения

Магистральные улицы общегородского значения

Магистральные улицы районного значения

Реки и водоемы

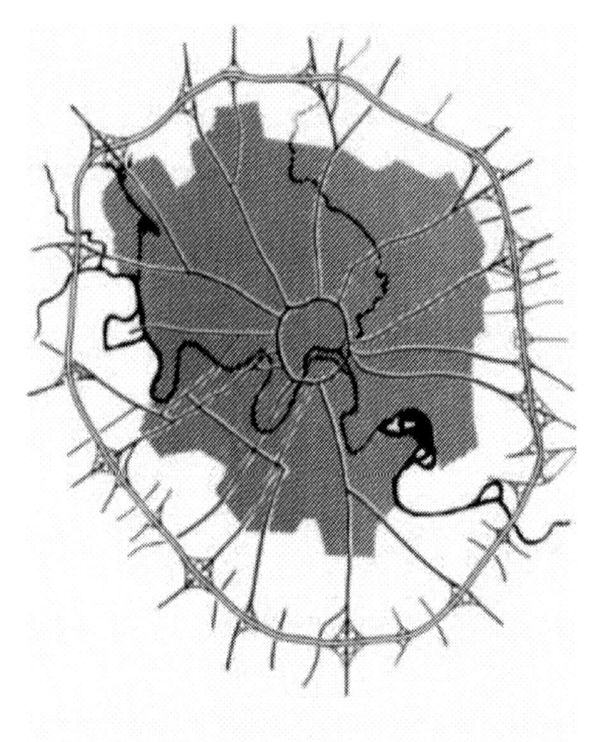

Рис. 24. Кольцевая скоростная дорога в Москве протяжением 109 км (закончена строительством в 1962 г.). Схематический план дороги. Павильон автобусной остановки у пересечения дороги с радиальной автодорогой. Один из мотелей дороги (у пересечения с Минской автомагистралью)

Fig. 24. The high-speed ring-road in Moscow, 109 km long (put into commission in 1962). The sketch plan of the road. A roofed bus station at the crossing of the ring-road with a radial motor road. A motel (at the crossing of the ring-road with the Minsk highway)

приведенных автомобилей в сутки в оба направления движения), то сооружение скоростных дорог может быть оправдано.

В городах с любой численностью населения актуальной задачей является изоляция города от транзитных потоков на междугородных автомобильных дорогах. Это особенно важно для городов с населением менее 100 тыс. человек. Если в крупном городе транзит составляет обычно не более 10% общего числа движущихся в пределах города автомобилей, то в небольших городах движение транзитных автомобилей, как правило, значительно превышает местное движение. Сооружение обходных дорог в таких городах резко сокращает движение на городских магистралях и разгружает их центры.

Если новые дороги строятся в обход городов, то существующие автомобильные дороги соединяются между собой за пределами городской застройки специальными дорожными обходами в виде хорд, а при наличии нескольких дорог — дорожными обходами в виде полуколец и колец. Связь с внегородскими дорогами, обходящими город, в простейших случаях осуществляется или в виде ответвлений от транзитной автомагистрали, приобретающей иногда характер городской скоростной дороги, или при помощи двух дорог, обеспечивающих минимум перепробегов для связи города с транзитной автомагистралью (рис. 25).

На территории новых и существующих городов в обход жилых районов, культурных и общественных центров, мест отдыха населения целесообразно строительство городских дорог, предназначенных в основном для грузового движения. Грузовые дороги должны проходить через районы крупнейших грузообразующих и грузопоглощающих пунктов города: промышленные и складские районы, товарные станции и т. д. Это позволит освободить наиболее деятельные магистральные улицы в центральных районах от грузовых потоков, благодаря чему может быть значительно

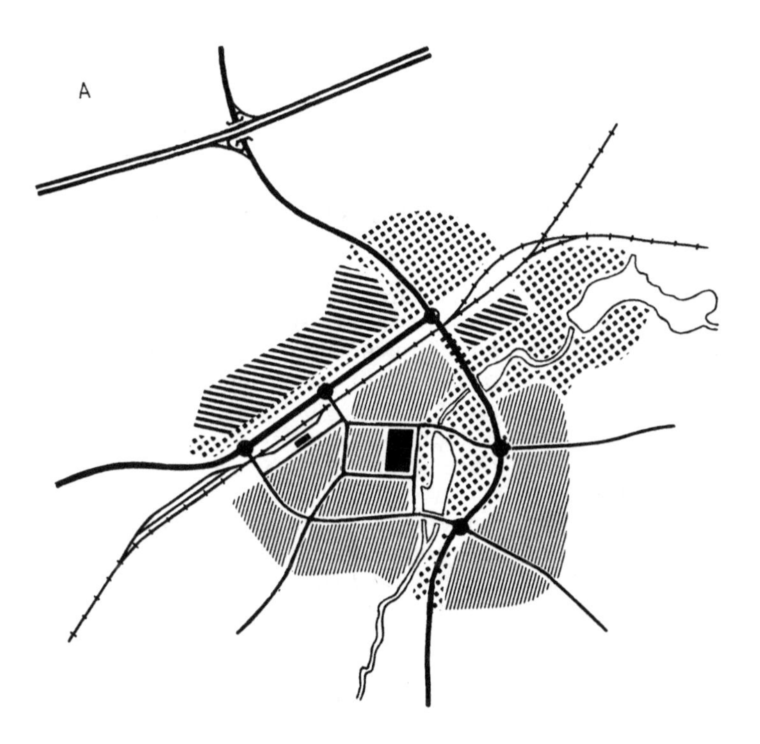

Рис. 25. Центр города связан с междугородными дорогами, обходящими город: в простейших случаях с одним ответвлением дороги **(А)** или двумя ответвлениями, образующими скоростную дорогу или магистральную улицу, пересекающую город **(Б)**. В последнем случае пробег автомобилей, следующих в город, наименьший

Fig. 25. The city centre is connected with the interurban roads by-passing the city in most simple cases by means of one **(А)** or two routes **(Б)**, which form a high speed road or street crossing the city. In the latter case the transport entering the city covers the least distance

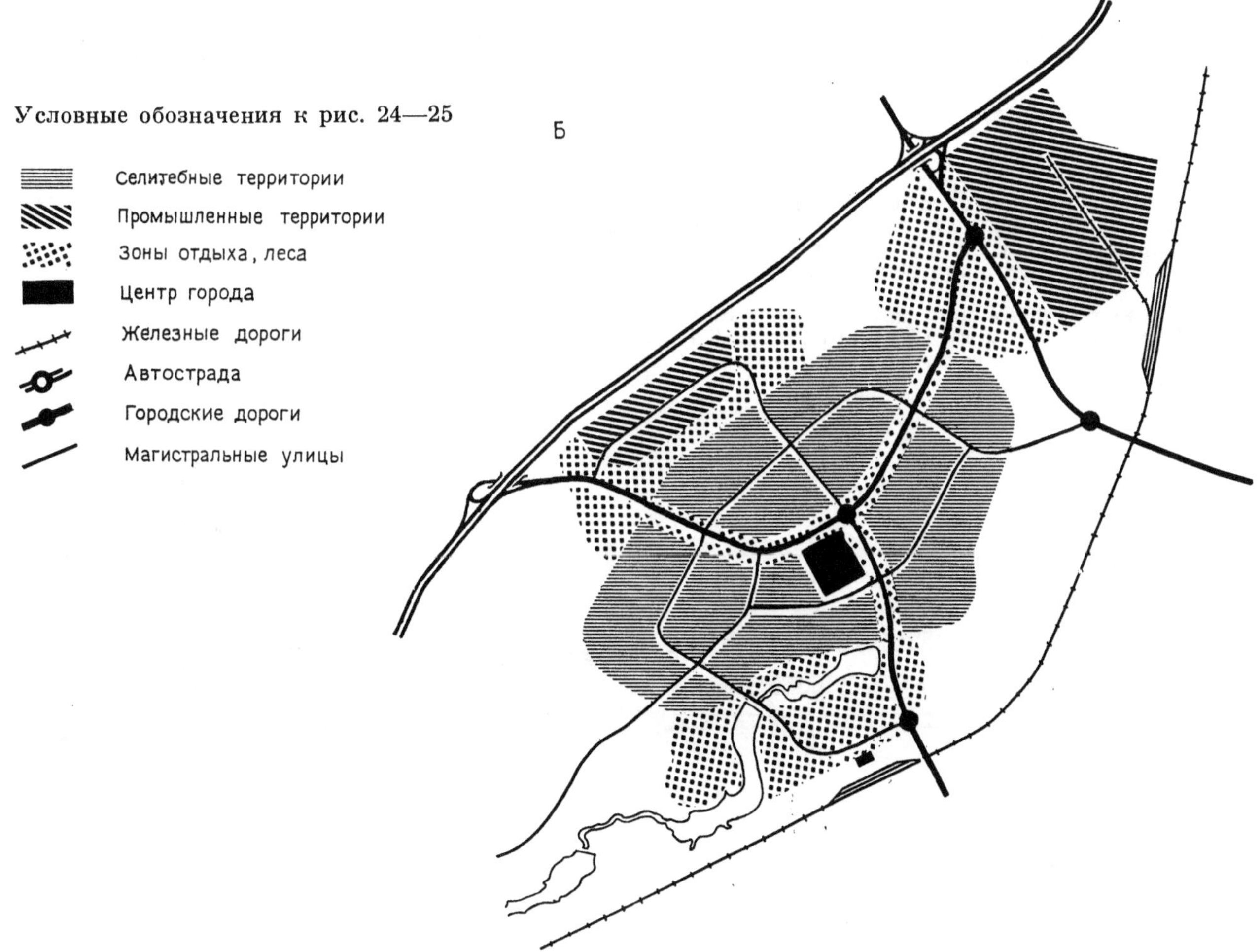

поднята скорость движения по магистральным улицам и обеспечена большая безопасность для пешеходов и транспорта. При этом снижение шума будет весьма значительным, так как известно, что величина шума от грузового автомобиля в среднем в 3 раза больше, чем от легкового.

На рис. 26 показан план участка скоростной автомобильной дороги, запроектированной для условий, близких к условиям крупных советских городов: она проходит на периферии города в свободных условиях, вне застройки, соединяя крупные жилые и промышленные районы в обход центра, а также внешние автомобильные дороги I—III классов, радиально подходящие к городу.

Условия прохождения скоростных дорог в советских городах в периферийных городских районах близки к изображенным на рис. 27 и рис. 28. На рис. 27 Печерская магистраль в Киеве, близкая на этом участке по своим элементам к скоростным дорогам, проходит по хорошо озелененной городской территории. На рис. 28 относительно небольшая плотность и этажность застройки, в которой проходит скоростная дорога (США, Лос-Анжелос), близка к условиям периферийных районов многих советских городов.

Для обеспечения высоких скоростей сообщения легковых автомобилей (70—80 *км/ч*) при смешанном потоке грузовых и легковых машин скоростные дороги должны иметь не менее трех лент движения в каждом направлении и разделительную полосу шириной не менее 4 *м*. На скорость сообщения влияют не только технические условия трассирования скоростной дороги, размер и характер автомобильных потоков на ней, но и расстояние между развязками. Чем они реже (т. е. чем более спокойные условия создаются для перехода автомобилей из одного ряда в другой на подходах к развязкам), тем средние скорости на дороге выше. Поэтому желательно, чтобы расстояние между развязками составляло бы в среднем 2—3 *км*. Практически это далеко не всегда возможно, и в пределах плотной городской застройки развязки могут располагаться значительно чаще в целях возможно более полного отвлечения потоков на скоростную дорогу с нескольких центральных магистралей города.

Типы развязок скоростных дорог влияют на стоимость дорог, пропускную способность и скорость сообщения.

На самых мощных дорогах США приняты в наиболее напряженных по движению узлах

Рис. 26. План участка городской скоростной дороги с различными решениями развязок в разных уровнях на ее пересечениях с магистральными улицами. Принятые решения зависят от размеров движения и направления основных потоков и могут быть применены на скоростных дорогах в крупных городах

Fig. 26. A plan of a stretch of an urban expressway with various examples of grade separation, where it is crossed by arterial roads. The adopted solution in every case depends upon the traffic volume and the direction of the main traffic streams and can be applied on urban expressways

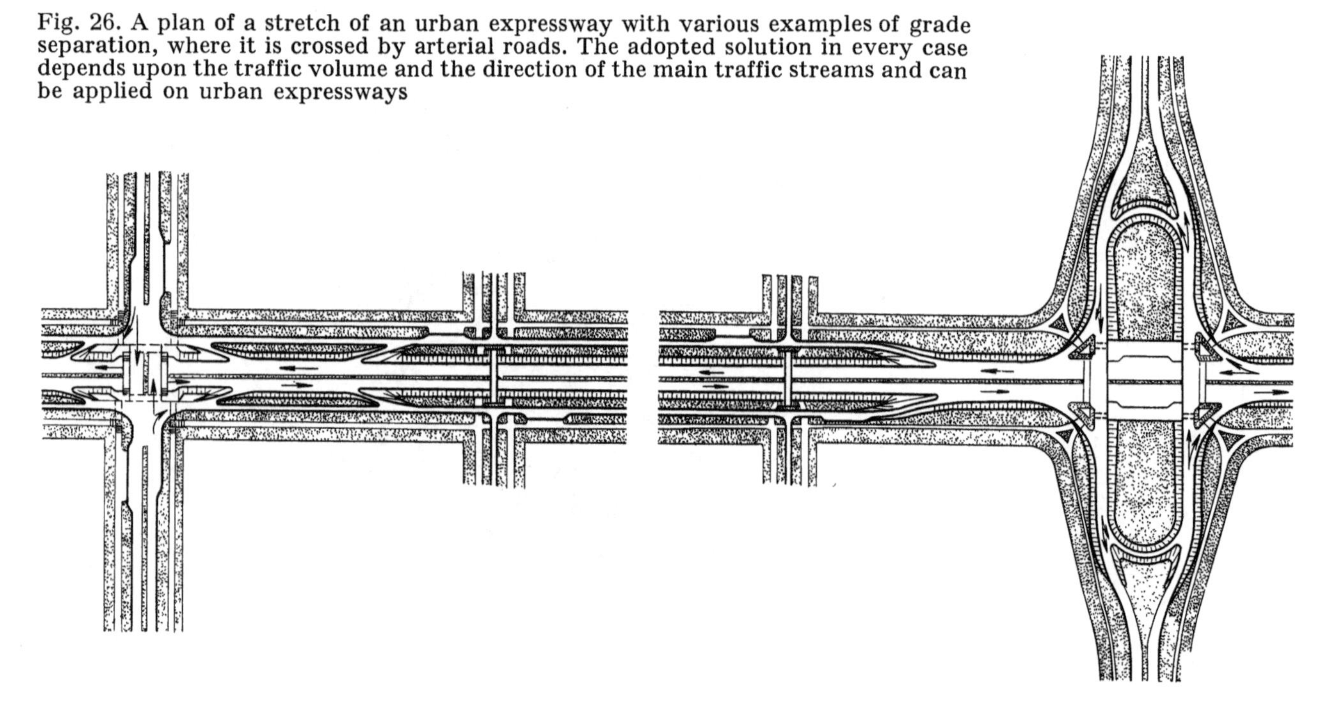

развязки с полным отсутствием пересечений потоков различных направлений в одном уровне и с минимальным числом пунктов слияний потоков. При этом все проезжие части развязок устраиваются на пологих радиусах, что обеспечивает высокие скорости движения автомобилей в пределах развязок.

На рис. 29 дана перспектива одного из участков скоростной дороги Детройта. Скоростная дорога на участке производит впечатление громоздкого и сложного сооружения. Это является неизбежным в условиях устройства сложных развязок с поперечными магистральными улицами или дорогами, необходимости сохранения местных улиц или проездов вдоль скоростной дороги, устройство выходов из них на полотно скоростной дороги, и, наконец, в условиях, наличия на отдельных участках откосов выемок главной проезжей части. Развязки расположены редко, но устройство их отличается высоким техническим совершенством. В пределах развязки все направления, включая левые повороты, развязаны в разных уровнях, пропускная способность развязок доведена до возможного максимума, а кривые больших радиусов, примененные на проезжих частях развязок, позволяют сохранить в их пределах высокие скорости. Такие развязки требуют сооружения четырех уровней проезжих частей (рис. 29 и 30); их большая территория и высокая стоимость заставляют их рекомендовать лишь в условиях исключительно мощных автомобильных потоков пересекающихся автомобильных дорог.

Для наших городов при меньших в перспективе размерах потоков автомобилей, чем в американских условиях, осуществлять столь громоздкие и дорогие по выполнению схемы нецелесообразно. За пределами селитебной территории нужно допускать строительство развязок клеверного типа. Во всех остальных случаях в целях экономии территории правильнее применять компактные схемы развязок, значительно упростив их, как это, например, показано на рис. 26 и 31. В этих развязках помимо пересечения в разных уровнях основных направлений для левых и правых поворотов предусмотрены круглые или овальные площади, на которых производятся безостановочные пересечения и слияния левых потоков различных направлений в одном уровне.

Однако для скоростных дорог нельзя чрезмерно упрощать развязки в разных уровнях путем сооружения, например, только одного путепровода и организации левых поворотов, используя существующую уличную сеть. Такое решение можно применять не для скоростных дорог, а для магистральных улиц непрерывного движения с плотной застройкой вокруг развязки, как это делается на Садовом кольце в Москве. Недостатками таких схем являются малая пропускная способность для некоторых левых поворотов и большое время, затрачиваемое для их прохождения. На рис. 32 показана схема организации движения в районе Октябрьской площади на Садовом кольце. Созданная здесь развязка в разных уровнях обеспечивает непрерывное движение по кольцу и в радиальном направлении (Ленинский проспект — улица Димитрова), остальное движение поставлено в достаточно сложные условия.

Рис. 27. Печерская магистраль в Киеве, выстроенная как отрезок скоростной магистрали. По своему типу и условиям прохождения она приближается к проектируемым в крупных городах скоростным дорогам, проходящим на их периферии

Fig. 27. The Pecherskaya arterial road in Kiev meant as a stretch of the expressway. Its type and the peculiarities of its lay-out resemble those of expressways proposed for large cities and running in their periphery

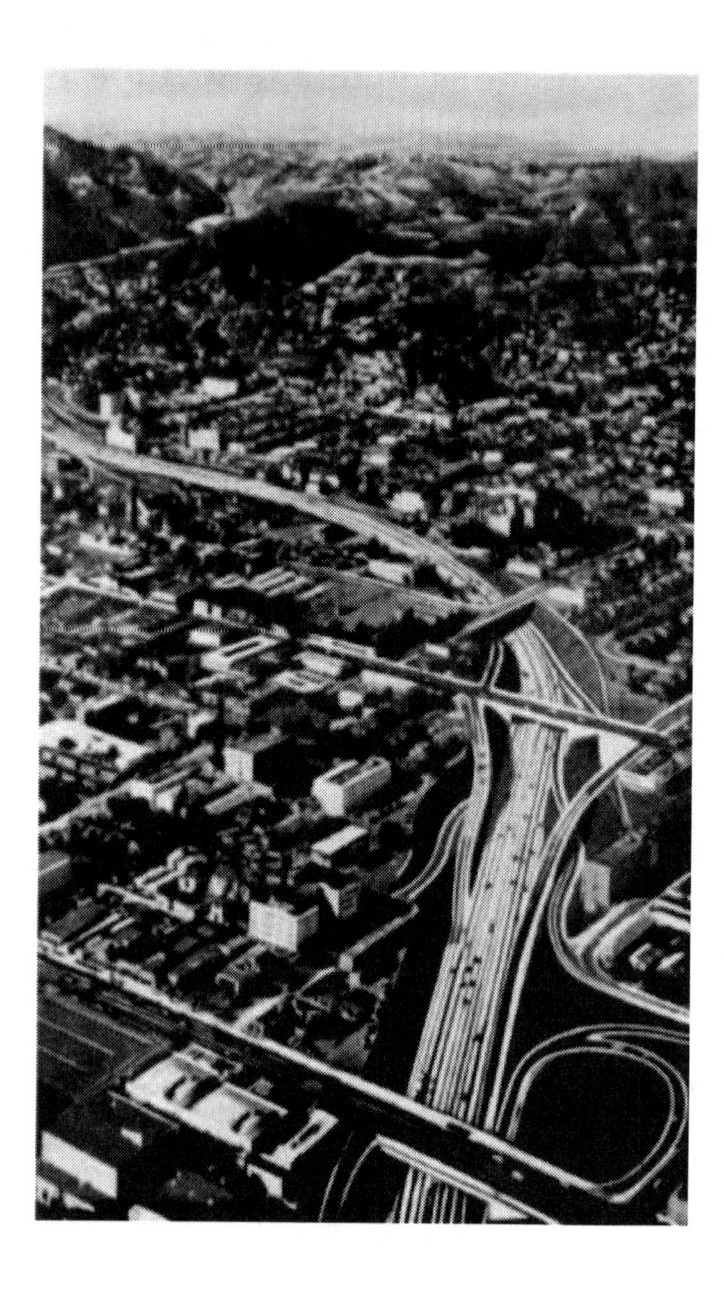

Рис. 28. Относительно небольшая плотность и этажность окружающей застройки облегчает строительство скоростной дороги, что соответствует условиям периферийных районов советских городов (вид скоростной дороги в одном из городов США)

Fig. 28. Relatively low density of the development and its moderate high facilitates the laying out of the high-speed road which is adequate conditions of peryferical areas of the Soviet Union towns. (The view of a high-speed road expressway in one of the USA towns)

Рис. 29. Типичное решение развязок на скоростных дорогах в городах США характеризуется применением пологих радиусов на кривых, рассчитанных на пропуск автомобилей с большими скоростями. Подобные развязки обладают высокой пропускной способностью

Fig. 29. Typical solution of crossings on the high-speed USA roads is characterized by slow radial curves which are intended for high-speed traffic. Such crossings have a high carrying capacity

◀ Рис. 30. Сложная развязка в четырех уровнях (Лос-Анжелос) обеспечивает непрерывность и полную независимость движения для всех направлений в пределах узла. Целесообразна для применения лишь в условиях очень мощных автомобильных потоков

Fig. 30. Complicated crossing in four levels (Los-Angeles) gives uninterrupted and completely free movement in every direction. Such crossing is expedient only with very heavy traffic streams

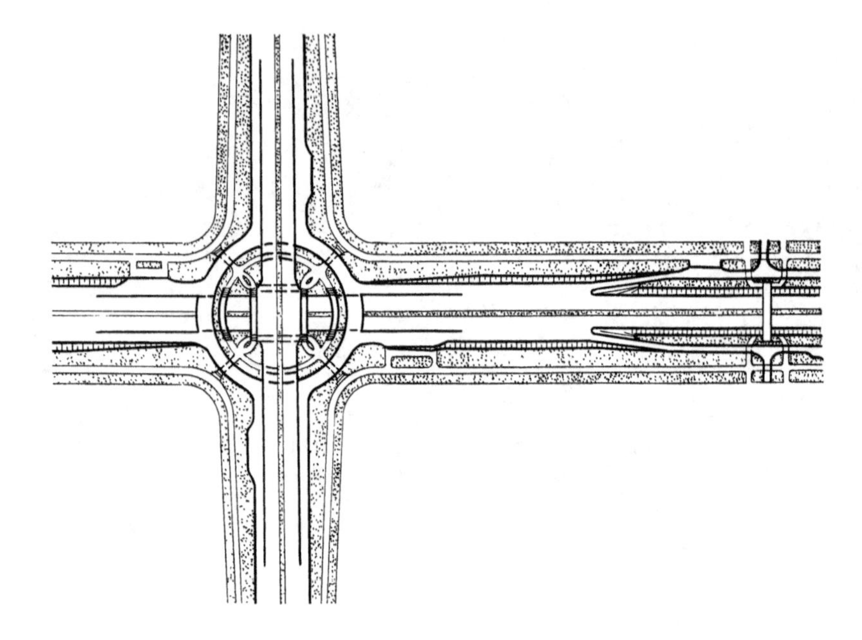

Рис. 31. Схема пересечения скоростных дорог с развязкой движения в трех уровнях. Прямые потоки пропускаются в верхнем и нижнем уровнях; в среднем уровне расположена круглая площадь, предназначенная для пропуска право- и левостороннего движения. Автобусные остановки размещены в центральной части узла и связаны между собой пешеходными переходами, изолированными от проездов для автотранспорта, чем достигаются безопасность, удобство и экономия времени при пересадках. Комплексное решение, рассчитанное на пропуск мощных транспортных потоков

Fig. 31. A sketch of three level crossing of high-speed roads. Direct streams are let through the upper and the lower levels. On the middle level there is a round square for the left and right directed traffic. Bus-stops are in the central part of the junction interchange and are interconnected by pedestrian foot-paths segregated from car-traffic which is safe, convenient and time-saving at changing. A comprehensive solution meant for heavy traffic streams

Попутно нужно отметить, что развязки на Садовом кольце с фундаментальными сооружениями значительно (рис. 33 и 34) увеличивают его пропускную способность. Возможно, в перспективе трудность в организации левых поворотов будет устранена вследствие уменьшения их числа после сооружения периферийных скоростных дорог.

Трассы скоростных дорог. Учитывая, что скоростные дороги не связаны непосредственно с застройкой и имеют редкие пересечения с другими дорогами или примыкания к ним, целесообразно прокладывать их с учетом рельефа, например по неудобным для застройки землям — пологим оврагам, по долинам речек; также следует перерезать небольшие водоразделы выемками и в отдельных случаях туннелями. Так, некоторые радиальные скоростные дороги Москвы проектируются вдоль долин речек, например Сетуни в Минском направлении, Чуры параллельно Ленинскому проспекту. Во всех перечисленных случаях достигается наилучшая изоляция дороги от застройки, а также облегчается устройство пересечений дороги в разных уровнях с другими транспортными коммуникациями.

Весьма целесообразен пропуск любой городской дороги на отдельных участках вдоль железнодорожной линии. При этом строительство путепроводов с общим отверстием для железнодорожных линий и дороги облегчает и удешевляет строительство дороги. Однако это возможно лишь при отсутствии железнодорожных подъездных путей, которые могли бы пересечь скоростную дорогу.

Как отмечалось выше, проезжие части скоростных дорог должны быть полностью изолированы от пешеходов путем устройства пешеходных мостиков или туннелей. Пешеходное движение вдоль скоростных дорог должно происходить по тротуарам с внешней стороны местных проездов. Однако там, где нет местных проездов и застройка отодвинута от скоростной дороги на значительное расстояние, необходимо иметь специальные пешеходные аллеи вдоль скоростных дорог, но за пределами их сооружений. Это условие необходимо соблюдать во избежание использования проезжей части скоростной дороги для пешеходного движения, как это имеет место на некоторых участках Московской кольцевой дороги и междугородных дорог.

Пропуск пешеходов по тротуарам вдоль проезжей части скоростной дороги недопустим, так как при этом не создается надежной изоляции пешеходов от движущегося транспорта.

Защита населения от шума, пыли и газов на скоростных дорогах. В мировой практике этому вопросу не уделяется достаточного внимания. Только в периферийных районах, вернее в пригородах, в окружении одноэтажной застройки, защищенной зеленью садов, скоростная дорога не представляет значительного вреда для населения. Укладка скоростной дороги в выемку создает надеж-

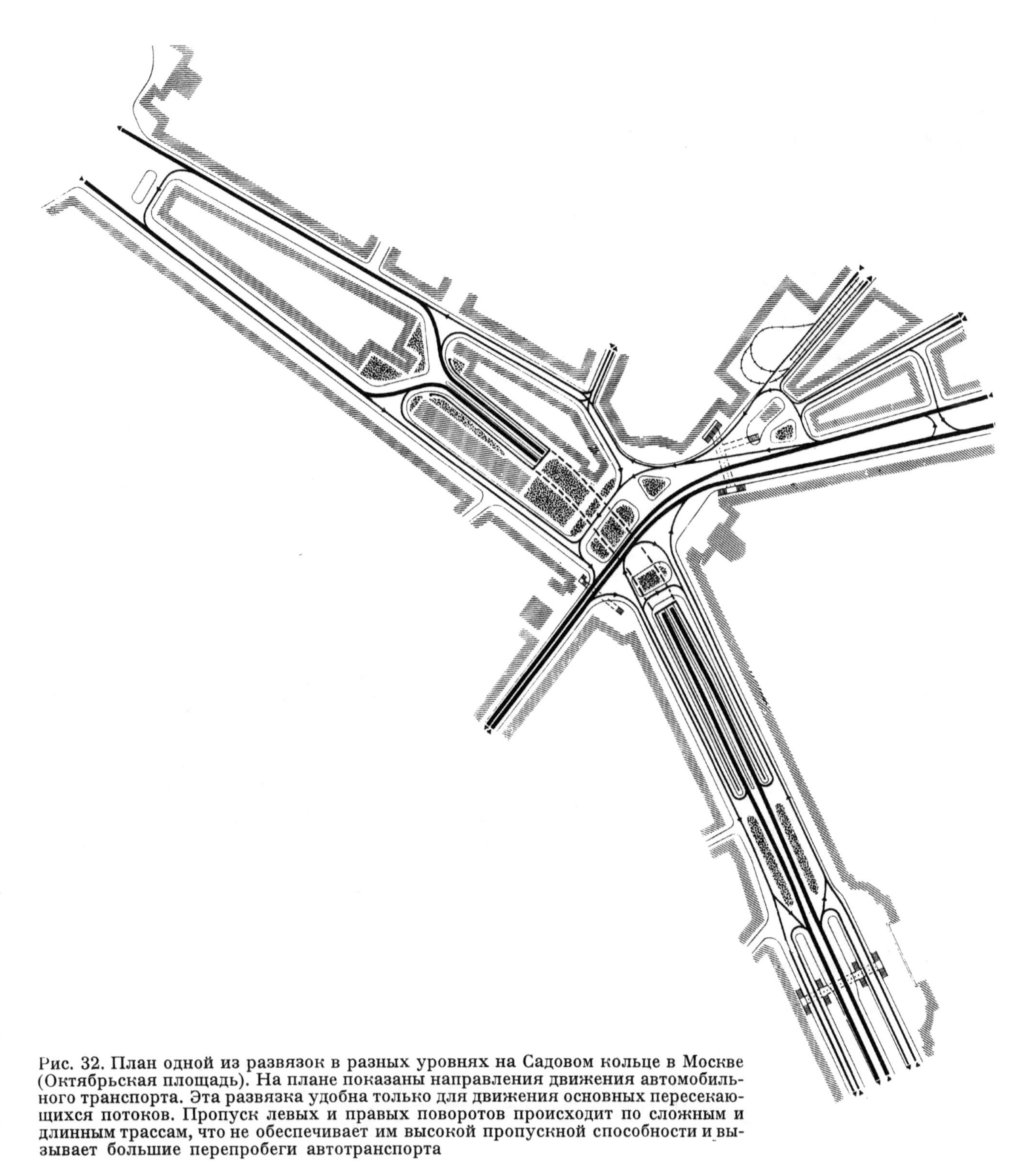

Рис. 32. План одной из развязок в разных уровнях на Садовом кольце в Москве (Октябрьская площадь). На плане показаны направления движения автомобильного транспорта. Эта развязка удобна только для движения основных пересекающихся потоков. Пропуск левых и правых поворотов происходит по сложным и длинным трассам, что не обеспечивает им высокой пропускной способности и вызывает большие перепробеги автотранспорта

Fig. 32. A scheme of a crossing by grade separation on the Garden Belt in Moscow (Oktyabrskaya Square). The scheme shows car-traffic directions. This crossing is convenient only for the main crossing streams. Left-and right-directed traffic streams go by long and complicated ways which have small carrying capacity and cause long runs of the transport

Рис. 33. Туннель для пропуска проезжей части Садового кольца под улицей Горького (вид в сторону площади Восстания)

Fig. 33. The tunnel which runs the transport of the Garden Belt under the Gorky Square (the view from the Uprising Square)

Рис. 34. Один из участков Садового кольца с развязками в двух уровнях. Эстакада. План участка
1 — Краснохолмский мост; **2** — Таганская площадь; **3** — Ульяновская улица; **4** — Высоко-узский мост; **5** — улица Обуха; **6** — улица Чкалова

Fig. 34. A scheme of a section of the Garden Belt with a traffic tunnel and a trestle-bridge View from the traffic tunnel. The trestle-bridge
1 — Krasnoholmsky bridge; **2** — Taganskaja square; **3** — Uljanovckaja street; **4** — Visokojyuzskiy bridge; **5** — Obuha street; **6** — Chkalova street

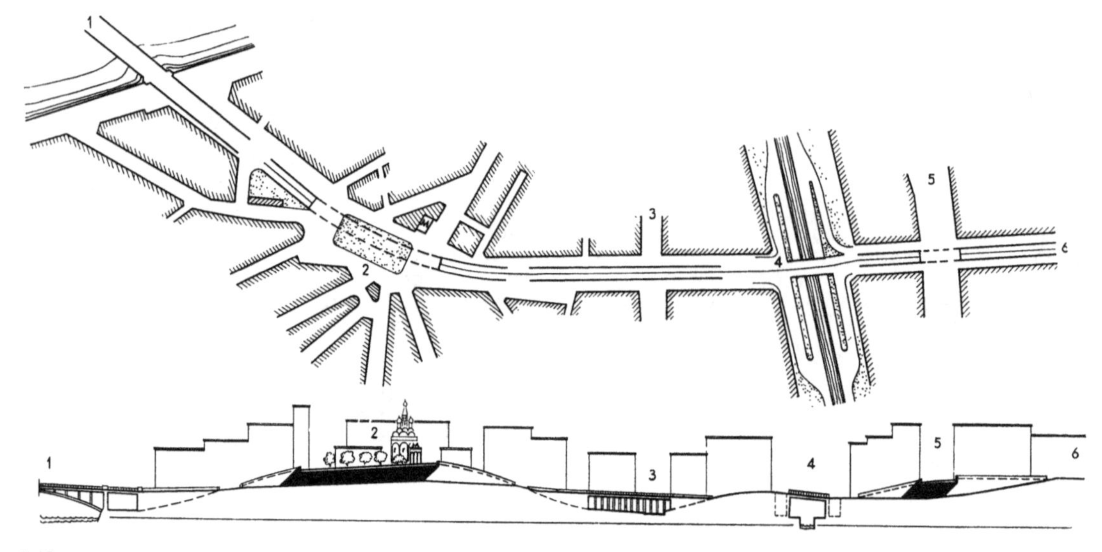

ную защиту от шума, однако только в пределах так называемой «звуковой тени», образуемой препятствием в виде откоса выемки на пути распространения звука. Такое экранирование звука является лучшим способом защиты от шума.

Наиболее целесообразна укладка дорог в выемку глубиной минимум 3—3,5 *м*, что, как отмечалось выше, целесообразно в профильном отношении при пересечении дороги с поперечными улицами или дорогами (рис. 35, поперечный профиль **Б**). При отсутствии выемки защиту от шума можно обеспечить в некоторых случаях путем устройства ограждающих кавальеров в сочетании с барьерами из легких, но звуконепроницаемых материалов (рис. 35, **В**). Зеленые насаждения оказывают некоторое положительное влияние на защиту населения от шума при ширине полосы 20 *м*, но снизить шум до рекомендуемого уровня могут только сплошные массивы зелени шириной 120—150 *м*. Положение в плане и высота ближайших зданий должны назначаться в зависимости от принимаемых мер борьбы с шумом.

В новых районах городов желательно, чтобы скоростные дороги, пропускаемые в обход жилых районов, имели широкую полосу отвода (примерно 120—150 *м*), в которую входили бы собственно дорога и зеленые зоны с обеих сторон, что давало бы надежную защиту от шума и благоприятно действовало на микроклимат ближайших жилых районов. Когда встречаются трудности с рельефом или дорога проходит в районах сложившейся застройки, ширина полосы, занимаемой дорогой, может быть снижена до 110—120 *м* при условии экранирования проезжей части (лучше всего откосами выемки), создания зеленых полос вдоль дороги и ограничения высоты ближайших к дороге зданий пятью этажами.

При строительстве любой развязки необходимо предусматривать устройство остановочных пунктов для автобусов-экспрессов,

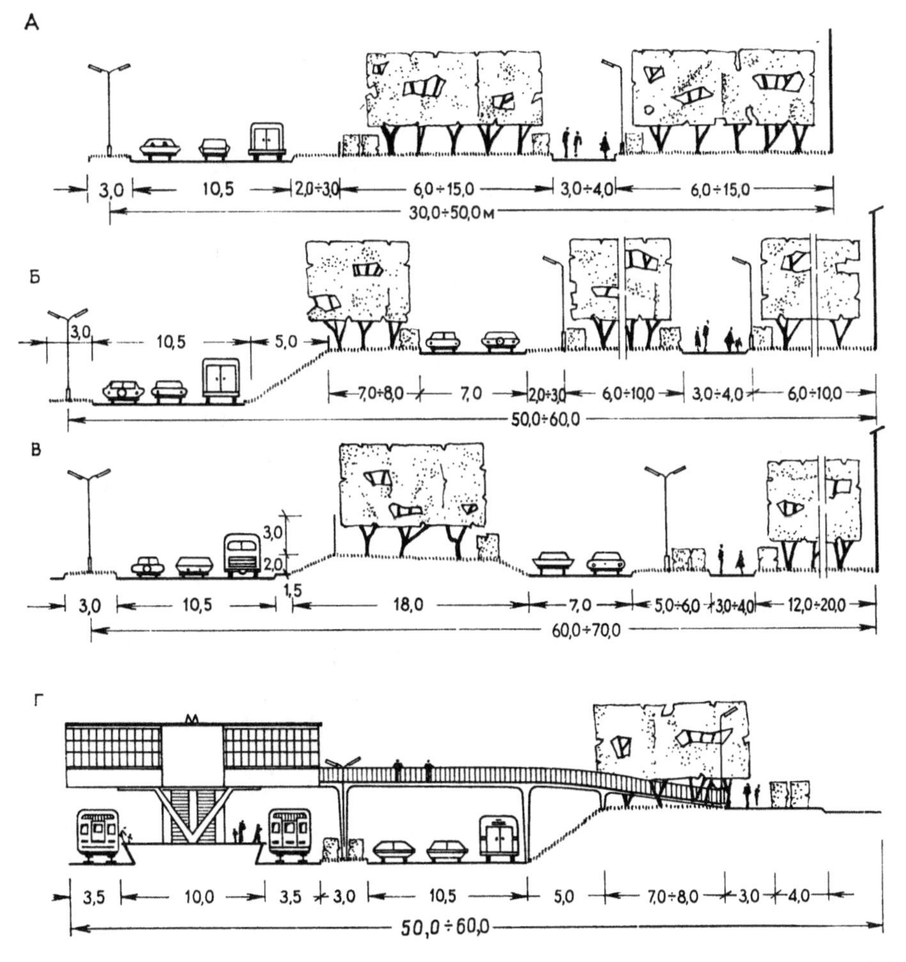

Рис. 35. Поперечные профили магистральных улиц и дорог. А — магистральные улицы общегородского значения шириной от 60 до 100 м с большими полосами озеленения; Б — поперечный профиль скоростной дороги с шириной между линиями застройки 100—120 м с укладкой проезжей части в выемке; В — поперечный профиль скоростной дороги шириной от 120 до 140 м с устройством кавальеров; Г — поперечный профиль скоростной дороги при укладке линии скоростного рельсового транспорта вдоль средней разделительной полосы

Fig. 35. Cross-sections of arterial roads and streets: **А** — Major arterial roads having the width of 60—100 metres and broad green strips. **Б** — A cross-section of an expressway road having the width of 100 120 metres laid in a groove; **В** — A cross-section of a high-speed road 120—140 metres wide with noise protecting shafts; **Г** — A cross-section of a high-speed road with the rails for high-speed rail transport being laid along the central segregating verge

Рис. 36. Развязка движения в трех уровнях с пропуском по скоростной дороге линии метрополитена, с устройством его станции и пересадочного пункта для безрельсового транспорта в центре развязки. Компактное решение, одинаково удобное для движения автотранспорта, пассажиров общественного транспорта и пешеходов

1 — линия метрополитена; **2** — станция метрополитена; **3** — автомобильное кольцо в среднем уровне; **4** — вестибюль станции метрополитена; **5** — остановочные площадки для автобусов; **6** — эскалаторы, связывающие пешеходные переходы с вестибюлем метрополитена и остановочными площадками для автобусов; **7** — система пешеходных переходов

Fig. 36. Three level crossing with the high-speed subway line and station as well as a point to change for the non-rail transport in the centre of the lay-out. Such solution is very economical and equally convenient for the car-traffic, passengers of the public transport and pedestrians

1 — Subway line; **2** — Subway station; **3** — Ring for cars in the middle level; **4** — Surface subway hall; **5** — Bus stops; **6** — Escalators to link foot-paths for pedestrians with the subway station and bus stops; **7** — Pedestrian foot-paths pattern

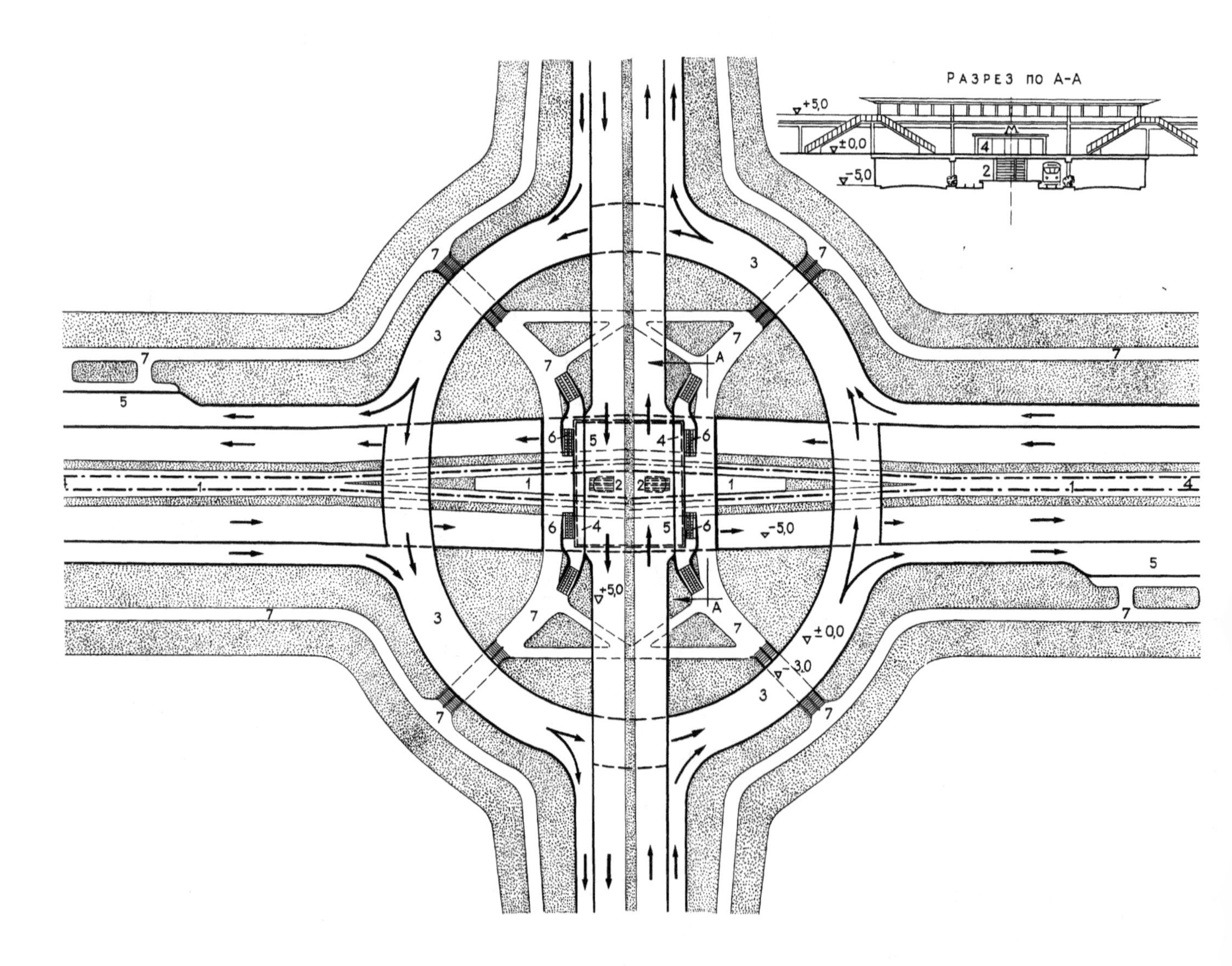

Рис. 37. Остановочные пункты безрельсового транспорта в пределах развязок могут устраиваться в простейшем случае путем устройства неглубоких ниш в подпорных стенках, непосредственно связанных коридорами, лестницами и эскалаторами с тротуарами

Fig. 37. The simplest way of arranging stops for non-rail traffic in the zone of road interchanges is to have not deep bays in the breast walls which have a direct connection with corridors, escalators and pavements

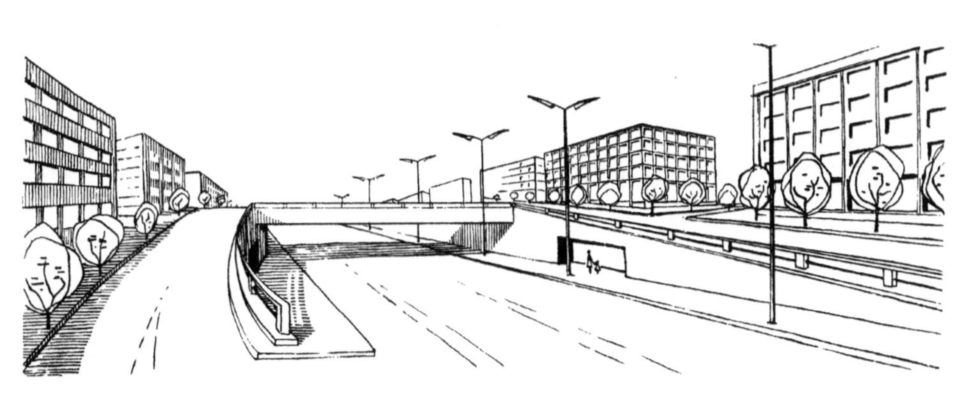

проходящих по скоростной дороге. При этом для экономии времени пассажирами при переходах важно, чтобы остановочные пункты скоростной дороги находились бы на возможно близком расстоянии от остановочных пунктов общественного транспорта магистральной улицы, пересекающей скоростную дорогу. Несоблюдение этого условия, например вынос остановочных пунктов за пределы рамп развязок, может ликвидировать экономию времени при поездке на автобусах-экспрессах вследствие чрезмерно большого времени, необходимого на переход с одного остановочного пункта на другой при пересадке.

На рис. 31 и 36 показано расположение остановок в пределах развязок на кратчайшем расстоянии друг от друга при помощи системы коридоров, рамп, лестниц и эскалаторов, полностью исключающих попадание пешеходов на проезжие части и связывающих остановочные платформы кратчайшим путем друг с другом и с тротуарами ближайших улиц. На рис. 37 показано правильное расположение остановочной платформы в непосредственной близости к путепроводу транспортной развязки на сооруженном отрезке городского кольца скоростной дороги в Западном Берлине.

При массовом пропуске автобусов-экспрессов целесообразно предоставлять им ближайшие к продольной оси дороги полосы движения на скоростных дорогах. В этом случае остановочные пункты в виде островных платформ располагаются между этими полосами движения на месте разделительной полосы и связываются непосредственно лестницами или эскалаторами с тротуарами магистральной улицы.

Таким же образом устраиваются остановочные пункты для рельсового скоростного транспорта, пропускаемого между проезжими частями обоих направлений на месте разделительной полосы (см. рис. 36).

2. МАГИСТРАЛЬНЫЕ УЛИЦЫ

Особо важное значение в городском движении имеют магистральные улицы общегородского значения, образующие основную сеть транспортных коммуникаций города, связывающих центр города с его жилыми и промышленными районами, а также эти районы между собой. На магистральных улицах общегородского значения сосредоточены главные массы транзитного городского движения.

Магистральные улицы районного значения играют вспомогательную роль в общей системе магистральных улиц; в их задачу входят связи отдельных жилых и промышленных районов с сетью магистральных улиц общегородского значения. Таким образом, на районных магистральных улицах отсутствует транзитное движение при обязательном наличии уличного общественного транспорта. Интенсивность движения и его скорость на магистральных улицах районного значения значительно меньше, чем на улицах общегородского значения. Поэтому к магистральным улицам общегородского значения должны естественно предъявляться наиболее полные требования высокой пропускной способности, сочетаемые с максимально возможными мероприятиями по безопасности пешеходов и транспорта, а также по защите населения от шума и газов.

Недостаточная ширина магистральных улиц в старых городах, периметральная застройка, узкие тротуары создают аварийные условия движения автомобилей, сутолоку на тротуарах; население домов, выходящих на улицы, страдает от шума и отработанных газов автомобилей.

Вдоль магистральных улиц старых городов расположены общественные, торговые и бытовые учреждения, что создает массовое движение пешеходов вдоль улиц, по тротуарам и поперек улиц (рис. 38). Таким образом,

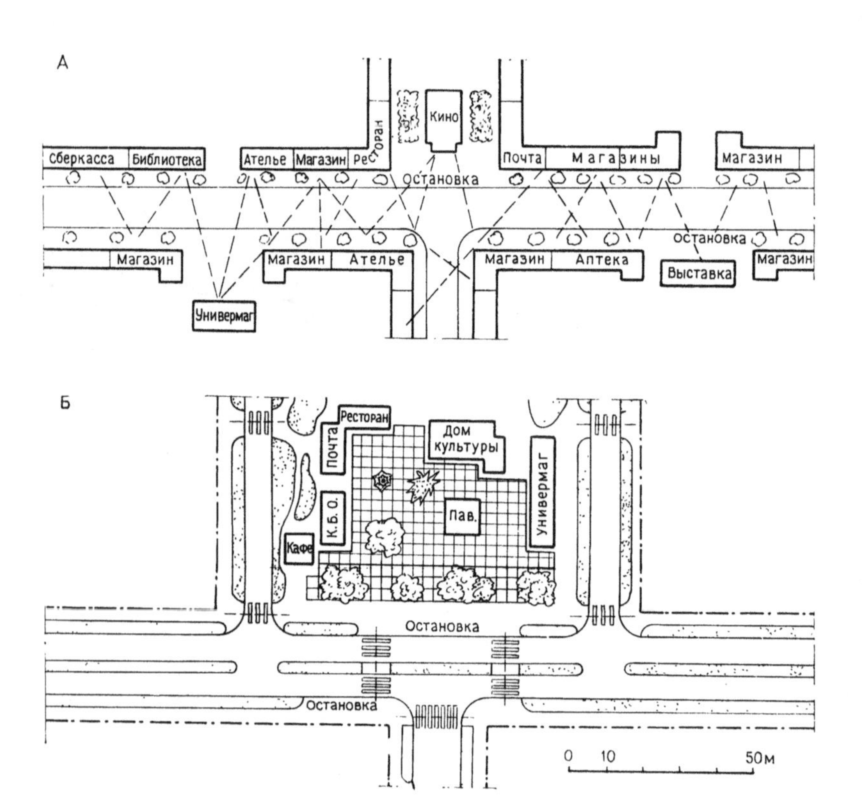

Рис. 38. Не следует располагать вдоль фронта улиц торговые и бытовые учреждения, так как это вызывает беспорядочное движение пешеходов с многократным пересечением ими проезжей части **(А)**. Сосредоточение этих учреждений в одном месте (центры жилых микрорайонов, жилых районов) дисциплинирует пешеходов, пересечения улиц пешеходами при этом сосредоточены в определенных пунктах **(Б)**

Fig. 38. Shops and service establishments should not be sited along the streets as it causes irregular movement of pedestrians with multiple crossings of the street **(A)**. If these establishments are concentrated in neighbourhood or residential district centres, the pedestrians move in a more orderly way crossing the streets only at fixed points **(Б)**

пешеход не изолирован от автомобильного движения, а наоборот, притянут к нему.

В городах возникла необходимость создания магистральных улиц общегородского значения нового типа, удовлетворяющих перечисленным требованиям. Ширина магистральных улиц между линиями застройки должна быть увеличена и составлять от 60 до 100 *м*, в зависимости от размеров движения и местных условий. В малых и средних городах ширину магистральных улиц необходимо принимать со значительным запасом (60—70 *м*). Многочисленные примеры показывают, что небольшие города чрезвычайно быстро вырастают в большие, и система улиц, их габариты, рассчитанные на малое движение, оказываются не соответствующими размерам города и его движению.

Вместе с тем не следует идти на еще большее увеличение ширины магистральных улиц, так как это вызвало бы отрыв друг от друга их сторон, удаление населения от остановок общественного транспорта и удлинение подземных коммуникаций. Чрезмерное увлечение разрывами между застройкой, как, например, в ряде новых городов Англии, в которых улицы заменены дорогами (Харлоу, Стивенедж), ведет к неоправданному рассредоточению застройки, а следовательно, к удлинению коммуникаций всех видов.

Большая ширина магистральных улиц позволит бронировать на будущее дополнительные полосы движения для автомобилей, создавать широкие тротуары — порядка 6—10 *м*, отделенные от проезжих частей мощным заслоном зелени, устраивать разделительные полосы в продольной оси проезжей части в целях увеличения безопасности движения, создавать широкие перекрестки с устройством на подходах к ним дополнительных полос движения для левых и правых поворотов.

При строительстве новых магистральных улиц крупных городов следует обеспечить сочетание высоких скоростей движения с достаточно большой пропускной способностью улиц. Увеличение скоростей сообщения на улицах при одновременном увеличении пропускной способности достигается путем превращения обычной улицы в магистральную с непрерывным движением. На рис. 1 и 39 — Ленинский проспект в Москве на участке с непрерывным движением. Здесь на площади Калужской заставы сооружена развязка в разных уровнях. Как видно из рисунка, развязка не препятствует нормальной видимости на площади и не создает помехи для ее архитектурного восприятия.

Во всех случаях непрерывность потока и значительная скорость движения требуют полной изоляции пешеходов от проезжей части магистральной улицы путем устройства пешеходных переходов в разных уровнях.

В Москве после окончания реконструкции Садовое кольцо превратится в магистральную улицу с непрерывным движением. В ближайшие годы все его 18 развязок в разных уровнях будут построены. В ряде крупных городов Англии и ФРГ осуществляется строительство также кольцевых магистральных улиц непрерывного движения, которые часто ошибочно называют городскими скоростными дорогами.

В ряде случаев вполне целесообразно строительство развязок только в отдельных узлах, резко отличающихся от других узлов магистрали интенсивностью нагрузки. Такие развязки проектируются и осуществляются и в других городах (Киев, Харьков, Свердловск, Горький и др.).

Большое значение в правильном формировании современной магистральной улицы имеет характер и размещение ее застройки.

Для того чтобы исключить необходимость пересечения пешеходами улиц в любых случайных местах, следует концентрировать магазины и учреждения культурно-бытового обслуживания населения в торговых центрах, а не разбрасывать их по всему периметру улицы. Они должны располагаться вблизи остановок общественного транспорта, у примыканий к магистральным улицам жилых улиц, но в некотором отдалении от перекрестков с большой транспортной работой. В местах размещения этих центров следует устраивать пешеходные переходы в разных уровнях с проезжими частями улиц, так же как у крупных общественных и административных зданий. Таким образом, можно надежно и притом не в ущерб интересам населения изолировать пешеходов от проезжей части. Проезжая часть должна отделяться от остального пространства улицы плотной стеной кустарников. Так можно свести к минимуму число несчастных случаев с пешеходами, поднять пропускную способность и скорость движения транспорта (Рис. 38).

Для того чтобы такая изоляция улиц от пешеходов была наиболее полной, необходимо не допускать выезды из дворов, а также внутримикрорайонных проездов непосредственно на магистральную улицу; такие выезды целесообразно направлять на местные улицы, что может быть осуществимо в новых городах или в новых жилых районах.

Не менее важно не допускать временные автостоянки на проезжих частях улиц, а располагать их, как правило, на специально выделенных для этой цели площадках, так же как и автостоянки перед зданиями крупного общественного значения.

При полной изоляции проезжей части от пешеходов и частично от автостоянок и внутренних проездов отдельные участки проезжих частей улицы могут быть решены в продольном профиле самостоятельно от остальной поверхности улицы. В отдельных случаях было бы целесообразно местные улицы развязывать в разных уровнях с проезжей частью магистрали.

Что касается застройки, то для лучшего проветривания ее следует располагать отдельными зданиями с широкими пространствами между ними. Жилые дома повышенной этажности (более пяти) желательно размещать в глубине застройки.

На рис. 40 проезжая часть магистральной улицы проходит в неглубокой выемке. Плотное озеленение и выемка защищают население от шума и пыли. Пешеходы на проезжую часть не допускаются.

Рис. 39. Площадь Калужской заставы в Москве на месте слияния Ленинского проспекта, Профсоюзной улицы и Воробьевского шоссе — удачное сочетание транспортной развязки с площадью общегородского значения
1 — автотранспортный путепровод; **2** — пешеходный туннель существующий; **3, 4** — пешеходные туннели проектируемые; **Р** — автостоянки

Fig. 39. The square of Kalushskaya Zastava in Moscow at the confluence of the Lenin Avenue, Profsoyuznaya street and Vorobyovsky highway is a successful combination of the road junction with the square of town's scale
1 — motortransport viaduct; **2** — existing pedestrian tunnel; **3—4** — proposed pedestrian tunnels; **P** — parkings areas

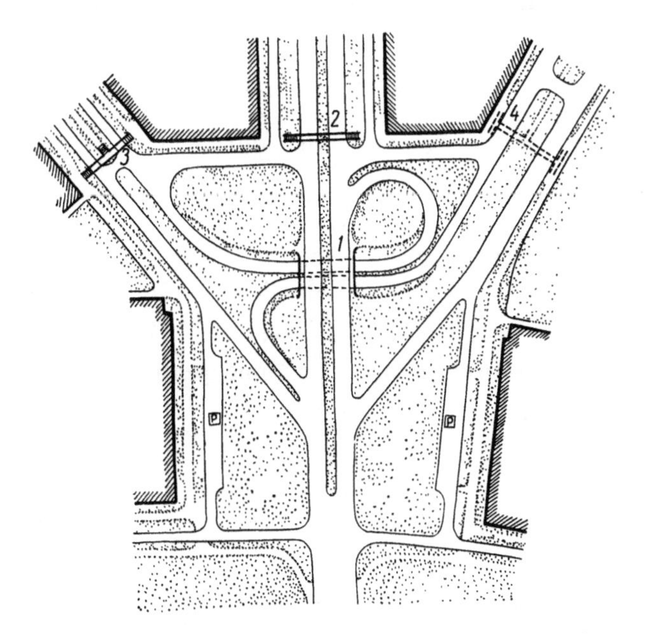

Рис. 40. Такой должна быть магистральная улица общегородского значения: на проезжей части отсутствуют пешеходы и она не перегружена автотранспортом; скорости транспорта высокие; жилые и общественные здания защищены от шума, пыли и газов транспорта высокой и плотной полосой кустов и деревьев, в тени которых проходят тротуары, полностью изолированные от движения транспорта

Fig. 40. Here is the model major arterial road: the carriage-way is free of pedestrians, it is not overcrowded with high-speed car transport, the residential and public buildings are protected from noise, dust, transport gases by a high and dense hedges and trees which shadow the pavements, completely separated from the traffic

Ширина районных магистральных улиц в линиях застройки может быть ограничена 40—50 *м*; менее строгие требования к таким улицам могут быть предъявлены в части изоляции пешеходного движения от транспортного, однако к размещению застройки на улицах с различным назначением следует предъявить такие же требования, как и для магистральных улиц общегородского значения.

Реконструкция магистральных улиц. В Советском Союзе необходимость расширения улиц в крупнейших городах появилась в тридцатых годах текущего столетия. Наиболее крупные работы такого рода были выполнены в Москве. Коренным образом расширены Садовое кольцо и улица Горького. Созданы по направлению вылетных уличных трасс междугородные автомагистрали путем реконструкции ряда широких проспектов, например Ленинградского, Кутузовского (см. рис. 4), проспекта Мира, шоссе Энтузиастов, Варшавского шоссе и др.

Реконструкция радиальных и кольцевых магистральных улиц Москвы, а также сооружение таких новых проспектов, как Ленинский, Ломоносовский, Комсомольский, проспект Вернадского и др., превратили Москву в город широких улиц (шириной порядка 60—100 *м*), не известных в таком количестве ни одному городу в мире.

Другие города в результате реконструкции, восстановления и нового строительства также обогатились широкими проспектами. Например, Печерская магистраль в Киеве, Красный проспект в Новосибирске, проспекты Ленина в Волгограде (рис. 42), Минске и Запорожье, улица Навои в Ташкенте и ряд других. Несмотря на широту решений, некоторые из них не лишены недостатков. Так, например, посередине проспекта Ленина в Волгограде устроен бульвар, что создает ненужные и опасные пересечения проезжих частей посетителями бульвара.

В ходе большинства крупных реконструктивных работ по расширению магистральных улиц и устройству новых решались главным образом вопросы увеличения пропускной способности улиц. Задачи же значительного увеличения скоростей сообщения на них, изоляции населения от движения фактически не были даже поставлены.

Проблема изоляции пешеходов от транспортных потоков на магистральных улицах. Между тем уже при ширине магистральной улицы 40—45 *м* можно не только удовлетворительно решить задачу увеличения ее пропускной способности, но и добиться почти полной изоляции пешеходов от транспортных потоков.

Практика показывает, что наличие трех полос в каждом направлении проезжей части при отсутствии трамвайных путей удовлетворяет потребностям движения на перегонах магистральных улиц в любых городах, даже крупнейших. При такой ширине улицы пешеходное и транспортное движение легко может быть развязано пешеходными туннелями с устройством выходов для пешеходов в пределах зеленых полос. Пешеходы могут быть надежно изолированы от проезжей части плотным кус-

Рис. 41. Участок Дмитровского шоссе в Москве с большой защитной зеленой полосой между проезжей частью и новой жилой застройкой

Fig. 41. A part of the Dmitrovsky highway with a huge protective green verge between the carriage-way and new residence

Рис. 42. Проспект Ленина в Волгограде — одна из широких магистральных улиц, восстановленных в советских городах. Недостаток улицы — устройство бульвара между проезжими частями

Fig. 42. Lenin Avenue in Volgograd is one of wide arterial roads, reconstructed in Soviet cities. The shortcoming of the street is the location of the boulevard between the carriage-ways

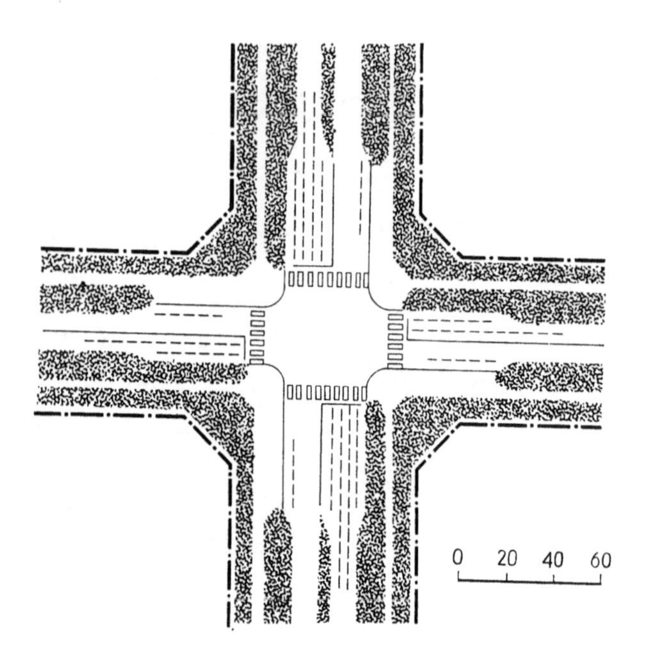

Рис. 43. Перекрестки с полосами движения, дополнительно выделенными для левых и правых поворотов (расширенные перекрестки), имеют пропускную способность примерно в 1,5 раза большую, чем обычные, поэтому их следует осуществлять во всех городах при взаимных пересечениях магистральных улиц. Жилые улицы должны быть свободны от пропуска транзитного транспорта и хорошо озеленены, в особенности в южных городах

Fig. 43. Crossings with additional carriage-ways for left and right turns (widened crossings) have a traffic capacity about one and a half times higher than usual crossings, therefore they should be introduced in all cities at intersections of arterial roads.
Residential streets must be free from through traffic and well planted, particularly in southern cities

тарником; в пределах зеленых полос можно обеспечить устройство остановок безрельсового транспорта вне основной проезжей части (в бухтах), а также уширить проезжие части на подходах к перекресткам для облегчения левых и правых поворотов (рис. 43). Если даже не делать туннельных переходов для пешеходов, то все же пересечение пешеходами проезжей части будет строго ограничиваться пунктами, расположенными на расстоянии минимум 200—250 *м* друг от друга.

Чтобы водителям автомобилей было легче наблюдать за пешеходами, переходящими улицы, при любой реконструкции магистральных улиц желательно предусматривать с обеих сторон проезжих частей свободные полосы шириной 2, лучше 3 *м*, покрытые газонами. Это позволит водителям вопреки установившейся практике прохода автомобиля на расстоянии 1,5— 2 *м* от бордюрного камня и во избежание несчастных случаев с пешеходами вести автомобиль точно в пределах первой полосы проезжей части. Таким образом создается надежная видимость пешеходов и вместе с тем заметно увеличивается пропускная способность улиц, поскольку это позволит полностью использовать для движения первую полосу проезжей части — ближайшую к бордюрному камню. Эти дополнительные полосы газонов могут быть с успехом использованы для укладки подземных коммуникаций (см. рис. 35, **А**).

Дальнейшее улучшение технических и планировочных качеств улицы возможно лишь при условии проведения более или менее широких планировочных мероприятий. К ним следует отнести простейшую реконструкцию прилегающих кварталов прежде всего путем сокращения числа местных улиц, входящих на магистральную улицу, что может существенно поднять на ней скорость сообщения. Так, необходимая скорость сообщения (35—40 *км/ч*) при интенсивном, смешанном движении обеспечивается при устройстве на проезжей части трех полос движения в каждом направлении при условии, что среднее расстояние между перекрестками составляет не менее 400—500 *м**.

Еще более надежно обеспечивается изоляция пешеходов от проезжей части и безопасность движения автомобилей при коренной реконструкции кварталов. В этом случае можно не только сократить число жилых улиц, но и привести к минимуму число выездов из кварталов на магистральную улицу путем объединения дворов и организации выездов из кварталов на прилегающие местные улицы. Это не только создает уверенность в движении автомобилей по магистральной улице, но и значительно повышает безопасность движения пешеходов.

На периферии города при большой ширине магистральных улиц (порядка 80 *м* и более) при потоках движения свыше 1000 автомобилей в час в одном направлении целесообразно в процессе реконструкции сооружать местные проезды для пропуска по ним местного движения и безрельсового общественного транспорта. При наличии местных проездов основная проезжая часть предназначается только для транзитного движения при полной изоляции ее от пешеходов в промежутке от одного внеуличного пешеходного перехода до

* Данные обследования скоростей сообщения на улицах Москвы, проведенного в 1959 г. Институтом градостроительства и районной планировки АСиА СССР.

другого. При устройстве пешеходных переходов в разных уровнях на перегонах между регулируемыми перекрестками, располагаемыми на периферии городов на расстоянии 500—800 *м* друг от друга, на основной проезжей части автомобили могут развивать большую скорость (порядка 80 *км/ч*).

Улица шириной 100 *м* с местными проездами может рассматриваться как переходная форма к скоростной дороге, устраиваемой в стесненных условиях, так как такая улица может быть преобразована в дорогу путем сооружения развязок движения в разных уровнях.

3. ГЛАВНЫЕ УЛИЦЫ

На главных улицах города по преимуществу располагаются общественные и торговые здания общегородского значения (см. разделы II и III). К главной улице примыкают или располагаются на ней основные площади центра города. Главные улицы следует предоставлять главным образом пешеходам, поэтому через них не следует пропускать транзитные потоки автомашин и рельсовый общественный транспорт; пропуск безрельсового общественного транспорта должен быть сведен к возможному минимуму.

В этих условиях ясно, что главная улица во избежание превращения в транспортную магистраль должна быть короткой (в пределах от 1 до 1,5 *км*) и надежно изолированной от транспортного движения сетью магистральных улиц, отвлекающих от нее движение транспорта. Так, например, магистральная улица, проходящая параллельно главной на расстоянии от нее 250—300 *м*, может разгрузить главную улицу от транзита и снять с нее полностью общественный транспорт.

Во всех тех случаях, когда по структуре центра не представляется возможным надежно изолировать предполагаемую трассу главной улицы от транспорта, следует отказаться от попыток ее создания и использовать иные приемы структурного построения городского центра (см. разделы II и III).

На главной улице должно быть предусмотрено устройство широких тротуаров (до 12 *м*). Она должна быть хорошо озеленена и иметь широкие пешеходные отступы перед общественными зданиями; около них следует располагать обширные автостоянки на специально отведенных для этой цели площадках вне улицы. Исключительно пешеходам должны служить и главные городские площади с расположенными на них крупнейшими общественными и мемориальными зданиями.

Рис. 44. Жилая улица в Запорожье на левом берегу Днепра

Fig. 44. Residential street in Zaporozhjie, on the left bank of the Dniepr

Рис. 45. Жилая улица в Запорожье на правом берегу Днепра

Fig. 45. Residential street in Zaporozjie, on the right bank of the Dniepr

4. ЖИЛЫЕ УЛИЦЫ

Жилые улицы, отделяющие микрорайоны друг от друга в пределах межмагистральных территорий, должны полностью быть свободными от пропуска по ним транзитного транспорта, что обеспечивается Т-образным примыканием их к магистральным улицам и, там где это целесообразно по местным условиям, непрямолинейной трассой. При минимальной ширине проезжей части порядка 6—7 *м* и относительно нешироких тротуарах (2,25—3 *м*) жилые улицы должны быть хорошо озеленены, что обеспечивает тень пешеходам, благоприятно влияет на микроклимат (повышает влажность и несколько снижает температуру воздуха), защищает от пыли, создает общее впечатление уюта и интимности.

Особо серьезное внимание озеленению жилых улиц должно уделяться в южных городах (рис. 44, 45).

5. ОРГАНИЗАЦИЯ АВТОМОБИЛЬНЫХ СТОЯНОК

Проблема организации стоянок для легковых автомобилей является одной из самых серьезных и трудноразрешимых транспортных проблем современных городов. Основная планировочная задача здесь заключается в выделении достаточных территорий для устройства автомобильных стоянок. Помимо необходимости предусматривать участки для постоянного хранения автомобилей в гаражах большие территории требуются для организации так называемых временных автомобильных стоянок в местах массовой посещаемости — в общественных и торговых центрах городов, у фабрик, заводов, различных предприятий и учреждений, у стадионов, а также в зонах жилой застройки.

Использование для временных стоянок автомобилей проезжих частей магистральных улиц и дорог, особенно в районах, перегруженных транспортом, приводит к снижению пропускной способности уличной сети, увеличивает опасность, резко уменьшает скорости движения транспорта. Поэтому в условиях непрерывно возрастающей интенсивности движения транспорта приходится постепенно отказываться от уличных стоянок и ориентироваться главным образом на сеть внеуличных стоянок. Кроме того, нужно учитывать, что для стоянок необходимы значительно менее капитальные дорожные одежды, чем для проезжей части улиц, и использовать последние под автомобильные стоянки заведомо неэкономично.

Ограниченные возможности отведения территорий под автомобильные стоянки заставляют идти в зарубежных городах по пути различных ограничений, искусственно снижающих интенсивность пользования стоянками. В центральных районах крупных городов Европы (Лондон, Париж и др.) выделяются зоны, в которых стоянка транспорта полностью запрещается. Широко применяется система платных стоянок в зависимости от продолжительности пользования ими. Получает распространение такой способ организации движения, при котором лица, прибывающие на легковых автомобилях в город из периферийных районов или из пригородной зоны, оставляют автомобили на стоянках, расположенных у конечных станций метрополитена или других видов массового транспорта. Это — вынужденное решение, потому что ограничительные меры лишают легковой транспорт преимущества, которое он имеет перед другими видами транспорта, а именно возможности совершать поездки «от двери до двери».

Наряду с регулированием использования существующих стоянок большое внимание следует уделять высвобождению новых территорий для стоянок при реконструкции городов.

В целях экономии территории для временных автомобильных стоянок в крупных капиталистических городах используются крыши зданий, проектируются и сооружаются многоэтажные гаражи-стоянки (рис. 46). Например, в проекте реконструкции центрального района Ковентри предусмотрена обширная сеть многоэтажных гаражей-стоянок, связанных между собой специальной дорожной сетью в дополнение к запроектированной распределительной сети улиц внутри кольцевой автомобильной дороги, опоясывающей центральную часть города.

Многоэтажные гаражи-стоянки проектируются и строятся как с самоходной, так и с механизированной установкой автомобилей. Устройство таких гаражей-стоянок в плотно застроенных районах позволяет размещать в несколько раз больше автомобилей, чем на обычных открытых площадках. В особо стесненных условиях застройки при невозможности отведения территорий даже для строительства многоэтажных стоянок строят подземные гаражи-стоянки. Однако радикальные предложения по решению проблемы автомобильных стоянок в крупных западноевропейских городах остаются неосуществленными, например проект системы многоярусных подземных стоянок с соединяющими их туннелями для Парижа, сеть подземных стоянок для Гамбурга и др.

В США в связи с невозможностью выделения территории для устройства автомобильных стоянок в центральных городских районах прибегают к выносу магазинов в окраин-

Рис. 46. Строительство многоэтажных гаражей-стоянок в центральных районах существующих городов окажется необходимым в будущем в связи с ростом числа автомобилей и трудностью выделения для автостоянок достаточно обширных территорий; то же касается и строительства крупных многоэтажных гаражей для профилактического ремонта легковых и грузовых автомобилей. На рисунке— многоэтажные стоянки и гаражи: в США **(А)**; проект гаража в Ленинграде **(Б, В)**; в Бирмингеме, Англия **(Г)**

Fig. 46. Building of multistorey parking garages in central districts of existing cities will prove necessary in the future in connection with the growing number of cars and the dificulty of providing areas wast enough for parking. The same is true of the building of large multistorey garages for preventive repair of cars and trucks. In the figure you see multistorey garages nad parking spaces in USA **(А)**; project of a garage in Leningrad, USSR **(Б, В)**; in Birmingham, England **(Г)**

А—Б

В—Г

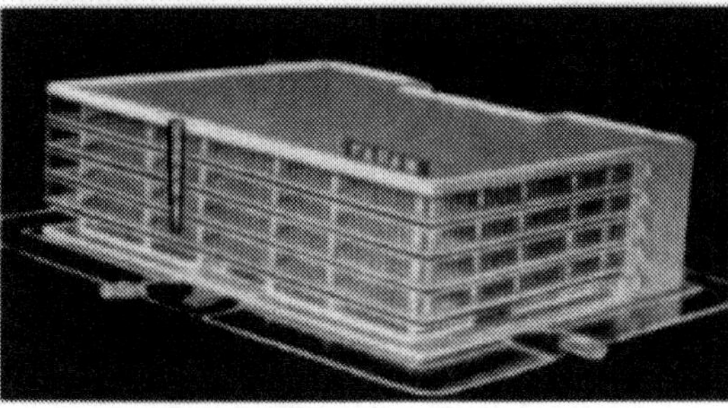

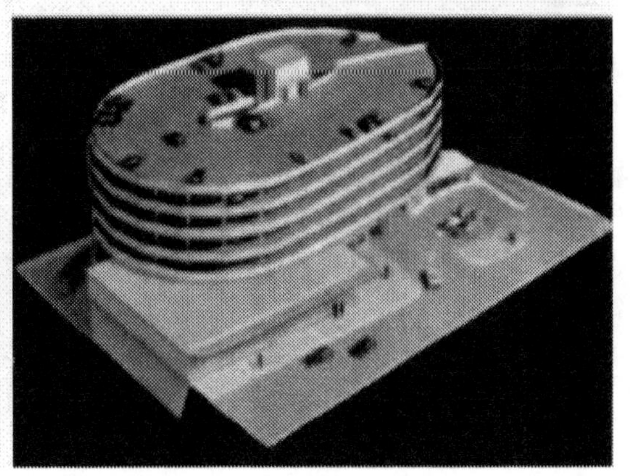

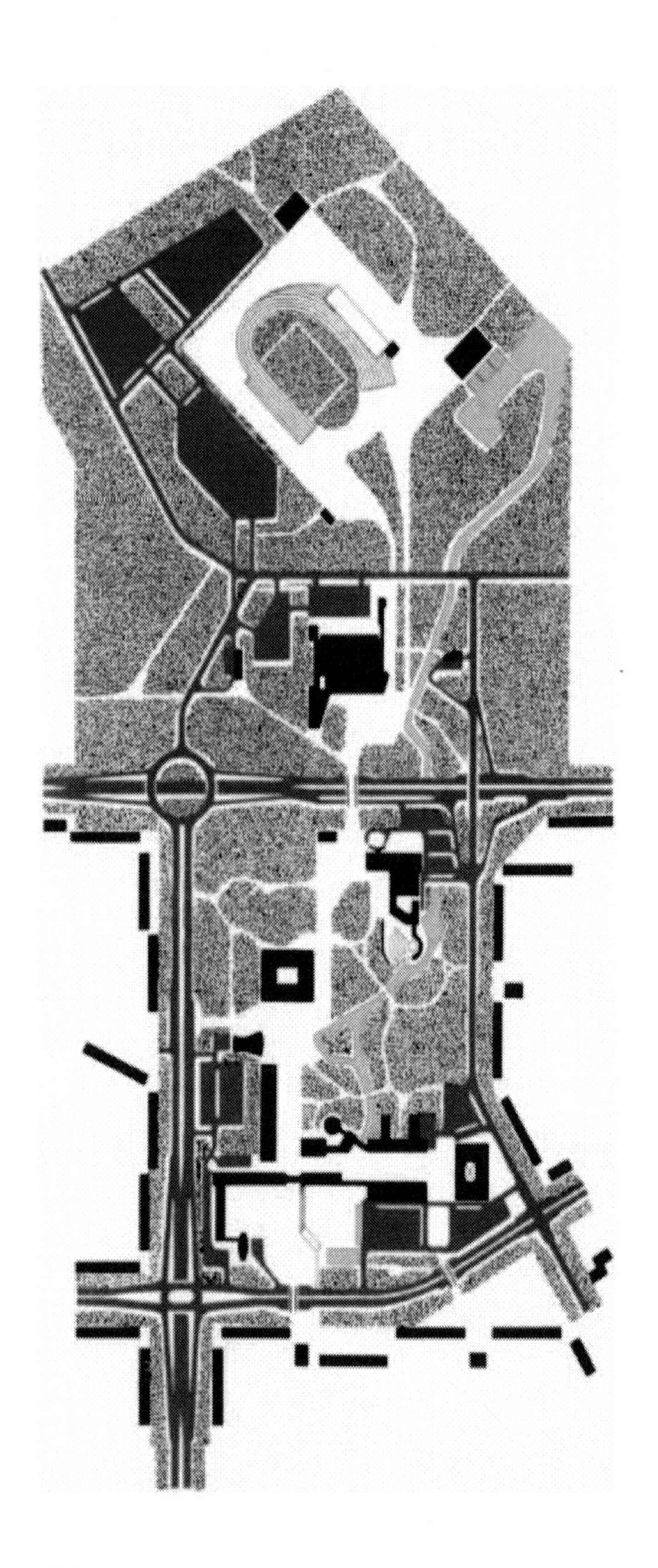

Рис. 47. Особое внимание размещению автостоянок следует уделять в центре города и в других пунктах массового посещения. На рисунке показано размещение автостоянок в центре города у стадиона по одному из вариантов проекта планировки центра города Целинограда.
В настоящее время в советских городах ведутся крупные работы по разобщению пешеходного движения в разных уровнях с автомобильным, в особенности в транспортных узлах, а также в целях создания коротких и удобных пешеходных переходов через местные препятствия

Fig. 47. Particular attention to the location of parking areas must be paid in the centre of the city and other busy places. The figure shows the location of parking areas in the centre of the city near the stadium according to one of the projekts of the centre of Tselinograd
At present time much is done in the Soviet towns for the segregation of pedestrian and motor traffic at different level particularly in junction interchange and also for the creation of short and convinient pedestrian passways

ные районы города и пригороды, создавая там специальные торговые центры с организацией вокруг них обширных автомобильных стоянок. Торговый центр в пригородной зоне Детройта, например, имеет стоянку, рассчитанную на 7000 автомобилей (см. рис. 7, вверху), не считая резервных территорий. По этим же причинам в Филадельфии (США) на периферию города из центра вынесено несколько крупных кинотеатров и других зрелищных объектов. В районе Нью-Йорка торговые центры имеют стоянки на 15—25 тыс. автомобилей.

В градостроительной практике Советского Союза вопросу устройства автомобильных стоянок до последнего времени не уделялось достаточного внимания. Это объясняется последовательно проводившейся политикой преимущественного развития средств массового транспорта и меньшим насыщением городов Советского Союза легковыми автомобилями по сравнению с американскими и западноевропейскими городами. Между тем уже сейчас в Москве и Ленинграде, а также в таких городах, как Киев, Харьков, Минск, Свердловск, трудности с автомобильными стоянками становятся весьма ощутимыми, особенно в центральных районах этих городов. В наиболее оживленных местах — у крупных магазинов, театров, стадионов и других мест сосредоточения посетителей — часто невозможно найти поблизости место для временной стоянки автомобилей. Можно с уверенностью предсказать, что проблема автомобильных стоянок в недалеком будущем возникнет и во многих других городах Советского Союза. По мере увеличения количества легковых автомобилей в городах будут возрастать и трудности с автомобильными стоянками.

Преимущества социалистической системы народного хозяйства с плановым развитием и совершенствованием средств массового общественного и таксомоторного транспорта, а также системы общественного пользования легковыми автомобилями сделают потребность в автостоянках в наших городах несколько меньшей по сравнению с городами Западной Европы и Америки. Однако потребность в автомобильных стоянках все же будет весьма значительной, особенно в перспективе, что требует особого внимания к этому вопросу при проектировании новых и реконструкции сложившихся городов. Здесь важно не только выделять территории для устройства автомобильных стоянок на первую очередь строительства, но и резервировать необходимые территории на отдаленную перспективу.

Известно, что наиболее сложно проблема автомобильных стоянок решается в центральных районах сложившихся городов, где, как правило, не имеется свободных территорий для устройства автомобильных стоянок. Так, один из расчетов показывает, что при относительно небольшой норме — 50 автомобилей на 1000 жителей — в центрах крупных городов потребуется до 3000 машино-мест на 1 *км*², или около 8% площади центра города. В то же время нужно учитывать, что степень автомобилизации наших городов на перспективу должна быть в дальнейшем увеличена и доведена, примерно, до 150 автомобилей (вместо 50) на 1000 жителей. В этом случае для автомобильных стоянок потребуется соответственно увеличить и резервные территории.

В городах Советского Союза на перспективу можно ориентироваться в основном на сеть обычных внеуличных стоянок, решенных в виде площадок различной формы. В центральных районах сложившихся городов в ряде случаев придется пойти по пути строительства многоэтажных гаражей-стоянок. В дневное время они могут в основном использоваться как временные стоянки, а ночью — для хранения автомобилей. Это обстоятельство делает такого рода сооружения весьма целесообразными.

От принципа размещения автомобильных стоянок по отношению к центральному району города зависит в значительной мере организация движения транспорта в центре города. В городах Западной Европы и США широкое распространение получила система, при которой автомобильные стоянки размещаются в зоне между кольцевыми автомобильными дорогами, опоясывающими центр, и пешеходной зоной, в которой размещаются торговые, административные и учебные здания. Этот принцип размещения автомобильных стоянок в некоторых случаях был бы вполне приемлем и для центров советских городов (см. раздел III).

Из имеющихся примеров размещения автомобильных стоянок в проектах планировки отечественных городов можно привести схему Целинограда, в центральном районе которого предусмотрены обширные автомобильные стоянки у стадиона и группы зданий общегородского значения (рис. 47).

6. ПЕШЕХОДНЫЕ ПЕРЕХОДЫ

Как отмечалось выше, пешеходные переходы в разных уровнях с проезжими частями улиц должны осуществляться во всех городах на магистральных улицах с интенсивным транспортным и пешеходным движением. Практически при правильном размещении пунктов тяготения населения (общественные

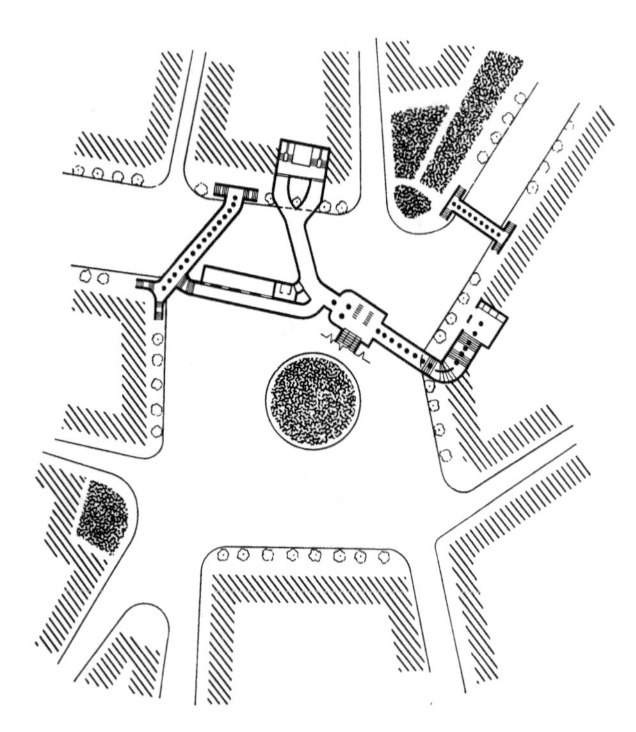

Рис. 48. Туннельные переходы на площади Дзержинского в Москве удобно связали тротуары улиц между собой и непосредственно с подземным вестибюлем станции метрополитена

Fig. 48. Pedestrian tunnels built on Dzerginsky square in Moskow conviniently connected the pavement of the streets with the underground vestibule of the subway station

Рис. 49. Система пешеходных переходов на площади Пикадилли в Лондоне с круглым подземным вестибюлем метрополитена

Fig. 49. Network of pedestrian passways on the Picadilly Circus in London with the underground subvay vestibule

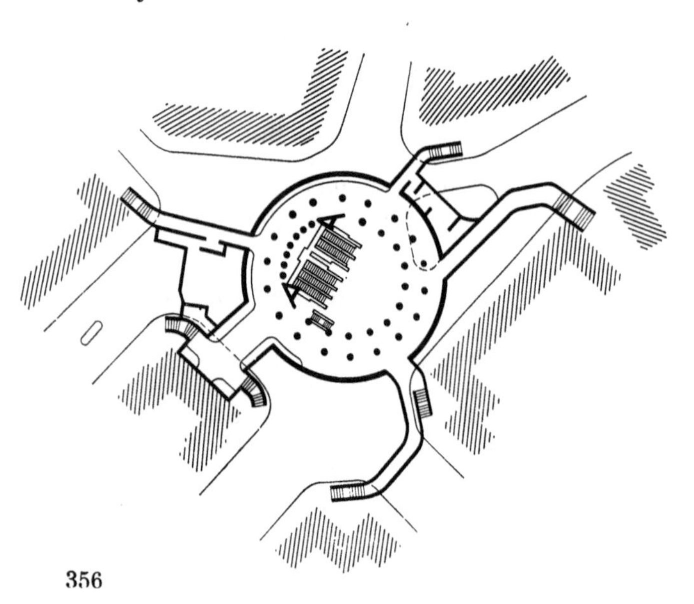

здания, торговые центры, остановочные пункты) пешеходные переходы на магистральных улицах нормально должны располагаться через каждые 400—500 *м*, в непосредственной близости к остановкам общественного транспорта.

В суровых климатических условиях наиболее рационально сооружение туннельных переходов, хотя они обходятся дороже, чем мостики. Туннели более целесообразны как по эстетическим соображениям (не нарушается продольная видимость улицы), так и по меньшим усилиям пешеходов по мостикам ходить труднее, и поэтому они широко применяются в городах Союза и за рубежом.

Значительно более сложной является организация пешеходных потоков на городских транспортных площадях. В этих случаях создается целая система пешеходных переходов в разных уровнях с проезжими частями. Задача состоит в том, чтобы путем устройства единой системы пешеходного движения обеспечить любое движение пешеходов без излишней траты сил и времени на спуски и подъем при переходе с одних тротуаров на другие и необходимости одинаково легко и быстро попасть на остановки уличного общественного транспорта и в подземные вестибюли станций метрополитена, на платформы железнодорожных станций или остановочных пунктов. Обычно задача решается путем устройства специального этажа (плоскости) для пешеходных передвижений в пределах транспортного узла, состоящего из лестниц, коридоров, распределительных залов, связанных с поверхностью земли лестницами, пандусами, эскалаторами. По тем же мотивам, что и для пешеходных туннелей, пешеходный этаж устраивается, как правило, ниже проезжих частей улиц. Таковы пешеходные переходы на углу улицы Горького и Манежной площади, а также на площади Дзержинского в Москве (рис. 48). Аналогичные решения имеются в крупных зарубежных городах, например на площади Пикадилли в Лондоне (рис. 49).

Пропуск пешеходов в разных уровнях на площадях с круговым движением может быть осуществлен путем устройства подземных коридоров или мостиков, образующих кольцо с выходами из него на тротуары при помощи лестниц, пандусов или эскалаторов.

Наконец, необходимо упомянуть о специальных мостах или туннелях для пешеходных направлений, не связанных с трассами улиц и имеющих серьезное практическое значение для пешеходов. Так, например, специальный пешеходный мост через р. Днепр в Киеве связал кратчайшим путем город с городским пляжем (рис. 50). и освободил жителей от необходимости пользоваться массо-

Рис. 50. Пешеходный мост через Днепр в Киеве, специально сооруженный для связи с общегородским пляжем

Fig. 50. Pedestrian bridge across the Dnieper in Kiev built specially for communication with the city beach

выми речными переправами, неудобными для населения и затрудняющими судоходство Строительство подобных сооружений через реки, овраги или горные препятствия при массовых потоках пешеходов целесообразно в ряде городов.

За рубежом имеется много предложений о расположении этажей или плоскости для пешеходного движения выше проезжих частей улиц. Таким образом пытаются решить задачу реконструкции узких магистральных улиц. Перенос движения пешеходов в одну или даже две плоскости, расположенные выше уровня улицы, дает возможность полностью изолировать пешеходное движение от транспорта и расширить проезжую часть улицы за счет тротуаров. Однако нетрудно видеть, что такая улица теряет свой архитектурный облик, пешеходные плоскости значительно затемняют первые этажи зданий, а условия проветривания улицы резко ухудшаются. Поэтому такие методы реконструкции или нового строительства при решении крупных планировочных задач неприемлемы.

Разделение пешеходного или транспортного движения в разных уровнях в центрах различного назначения вполне оправдано, так как создает большие удобства для пешеходов и транспорта, в частности дает возможности использовать плоскость улицы под пешеходными плоскостями для автостоянок, обеспечивает спокойное движение больших масс пешеходов, обогащает архитектурное решение зданий. Обычные пешеходные переходы через улицы и дороги при этом решаются как естественное продолжение основных пешеходных плоскостей.

Вынесение пешеходного движения на специальные пешеходные плоскости может решаться в различных масштабах для отдельных крупных зданий, например для универмагов, театров, а также для группы зданий, в том числе образующих общегородские или районные центры.

7. ГОРОДСКИЕ ДОРОГИ В ПРЕДЕЛАХ ПРОМЫШЛЕННОГО РАЙОНА

Особо стоит вопрос о сооружении городских дорог в пределах промышленных районов. Известно, что в современной практике в большинстве случаев городские дороги проложены в обход промышленных районов; те же из них, которые проникают в промышленные районы, крайне неудобны для эксплуатации, так как далеко не всегда имеют сквозное движение и достаточные по ширине проезжие части и, как правило, пересекаются большим числом подъездных железнодорожных путей. В этих условиях их невозможно использовать для общественного транспорта, вследствие чего в больших промышленных районах трудящиеся вынуждены идти пешком от конечных остановок общественного

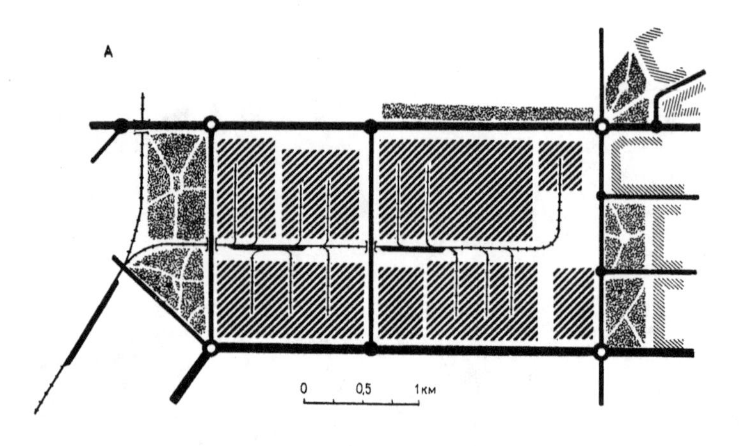

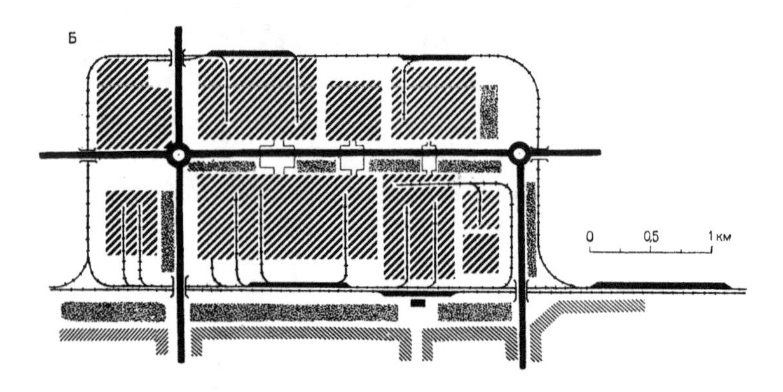

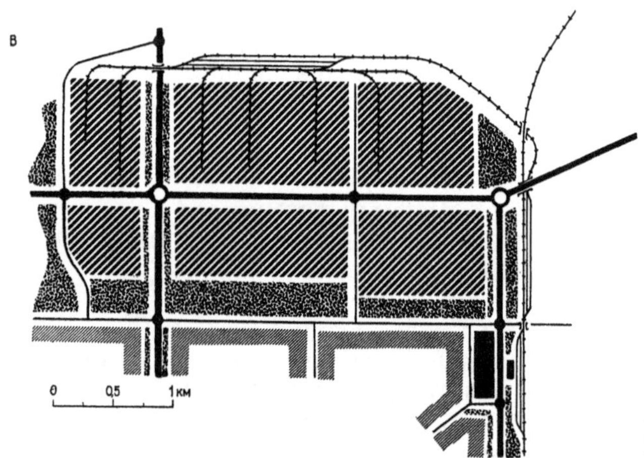

Рис. 51. В промышленных районах городские магистрали должны быть надежно изолированы от сети подъездных железнодорожных путей. В крупных промышленных районах следует предусматривать не менее двух магистральных улиц с общественным транспортом, связывающим промышленный район с городом. **А** — промышленный район с магистральными улицами при центральном расположении подъездных путей; **Б** — промышленный район с двусторонним внешним расположением подъездных путей; **В** — промышленный район с односторонним внешним расположением подъездных путей

Fig. 51. In industrial zones of cities arterial roads must be safely segregated from the network of spur-tracks. In large industrial districts there should be provided not less than two arterial roads with public transport connecting the industrial area with the city. **A** — Arterial roads in industrial district with central location of spur-tracks; **Б** — industrial disctrict with twoside location of spur-tracks; **B** — industrial district with outside location of spur-tracks

транспорта до мест работы часто по нескольку километров.

Если промышленный район проектируется как единый комплекс и состоит из ряда предприятий, родственных или объединенных производственным процессом, в большинстве случаев можно найти условия, позволяющие пропустить магистральные городские дороги между предприятиями. Для этой цели необходимо изолировать подъездные железнодорожные пути и другие промышленные коммуникации от сети городских дорог различными планировочными приемами (рис. 51).

Сложнее пересечение магистральными дорогами производственных территорий (например, металлургических комбинатов, нефтекомбинатов и др.). Здесь возможен пропуск дорог в выемках и на отдельных участках по эстакадам. Выше отмечалось, что в этих условиях особенно удобны монорельсовые дороги.

Важно, чтобы промышленные районы обслуживались не менее чем двумя магистральными дорогами с общественным транспортом, связывающим район с разными частями города. Особое значение в транспортном отношении имеют предзаводские площади с их сложным комплексом остановок различных видов общественного транспорта, такси, а также автомобилей, мотоциклов и велосипедов личного пользования.

В ряде случаев на крупных предприятиях следует организовать внутрипромышленный пассажирский общественный транспорт для доставки трудящихся от проходных к цехам. Для этого потребуется создание проездов, развязанных в разных уровнях с основными транспортными коммуникациями заводов. В некоторых случаях целесообразно рассматривать такие проезды, как своеобразные магистральные улицы.

Глава 4

ПРИНЦИПЫ ПОСТРОЕНИЯ ТРАНСПОРТНЫХ СЕТЕЙ В НОВЫХ И РЕКОНСТРУИРУЕМЫХ ГОРОДАХ

Городские транспортные сети для автомобильного движения и общественного транспорта образуются из совокупности улиц и дорог города, а также внеуличных рельсовых путей сообщения. При этом следует различать сеть магистральных улиц с общественным транспортом, несущих основную транспортную нагрузку города, сеть скоростных дорог, трассируемых вне застройки, и сеть внеуличных скоростных рельсовых сообщений. Перечисленные сети непосредственно влияют на планировочную структуру города и входят в ее состав.

В существующих советских городах сеть магистральных улиц с общественным транспортом полностью воспринимает всю транспортную нагрузку города во всех ее видах, за исключением трех городов, располагающих, кроме того, сетью метрополитена (Москва, Ленинград, Киев).

Прямоугольные, радиально-кольцевые или радиально-полукольцевые схемы сетей магистральных улиц остаются в городах как наследие прошлого. В новых городах решающую роль в работе автомобильного транспорта играют магистральные улицы, связывающие центр, промышленные и жилые районы. Однако между этими основными направлениями бывают проложены под разными углами друг к другу прямоугольные сети улиц (Каховка, Ангарск) или основные направления повторяются рядом параллельных улиц, образующих элементы прямоугольных и радиально-кольцевых сетей (Сумгаит). Недостатком этих решений является то, что в локальных прямоугольных сетях нет четкого разделения улиц по назначению (магистральные улицы районного значения с общественным транспортом и жилые улицы). Лишь в последних проектах новых городов (Братск, Тайшет) сеть улиц соответствует современным требованиям к структуре новых городов.

В свете этих требований основная сеть магистральных улиц общегородского значения и городских дорог обходит жилые районы города при обязательном условии создания удобных и возможно кратчайших (по затрате времени) связей между основными элементами города и выходами на главнейшие автомобильные междугородные дороги. Сеть магистральных улиц дополняется сетью магистральных улиц районного значения, связывающих жилые районы с сетью магистральных улиц общегородского значения и с городскими скоростными дорогами. Сеть местных жилых улиц в значительной степени подчиняется конфигурации микрорайонов.

Таким образом, для современной сети улиц города характерно строго функциональное ее назначение с учетом необходимости создания наиболее рациональных транспортных связей в сочетании с наиболее целесообразным расположением и конфигурацией жилых и промышленных районов и микрорайонов.

С более узкой, транспортной точки зрения, основные городские транспортные коммуникации должны иметь направления, обеспечивающие минимум затраты времени для поездок (при любых средствах передвижения — автомобиль, безрельсовый общественный транспорт) между промышленными и жилыми районами, между центром и другими районами города. При этом решающее значение в достижении возможно меньшей затраты времени на передвижение имеют не столько кратчайшие расстояния, сколько технические средства, позволяющие держать на данном направлении высокие скорости сообщения: достаточная ширина проезжих частей, редкие перекрестки с высокой пропускной способностью, замененные в необходимых случаях развязками в разных уровнях, изоляция пешеходов от проезжей части и прочие мероприятия, о которых говорилось в главе 3.

Очевидно, что вариант городского плана, обеспечивающий в среднем наименьшую затрату времени на передвижения при достаточной их безопасности, может считаться с транспортной точки зрения одним из лучших.

При трассировании улиц и дорог с большим грузовым движением важно обеспечить минимум работы при передвижении грузов города, что достигается применением трасс, по которым происходит движение, с минимальным количеством подъемов и спусков. Для этого обычно применяют пологие уклоны и обходят большие возвышенности или (при особенно больших грузовых потоках) применяют пологие уклоны и в основном прямую трассу. Указанные решения требуют укладки дороги на отдельных участках в глубоких выемках, на насыпях или эстакадах, а в некоторых случаях (при горном рельефе) и в туннелях.

Транспорт современного города должен обеспечивать время на передвижение, не превышающее определенной величины; поэтому при проектировании транспортной сети стремятся принять максимально допустимые затраты времени на передвижение населения в пределах города. Максимальное и среднее время, затрачиваемое на передвижение, является самой простой и вместе с тем достаточно серьезной оценкой городского транспорта (сети дорог, улиц и общественного транспорта).

В настоящее время, исходя из общего уклада жизни и современных экономических и технических возможностей, считают, что время на передвижение в городах к месту работы не должно превышать 30 *мин*. Разумеется, всегда будет какая-то часть поездок с затратами времени, превышающими указанную норму. Если предположить, что такие поездки будут составлять 3—5% общего числа, то норма максимальной затраты времени на передвижение будет обязательна для 95—97% всех поездок в городе.

Существенно, однако, установить, в каких городах по размерам населения и при каких технических средствах общественного транспорта выполнима 30-минутная норма. В связи с этим необходимо отметить следующее.

В зависимости от размеров городов и их планировочной структуры могут применяться:

а) сеть тихоходного уличного транспорта, совпадающая с сетью магистральных улиц; б) сеть тихоходного уличного транспорта в комбинации с сетью внеуличного скоростного транспорта; в этом случае, как показывает практика, сеть внеуличного транспорта, даже в самых крупных городах, берет на себя не более 50% всех перевозок.

Можно было бы еще выделить города без общественного транспорта, где все передвижения совершаются пешком. Если наибольшее время на передвижение, включая пешеходные подходы в городах, имеющих общественный транспорт, определяется в 30 *мин*, то наибольшее время на передвижение в городах, не имеющих его, нельзя определять в те же 30 *мин*. Следует считать, что эта норма для пешеходного передвижения все же велика, и ее надо сократить хотя бы до 20 *мин*, когда наибольший путь пешком составляет 1,3 *км*. Но такие города возможны при населении не больше 20 тыс. человек. Но даже при таких небольших расстояниях возникает необходимость в общественном транспорте на случай плохой погоды, сильных морозов, для пожилых или больных, для матерей с детьми. Поэтому практически уличный общественный транспорт в самых скромных размерах (пропуск микроавтобусов со значительными интервалами во времени — 15—20 *мин*) необходим в городах с населением меньше 20 тыс. человек.

При анализе транспортных сетей городов двух перечисленных категорий необходимо принять в качестве исходных данных следующие соображения.

Как известно, время, затрачиваемое на путь от двери до двери, складывается из времени пешеходного подхода к остановкам общественного транспорта и от них до места назначения, времени на ожидание транспорта и на пересадки и, наконец, времени на транспортное передвижение. Практика и расчеты показывают, что пешеходные подходы, даже при достаточно удовлетворительной густоте транспортной сети, составляют в большинстве случаев в зависимости от длины поездки от 30 до 60% общего времени, затрачиваемого на передвижение.

Следовательно, сокращение длины пешеходного подхода для уменьшения общего времени на передвижение не менее важно, чем сокращение времени поездки на общественном транспорте.

Для равномерного и полного обслуживания населения общественным транспортом следует стремиться к тому, чтобы в любой точке селитебной территории расстояние до остановки уличного общественного транспорта не превышало бы определенной заданной величины. Эта величина принята для уличного транспорта 400 и 500 *м* при среднем расстоянии 200—250 *м*. Это определяет минимальную величину плотности сети общественного транспорта, а следовательно, и сети магистральных улиц — 2 *км/км*^{2}; практически же средняя плотность магистральной сети с учетом ряда местных обстоятельств, увеличивающих плотность сети, должна составлять 2,25—2,5 *км/км*^{2}.

1. СКОРОСТИ ДВИЖЕНИЯ И РАЗМЕРЫ ГОРОДА

Если задана максимальная затрата времени на передвижение от двери до двери, то между скоростью сообщения уличного транспорта и размерами города существует определенная зависимость. Очевидно, что в заданных условиях, чем больше скорость сообщения общественного транспорта, тем бóльшую территорию может занимать город, тем больше населения он может иметь. Схемы города, близкие друг к другу по планировочной структуре, но отличающиеся применением общественного транспорта с разными скоростями сообщения, даны на рис. 52. Максимальные затраты времени в дальнейших расчетах, согласно сказанному выше, приняты равными 30 *мин*.

Для простоты расчета и лучшей масштабной сопоставимости вариантов сеть магистральных улиц города запроектирована близкой к прямоугольной. При некоторой вытянутости города по направлениям основных промышленных районов такая планировка его при спокойном рельефе может быть вполне целесообразной.

Магистральные улицы общегородского значения в этом городе запроектированы в направлении основных транспортных связей; плотность магистральных улиц принята 2—2,5 *км/км²*. Город можно считать компактным, хотя и вытянутым в направлении промышленных районов, что целесообразно по транспортным соображениям. Если ориентироваться на эту плотность магистральной сети при использовании уличного безрельсового общественного транспорта со скоростью сообщения 18 *км/ч*, то максимальное время на передвижение от двери до двери, т. е. 30 *мин*, как показывают расчеты, при более или менее компактной планировке города может быть обеспечено для городов с населением не более 250 тыс. человек (при плотности населения 120 человек на 1 *га*) (рис. 52, **А**).

В городе с населением 350 тыс. человек, как показывают расчеты по проекту Целинограда, 25% всех транспортных передвижений, в том числе 45% трудовых, превышают по времени 30 *мин*.

Введение в городах скоростного транспорта значительно ускоряет передвижение. Наибольший эффект достигается в городах, несколько вытянутых вдоль основных транспортных связей, так как только при этом условии, вследствие скопления в часы «пик» транспортного потока в определенных направлениях, можно достичь значительной концентрации потоков, что даст возможность организовать скоростное движение с достаточно малыми интервалами между находящимся в движении подвижным составом. Наоборот, на селитебной территории, приближающейся по форме к кругу или квадрату, при значительной распыленности потоков эта же задача, даже в очень крупных городах, решается менее удачно.

Введение автобусов-экспрессов со скоростями сообщения 25 *км/ч* в городе, план которого изображен на рис. 52, при сохранении времени на транспортное передвижение в размере 30 *мин* и при той же плотности населения (120 человек на 1 *га*) дает возможность увеличить население города до 320 тыс. человек. Аналогично введение автобусов-экспрессов в другом городе, изображенном на рис. 52, **Б**, сократило бы количество поездок, превышающих 30 *мин*, примерно с 25 до 18%.

Очевидно, что в городах с населением более 300 тыс. человек соблюдение максимальной нормы времени 30 *мин* представляется возможным лишь при условии применения скоростного рельсового транспорта со скоростями сообщения 40, а в перспективе до 50 *км/ч* при одновременном использовании тихоходного общественного транспорта для подвоза к быстроходному, рельсовому, а также для второстепенных транспортных связей.

Если обратиться к городу, на рис. 52, *В* можно увидеть, что две продольные наземные линии метрополитена облегченного типа (скоростного трамвая), связывающие город с промышленными районами, позволили бы при максимальной норме затраты времени 30 *мин* значительно раздвинуть селитебную территорию, что дало бы возможность запроектировать город при плотности населения 120 человек на 1 *га* уже с населением 500 тыс. человек с максимальной протяженностью селитебной территории 10 *км*.

Остается лишь один резерв сокращения времени на передвижение — это уменьшение длины пешеходных подходов к остановкам общественного транспорта путем увеличения плотности сети общественного транспорта. Так, увеличение плотности сети магистральных дорог или улиц до 4 *км/км²* в наиболее периферийных районах города дало бы возможность увеличить население города на 20—25 тыс. человек. Принятая выше норма 120 человек на 1 *га* брутто примерно соответствует норме 9 *м²* жилой площади на человека. При увеличении нормы до 15 *м²* жилой площади на 1 человека плотность населения брутто составит около 70 человек на 1 *га*. Следовательно, в этом последнем случае количество населения в городе, которое при заданных выше планировочных и транспортных условиях (две линии скоростного транспорта) будет удовлетворять условиям максимума за-

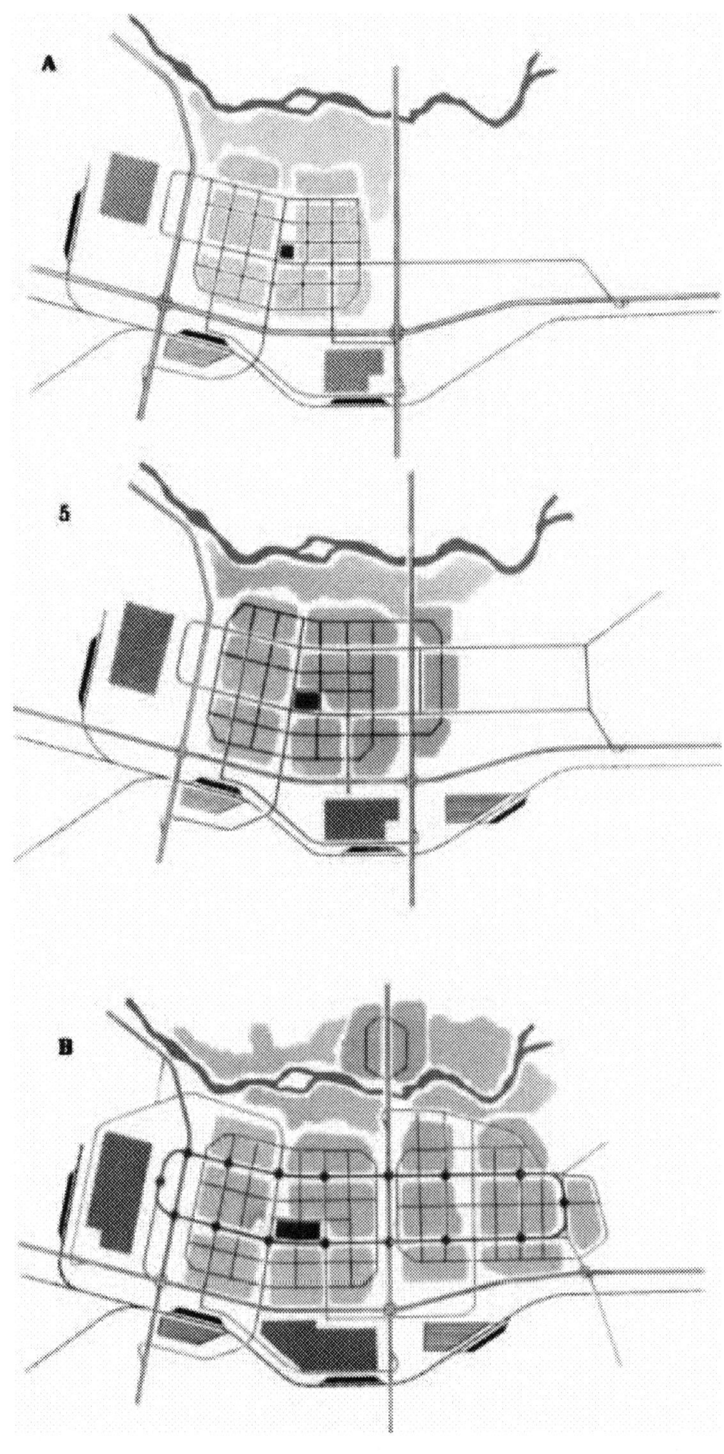

Рис. 52. Затрата времени на передвижение в городах в сильной степени зависит от скорости сообщения общественного транспорта. Если исходить из максимума затраты времени на передвижение от двери до двери 30 мин, то в данном планировочном примере численность населения города может быть: **А** — не более 250 тыс. при обычном уличном общественном транспорте (автобус или троллейбус); **Б** — не более 320 тыс. при применении автобусов-экспрессов для связи с наиболее отдаленными точками приложения труда; **В** — не более 500—600 тыс. при наличии двух линий скоростного рельсового транспорта и подводящих к ним маршрутов уличного транспорта

Fig. 52. Time spent on journeys in cities depends to a great extent on the speed of public transport. Supposing the maximum time spent on communication "from door to door" equals to 30 minutes, then in this example the number of population may be: **A** — not more than 250 thousand with usual street public transport (bus or trolleybus); **Б** — not more than 320 thousand when using express-buses for communication with remote work-places; **B** — not more than 500—600 thousand with two lines of high-speed rail transport and linked with the line of street-transport

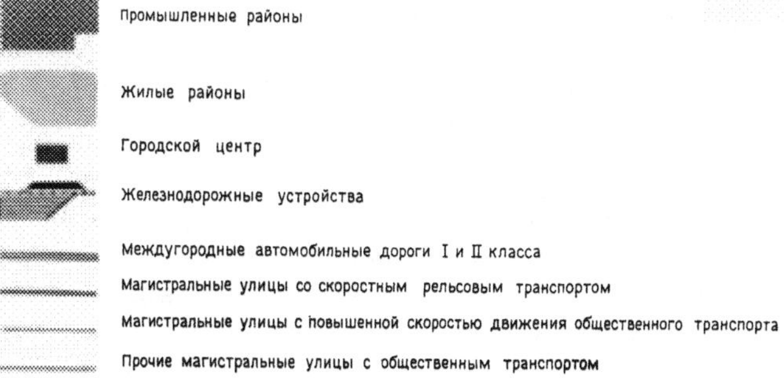

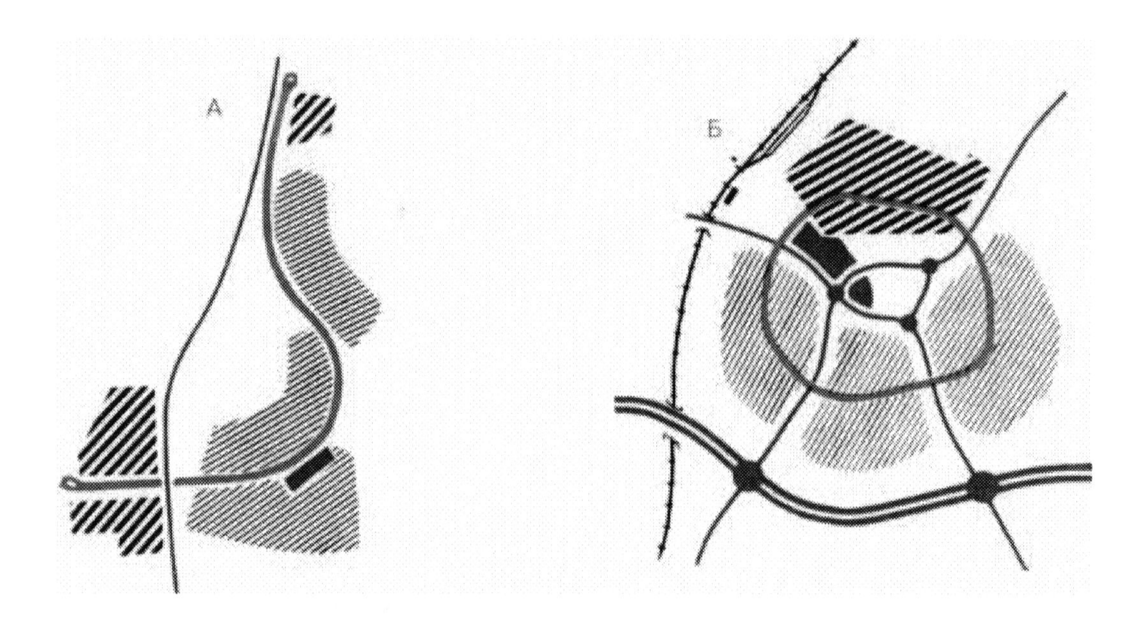

Рис. 53. В новых городах сеть общественного транспорта должна обеспечить минимум затрат времени на передвижение, что при заданном типе транспорта обеспечивается минимальным количеством пересадок и возможно меньшими длинами пешеходных подходов к остановкам транспорта при одновременной достаточной экономичности транспортной системы в эксплуатации. В небольших городах с населением 20—30 тыс. человек с линейной планировкой этой цели удовлетворяет одна линия общественного транспорта **(А)**. В городах компактной планировки с населением до 80 тыс. человек целесообразно применение замкнутых маршрутов (кольцевой маршрут, схема **Б**). При населении 80—100 тыс. человек возможно применение замкнутого маршрута с дополнительными диаметральными связями местного значения **(В)**. При наличии крупного промышленного района, находящегося за пределами города, вполне целесообразно применение маршрута типа «девятка» **(Г)**. В более крупном городе с населением более 200 тыс. человек возможно сочетание скоростного общественного транспорта с несколькими местными линиями **(Д)**

Fig. 53. In new towns the network of public transport must provide the minimum time spent on journeys which is attained (the type of transport defined) by the minimum number of changes and by the shortest distances to stops, transport system being economical enough in operation. In small towns with the population of 20 — 30 thousand having a linear plan this purpose is achieved by one line of public transport **(A)**. In towns of compact planning and the population amounting to 80 000 people it is advisable to apply closed routes (circular road in fig. 53, **Б**). With population amounting to 80—100 thousand it is possible to make use of a circular routes with additional local radial lines **(В)**. In case of large industrial districts situated outside the city it is quite advisable to apply the routes of the "9"-type **(Г)**. In larger cities with the population more than 200 thousand inhabitants the combination of high-speed public transport with local roads is possible **(Д)**

траты времени на трудовые передвижения — 30 *мин*, не превысит 350—400 тыс. человек. Последнее говорит об исключительно важном значении создания особо эффективной скоростной системы транспорта в перспективных условиях достаточно комфортабельного расселения населения в городах.

Учитывая, что плотность населения брутто селитебной территории оказывает значительное влияние на время транспортных передвижений в городах, следует устанавливать при конкретном проектировании для различных планировочных условий наиболее рациональную плотность населения новых городов, при которой, с одной стороны, достаточно хорошо решались бы бытовые и гигиенические условия жизни населения, а с другой стороны, пути транспортных передвижений были бы возможно меньшими.

Таким образом, в городах с компактной планировкой и населением не более 300 тыс. человек целесообразно применение скоростного рельсового транспорта типа скоростного трамвая, а при некомпактной планировке, например при сильно растянутой селитебной территории, отдаленности промышленных рай-

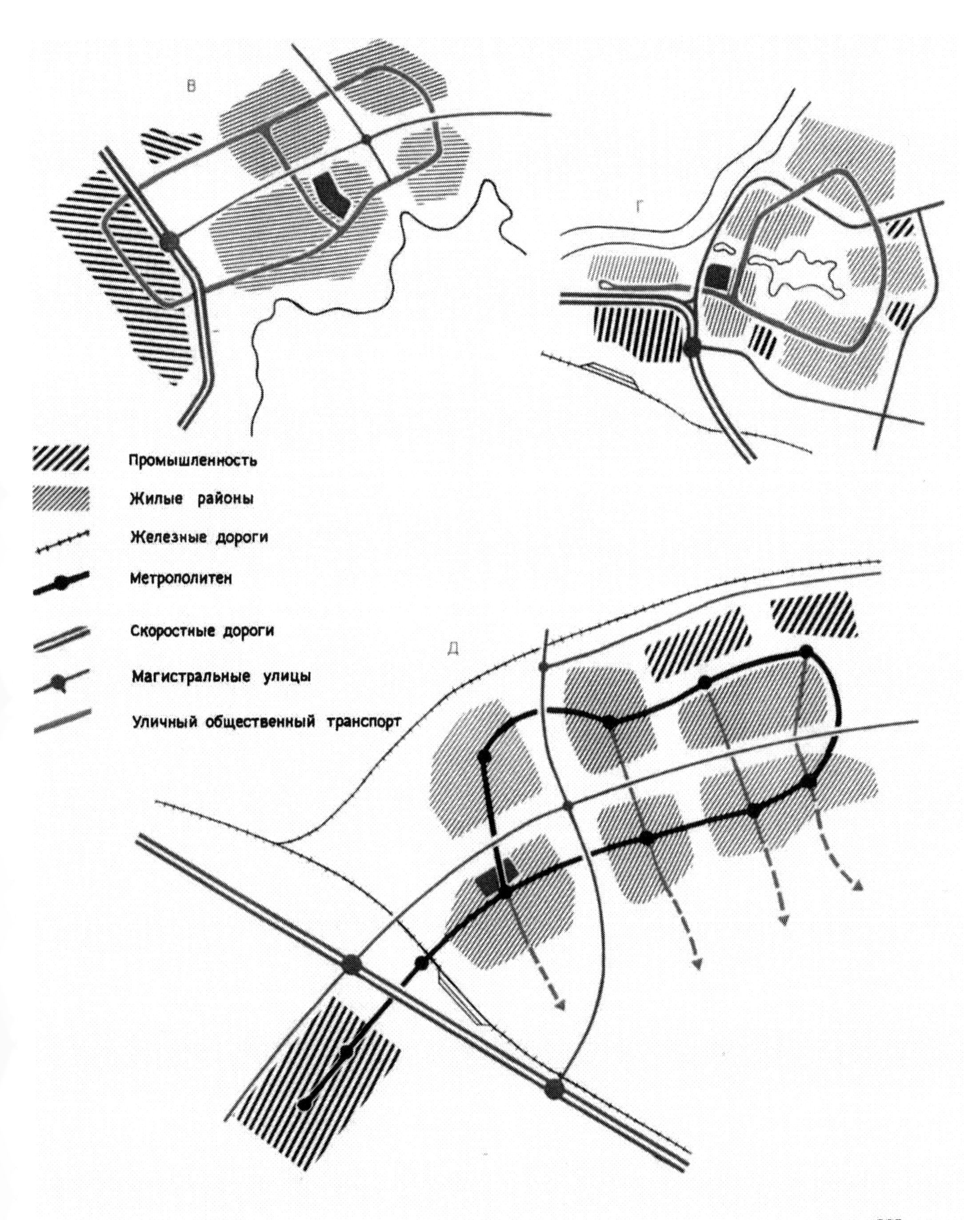
в
г
д
Промышленность
Жилые районы
Железные дороги
Метрополитен
Скоростные дороги
Магистральные улицы
Уличный общественный транспорт

онов или крупных предприятий от селитебной территории, в городах и с меньшим населением — порядка 150—200 тыс. человек.

Вместе с тем очень важно стремиться к тому, чтобы плотность сети скоростного транспорта в новых городах была возможно более высокой — порядка 0,8—1 *км/км*² селитебной территории, так как только в этом случае будет обеспечена возможность осуществления города с населением до 500 тыс. человек при малых затратах на время передвижения — не более 30 *мин* (рис. 52, **В**). Представляется целесообразным при проектировании планировочной структуры такого города исходить из сети внеуличных линий рельсового транспорта, проходящих в пределах разделительной полосы между проезжими частями городских скоростных дорог (при поперечном профиле, изображенном на рис. 35, **Г**, глава 3). Так как эти линии на всем протяжении будут наземного типа, сооружение их не вызывет чрезмерно больших расходов и будет полная возможность постепенно их развить; важно лишь зарезервировать необходимые территории для их сооружения с предварительным минимальным озеленением.

На всех линиях рельсового скоростного транспорта должна предусматриваться экранная противошумовая защита (прежде всего там, где это возможно путем укладки линий в выемки).

Во всех перечисленных примерах движение общественного транспорта в новых городах происходит по незамкнутым маршрутам. Применение их необходимо в небольших вытянутых в длину линейных городах с единственным маршрутом общественного транспорта, как это, например, имеет место в линейном городе с населением 20 тыс. человек, изображенном на рис. 53, **Д**. Общие затраты времени на передвижение в городе не превышают 20—25 минут. Однако в новых городах с населением до 100 тыс. человек в ряде случаев целесообразно применять маршруты общественного транспорта по кольцевому или иному замкнутому направлению.

Преимущество любого замкнутого маршрута перед незамкнутым состоит в возможности двустороннего транспортного обслуживания всех районов города или крупных объектов массовой посещаемости, в частности промышленных районов, что обеспечивает равномерность загрузки линий и, следовательно, значительно большее количество перевезенных пассажиров в единицу времени, чем на незамкнутой линии.

Замкнутые маршруты общественного транспорта целесообразны лишь при определенной планировочной структуре города. Так, например, город с населением 60 тыс. человек может быть запроектирован в двух вариантах. По одному из этих вариантов взаимное расположение его районов таково, что кольцевая магистральная улица с замкнутым маршрутом общественного транспорта полностью отвечает задаче транспортного обслуживания города на рис. 53, **Б**. По второму варианту, если город развивается в линейных направлениях, применение тупиковых, челночных маршрутов неизбежно.

Таким образом, при проектировании новых городов с транспортной точки зрения следует учитывать положительные стороны применения замкнутых маршрутов общественного транспорта, хотя выбор планировочной структуры города в целом зависит от совокупности ряда местных условий.

В городах с населением свыше 80—100 тыс. человек один кольцевой маршрут недостаточен, так как не может обслужить общественным транспортом радиальные направления, в частности районы города и его центр, находящиеся в середине кольца. Для устранения этого недостатка необходимо иметь в дополнение к кольцу хотя бы один диаметральный маршрут общественного транспорта.

В качестве примера на рис. 53, **В** показана схема города с численностью населения 100 тыс. человек. Кольцевая линия общественного транспорта, обходя все жилые районы города, вводится в главный промышленный район, обеспечивая удобную двухстороннюю связь промышленности с селитьбой.

В тех городах, где главная промышленность удалена от селитьбы на расстояние в несколько километров, целесообразной транспортной системой для небольших городов (до 100 тыс. населения) можно было бы считать кольцо (для связи между собой жилых районов) в сочетании с линией пассажирского транспорта, ведущей к удаленному промышленному району. Такое построение сети делает ее похожей на цифру девять (рис. 53, **Г**). В таких городах достаточно обычных автобусных маршрутов со скоростью сообщения в пределах жилых районов 18 *км/ч*. На участке, соединяющем селитьбу с промышленностью, автобус становится скоростным видом транспорта, способным обеспечить при безостановочном движении скорость сообщения 50—60 *км/ч*. Главный общественный центр города размещен на разветвлении транспортных линий. Жилые районы и район ближней промышленности соединены кольцевой линией пассажирского транспорта. Главный промышленный район связан с селитебной территорией одной линией пассажирского транспорта.

Однако целесообразность применения «девятки» или вообще замкнутых направлений для скоростного рельсового транспорта вызывает сомнение, так как при росте города трудно связать замкнутые направления с направлениями, ведущими к новым городским районам. На рис. 53, Д показана схема города с населением свыше 200 тыс. с сетью рельсового скоростного транспорта типа «девятки». В этом городе, несколько удлиненном в двух направлениях, этот недостаток смягчается за счет вытягивания замкнутого маршрута. Это позволяет при дальнейшем развитии города в поперечном направлении по отношению к продольной его оси дополнять схему общественного транспорта поперечными (по отношению к основным продольным рельсовым трассам) незамкнутыми линиями безрельсового транспорта.

Во всех случаях, рассмотренных выше, маршруты безрельсового общественного транспорта совпадают с магистральными улицами. Трассу скоростного рельсового транспорта можно пропускать как самостоятельную вне улиц или же прокладывать по их разделительной центральной полосе. В последнем случае в крупных городах с линейной планировкой магистральная улица может быть заменена скоростной дорогой, так как пересечение рельсовых путей скоростного транспорта со всеми улицами и пешеходными путями следует производить в разных уровнях (рис. 57).

2. СЕТИ ПЕШЕХОДНЫХ АЛЛЕЙ

Изоляция автомобильного движения от пешеходов на городских дорогах, естественно, вызывает необходимость создания системы пешеходных аллей, тесно связанных с сетью улиц, но совершенно самостоятельных; обе системы должны как бы накладываться одна на другую и взаимно пересекаться по возможности в разных уровнях.

Таким образом, пешеходные аллеи становятся не менее важным элементом городского движения, чем городские дороги или улицы. Создание самостоятельных сетей пешеходных аллей, связывающих кратчайшими путями группы жилых домов или микрорайоны с остановками общественного транспорта, районными торговыми, административными и культурными центрами и промышленными предприятиями или местами отдыха, обеспечивает спокойное движение пешеходов в окружении зелени вдали от уличного шума.

На рис. 54 показан проект жилого микрорайона, в котором достаточно тщательно учтены интересы пешеходов: им обеспечены кратчайшие пути следования к остановкам общественного транспорта и к магазинам. Особенно внимательно следовало бы отнестись к проек-

Рис. 54. План укрупненного микрорайона с показом на нем пешеходных аллей, связывающих население микрорайона по кратчайшим расстояниям с местами приложения труда, остановками общественного транспорта, торговыми и административными центрами

Fig. 54. Plan of developing neighbourhood showing pedestrian alleys connecting the population of the neighbourhood through shortest cuts with work-places, public transport stop, trade and administrative centres

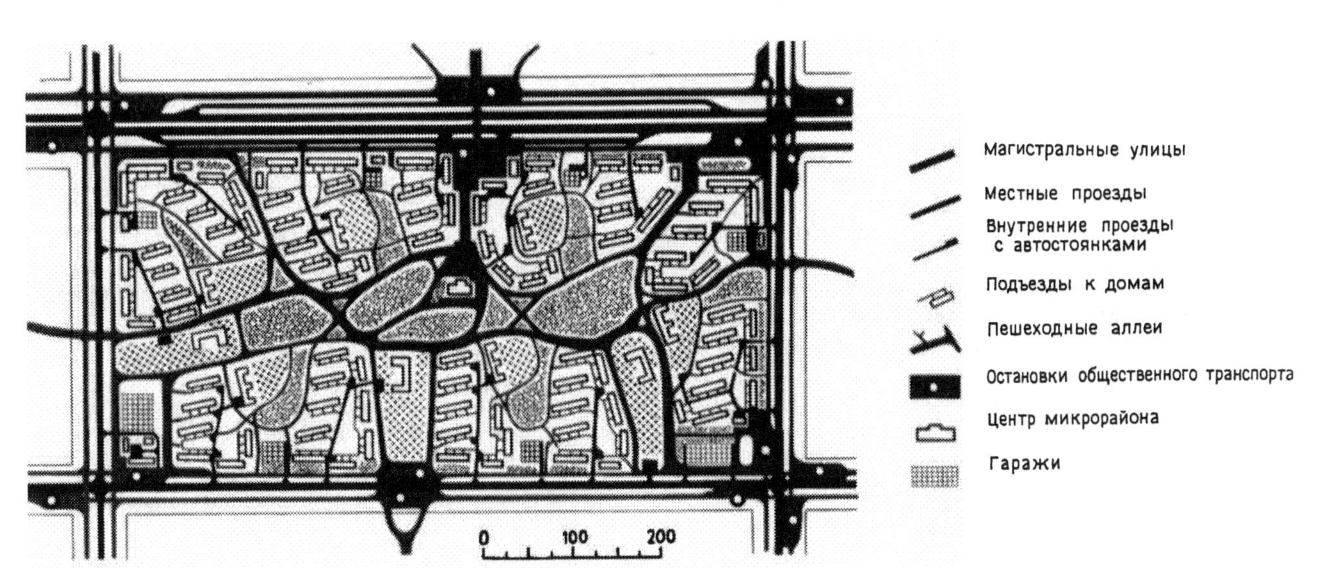

тированию пешеходных аллей к станциям метрополитена, ввиду того что длина пешеходного подхода к ним достигает 700—800 *м*.

Трассы пешеходных аллей могут пересекать микрорайоны и в отдельных случаях проходить вдоль местных улиц, отделяющих микрорайоны друг от друга. Очевидно, что так называемые «пешеходные улицы», находящиеся в зоне зданий культурно-бытового значения, весьма целесообразны в районных и общегородских центрах, изолированных от уличного движения.

3. СЕТИ ВНЕУЛИЧНОГО СКОРОСТНОГО ТРАНСПОРТА В КРУПНЫХ ГОРОДАХ

Если в новых городах предоставляется возможность полностью решить сети дорог и общественного транспорта в соответствии с современными требованиями, то в реконструируемых городах, в особенности крупных, та же задача значительно более сложна в условиях сложившейся сети улиц. Однако основные принципы проектирования транспортных сетей, принятые для новых городов, могут быть применены в реконструируемых городах в той степени, в какой это является возможным, причем эти принципы приобретают особое значение в условиях значительного территориального развития и большой интенсивности движения транспорта.

Особенно сложным в крупных городах является строительство внеуличных рельсовых сообщений (метрополитен облегченного типа, скоростной трамвай) вследствие плотной городской застройки и необходимости идти на сооружение дорогостоящих туннелей и большого числа искусственных сооружений. Поскольку метрополитен должен быть рентабельным в эксплуатации, его строительство возможно лишь при наличии достаточно мощных пассажиропотоков.

Наибольшая транспортная работа по перевозке пассажиров в крупных городах происходит в направлении трудовых связей основных промышленных районов города с его центром, а также тех и других с жилыми районами города в условиях значительных расстояний между их центрами — порядка 5—10 *км*. Особенно значительные пассажиропотоки получаются при совпадении перечисленных выше направлений друг с другом. Например, линия транспорта, связывающая промышленные районы с центром города через крупные жилые районы, а также там, где вдоль линии или в ее конечном пункте расположены — стадионы, а также места отдыха населения (парки, лесопарки и пр.).

Необходимость строительства скоростных линий рельсового внеуличного транспорта определяется большими объемами перспективных пассажиропотоков в часы «пик» в направлениях к центру города и в особенности к крупным промышленным районам. В большинстве случаев в этих городах уличный общественный транспорт уже в настоящее время едва справляется в наиболее нагруженных направлениях. В условиях крайнего переполнения подвижного состава в одном направлении в час «пик» следуют 10—15 тыс. пассажиров.

Необходимость строительства скоростных линий определяется также требованием значительно поднять скорость передвижения. Расчеты показывают, что максимальное время, затрачиваемое на трудовые передвижения в городах с миллионным населением, достигает в настоящее время 1 часа и более, что чрезмерно далеко от желательной нормы (30 *мин*) и предельно допустимой (40—45 *мин*).

Как показывают расчеты, в крупных городах (с населением 1—1,5 млн. человек) протяжение линий внеуличного транспорта может составлять от 30 до 50 *км*. При условии дальнейшего снижения стоимости строительства и автоматизации процессов эксплуатации в более отдаленной перспективе протяжение линий внеуличного скоростного транспорта в этих городах возможно будет увеличиваться и достигнет 60—65 *км*.

Небольшое число линий требует создания гибкой схемы эксплуатации, например применения сети в виде трех радиусов, связанных одной узловой станцией, что позволяет переводить поезда с наиболее загруженного направления на два остальных. Так, в крупном городе (рис. 55) с населением свыше 1 млн. человек центр и крупный жилой массив можно удобно связать непосредственно с восточными и южными промышленными районами через узловую станцию, расположенную примерно в геометрическом центре города.

Рис. 55. Проектная схема сети внеуличного рельсового общественного транспорта и скоростных дорог для города с населением свыше 1 млн. человек, расположенного на реке. Сеть внеуличного транспорта образуется тремя диаметрами, связывающими между собой центр города и два основных промышленных района. Сеть скоростных дорог состоит из радиусов, связанных дугой окружности ▶

Fig. 55. Scheme of the off-street public rail transport network and high-speed roads for cities with the population exceeding 1 mln. people, situated on the river-bank. Network of off-street transport is formed by three diameters connecting the centres of the city with two main industrial districts. High-speed road network consists of radial roads bound by an arc

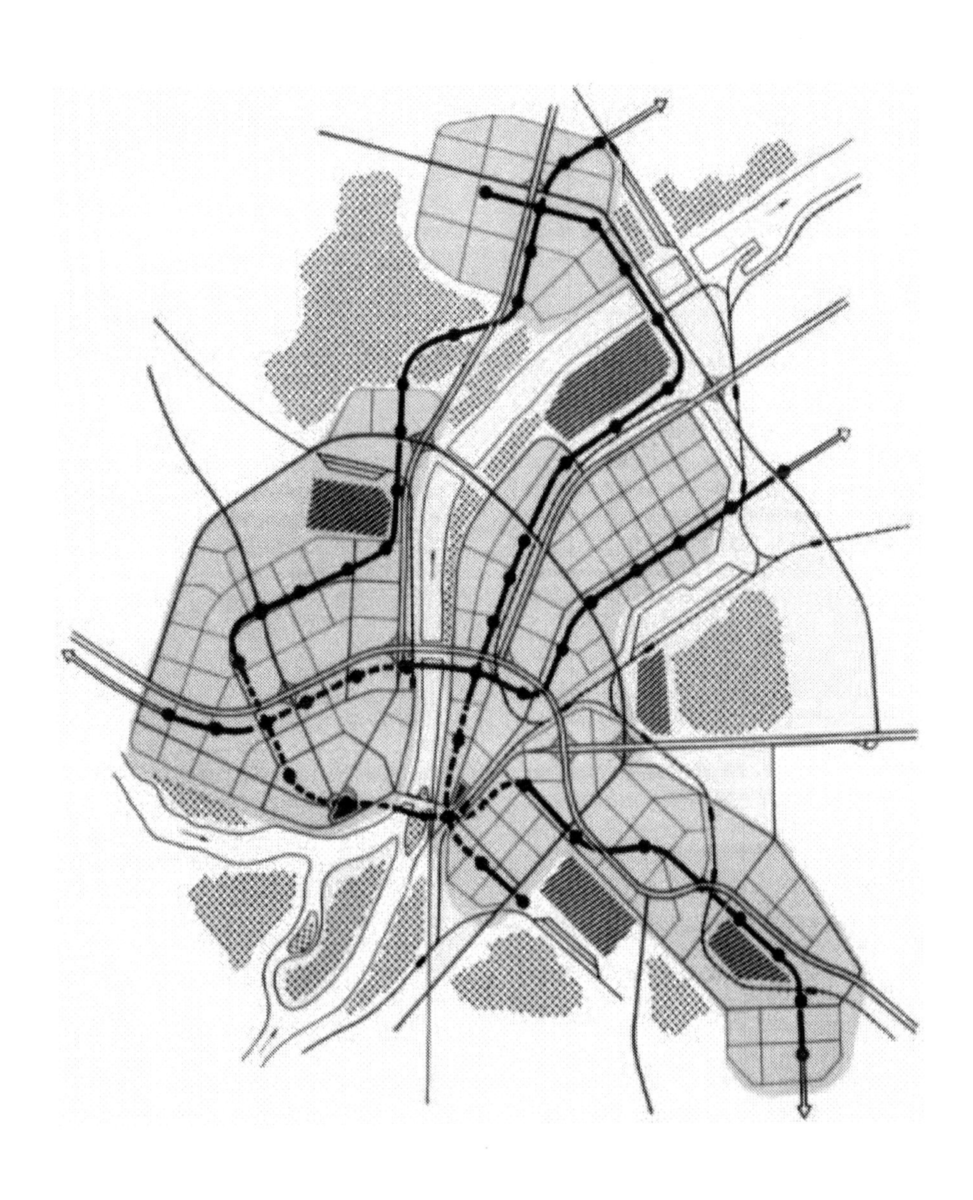

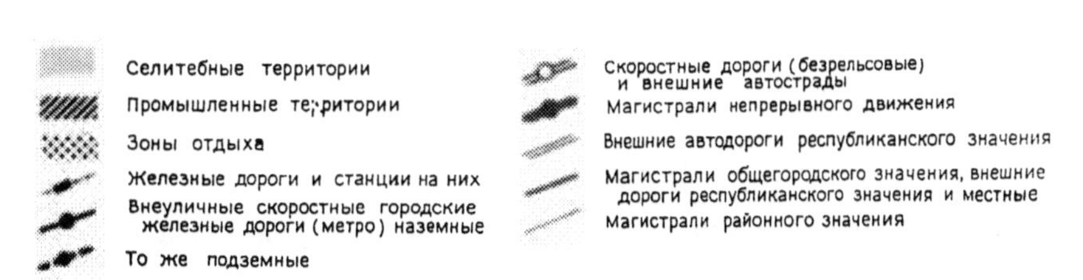
Селитебные территории
Промышленные территории
Зоны отдыха
Железные дороги и станции на них
Внеуличные скоростные городские железные дороги (метро) наземные
То же подземные
Скоростные дороги (безрельсовые) и внешние автострады
Магистрали непрерывного движения
Внешние автодороги республиканского значения
Магистрали общегородского значения, внешние дороги республиканского значения и местные
Магистрали районного значения

В другом случае аналогично можно допустить разветвление линий с расположением узловых станций на периферии города для лучшего охвата скоростным транспортом жилых массивов или отдельных предприятий промышленного района. Можно предложить проверенное практикой решение, при котором одна из линий метрополитена в заречной части города разветвляясь на две линии, обслуживающие северный и южный промышленные районы, связывала бы эти районы с жилым массивом города.

Вместо разветвлений в некоторых случаях целесообразно связать с одной стороны концы двух взаимно пересекающихся диаметров метрополитена, что создает одну линию. В крупных сложившихся городах применение таких линий целесообразно лишь в том случае, когда на соседних концах диаметров или на отрезке линии, соединяющей их концы, располагаются крупные промышленные предприятия или пункты большого трудового тяготения, или жилые массивы. Так, например, это может оказаться целесообразным для города, изображенного на рис. 23, в котором существуют массовые трудовые связи между северным промышленным районом и большим жилым массивом, расположенным в северо-восточной части города. Однако такое решение допустимо лишь тогда, когда в направлении петли метрополитена или скоростного трамвая не намечается в перспективе развитие города, так как в противном случае использовать петлевую линию для обслуживания новых периферийных районов весьма затруднительно.

На рис. 56 дана еще одна схема сети метрополитена облегченного типа для города с населением 1,2 млн. человек, расположенного по обе стороны большой реки с двумя крупными промышленными районами на северовостоке и западе. Сеть метрополитена состоит из трех диаметров, частично пересекающихся в центре города. Восточно-западный диаметр на северовостоке связывает жилой район с промышленным; на западе диаметр разветвляется и одновременно обслуживает западный промышленный район и несколько жилых районов на юге.

На рис. 57 представлен редкий случай, когда город с населением около 1 млн. человек может быть обслужен одной скоростной линией внеуличного рельсового транспорта. Это возможно при линейном расселении города, расположенного вдоль большой реки.

Скоростная линия может пройти в основном вдоль трассы железной дороги, сохраняемой в городе. Скоростные внутригородские перевозки могут выполняться электросоставом железной дороги при условии увеличения числа главных путей, что даст возможность выделить для внутригородского движения два самостоятельных пути, не пересекаемых в одном уровне другими путями железной дороги. По другому варианту это может быть метрополитен облегченного типа, полностью изолированный со всеми своими устройствами от железной дороги, но проходящий вдоль нее.

При осуществлении первой очереди строительства таких систем возможно наличие только одной станции пересадки, что может вызвать ее перегрузку пассажирами. Поэтому желательно проектировать и осуществлять так называемые совмещенные станции пересадочного узла, в которых пассажиры для двух направлений пересаживаются, не сходя с платформы, а для двух других пользуются пешеходными переходами, разобщенными с путями в разных уровнях (рис. 58). Совмещенная станция обеспечивает наиболее удобные условия пересадки для пассажиров. Достоинством совмещенной станции является также возможность попутного изменения направления, что позволяет применять гибкую систему маршрутов.

Во всех тех случаях, когда одной пересадочной станции недостаточно из-за большого количества пересаживающихся пассажиров, а также при необходимости большого охвата городской территории скоростными перевозками, схема метрополитена может развиватьсяпутем создания сети самостоятельных диаметров или хорд. Сеть метрополитена в крупных городах, там где предполагается сооружение скоростных дорог, можно дополнить сетью скоростного автобусного сообщения.

Рис. 56. Проектная схема сети внеуличного общественного транспорта и скоростных дорог для города с населением 1,2 млн. человек, расположенного по обеим сторонам реки. Сеть внеуличного транспорта состоит из трех диаметров, связывающих центр города, жилые и промышленные районы между собой. В южной части города концы двух диаметров образуют кольцо. Сеть скоростных дорог состоит из кольца, охватывающего город по периферийным районам, и диаметра, непосредственно разгружающего центр

Fig. 56. Scheme of the network of off-street public transport and high-speed roads for a city with the population amounting to 1.2 mln, situated on both banks of the river. Network of off-street transport consists of three diameters connecting the centre of the city with residential and industrial districts. In the Southern part of the city the ends of the two diameters form a ring. The network of high-speed roads consists of a ring-road encircling the city along outlying districts and the diameter deconjesting the centre of the city

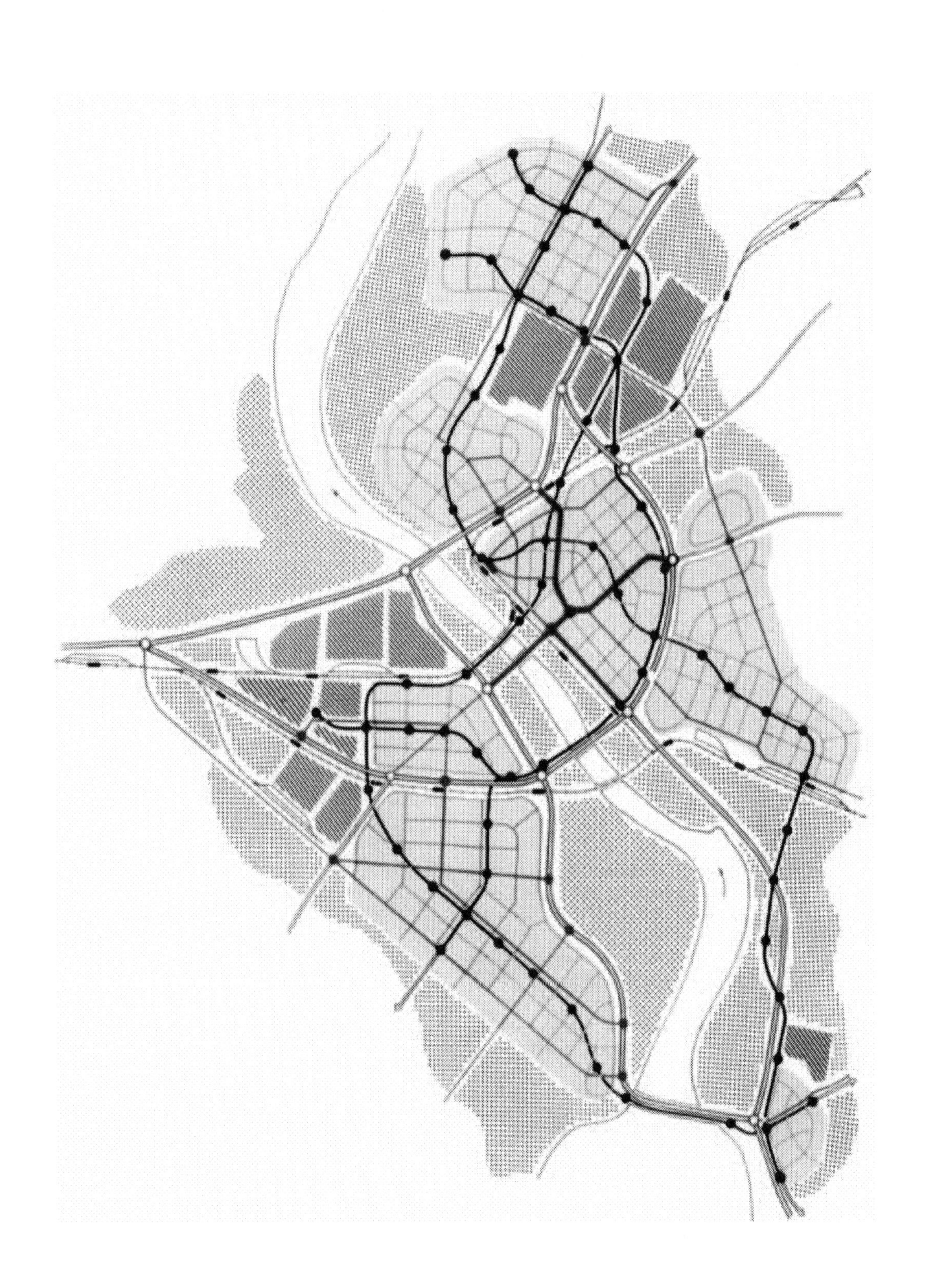

Рис. 57. Проектная сеть внеуличного рельсового транспорта и скоростных дорог для города с линейной планировкой и населением около 1 млн. человек. Сеть внеуличного транспорта состоит только из одной линии. Две скоростные дороги, проходящие одна по городу (в основном для легкового движения) и другая вне его селитебной территории (для грузового движения), связаны с сетью внешних автомобильных дорог

Fig. 57. Suggested network of off-street rail transport and high-speed roads for a city with linear plan and the population of about 1 mln. people. The network of off-street transport consists only of one line. Two high-speed roads, one passing through the city (mainly for motor traffic) and the other out of its residential area (for freight traffic) are connected with the network of outer motor-highways

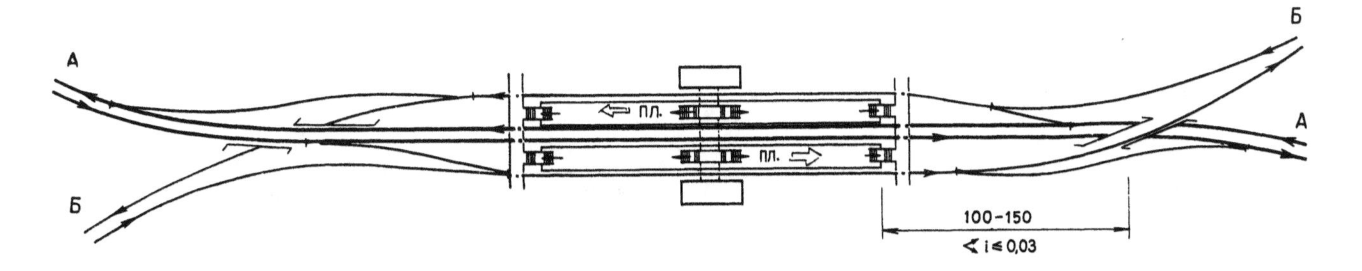

Рис. 58. Схема совмещенной станции метрополитена или скоростного трамвая, обеспечивающая большие удобства для пассажиров при пересадке и допускающая пропуск поездов по нескольким маршрутам. **А, Б** — линии метрополитена; **Пл** — посадочные платформы; **i** — продольные уклоны путей

Fig. 58. A sketch of a combined subway station or a high-speed tram convenient for passengers at changes and allowing trains to run along several routes. **А, Б** — subway lines, **Пл** — passenger platforms; **i** — longitudinal gradients

В городах, где не планируется сооружение метрополитена, особенно важно правильно организовать скоростное автобусное движение. Для этого необходимо не только наметить маршрутную сетку для автобусов-экспрессов, но и предусмотреть в проекте реконструкции города соответствующую сеть городских магистральных улиц с редкими перекрестками и максимальной изоляцией проезжей части от пешеходов, что позволит наладить движение автобусов-экспрессов с достаточно высокими скоростями.

Ввиду небольшой проектной плотности сети метрополитена в крупных городах следует так проектировать сеть уличного общественного транспорта, чтобы возможно полнее, с максимальными удобствами, обеспечить подвоз пассажиров к станциям метрополитена.

В некоторых случаях целесообразен выход линий метрополитена или скоростного трамвая за пределы города к ближайшим к городу населенным пунктам и пунктам массового отдыха.

Немалую помощь работе городского транспорта могут оказать электрифицированные железные дороги, входящие непосредственно в город (см. главу 5).

4. ОБЩИЕ ПРИНЦИПЫ РЕКОНСТРУКЦИИ УЛИЧНОЙ СЕТИ В КРУПНЫХ ГОРОДАХ

К большим недостаткам транспортных сетей в центральных частях сложившихся старых городов следует отнести чрезмерную плотность сети узких улиц, из которых лишь небольшая часть по своей ширине может нести функции магистральных улиц, вследствие чего плотность последних в центральном узле города, как правило, недостаточна. Еще меньшая плотность сети магистральных улиц в периферийных районах городов, где она едва достигает 1—1,5 *км/км*². Недостаточная плотность сети магистральных улиц создает перегрузку транспортом магистралей центральных районов, в особенности перекрестков и площадей, что сильно сокращает на уличной сети скорости сообщения.

Крупнейшим недостатком транспортной сети городов является также малое количество переходов через реки, а также путепроводов через железнодорожные линии, в результате чего имеющиеся коммуникации перегружены, а уличный транспорт терпит значительные убытки от простоев и перепробегов.

Выше отмечалось, что плотность сети магистральных улиц на территории города должна составлять не менее 2—2,5 *км/км*². В перспективном проектировании в новых районах крупных городов желательно в целях сокращения времени на подход пешеходов к остановкам общественного транспорта эту плотность увеличивать и доводить в среднем до 3 *км/км*²; в этом случае максимальная длина пешеходного подхода до ближайшей остановки общественного транспорта сократится с 500 до 350 *м*.

Трудно установить необходимую плотность магистральной сети улиц в центре крупного города, так как она полностью зависит от исторически сложившейся планировочной структуры его центра и реальной возможности реконструкции центрального ядра города. Теоретически следует считать, что эта плотность не должна превышать 5 *км/км*².

Одна из сложных задач при решении планировки центров сложившихся городов — это изоляция пешеходного движения от движения транспорта. Как показывает опыт проектирования, эта задача не может быть полностью разрешена путем пропуска в разных уровнях потоков пешеходов и транспорта и строительством пешеходных и транспортных туннелей, эстакад и мостиков. Для радикаль-

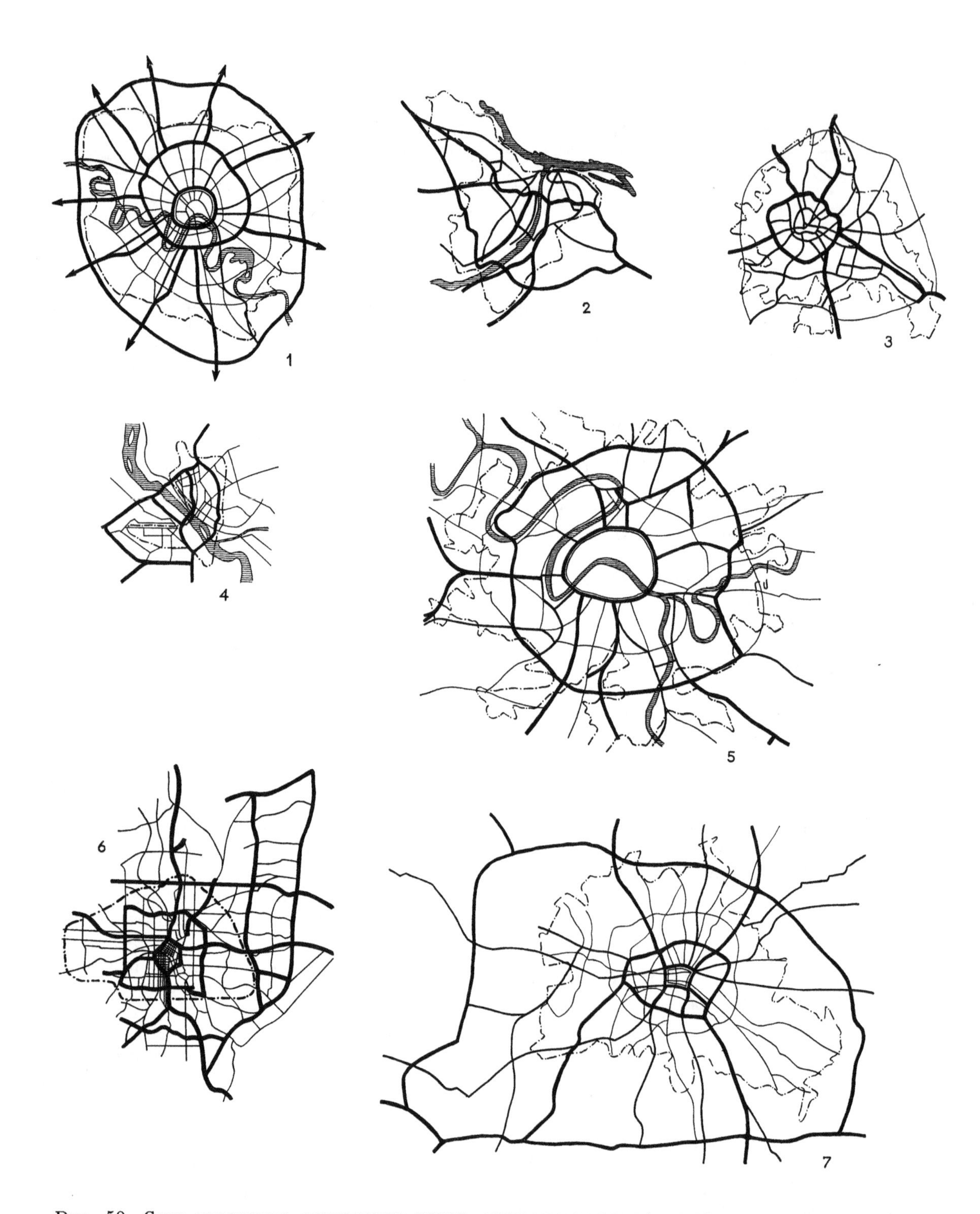

Рис. 59. Сети городских скоростных дорог, существующие и проектируемые в советских и зарубежных городах (выполнены в одном масштабе)
1 — Москва (проект, вариант); **2** — Горький (проект, вариант); **3** — Харьков (проект, вариант); **4** — Новосибирск (проект, вариант); **5** — Париж (проект развития); **6** — Атланта (США, проект развития); **7** — Берлин (проект развития) ; **8** — Нью-Йорк (существующая схема); **9** — Лондон (проект, вариант); **10** — Вашингтон (проект развития); **11** — Лос-Анжелос (проект развития)

Fig. 59. The network of urban expressways (existing and planned) in the Soviet and foreign cities (at the same scale).
1 — Moscow (alternative schemes); **2** — Gorky (alternative schemes); **3** — Kharkov (alternative schemes); **4** — Novosibirsk (alternative schemes); **5** — Paris (development scheme); **6** — Atlanta (USA, scheme of development); **7** — Berlin (alternative schemes); **8** — New York (existing plan); **9** — London (alternative schemes); **10** — Washington (development scheme); **11** — Los-Angeles (development scheme)

ного решения поставленной задачи необходимо предоставить в полное распоряжение пешеходов значительную часть центра города, особенно посещаемую. Сюда, например, следует отнести зоны расположения исторических памятников, а также музеев и театров, административных и торговых зданий.

Решение этой задачи в некоторых случаях приводит к необходимости образования кольца вокруг территории, предоставленной пешеходам. Так как загрузка такого кольца при общей площади пешеходного центра 2—3 *км*² значительна, то приходится прибегать к большому числу развязок в разных уровнях радиальных направлений с кольцом (например, как это выполняется в городе Конзас-сити, США). Поэтому последнее решение возможно далеко не во всех случаях, в особенности это необходимо сказать в отношении городов, число жителей которых превышает 300 тыс. человек.

В тех случаях, когда плотность сети улиц (кроме уличной сети центра) превышает 2,5—3 *км/км*², надо стремиться к ее уменьшению в целях возможно большей изоляции населения от уличного движения и упорядочения его на магистральных улицах. При сплошной реконструкции жилых районов некоторые из жилых улиц могут быть превращены во внутримикрорайонные проезды. При любых приемах реконструкции возможно предоставить не нужные для автомобильного движения улицы в распоряжение пешеходов.

В современных условиях интенсивного уличного движения требуется четкое разделение магистральных улиц на общегородские и районные, назначение которых различно, как это отмечалось в главе 3. Уже на стадии составления генерального плана в крупных городах следует выделить среди магистральных улиц с непрерывным движением улицы с местными проездами и наметить расположение развязок в разных уровнях.

Особенно важно правильно запроектировать городские транспортные узлы, комплексно решая задачи развязок уличного движения, взаимных пересечений и примыканий улиц и дорог, линий уличного и внеуличного общественного транспорта, расположения их остановок и станций, а также устройств для пешеходов, гарантирующих безопасность передвижения. Необходимо проектировать в транспортных узлах наиболее удобные, безопасные и по возможности кратчайшие пути для пешеходов, а также для пассажиров, пересаживающихся с одного вида транспорта на другой.

Конфигурация сети скоростных дорог может быть самой различной в зависимости от планировки города, его территориальных размеров и особенности построения уличной сети, сложившихся и ожидаемых в перспективе транспортных потоков. Зарубежная практика в этом отношении располагает разными приемами. На рис. 59 показаны в одном масштабе сети скоростных дорог за рубежом и проектируемые для советских городов. В Нью-Йорке осуществлена сеть городских дорог в основном скоростного типа; в центральном ядре города — кольцо, охватывающее Манхеттэн, в Бруклине — система взаимно пересекающихся хорд. Сетку хордовых направлений, пересекающих город по всем направлениям, представляет собой система скоростных дорог Лос-Анжелоса, осуществленная лишь частично.

В других случаях сеть имеет радиально-кольцевое построение. Такова, например, сеть скоростных дорог Бостона, представляющая собой кольцо с осуществленным диаметром через центральную часть города. Проектируется небольшое кольцо в Детройте с системой частично осуществленных радиусов, два кольца в Вашингтоне, кольца больших диаметров в Париже и Берлине; в последнем — кольцо, небольшая часть которого осуществлена, по проекту дополняется четырьмя диаметрами, попарно пересекающими друг друга и, следовательно, обеспечивающими внутреннее кольцевое движение.

Многообразие приведенных выше приемов говорит о необходимости строго индивидуального подхода к решению задачи сооружения скоростных дорог при наличии научно проработанных гипотез о размерах и направлении перспективных транспортных потоков, тщательного изучения сложившейся застройки и местных особенностей, подсказывающих необходимое решение.

На рисунках 23, 55, 56 и 57, уже рассмотренных выше в части внеуличных рельсовых сообщений, показаны также сети скоростных дорог для крупных промышленных советских городов с сильно расчлененной территорией и населением в пределах ближайшей перспективы более 1 млн. человек.

В городе, расположенном на слиянии двух рек, по одному из вариантов система артерий повышенных скоростей сообщения образуется полукольцевой скоростной дорогой, охватывающей весь город и непосредственно связанной с междугородными автомагистралями, примыкающими в пределах города к полукольцевой дороге в виде радиальных городских автомобильных дорог. Сеть скоростных дорог дополнена магистральными улицами и дорогами, обеспечивающими скорости сообщения для легковых автомобилей свыше 50 *км/ч* и проникающими в центральные районы города (см. рис. 55). Как видно из схемы, вся система улиц, состоящая из скоростных автомобильных дорог и магистральных улиц со скоростями сообщения в среднем не менее 40 *км/ч*, образует в целом основной костяк путей сообщения города и определяет его лицо в транспортном отношении. Запроектированная схема обеспечивает скоростную связь между периферийными районами в обход центра города, а также скоростную связь этого центра с заречными районами в обход существующего перегруженного движением городского моста.

На рис. 56 показан один из проектных вариантов сети скоростных дорог для крупного промышленного города. Скоростное кольцо связывает периферийные районы в обход центрального ядра города. Кроме кольца по одному из вариантов предусматривается диаметр, связывающий через существующий мост заречную часть города с северным промышленным районом и проходящий параллельно главному проспекту по району, занятому в основном индивидуальной застройкой. Наличие диаметра позволило бы коренным образом разгрузить центр города от уличного движения. Однако такое решение должно дополнительно обосновываться тщательными расчетами.

В крупном городе, вытянутом в длину (рис. 57), особенно необходимо наличие одной, но мощной скоростной автомобильной дороги, проходящей параллельно основным продольным магистральным улицам города. Расстояние между скоростной дорогой и продольными магистралями определяется степенью плотности существующей застройки на полосе городской территории между дорогой и продольными магистралями; при этом необходимо учитывать, что чем у́же будет эта полоса, тем более полно будут разгружены магистральные улицы города.

В другом городе с компактным ядром капитальной застройки и обширным северным промышленным районом целесообразно сооружение кольца с диаметром вокруг этого ядра с присоединением к кольцу нескольких скоростных радиальных дорог (см. рис. 23), продолжающих междугородные автомагистрали.

Крупнейшее значение, которое приобрело уличное движение в городах, и большие капиталовложения, необходимые для развития и реконструкции сети магистральных улиц и городских дорог, заставляют предъявлять высокие требования к расчету уличной и дорожной сети. Это особенно относится к крупным городам, где транспортная структура города сложна, включает разнородные элементы и где исторически сложившаяся сетка улиц и существующая застройка затрудняют развитие уличной и дорожной сети города.

Обоснование необходимости строительства сети городских скоростных дорог в реконструируемых городах, установление их направлений, распределение транспортной работы между ними и существующими магистральными улицами должны быть даны на основании сравнительных вариантных расчетов. Исходными данными для расчета является гипотеза о перспективных размерах движения с распределением потоков между отдельными районами города, этими районами и промышленными предприятиями и т. д.

Распределение перспективных автомобильных потоков по запроектированной дорожной и уличной сети может основываться для легковых автомобилей на принципе минимальной затраты времени для поездки и для грузовых автомобилей на минимуме производимой транспортной работы. Не последнюю роль в распределении грузовых перевозок играют также регулировочные мероприятия.

В расчетах сети магистральных улиц и скоростных дорог должны рассматриваться как единая сеть, которую можно было бы назвать системой скоростного движения в отличие от остальной уличной сети (районные магистральные и местные улицы), по которой возможно движение только с пониженными скоростями, оправданными в условиях коротких пробегов по ним автомобилей и необходимостью обеспечения максимума безопасности пешеходов.

Общим свойством всех элементов системы скоростного движения, ее дорог и магистральных улиц является способность отвлекать на себя автомобильные потоки с других улиц вследствие значительных скоростей сообщения, которые могут быть развиты в пределах системы. Скоростные дороги в пределах системы являются главным источником отвлечения автомобильных потоков, а магистральные улицы — лишь вспомогательными элементами, решающими ту же задачу.

При решении вопроса о целесообразности сооружения, мощности и направлениях скоростных дорог также важно установить возможность увеличения скоростей сообщения и пропускной способности на существующей сети магистральных улиц организационными и реконструктивными мероприятиями. Это позволит в некоторых случаях на известный срок отказаться от строительства скоростных дорог. В частности, в старых городах с населением 500 тыс. человек и менее систему скоростных сообщений в большинстве случаев могут образовывать магистральные улицы, так как кольцевые магистральные улицы, в сочетании с периферийными радиальными направлениями и при условии организации на них непрерывного движения могут успешно решать задачу организации движения и разгрузки центра.

Глава 5

УСТРОЙСТВА ВНЕШНЕГО ТРАНСПОРТА В ГОРОДЕ

1. ПРОБЛЕМА РАЗМЕЩЕНИЯ ТРАНСПОРТНЫХ УСТРОЙСТВ В ГОРОДАХ

Все устройства внешнего транспорта (железнодорожного, водного, воздушного), как правило, занимают обширные территории. В одном случае они расположены вне пределов города (аэропорты), в другом частично входят в городские территории или соприкасаются с ними и в ряде случаев в результате исторического развития глубоко врезаются в город (железнодорожный транспорт, морской и речной).

Устройства железнодорожного транспорта своими линиями, ветвями, развязками, станциями часто серьезно препятствуют развитию городов или осложняют его; мощные портовые устройства отрезают город от водных пространств; все виды внешнего транспорта ухудшают санитарно-гигиенические условия жизни городов (дым, пыль, газы, шум).

Роль внешнего транспорта в жизни городов в будущем, по-видимому, останется весьма значительной, вследствие чего вопросы размещения этих устройств в генеральных планах городов сохраняют свое значение. Характер и размеры внедрения устройств внешнего транспорта в городах существенно меняются вследствие технической эволюции средств транспорта и существенных изменений, которые претерпевают отдельные виды транспорта по своему значению. Следует прежде всего учесть мощное развитие авиации. Уже в настоящее время темпы развития железнодорожных дальних пассажирских перевозок значительно уменьшились вследствие массового переключения пассажиров на воздушные пути. Этот процесс будет продолжаться и далее в связи с обеспечением в будущем безопасного слепого взлета и посадки самолетов, при котором гарантируется непрерывность полетов в течение года, а также дальнейшим удешевлением, ускорением и повышением безопасности воздушных перевозок.

При поездках до 1000 *км* в какой-то степени еще могут происходить колебания в выборе между железной дорогой и самолетом в зависимости от удобства расписания и индивидуальных привычек, но свыше этих расстояний при одинаковых тарифах и безопасности движения для обоих видов транспорта явное преимущество будет принадлежать воздушному транспорту. Что касается поездок на 400—500 *км*, то они с успехом могут осуществляться не только железнодорожным транспортом, но и вертолетами, а также междугородными комфортабельными автобусами. Последний вид сообщения получил широкое распространение в Советском Союзе и за рубежом.

Таким образом, несмотря на техническую реконструкцию железнодорожного транспорта, относительное значение железнодорожных пассажирских перевозок уменьшается.

Что касается грузовых перевозок, то в структуре грузооборота и в распределении грузовой работы между различными видами транспорта в последние десятилетия происходят существенные сдвиги, которые, очевидно, будут продолжаться и далее. С одной стороны, постепенный переход на газовое и электрическое топливо и широкое применение трубопроводного транспорта значительно облегчают задачи перевозки грузов в стране. С другой стороны, рост производительности труда в промышленности непрерывно увеличивает потребность в сырье, увеличивается и количество продукции, приходящейся на одного рабочего в единицу времени. Это явление сопровождается ростом промышленных предприятий в городах, что в целом непрерывно увеличивает поток промышленных грузов, в том числе продукции многих тысяч предприятий, расходящейся по всей стране. По мере увеличения благосостояния народных масс растут также грузы потребления и возрастает ассортимент продовольственных товаров.

Помимо общего роста перевозок, работа транспорта все более усложняется вследствие все большего количества всевозможных ценных грузов широкого ассортимента, следующих по бесчисленным адресам потребителей. Поэтому сортировочная работа, например на железнодорожном транспорте, непрерывно увеличивается; для ее облегчения широко применяется система перевозок в контейнерах для так называемых «мелочных» грузов, т. е. следующих мелкими партиями.

Если в области пассажирских дальних сообщений будущее принадлежит главным образом воздушному транспорту, то по грузовым перевозкам ведущая роль по-прежнему остается за наземным, главным образом железнодорожным, трубопроводным и морским транспортом; сохранится значение и речных перевозок, хотя сезонность составляет их недостаток. Только массовое применение атомной дешевой энергии поможет в будущем создать мощные воздушные корабли для перевозки многих сотен тонн грузов на далекие расстояния.

Некоторая разгрузка железнодорожного транспорта (благодаря передаче короткопробежных грузов на автотранспорт и широкой организации междугородных срочных автомобильных грузовых перевозок) при общем и непрерывном росте грузовых перевозок не может существенно изменить картину непрерывного нарастания мощности железнодорожных устройств.

На трубопроводный транспорт в первую очередь перейдут частично с железных дорог жидкие грузы (горючее в разных видах, масла), поэтому нагрузка некоторых железнодорожных линий, по которым следуют на большие расстояния эти грузы, значительно сократится. Однако это не повлияет на степень развития в узлах устройств по переработке грузов потому, что, как правило, пропуск горючих жидкостей не требует переработки в узлах.

Морской транспорт будет, по-видимому, многие десятки лет единственным средством связи между континентами, по массовым грузовым перевозкам, и при непрерывном росте перевозок, естественно, следует ожидать строительства новых и реконструкции существующих морских портов.

Что касается морских пассажирских перевозок, то ссвременные быстроходные лайнеры ни в какой мере не могут сравниться по скоростям сообщения с самолетами, поэтому уже сейчас лайнеры используются туристами, а также людьми, которые сочетают деловой характер своих поездок с желанием отдохнуть в здоровых морских условиях. Морские пассажирские перевозки, в особенности в туристических целях, сохранят свое значение и в дальнейшем и будут возрастать (например, курортные поездки по Черному морю, заграничный туризм).

Речной транспорт в районах страны с хорошо развитой железнодорожной сетью не имеет перспектив широкого развития в области грузовых перевозок, так как при современных высоких технических требованиях к речному флоту и портовым устройствам (быстроходные грузовые суда, механизация средств погрузки и выгрузки) себестоимость речных перевозок близка к железнодорожным при явных недостатках речного транспорта (сезонность перевозок, малая скорость доставки грузов). Особо важное значение речной транспорт имеет лишь там, где отсутствуют железные дороги. Таковы главным образом районы рек Сибири и Дальнего Севера. У населенных пунктов и городов, расположенных вдоль этих рек, большое будущее в строительстве портов и доков. Следует также ожидать весьма значительного увеличения пассажирских речных перевозок в целом по стране ввиду использования их населением нашей страны главным образом для отдыха, что потребует строительства большого числа речных вокзалов и портовых сооружений.

Широкие перспективы развития имеет автомобильный транспорт. Развитие междугородных срочных грузовых и автобусных перевозок как на ближайшие, так и на далекие расстояния, значительное усиление короткопробежных грузовых перевозок, а также туристических и прогулочных поездок на легковых автомобилях — все это требует значительного увеличения протяженности автомобильных дорог, строительства первоклассных автомагистралей (автострад), сооружения грузовых автомобильных станций, станций обслуживания, большого количества мотелей и автобусных вокзалов (число этих сооружений пока совершенно недостаточно).

2. ИСПОЛЬЗОВАНИЕ ВНЕШНЕГО ТРАНСПОРТА ДЛЯ ПРИГОРОДНОГО И ВНУТРИГОРОДСКОГО ДВИЖЕНИЯ

Внешний транспорт помимо своих основных функций — междугородных перевозок — выполняет большую работу по пригородному, а в некоторых случаях и по внутригородскому транспорту. Городской транспорт в некоторых случаях в значительной степени используется для обслуживания пригородной зоны путем выпуска рельсовых и безрельсовых маршрутов за пределы города. То же следует сказать о морском и речном транспорте, обслуживающем пригородные и внутригородские перевозки. Возникает вопрос о целесообразности использования воздушного транспорта для обслуживания пригородных перевозок. Ввиду роста населения городов и пригородных зон работа всех видов транспорта в транспортных узлах, образуемых сетью внешнего и городского транспорта, непрерывно увеличивается. В связи с этим осложняется и приобретает все большее значение комплексная организация работы транспортного узла, территориально объединяющего город и его пригородную зону и включающего устройства всех видов городского и внешнего транспорта.

Использование внешнего транспорта для обслуживания внутригородских перевозок естественно там, где в пределах территории города проходят железнодорожные линии, судоходные реки и каналы или где город лежит на морском заливе.

Особенно целесообразно использовать железнодорожные линии для внутригородских пассажирских перевозок в том случае, если на этих линиях в крупных городах происходит интенсивное движение. Здесь должны быть пропущены пригородные электропоезда с малыми интервалами между ними — порядка 5—10 *мин*, причем остановочные пункты располагаются вблизи мест приложения труда и городских транспортных узлов (например, головной участок Рязанской линии в пределах Москвы). В крупных городах, где железнодорожная сеть глубоко внедряется в город (Москва, Ленинград, Харьков, Куйбышев, Ростов-на-Дону, Волгоград и т. д.), она используется частично для скоростных пассажирских перевозок в пределах города. Поэтому в проектах реконструкции железнодорожных узлов и планировки городов следует предусматривать рациональное и удобное размещение железнодорожных остановочных платформ, удобно связанных с городскими транспортными узлами.

Однако внутригородское движение на железных дорогах нельзя отнести к городскому скоростному общественному транспорту по двум причинам:

железнодорожные трассы в пределах узла обычно не совпадают с направлениями основных внутригородских потоков;

железнодорожные линии внутри города часто не отличаются прямолинейностью, что искусственно увеличивает дальность внутригородских поездок.

Имеются предложения создать в особо крупных городах (в целях совпадения трассы железнодорожных линий с направлением основных внутригородских транспортных связей) сквозные железнодорожные, преимущественно туннельные, диаметры для пропуска через них пригородных электропоездов, дополняемых курсирующими в пределах города поездами. Это обеспечит беспересадочную связь пригородного населения с основными районами города и скоростные внутригородские сообщения, а также разгрузит тупиковые железнодорожные вокзалы и общественный городской транспорт.

В практике известны тупиковые железнодорожные вводы, которые специально используются для пригородных поездов (путем переноса операций с дальними поездами на новые станции), например в Филадельфии. Известны также короткие по протяжению диаметры — порядка 2—3 *км*, связывающие существующие тупиковые станции, используемые, однако, не только для пригородного, но и для дальнего пассажирского движения (Копенгаген, Брюссель). Наиболее длинный из подобного рода диаметров — протяжением около 8 *км* (в том числе 4-*км* туннель 6) — сооружен в Нью-Йорке на Пенсильванской железной дороге, главным образом с целью обеспечить центральное расположение вокзала в городе. Диаметр, в частности, используется для пропуска пригородных электропоездов.

Во всех перечисленных случаях железнодорожные диаметры нигде не сооружались специально для пригородного движения, за исключением Берлинского узла, где постройка северо-южного диаметра протяжением более 4 *км* для внутригородского и пригородного движения оправдывалась исторически сложившимися условиями развития городского и пригородного движения на базе существующих в городе железнодорожных линий (восточно-западный диаметр, кольцо), а также оборонными соображениями.

В Вене недавно закончено устройство железнодорожного диаметра специально для пригородного и городского движения с туннелями небольшого протяжения.

Идея сооружения в крупнейших городах специальных железнодорожных диаметров для пригородного движения (разнообразные проекты имеются для Москвы, Лондона, Парижа) встречает ряд возражений:

они дороги, так как необходимо применять длинные туннели по условиям трассирования в пределах плотной городской застройки;

неизбежно одновременное обслуживание на таких диаметрах пригородных и внутригородских пассажиров. Это создает сложные условия эксплуатации, в особенности при примыкании с обеих сторон нескольких участков железных дорог, в частности перегрузку диаметров;

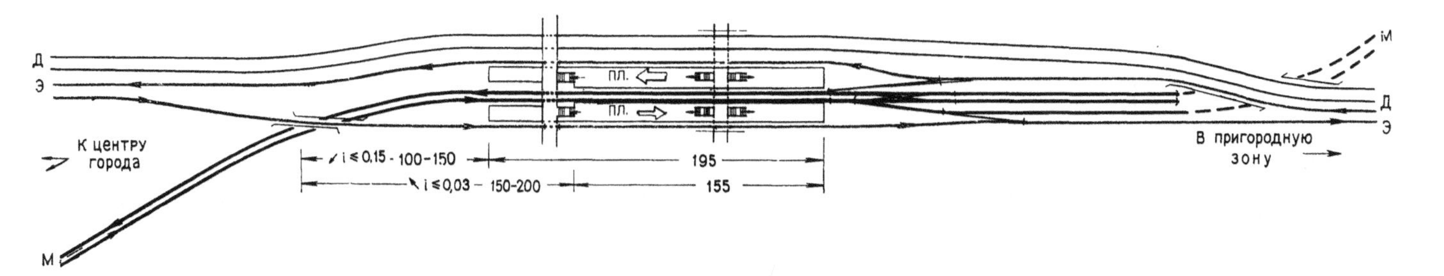

Рис. 60. Для разгрузки головных вокзалов от массы пригородных пассажиров целесообразно подводить линии метрополитена к пригородным железнодорожным линиям в периферийной зоне города и создать здесь удобные пересадочные станции совмещенного типа. **М** — метрополитен; **Э** — пригородная железная дорога; **Д** — железнодорожные пути дальнего сообщения; **Пл** — посадочные платформы; **i** — продольные уклоны путей

Fig. 60. To do away with throngs of suburban passengers it is reasonable to lay out subway lines close to railway tracks in outlying suburban areas and to build here convenient change—over stations of "combined" type. **М** — subway; **Э** — suburban railway; **Д**—long distance railway tracks; **Пл** — platforms, **i** — longitudinal gradients of railway lines

неизбежно устройство в пределах города множества железнодорожных развязок (по опыту проектирования железнодорожных диаметров в Москве) для выпуска пригородных поездов на диаметры в условиях сохранения тупиковых участков и различной специализации главных путей.

Однако самым убедительным доводом против сооружения специальных железнодорожных пригородных диаметров является возможность обеспечить разгрузку тупиковых вокзалов и доставку пассажиров в центральные районы города значительно более простым способом — путем продления линий метрополитена за город, причем они могут идти вдоль железных дорог или в стороне от них. В последнем случае может быть создано двухстороннее обслуживание расположенных вдоль железных дорог поселков и городов-спутников (с одной стороны железной дорогой и с другой—линиями метрополитена).

Совмещенные станции пересадки с железных дорог на вылетные линии метрополитена обеспечивают значительные удобства для пассажиров, заключающиеся в возможности выбора маршрута следования в пределах города; как показывает опыт, наличие таких станций значительно сокращает размеры работы головных тупиковых вокзалов (рис. 60).

Задачу отвлечения пассажиров от железной дороги в некоторой степени могут выполнять загородные линии безрельсового общественного транспорта при первоклассной сети автомобильных дорог, позволяющей развивать на них значительные скорости.

Использование речных перевозок для прогулочных целей в пределах города в той или иной мере имеет место в наших городах; для трудовых поездок они используются в редких случаях. Для массового применения регулярных водных перевозок в течение дня не только для прогулочных, но и для деловых целей необходимы большая частота и точность движения судов по расписанию, а также значительные скорости сообщения. При небольших расстояниях (порядка 1—2 *км*) между причалами этому условию лучше всего удовлетворяют небольшие быстроходные катера вместимостью не более 50 человек, что позволяет с удовлетворительной скоростью производить причал судов. Таким образом, скорость сообщения на реке будет почти соответствовать скорости уличного общественного транспорта (порядка 12—14 *км/ч*). Непрерывное движение катеров гарантирует успех массового использования их для внутригородских перевозок в том случае, если трасса реки совпадает с направлением транспортных связей и если причалы расположены вблизи узлов городского транспорта. Катера на подводных крыльях, развивающие скорость 70—80 *км* в 1 *ч*, целесообразнее для междугородных и пригородных перевозок, где значительные расстояния между причалами позволяют использовать преимущества этих судов.

Препятствием для массового внедрения вертолетов для внутригородских пассажирских перевозок пока является оглушительный шум при их движении, избавиться от которого полностью вообще невозможно (смягчение может быть достигнуто лишь за счет значительного снижения коэффициента полезного действия двигателя). Кроме того, требуется значительное время на посадку вертолета и его взлет. Следовательно, применение для внутригородских перевозок вертолетов может быть целесообразно на расстоянии 5—10 *км*, на которых они могут развивать скорость сообщения порядка 40 *км/ч*. Таким образом, имеет смысл создавать площадки для вертолетов только в крупных городах, размещая их друг от друга на расстоянии не менее 5 *км*. Эти же площадки могут являться пунктами отправления вертолетов в пригородную зону, где их преимущество — высокая скорость — может быть использовано более полно. Размеры площадок для вертолетов в пределах города желательно принимать не менее 1 *га*, учитывая возможность одновременного отправления и прибытия нескольких вертолетов. Создание для городских и пригородных сообщений специальных малошумных типов вертолетов значительной вместимости и с максимально возможным сокращением времени на посадку и подъем, очевидно, дело ближайшего будущего.

Транспортные сети пригородных зон крупных городов являются естественным продолжением внутригородских транспортных сетей и должны рассматриваться в проектировании, строительстве и эксплуатации как единая сеть. Существующие сети автомобильных дорог в пригородных зонах наших городов требуют большого развития по плотности и состоянию. Это в равной степени относится к выходам из городов, а также к сети местных дорог, обслуживающих пригороды.

Как показывают расчеты, число автомобильных дорог, выходящих за пределы городов, должно быть примерно удвоено, а в ряде случаев и утроено вследствие быстрорастущих потребностей в массовом движении легковых автомобилей и безрельсового общественного транспорта к местам массового отдыха населения в предвыходные и выходные дни. Очевидно, что примыкающие к крупным городам междугородные автомобильные дороги, по крайней мере в пределах пригородных зон, необходимо постепенно превращать в широкие автострады, обеспечивающие в равной степени высокие скорости движения и большую пропускную способность. Они будут дополнены сетью специальных пригородных автомобильных дорог в сторону мест массового отдыха населения, находящихся на расстоянии, в зависимости от местных условий и величины города, от 20 до 100 *км* от его границ. Кроме того, пригородные зоны должны располагать сетью местных автомобильных дорог с твердым покрытием для обслуживания населенных пунктов, с тем чтобы средняя суммарная плотность дорог всех классов вблизи крупных городов составляла в зависимости от местных условий не менее 0,4—0,5 *км/км*^{2}.

Начертание сети автомобильных дорог может быть самым разнообразным, но, очевидно, неизбежно преобладание для дорог высоких классов радиальных направлений при наличии кольцевых или хордовых направлений для транзита.

Основной задачей организации общественного транспорта в пригородных зонах крупных городов следует считать повышение скорости сообщения для связи населенных пунктов с городом-центром, что в основном должно достигаться значительным увеличением плотности транспортной сети в целях уменьшения затраты времени на пешеходные подходы, а также путем ускорения движения на общественном транспорте. Особенно важна организация удобных и быстрых сообщений с городом населенных пригородных пунктов городского типа. Все они должны непосредственно быть связаны с городом скоростными средствами сообщения — железными дорогами, вылетными линиями метрополитена или автобусными экспрессными линиями.

Ввиду специфических условий работы метрополитена, приспособленного в основном для движения в пределах городов с относительно часто расположенными остановками, от вылетных линий метрополитена нельзя ожидать особо высоких ходовых скоростей, поэтому даже при редких остановках — на расстоянии в среднем 2 *км* друг от друга — скорость сообщения в пределах загородных участков вряд ли можно поднять выше 45—50 *км/ч*. Поэтому вылетные линии метрополитена целесообразно использовать на относительно небольших по протяжению загородных участках — порядка не более 15—20 *км* — либо на направлениях, параллельных железным дорогам, либо в секторах между ними при устойчивых пассажиропотоках не менее 8—10 тыс. пассажиров в час интенсивного движения. Примерно те же размеры пассажиропотоков следует рекомендовать и для монорельсовых дорог.

На электрических железных дорогах на перспективу следует ожидать значительного увеличения скоростей сообщения — примерно до 60—70 *км/ч*, учитывая, что подвижной состав, выпускаемый в настоящее время, уже обеспечивает конструктивную скорость 130 *км/ч*. Однако значительного увеличения скоростей сообщения можно достигнуть лишь при условии безостановочного движения поездов на большом протяжении, что потребует широкого применения в пределах ближайших к городу зон головных участков железных дорог зональных графиков движения поездов. Этому до некоторой степени препятствуют возросшие за последние годы связи между промежуточными остановочными пунктами на пригородных участках крупных городов. Однако есть ряд мер организационного характера, которые могут обеспечить одновременно безостановочное движение в ближайших к городу зонах и удовлетворение местных связей. На направлениях, где не оправдывает себя скоростной рельсовый транспорт (при достаточной сети благоустроенных дорог), может быть широко развито экспрессное автобусное сообщение.

Перечисленные выше различные виды скоростных сообщений следует дополнить широкой сетью местных автобусных маршрутов, которые в настоящее время широко развиты в пригородных зонах крупнейших городов. Местные автобусные маршруты в значительной степени подвозят пассажиров к станциям скоростного транспорта, однако ряд маршрутов может служить для местных трудовых и культурно-бытовых связей, соединяя любые населенные пункты друг с другом и с расположенными в них местами приложениями труда. Нужно стремиться к тому, чтобы каждый населенный пункт пригородной зоны был связан с другим населенным пунктом хотя бы одним автобусным маршрутом с достаточно частым по нему движением.

Прогулочные дороги зон отдыха. Особо следует упомянуть о необходимости создания в пригородных зонах благоустроенной сети прогулочных и туристических дорог, проходящих по наиболее живописным местам и обеспеченных всеми необходимыми элементами обслуживания автотуристов (рестораны, станции технической помощи, пункты отдыха, пляжи, спортивные базы).

Помимо сухопутного транспорта следует развивать прогулочные маршруты на судах по озерам, рекам, вдоль прибрежной полосы морей или морских заливов. Для этой цели в зависимости от назначения и характера прогулок желательно иметь разнообразные средства передвижения — от вместительных судов, рассчитанных на несколько сотен туристов, до небольших катеров и прогулочных такси, для которых могут быть доступны маленькие, но живописные водоемы. Согласно целям поездок и вкусам отдыхающих суда могут быть тихоходными для медленного и спокойного обозрения окружающей местности или быстроходными — на подводных крыльях. Систему пригородных водных сообщений, разрабатываемую в проектах зон, необходимо связывать с размещением лесопарков, крупных пляжей и прочих массовых пунктов отдыха.

Следует также большое внимание уделять организации в пригородных зонах трудовых перевозок на реках, озерах, каналах для связи как с местными пунктами приложения труда, так и с городом-центром. Для успешного достижения этой цели, так же как и для внутригородских перевозок, хотя и в меньшей степени, требуются регулярность и достаточная частота обращения судов; для этого необходимо, чтобы вместимость судов соответствовала размерам пассажиропотоков.

Уже в настоящее время вполне целесообразна организация вертолетной связи с местами массового отдыха и населенными местами пригородной зоны, а также с городами, расположенными на расстоянии 90—250 *км* от основного города. Большую ценность вертолетное сообщение имеет и будет иметь для полетов к местам, трудно доступным из-за отсутствия хороших дорог, сложного горного рельефа или наличия больших водных преград. Вертолетное сообщение позволяет за малое время (за полчаса, час) достигнуть нетронутых уголков природы, что делает вертолет особо ценным для организации отдыха городских жителей.

3. РАЗМЕЩЕНИЕ В ГОРОДАХ УСТРОЙСТВ ВНЕШНЕГО ТРАНСПОРТА

Все устройства внешнего транспорта можно разделить на две категории:

устройства, связанные непосредственно с обслуживанием промышленности и населения города; сюда, например, относятся вокзалы всех видов транспорта, грузовые станции железнодорожного и автомобильного транспорта, подъездные пути промышленных предприятий, пассажирские станции, частично речные и морские порты;

устройства, связанные с обслуживанием транспортной сети страны в целом и не имеющие отношения или частично имеющие отношение к обслуживанию города; сюда относятся железнодорожные сортировочные станции, технические пассажирские станции, железнодорожные и автомобильные обходы, перевалочные порты, порты специализированного назначения.

Ясно, что все устройства, не имеющие отношения к обслуживанию города, при всех условиях должны располагаться за его границами, определяемыми перспективным его развитием, а также за пределами территорий, резервируемых для развития города. То же следует сказать о транспортных устройствах, вредных для здоровья и опасных для жизни населения: например, дезопромывочные станции, пункты погрузки и выгрузки огнеопасных и пылящих грузов, нефтеналивные причалы, рыбные порты и пр.

Устройства, непосредственно связанные с жизнью города, очевидно, могут располагаться не только ближе к городу, но и находиться в его пределах (например, вокзалы большинства видов транспорта).

Устройства железнодорожного транспорта в городах и пригородных зонах. Как отмечалось выше, следует ожидать дальнейшего и весьма значительного роста железнодорожных грузовых перевозок. Это потребует развития железнодорожной сети и, следовательно, во многих существующих узлах сооружения новых линий, укладки дополнительных главных путей на всем протяжении некоторых линий или только в пределах пригородных участков, строительства новых и развития существующих сортировочных и товарных станций, устройства станций примыкания и сложной сети подъездных путей в промышленных районах, наконец, строительства железнодорожных развязок и т. д.

Как показала практика, существующие железнодорожные устройства вследствие роста городов оказались в их пределах, сооружение новых устройств затруднялось, схемы железнодорожных узлов приобрели сложные формы и эксплуатация их усложнилась, города стали «опутываться» все новыми и новыми линиями железных дорог и испытывать трудности в своем развитии.

Все эти обстоятельства часто далеко не полно учитываются в проектах новых и в особенности при реконструкции старых городов, хотя они и хорошо известны. Несмотря на плановое развитие народного хозяйства, как показывает опыт, темпы развития тех или иных районов страны или городов значительно превышали намеченные. Поэтому при взаимном расположении железнодорожных устройств города следует предусматривать значительные территориальные резервы в соответствии с имеющимися планами развития города и транспортных устройств.

Как известно, во многих случаях города образовались при участковых (распределительных) станциях железных дорог, которые вне зависимости от обслуживания населенных пунктов, находящихся при них, несут чисто технические функции (при них располагаются депо и вагонное хозяйство участка, ведется переработка части поездов, проживает железнодорожный персонал).

Известно, что участковые станции по мере увеличения железнодорожных перевозок и роста потребностей города территориально растут, мешают развитию города и организации нормальных внутригородских транспортных связей; кроме того, они нередко превращаются в узловые станции с соответствующим увеличением всевозможных железнодорожных сооружений (например, узлы в Туле, Курске, Владимире, Воскресенске, Арзамасе, Муроме и т. д.). В крупных городах каждая из специализированных станций (сортировочная, пассажирская, товарная) представляет сложный территориальный комплекс, препятствующий нормальному развитию и реконструкции города, чему имеется множество примеров (Москва, Ленинград, Челябинск, Свердловск, Харьков, Минск и т. д.).

Так как функции участковой станции лишь отчасти имеют отношение к обслуживанию нужд города, нежелательно располагать новые города в непосредственной близости к таким станциям и размещать новые участковые станции у новых городов, за исключением случаев, определяемых особыми местными условиями. Новый город правильнее обслуживать несколькими специализированными станциями: местной сортировочной станцией в городах с крупной промышленностью, небольшой пассажирской станцией с вокзалом и грузовым двором, связанным подъездным путем с сортировочной станцией, а также комплексом прирельсовых складов. Постепенное развитие каждого из этих устройств, расположенных вне основных направлений развития города и в разных местах, не может серьезно препятствовать свободному его росту.

Местную сортировочную станцию целесообразно располагать при основном промышленном районе города на расстоянии не менее 5 *км* от планируемых в перспективе городских границ, с тем чтобы дальнейшее развитие станции и сооружение железнодорожных развязок происходили в стороне от города.

Небольшую пассажирскую станцию с вокзалом следует размещать в соответствии с существующей практикой на границе проектируемой на перспективу селитебной территории города, удобно связав вокзал с городским центром (рис. 61).

Грузовые дворы и прирельсовые склады территориально размещаются по возможности на едином подъездном пути за границами селитебной территории города со стороны промышленного района; это облегчает эксплуатацию всех погрузочно-разгрузочных устройств и маневровую работу и планировочно объединяет складское прирельсовое хозяйство на определенной достаточно компактной территории. Как эти, так и складские территории, не имеющие подъездных ветвей (например, овощехранилища), непосредственно связываются с сетью внешних и городских дорог. При наличии двух крупных промышленных районов и, следовательно, при значительных размерах города (100—300 тыс. человек) прирельсовые склады целесообразно группировать в двух местах близ промышленных районов.

Станции примыкания новых железнодорожных линий желательно устраивать в отдалении от города, так как практика показывает, что в ряде случаев они превращаются

Условные обозначения
к рис. 61—63

Селитебные районы
Промышленные районы
Железные дороги
Сортировочные, технические и заводские станции
Прирельсовые склады, товарные дворы
Городские скоростные дороги
Сети магистральных улиц общегородского значения

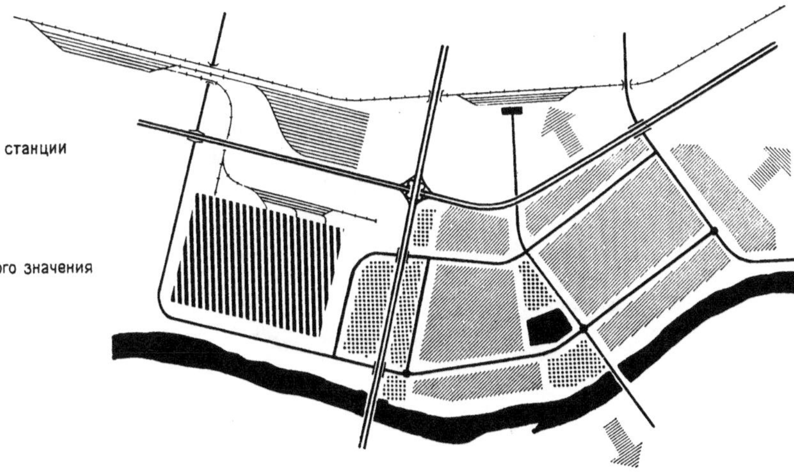

Рис. 61. Устройства железнодорожного транспорта в новых городах должны в равной степени удовлетворять потребностям населения и транспорта. Схема размещения элементов железнодорожного узла в плане города

Fig. 61. Train service in the new cities should meet with equal efficiency the requirement of both the population and the transport. A draft scheme of a railway junction in the city plan

в сортировочные. В планировочном отношении лучшими являются узлы, вытянутые в длину, с одной или двумя сортировочными станциями, расположенными близ пунктов примыкания линий; на основном железнодорожном ходу сооружается пассажирская станция с вокзалом и местными пунктами погрузки и выгрузки. Главный железнодорожный ход проходит вне границ города; глубокий обход освобождает узел от пропуска транзитных поездов (рис. 62).

Планировочное преимущество узла, вытянутого в длину, заключается в рассредоточенности железнодорожных устройств и отдаленном от города расположении сортировочных и узловых станций. Одновременно технические преимущества таких узлов при наличии двух сортировочных станций заключаются в минимуме пробегов грузов в узле, в возможности удобного выделения транзита в обход узла и в рациональной очередности в его развитии.

В сложных узлах при наличии нескольких примыкающих к узлу линий и нескольких промышленных районах неизбежно возникновение железнодорожных линий, обходящих город и связывающих отдельные линии друг с другом. В одном случае — это соединение, при помощи которого происходит передача поездов с одной линии на другую; в другом — это линия, служащая для обхода узла транзитными грузовыми поездами; наконец, этими линиями могут быть и местные линии для распределения грузов между пунктами погрузки и выгрузки (ряд промышленных предприятий, заводы строительной индустрии, склады различного назначения, порты речные и морские и т. д.).

Во всех таких случаях в зависимости от сложности узлов и местных условий могут быть хорды, полукольца и, наконец, кольцевые линии. Чтобы эти линии не препятствовали развитию города, необходимо удалять их от существующих селитебных районов на расстояния, достаточные для развития города в пределах ближайших 20—25 лет, с учетом сверх этого резервных городских территорий.

Следует при этом точно определять назначение линии, так как практика показывает, что любая железнодорожная линия, появляющаяся вблизи города, независимо от ее первоначального назначения является стимулом для расположения вдоль нее промышленных предприятий и складов с устройством соответствующих станций примыкания и подъездных путей. Таковы, например, в настоящее время окружные дороги Москвы и в особенности Берлина и Парижа, сковавшие в значительной степени их нормальное развитие.

Подобного рода ошибки прошлого не будут повторяться при глубоком обходе городов узловыми линиями и при жесткой градостроительной дисциплине, не позволяющей размещать вдоль них предприятия и склады, там где это противопоказано по условиям планировки города и пригородной зоны.

Рис. 62. Элементы развивающегося железнодорожного узла должны размещаться таким образом, чтобы они не препятствовали дальнейшему росту города. Все три этапа развития линий и станций железнодорожного узла, показанные на схемах **А, Б и В,** отвечают этому требованию. Стрелками обозначены направления возможного развития города

Fig. 62. Elements of an extending railway junction should not hinder the further development of the city. All the three stages of development of the junction railway line and station, shown in schemes A, Б and B, meet this requirement. The arrows indicate possible directions of town development

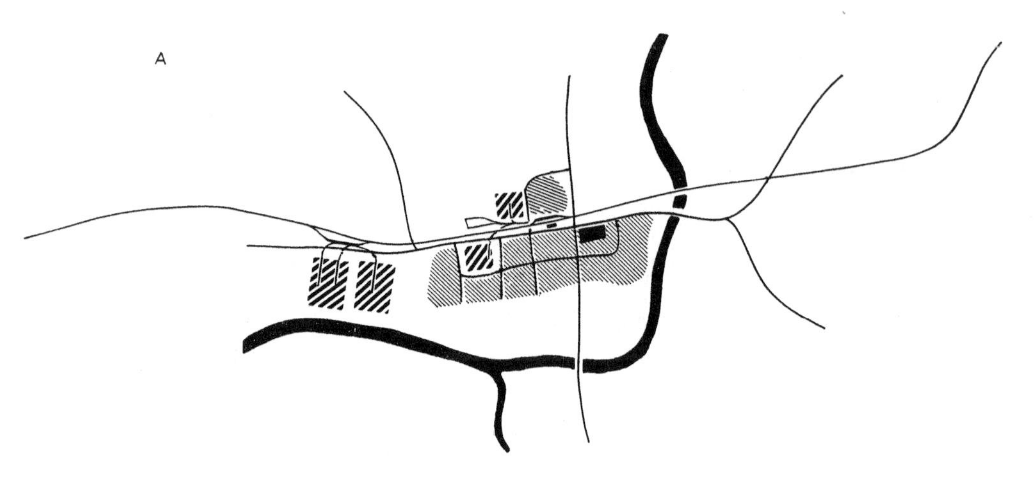

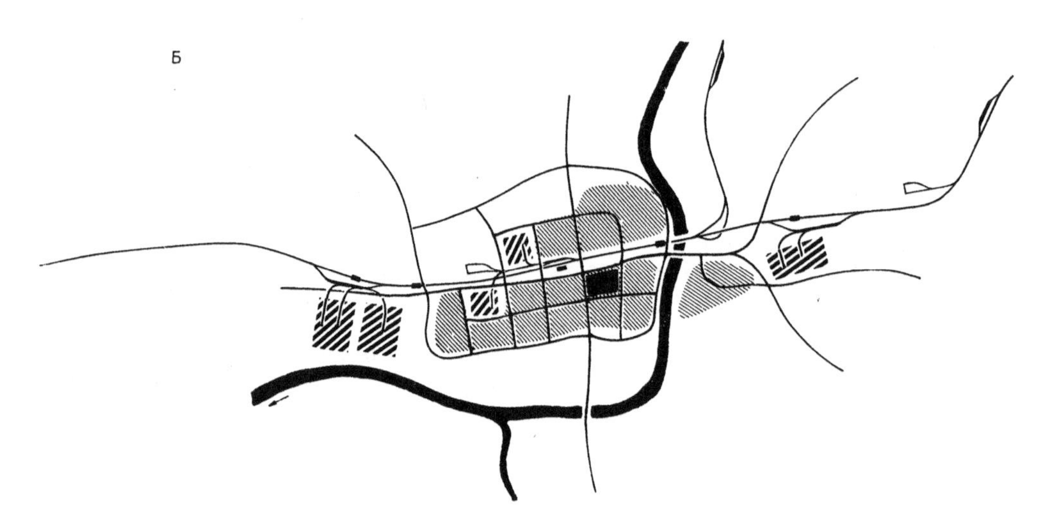

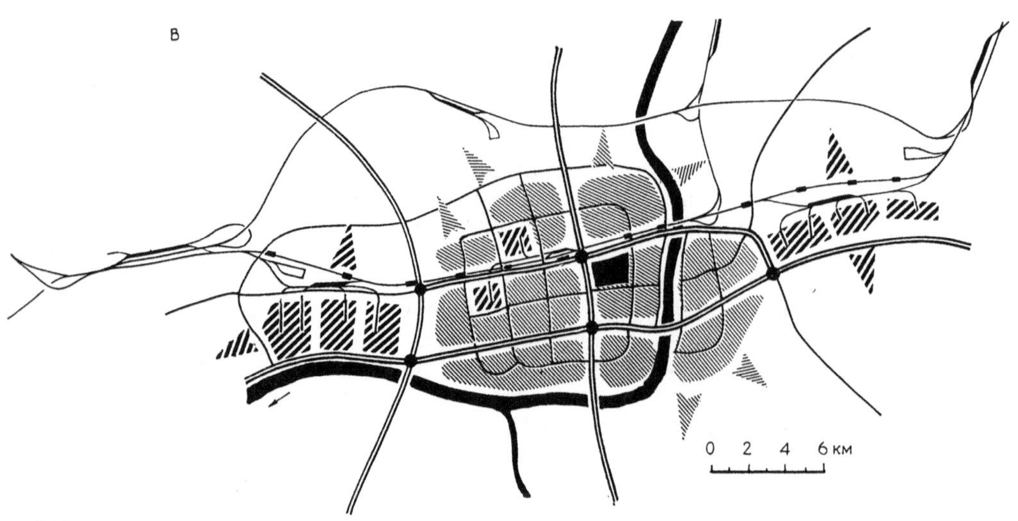

По совокупности причин следует считать, что в железнодорожных узлах кольцевые и полукольцевые линии или обходы для транзитных поездов должны сооружаться на расстоянии 15—20 *км* от существующих границ города. Более близкое расстояние может быть допущено только в том случае, если в направлении обхода не предполагается по местным условиям развитие города. Следует считать, что при этом длины обходов должны составлять не менее 30 *км*. В крупных узлах они достигают 70—80 *км* и, следовательно, могут быть оправданы лишь в условиях пропуска в обход узла, по крайней мере несколько миллионов тонн грузов в год. Кольца могут сооружаться лишь в крупнейших узлах (при протяжении колец не менее 80—100 *км*).

Менее жесткие требования можно предъявлять лишь к более коротким железнодорожным соединениям (протяжением в несколько километров), пропуск которых может быть осуществлен в пределах или в непосредственной близости к промышленному или складскому району, как это, например, показано на рис. 63, где две железнодорожные линии имеют соединения, проходящие на границе промышленного района.

Помимо сооружения новых линий в железнодорожном узле могут выполняться следующие работы:

разгрузка участковых станций с перенесением ряда их функций на специализированные станции — сортировочные, технические, пассажирские для обработки и отстоя пассажирских составов, станции с перронными путями и вокзалами, грузовые и др.;

укладка дополнительных главных путей основных линий со специализацией путей по роду движения;

устройство железнодорожных развязок и путепроводов;

реконструкция и строительство новых вокзалов;

электрификация тяги поездов;

реконструкция сети подъездных путей и др.

Во избежание чрезмерного разрастания железнодорожных территорий городов необходимо при реконструкции узлов соблюдать ряд мер. Прежде всего надо, чтобы реконструкция узла велась таким образом, чтобы новые территории под строительство станции, как и для новых городов, отчуждались только за границами будущего развития города; одновременно необходимо стремиться к сокращению территорий, занятых устаревшими железнодорожными устройствами в пределах города. Это достигается путем полной ликвидации устаревших станций или частичного уменьшения их территории. В целях экономии площади вновь отчуждаемых территорий, сокращения капиталовложений и более рациональной эксплуатации следует по возможности сооружать объединенные станции для нескольких направлений (объединенные сортировочные станции, технические пассажирские станции, центральные вокзалы), что, в частности, позволяет в некоторых случаях ликвидировать несколько станций, расположенных в городе и устаревших для эксплуатации.

После сооружения обходных или соединительных линий подлежат также выносу из

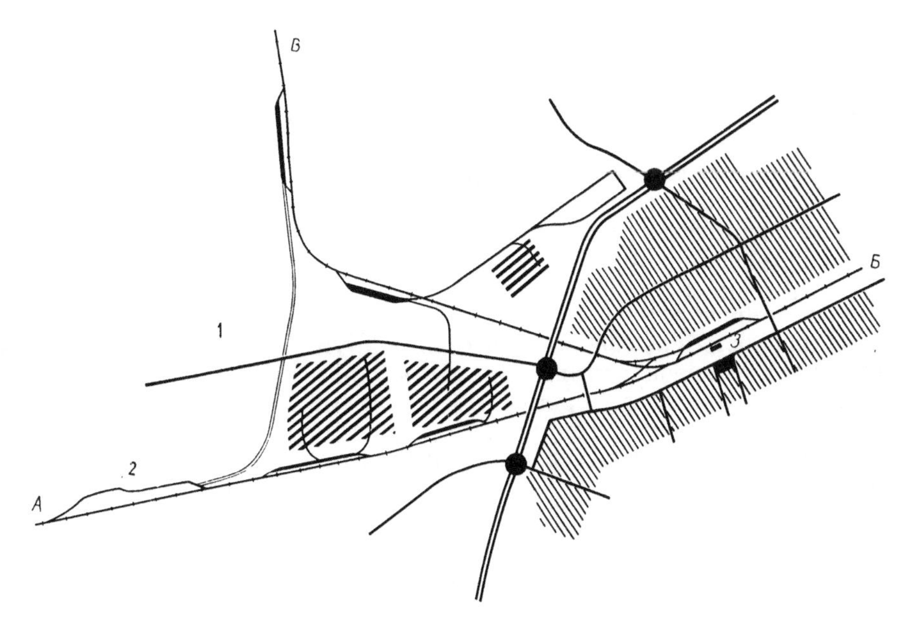

Рис. 63. Короткие соединения между железнодорожными линиями узла целесообразно осуществлять в непосредственной близости к промышленным и складским районам города. **А, Б, В** — основные железнодорожные направления; **1** — соединительная линия железной дороги; **2** — главная сортировочная станция; **3** — вокзал

Fig. 63. Short connections between the railway lines of the junction are expedient to build in the proximity of the industrial districts and storehouses. **А, Б, В** — General railway line; **1** — Side line; **2** — General goods station; **3** — Railway terminal

пределов города линии для пропуска транзитных грузовых поездов. Опыт, однако, показывает, что старые станции ликвидируются с большими трудностями, так как, хотя их основная работа переносится на новые станции, на них остается ряд второстепенных функций, главным образом по обслуживанию примыкающих ветвей, отстою составов и пр. Поэтому хозяйственные и ведомственные организации усиленно стремятся сохранить старые станции в своем распоряжении. Во избежание этого при разработке проектов реконструкции железнодорожных узлов и определении капитальных вложений должны быть разработаны мероприятия по полной ликвидации старых станций, вплоть до решения вопросов о переносе прирельсовых складов, ликвидации подъездных путей или переносе их примыкания к другим линиям или сохраняемым станциям и т. п.

На рис. 62 показана схема железнодорожного узла в трех стадиях его планомерного развития в связи с увеличением железнодорожных перевозок, ростом населения и территории города и образованием нового промышленного района. Как видно из рисунка, постепенное развитие железнодорожного узла вполне возможно при условии разумного распределения его работы по мере роста движения на ряде новых специализированных станций, располагаемых за пределами города. В этих условиях переустройство узла при переходе от одной стадии развития к другой сведено к минимуму: первоначальные устройства узла, состоящие из промежуточной и небольшой сортировочной станции промышленного района, постепенно превращаются, в обход узла, в две сортировочные и пассажирскую станции, станцию примыкания новой линии. Складские базы вынесены за пределы города, которому представляется возможность свободного развития.

К сооружению новых железнодорожных развязок необходимо подходить очень экономно, определяя их количество и размеры. Известно, что железнодорожные развязки на территории городов создают иногда трудно преодолимые препятствия для пропуска городских улиц, нарушают нормальную планировочную структуру города и отнимают у него значительные территории.

Потребность в развязках возникает в крупных узлах в связи с примыканием к существующим железным дорогам новых линий и подъездных путей и помимо этого — в связи с увеличением числа путей и их специализацией по роду движения.

Необходимо отметить, что чрезмерное увлечение проектированием развязок в железнодорожных узлах в настоящее время недостаточно оправдано, поскольку безопасность движения обеспечивается совершенными системами автоматической блокировки и сигнализации как на линии, так и в кабине машиниста, исключающими при применении полного комплекса этих мероприятий столкновения поездов в пунктах слияния и пересечения маршрутов следования. Поэтому железнодорожные развязки следует проектировать на перспективу лишь в случае предполагаемой физической невозможности пропуска всех поездов через пересечение или невозможности слияния их маршрутов.

Очень важно применять в развязках острые углы между осями пересекающихся путей при сооружении путепроводов в пункте пересечения. Применение таких туннельных путепроводов (углы пересечения продольных осей железнодорожного полотна 8—15°) обеспечивает, как правило, минимум площади, занятой развязкой.

Пассажирские станции и вокзалы. Железнодорожный вокзал в городе — одно из наиболее важных общественных зданий. Поэтому, с одной стороны, его расположение близ центральной части крупного города вполне целесообразно с точки зрения удобства для населения. Вокзал может быть расположен в городском транспортном узле, удобно связывающем его с рядом линий общественного уличного и внеуличного транспорта и с важнейшими магистралями города. С другой стороны, расположение вокзала близ центра требует наличия железнодорожной линии, рассекающей город. Вокзал может также явиться пунктом, осложняющим в центральном районе работу транспорта и пешеходное движение.

Во избежание пересечения города железнодорожной линией, как отмечалось выше, в новых городах рекомендуется располагать пассажирскую станцию и здание вокзала вне селитебной территории города. В крупных существующих городах железнодорожные линии в ряде случаев пересекают город. На перспективу эти линии по ссвокупности причин в большинстве случаев сохраняются (например, если на линии расположен вокзал, то она работает как железнодорожный диаметр с расположенным на нем рядом остановочных пунктов для пригородных и внутригородских пассажиров, к ней примыкают подъездные ветви крупных промышленных предприятий и т. п.).

Если железнодорожные линии сохраняются в городе, то нет никаких оснований выносить вокзал на его периферию, за исключением случаев, когда устаревшие станции и вокзал зажаты плотной застройкой и нет возможности расширить первоначальную площадь, а транспортный узел имеет неудобные уличные подходы и не обладает необходимой пропускной способностью, чтобы удовлетворить требования уличного общественного транспорта.

В последнем случае вокзал полностью закрывается либо, что применяется чаще, сооружается новый вокзал на том же железнодорожном диаметре в целях разгрузки первого (проходные вокзалы на восточно-западном диаметре Берлина, проекты проходных вокзалов в дополнение к Курскому на Курско-Октябрьском диаметре в Москве). Более распространены ликвидация неудобных для эксплуатации и зажатых городом старых тупиковых вокзалов и перенос их функций на новые вокзалы, располагаемые на сквозных диаметрах (например, ликвидация еще в 1868 г. тупикового вокзала б. Нижегородской линии и перенос его функций на Курский вокзал; проекты ликвидации Савеловского и Ржевского вокзалов в Москве) или сохранение тупикового вокзала в Филадельфии (США) только для пригородных поездов с переносом на сквозную линию всех операций с дальними поездами. В прошлом одни тупиковые вокзалы заменялись другими, более отодвинутыми от центра города (Нью-Йорк, Милан, Париж).

При решении общего вокзального комплекса (перронные пути, здание вокзала и предвокзальная площадь) в крупных городах наибольшую трудность в условиях реконструкции представляет обеспечение вокзала достаточной по размерам предвокзальной площадью с обширными автостоянками на ней. Необходимо учитывать, что уже в ближайшие годы следует ожидать на железнодорожной сети незначительное увеличение числа дальних пассажиров; получение железнодорожных билетов в любое время и в любое место не встретит никаких затруднений. Таким образом, в вокзалах не потребуется создавать чрезмерно обширные помещения для ожидающих пассажиров. Эти помещения должны быть небольшими, но удобными и близко расположенными к пассажирским платформам отправления поездов. Поэтому и объемы новых зданий вокзалов не должны быть очень большими.

Развязка движения пассажиров в разных уровнях полностью исключает сутолоку на вокзале и обеспечивает пассажирам кратчайшие, с минимумом подъемов и спусков, пути следования без пересечения потоков пассажиров иного направления и рода. Попадание пассажиров на станции метрополитена и остановочные пункты трамваев в разной плоскости с предвокзальной площадью обеспечивается пешеходными туннелями.

Эти принципы достаточно полно соблюдены, например, в старых зданиях вокзалов Москвы путем их реконструкции (группа трех вокзалов на Комсомольской площади, Курский вокзал).

К недостаткам московских вокзальных комплексов следует отнести некомпактное расположение подземных станций метрополитена как по отношению друг к другу, так и по отношению к зданию вокзалов. В результате пути следования пассажиров от перронных платформ вокзалов до поездов метрополитена чрезмерно длинны и занимают значительное время. Так, например, время, затрачиваемое пригородным пассажиром для движения от платформы пригородного поезда на Казанском вокзале до платформы станции метрополитена на кольцевой линии (проход и проезд на эскалаторах), достигает 8 *мин*.

Предвокзальная площадь должна быть организована таким образом, чтобы пешеход не был стеснен в свободе движения и вместе с тем ему не приходилось бы пересекать в пределах площади пути движения транспорта. Автостоянки на площади следует устраивать достаточно обширными (исходя из установки, что примерно не менее 60% прибывающих дальних пассажиров будет пользоваться легковыми автомобилями), а посадочные платформы для общественного транспорта располагать возможно ближе к платформам прибывающих пригородных поездов.

Необходимо иметь предвокзальную площадь значительного размера и перечисленные многообразные требования (которые нередко находятся в противоречии друг с другом) делают задачу проектирования предвокзальной площади в крупных городах, в особенности в условиях реконструкции, одной из сложнейших в градостроительстве.

Достаточно удовлетворительные решения получаются при расположении вокзальных сооружений в трех уровнях: в плоскости земли (обычно перронные платформы, часть помещений вокзала, предвокзальная площадь), ниже земли (туннели для пропуска пассажиров и багажа, часть помещений вокзала, вестибюли и станции внеуличного подземного общественного транспорта, туннели для уличного транспорта) и выше земли (помещения для пассажиров над платформами — конкорсы, эстакады для пешеходов и уличного транспорта, станции внеуличного общественного транспорта и пешеходные мостики).

Взаимное расположение по вертикали основных сооружений — перронной зоны, главных помещений вокзала и привокзальной площади — может быть различным, как и назначение плоскостей движения. Следует, однако, считать, что по совокупности причин наиболее желательным для вокзалов проходного типа является пропуск железнодорожных путей в плоскости ниже земли — в выемке, что позволяет перекрыть пути и тем самым значительно увеличить площадь вокзала; при расположении путей в выемке количество подъездов и спусков для пассажиров будет минимальным, что является дополнительным удобством. Однако ряд местных причин, в частности невозможность пропуска путей в выемке, может заставить принимать самые разнообразные решения, которые найдут свое оправдание в каждом конкретном случае.

Соблюдение перечисленных принципов проектирования вокзалов особенно необходимо для вокзалов крупных городов, однако и для новых городов проектирование вокзалов следует вести во взаимной увязке всех элементов вокзального комплекса; применять две плоскости для движения пассажиров здесь также желательно.

На рис. 64 показан новый вокзальный комплекс в городе Харлоу (Англия), конкорс для пассажиров здесь расположен над перронными путями.

Отметим, что правильное, комплексное решение привокзальных площадей с применением всех перечисленных принципов еще только внедряется в отечественном проектировании и строительстве. Из советской практики следует лишь указать на осуществленную реконструкцию вокзала в Риге (рис. 65). Старый вокзальный комплекс с тупиковыми перронными путями постройки восьмидесятых годов прошлого столетия был заменен новым вокзалом со сквозными перронными путями, причем было использовано и старое здание. Новый вокзальный комплекс имеет по проекту три плоскости движения: перронные пути и платформы, расположенные выше уровня

Рис. 64. Железнодорожные вокзалы в новых городах целесообразно проектировать комплектными, предусматривая удобные, защищенные навесами пассажирские платформы, связанные с городом пешеходными мостами или туннелями (вокзал в Новом городе Харлоу, Англия)

Fig. 64. Railway stations in new cities should be compact with convenient roofed passenger platforms which are linked with the city by pedestrian bridges and tunnels (Railway stations in Harlow, England)

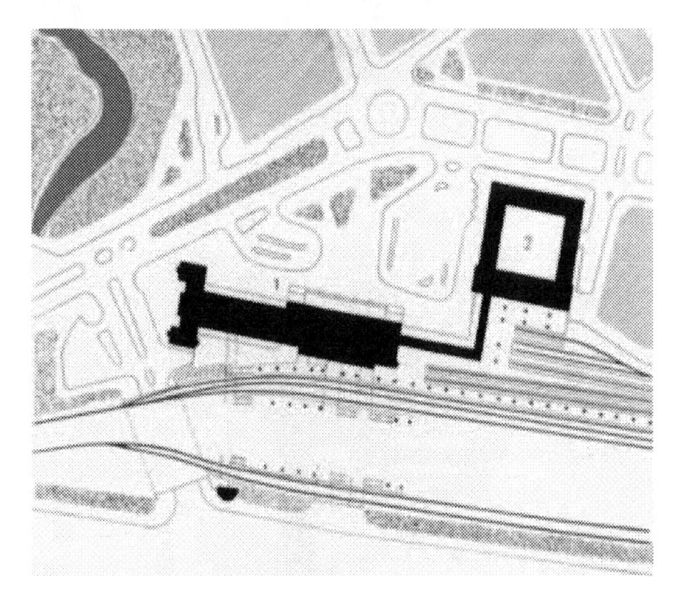

Рис. 65. Реконструкция главного вокзала в Риге. Новое здание является продолжением старого (тупикового) вокзала, с платформами оно связано несколькими пешеходными туннелями. В комплекс вокзала входит также новое здание железнодорожного почтамта
1 — вокзал; 2 — почтамт

Fig. 65. Redevelopment of main terminal in Riga. The new building is an extension of the old (dead-end) terminal and is connected with platforms by means of several pedestrian tunnels. The ensamble of the terminal includes also a new building of the railway post office. 1 — terminal; 2 — post office

земли; предвокзальная площадь и часть вокзальных помещений — в уровне земли; ниже уровня земли в будущем пройдет подземный трамвай. Потоки дальних пассажиров отделены от пригородных. Перронные пути сильно сдвинуты по отношению к зданию вокзала. Предвокзальная площадь по проекту в значительной степени отдана в распоряжение пешеходов; недостаток ее — малая емкость автомобильных стоянок.

В некоторых случаях (см. рис. 66) целесообразно иметь две площади для отправления и прибытия пассажиров. Такое решение в 1944—1960 гг. осуществлено при реконструкции района и постройке нового пассажирского Финляндского вокзала в Ленинграде. Здесь перестроен весь прилегающий к вокзалу район старой Выборгской стороны, и по новой Арсенальной набережной созданы удобные подъезды к площади Ленина, расположенной между набережной Невы и вокзалом. Прибывающие пассажиры через туннели следуют непосредственно на станцию метрополитена (расположенную в здании вокзала) или выходят на боковую площадь, где размещены стоянки автомобилей, автобуса и троллейбуса и имеется выезд на прилегающие транспортные магистрали. Таким обра-

Рис. 66. На Финляндском вокзале в Ленинграде осуществлен сложный комплекс реконструктивных работ, включающий постройку нового здания вокзала, создание репрезентивной и транспортной площадей и станции метрополитена

Fig. 66. At the Finnish Terminal in Leningrad a number of complicated reconstructions was carried out, which include a new terminal building, a representative and transport exchange squares and a subway station

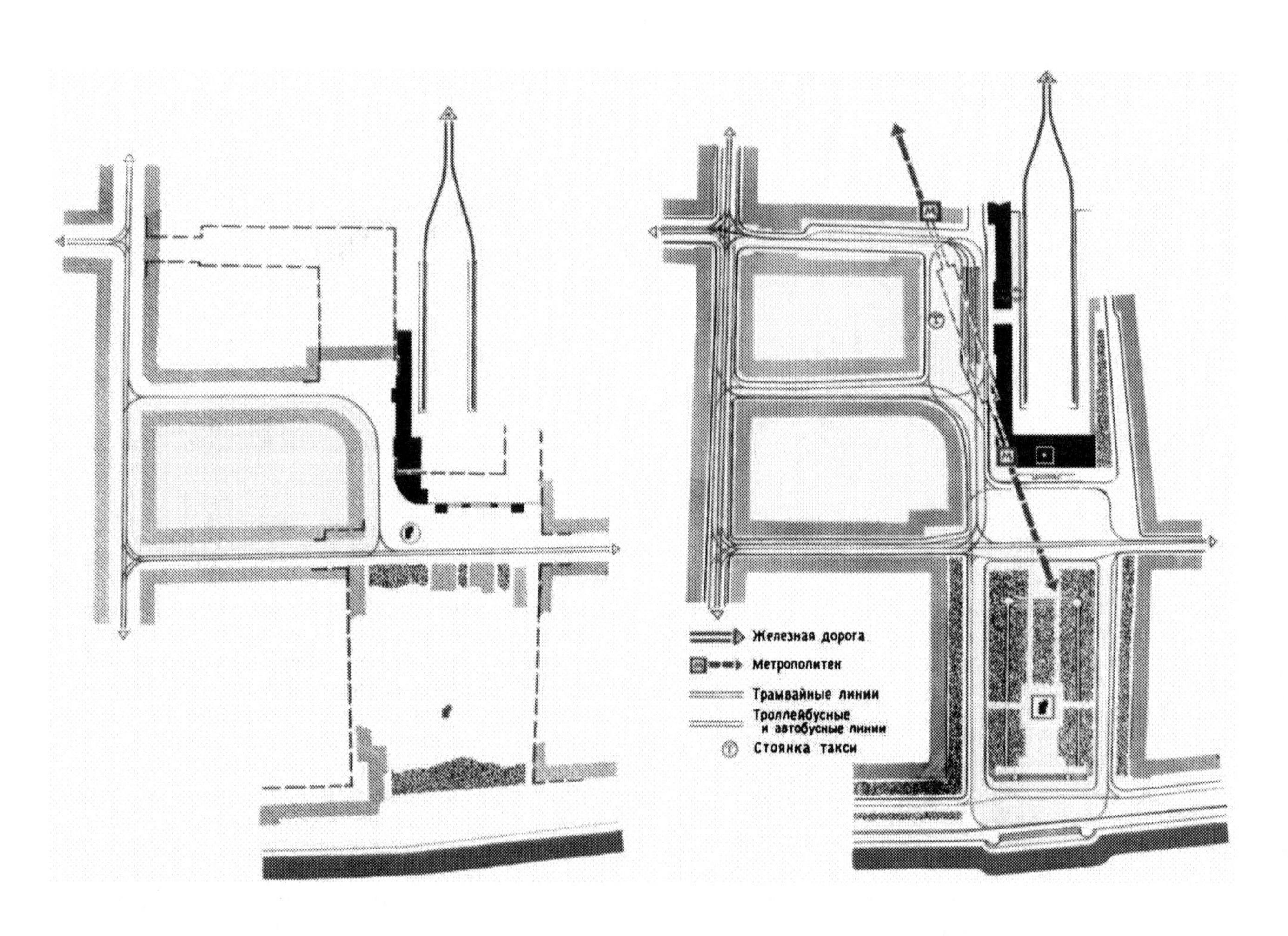

зом, основные потоки прибытия и отправления отделены друг от друга.

Размещение погрузочно-разгрузочных устройств железнодорожного транспорта в городах. Погрузочно-разгрузочная работа железнодорожного транспорта в городах сосредоточена главным образом на подъездных ветвях промышленных предприятий и складов. Подъездные пути в существующих городах образуют нередко сложные сети, нарушающие на подходах к промышленным районам нормальную структуру селитебных районов и затрудняющие работу городского транспорта. В промышленных и складских районах случайное расположение подъездных путей со сложными и часто неудобными для эксплуатации примыканиями препятствует нормальным транспортным связям автомобильного транспорта и в большинстве случаев не дает возможности пропустить в промышленные и складские районы общественный транспорт.

Иногда на подъездных ветках, пересекающих городские магистрали, происходят тяжелые аварии. Очевидно, что прежде всего необходимо ликвидировать часть подъездных путей путем передачи их грузов на автомобильный транспорт; решить задачу упразднения подъездных путей в крупных масштабах невозможно. Ликвидация даже малодеятельных ветвей весьма обременительна для города. Так, например, упразднение подъездной ветви с годовым грузооборотом 50 тыс. *т* потребует ежедневно в среднем пропускать по улицам города дополнительно 25—30 тяжелых грузовых автомобилей за сутки. Тем не менее известно, что отказ от подъездных путей с небольшим грузооборотом (порядка нескольких вагонов в сутки) во многих случаях принесет значительный эффект, так как позволит избежать пересечений в одном уровне железнодорожных путей и магистральных улиц. Там, где нет возможности снять подъездные ветки, их пересечение с городскими магистралями должно быть осуществлено в разных уровнях.

Главная задача — упорядочить сети подъездных ветвей в промышленных районах и на подходах к ним. Легче всего эту задачу решить в новых районах, по отношению к которым необходимо предъявлять следующие требования:

подъездные ветви промышленного или складского района должны представлять собой единую систему с объединенными промышленными станциями внутри района, число которых должно быть минимально, и с одной станцией примыкания к магистральной сети (в крупных промышленных районах возможно наличие двух станций примыкания — промышленная станция в отдельных случаях может совмещаться по положению и своим функциям со станцией примыкания);

протяжение подъездных путей должно быть минимальным, что достигается объединением путей с различным назначением на одних трассах и разветвлением их в непосредственной близости к объектам, ими обслуживаемым;

количество пересечений подъездными путями магистральных улиц и дорог должно быть наименьшим. Во всех случаях пропуска по магистральным улицам общественного транспорта пересечение их с подъездными путями следует производить в разных уровнях.

Все перечисленные требования обеспечиваются при комплексном проектировании промышленных или складских районов (соответственно с размещением предприятий и их назначением), обслуживаемых единой системой подъездных путей и сетью улиц. В главе 3 на рис. 51, **А, Б** показано решение этой комплексной задачи для новых промышленных районов. Более сложно и далеко не всегда удовлетворительно те же вопросы решаются в старых промышленных районах путем полной реконструкции сети подъездных путей, их частичного объединения, исправления трасс, изменения там, где это возможно, пунктов примыкания путей к промышленным и складским территориям, сооружения нескольких путепроводов и объединения мелких заводских станций. В некоторых случаях целесообразно изменить положение станций примыкания для сети подъездных путей, в особенности в целях полного или частичного освобождения от них селитебных районов города.

Значительное количество грузов железнодорожной сети прибывает на товарные станции и складские базы города и оттуда развозится по городу на грузовых автомобилях. Теоретически следует считать, что наименьшая загрузка улиц грузовым транспортом может быть достигнута, если города разделить на несколько грузовых районов или секторов и расположить за пределами каждого из них крупную складскую базу и товарную станцию, что обеспечит все нужды каждого района по всем видам грузов прибытия и отправления (рис. 67). В этом случае в городе почти отсутствовали бы грузовые перевозки через центральные районы города, а также по его периферийным направлениям из района в район. Грузовые перевозки в каждом грузовом районе сосредоточивались бы в основном на радиальных улицах и дорогах, постепенно уменьшаясь по направлению к центру города. Достоинствами такого решения являются равномерное распределение нагрузки радиальных улиц и дорог по их длине и увеличение грузового и уменьшение движения легкового автотранспорта по направлению к периферийным районам. При этом пробег грузовых автомобилей по городу будет минимальным со всеми вытекающими отсюда экономическими выгодами (сокращением аварий и несчастных случаев с людьми, оздоровлением города и т. д.).

Комплексная складская база района, включающего в себя один или два городских района с общим числом жителей 250—300 тыс. человек, в зависимости от структуры или величины города должна размещаться за пределами предполагаемого развития города и иметь необходимую сеть подъездных железнодорожных путей, а также удобную связь с магистралями и дорогами города и загородными автомобильными дорогами. Расположение таких районных баз определяется в проекте планировки пригородной зоны в зависимости от положения перспективных границ города, от назначения земель, ближайщих к городу, от положения железнодорожной и автомобильной сети. Поэтому базы могут находиться от границ существующего города на разных расстояниях. Однако по транспортным соображениям нежелательно отдалять базы от существующих границ города на расстояние свыше 10 *км*. Районная база должна включать в себя продовольственные базисные склады, холодильники и хлебозаводы, непосредственно снабжающие сеть магазинов района. В эти же базисные склады, специализированные по виду грузов, по-видимому, следует доставлять и сельскохозяйственную продукцию, поступающую по автомобильным дорогам (главным образом овощи, фрукты, молочные продукты). Вблизи продовольственных складов можно размещать базисные склады потребительских товаров грузового района. Каждый грузовой район или два смежных грузовых района должны иметь свою товарную станцию.

Грузовые перевозки в каждом грузовом районе необходимо централизовать в возможно большем объеме, чтобы лучше использовать подвижной состав, поэтому каждая районная складская база будет иметь крупные автохозяйства. В крупных городах, где имеется один или несколько домостроительных комбинатов, их следует размещать в зонах намечаемого, значительного по объемам гражданского строительства.

Учитывая, что заводы стройиндустрии будут работать не один десяток лет, необходимо в обход жилых районов города сооружать дороги или магистральные улицы для пропуска строительных грузов (см. главу 3).

Представленная здесь схема внутригородских перевозок лишь приблизительно отражает картину централизованных внутригородских перевозок и необходимую реорганизацию складского дела в городах. Очевидно, что приведенная схема организации перевозок — лишь один из возможных вариантов решения этой сложной задачи.

В настоящее время во многих городах уже проведена большая работа по централизации грузовых перевозок и ликвидации мелких автохозяйств, но складское хозяйство, как правило, еще распылено, расположено случайно, что не способствует рациональному использованию автомобилей.

При создании районных баз за пределами города роль грузовых станций может быть сведена к минимуму. Они будут заняты операциями по доставке и отправлению небольших (так называемых мелочных) грузов, следующих главным образом в контейнерах и лишь в редких случаях целыми вагонами. Такие небольшие контейнерные станции площадью 2—2,5 *га* могут быть размещены и в пределах города (для городов с населением до 600 тыс. человек — не более двух-трех станций). Именно такой характер приобретают уже в настоящее время операции грузовых станций. Однако их надо освобождать от устаревших, уже не отвечающих новому назначению, складов, используемых коегде для долгосрочного хранения.

Устройства водного транспорта. На больших реках портовые устройства в крупных городах в большинстве случаев растягиваются на много километров. Однако собственно порт, располагающий причальными стенками, механизированными устройствами для погрузки и выгрузки судов, складами для хранения и перегрузки грузов, а также подъездными путями, занимает при расположении вдоль русла реки фронт не более 1—1,5 *км*. Остальная линия реки вдоль города занимается речным вокзалом с причалами для грузов большой скорости, складами инертных материалов для строительства, причалами, принадлежащими заводам, элеваторам и отдельным организациям, затонами со стоянкой в них и ремонтом судов. В целом фронт реки используется неэкономно, выход населения к реке (парки, пляжи, спортивные устройства) далеко не удовлетворяет потребностей.

Новые речные порты следует размещать за пределами города, сосредоточивая в них как перевалочные операции, так и причалы отправления и прибытия местных грузов для города.

Не следует располагать в пределах города устройства для отстоя и ремонта судов (ремонтно-эксплуатационные базы), так как это приводит к загрязнению реки и территории

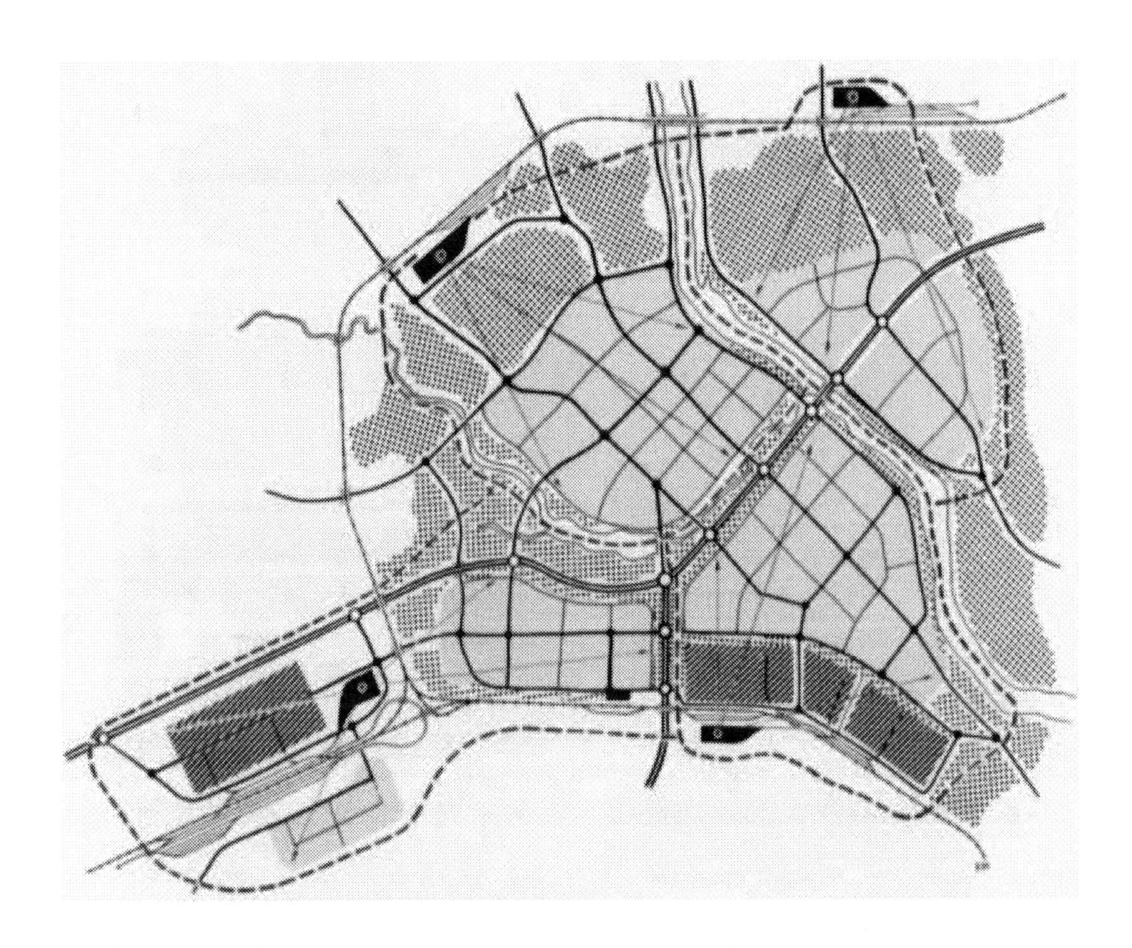

Селитебные районы

Промышленные районы

Железные дороги

Городские скоростные дороги

Магистральные улицы общегородского значения

Магистральные улицы районного значения

Товарные станции и грузовые дворы

Границы районов обслуживания грузовых дворов

Рис. 67. Рациональное размещение складских баз и товарных станций по районам города в целях обеспечения минимального пробега грузов по городу и максимальной разгрузки центрального района города от грузового движения

Fig. 67. Rational location of storage premises (stores) and goods stations all over the urban area to secure minimum run of goods within city limits and maximum deconjesting of the central city district from freight traffic

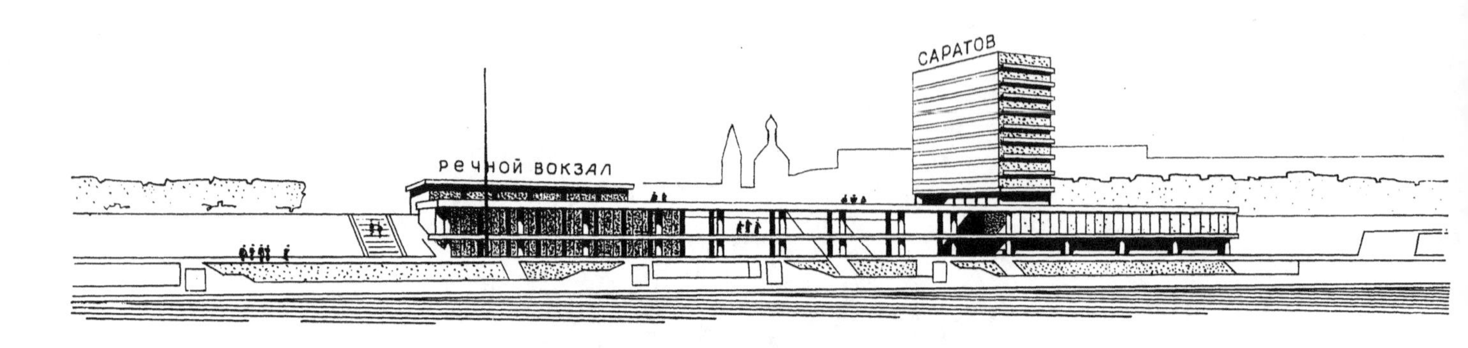

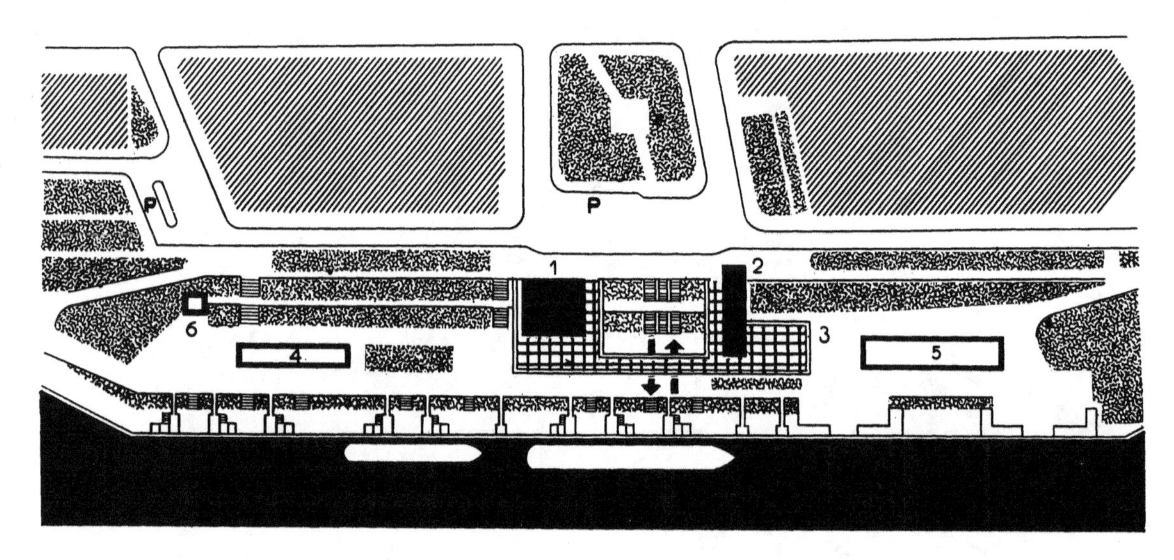

Рис. 68. Проект речного вокзала в Саратове (вариант). Перспектива. Вокзал запроектирован в комплексе с гостиницей, что является целесообразным решением также для железнодорожных, морских, автобусных и других вокзалов

План: **1** — вокзал; **2** — гостиница; **3** — ресторан и летнее кафе; **4** — павильон пригородного сообщения; **5** — багажный павильон; **6** — туалет; **P** — автостоянки

Fig. 68. Design of Railway Terminal in Saratov (alternative projects Perspective). The terminal is designed together with a hotel, which is also an advisable solution for railway, sea, bus and other terminals as well

Plan. **1** — terminal; **2** — hotel; **3** — restaurant and summer cafe; **4** — pavilion of suburban travel communication; **5** — luggage pavilion; **6** — toilet; **P** — parking areas

около затонов (как, например, в Ярославле в устье р. Которосли).

В зависимости от размеров проводимых операций и других местных условий перевалочные механизированные устройства могут сооружаться отдельно от остальных грузовых устройств порта.

Промышленные причалы следует располагать только в пределах промышленных районов и при условии предотвращения загрязнения воды и береговой зоны.

Приречные склады инертных материалов в городе допустимы в районах нового крупного строительства или в специальных зонах речных портов.

В пределах селитебных районов города можно допускать размещение речных вокзалов с расположением около них грузовых устройств для операций с грузами, следующими пассажирскими судами, спортивных гаваней, водных станций и пляжей. При решении речных вокзалов необходимо выделять пассажирские потоки отправления и прибытия, создавать отдельные причалы для судов пригородного и дальнего сообщений и обеспечивать удобную взаимосвязь с привокзальной площадью. Это особо важно при больших разностях отметок там, где для подъема пассажиров и багажа на верхнюю набережную (поднятую от отметки причалов на 20—50 *м*) предусматривается сооружение эскалатора или лифта и в необходимых случаях грузовых подъемников.

На привокзальных площадках и в непосредственной близости к ним следует резервировать территории для стоянок автомобилей и общественного транспорта.

На рис. 68 показан один из проектных вариантов строящегося речного вокзала в Саратове. Перед зданием вокзала имеется обширная привокзальная площадь с многоэтажной гостиницей.

В морских портах причальные фронты развиваются за счет устройства пирсов. При большой плотности портовых сооружений и портовых железнодорожных путей расположение морского порта непосредственно перед городом неудобно, так как полностью отрезает город от моря. Такова судьба большинства портовых городов мира, в том числе и советских. Несколько лучше, когда морской порт удален от центральных районов города, получающего свободный выход к воде (например, устьевые порты Ленинграда, Риги). Наиболее целесообразно размещение морского порта за пределами города. При этом город имеет непосредственный выход к морю и вместе с тем может быть удобно связан с территорией порта (рис. 69). Однако это не всегда возможно вследствие ограничений в выборе места расположения порта по географическим и гидрологическим условиям и направлению ветров.

При расположении порта в непосредственной близости к городу для его населения должна быть оставлена свободная береговая линия, обеспечивающая возможность организации массового отдыха.

В старых, особенно крупных, городах дать выход городу к морю несомненно более сложно, но, как показывает практика, решение такой задачи все же возможно. Так, в обширной Бакинской бухте выход к морю создан непосредственно в центре города.

Решение задачи выхода города к морю целесообразно сочетать с работами по расширению акватории порта, когда предусматриваются реконструкция порта и сооружение новых портовых устройств. В настоящее время успешно решаются проблемы выхода к морю Ленинграда. Так, на Крестовом острове сооружен спортивный центр и расширяется парк культуры и отдыха. На Васильевском острове благоустраивается прибрежная полоса, после чего жилые районы города выйдут непосредственно на берег моря. Сюда же переносится район Ленинградского порта с пассажирским морским вокзалом и причалами.

Морские пассажирские вокзалы следует располагать в непосредственной близости к главным городским магистралям с учетом удобной связи их с центральными районами города.

Вокзальный комплекс в портах обычно имеет две плоскости — в уровне пола нижнего этажа пирса — здание вокзала, в уровне верхнего этажа — главные помещения для пассажиров; отсюда происходит посадка пассажиров на суда. Привокзальная площадь может находиться в уровне как первого, так и второго этажа пирса.

Устройства воздушного транспорта. При бурном росте пассажирских перевозок на воздушном транспорте особое значение приобретает задача расширения сети аэропортов. Москва уже располагает тремя крупнейшими аэропортами, но это, по-видимому, нельзя считать пределом. В будущем каждый крупный город Советского Союза с населением свыше 1 *млн.* человек потребует устройства не менее двух первоклассных аэропортов. Для этой цели необходимо уже сейчас для них бронировать в пригородных зонах необходимые территории.

Рис. 69. Рациональное размещение морского порта и города. Достаточно близкое расположение порта к городу, непосредственный выход населения к морю, пропуск грузов, следующих к порту, в обход города.
1 — железнодорожный вокзал; **2** — морской вокзал

Fig. 69. Rational location of the sea port and the city. Sufficiently close location of the port to the city, direct excess of the population to the sea, transporting of goods bound due to the port, through by-pass ways.
1 — railway terminal; **2** — sea terminal

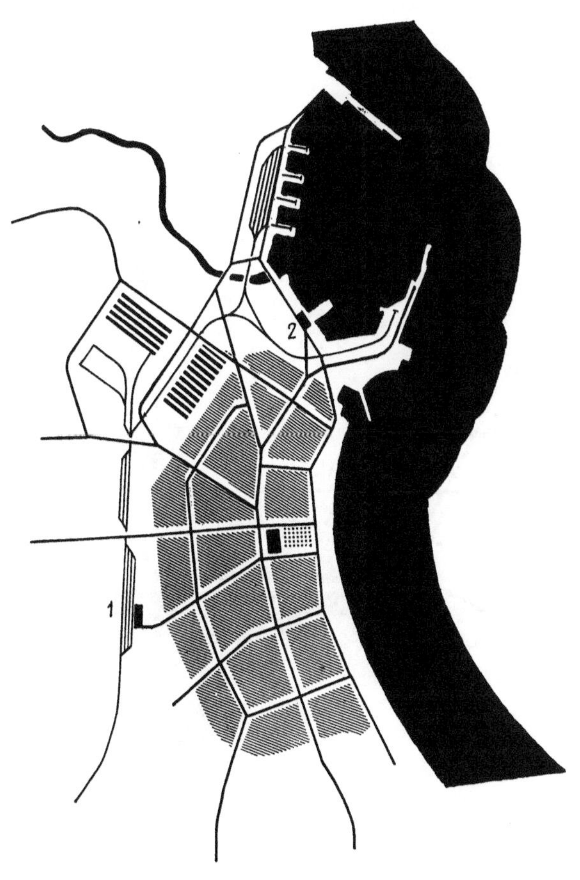

Рис. 70. Московские аэровокзалы — в ▶ Шереметьево и в Домодедово. Общие виды вокзалов. Макет и схематический план аэровокзала в Домодедово. Для посадки и высадки пассажиров самолеты подруливают непосредственно к крытым коридорам, что удобно и сокращает затрату времени. С Москвой аэровокзал связан электрифицированной железной дорогой и автобусным сообщением

Fig. 70. Airport buildings near Moscow. General views of airport buildings- in "Sheremetyevo" and in "Domodedovo". Model and schematic plan of the airport "Domodedovo". To make it easy for passengers to get on board and out of a plane, planes taxi straight to roofed landings, which is convenient and time-saving. The airport building is connected with Moscow by electrified railway and bus service

1 — аэровокзал; **2** — перроны для посадки и высадки пассажиров самолетов; **3** — проектируемое расширение аэровокзала; **4** — въезд на автодорогу в Москву; **А** — автобусный вокзал; **Э** — вокзал пригородных электропоездов; **Р** — автостоянки

1 — Airport building; **2** — Platforms for passengers to get on board and out of a plane; **3** — Planned extension of airport building; **4** — Entrance to the highway to Moscow; **A** — Bus terminal; **Б** — Terminal for suburban trains; **P** — Parking places

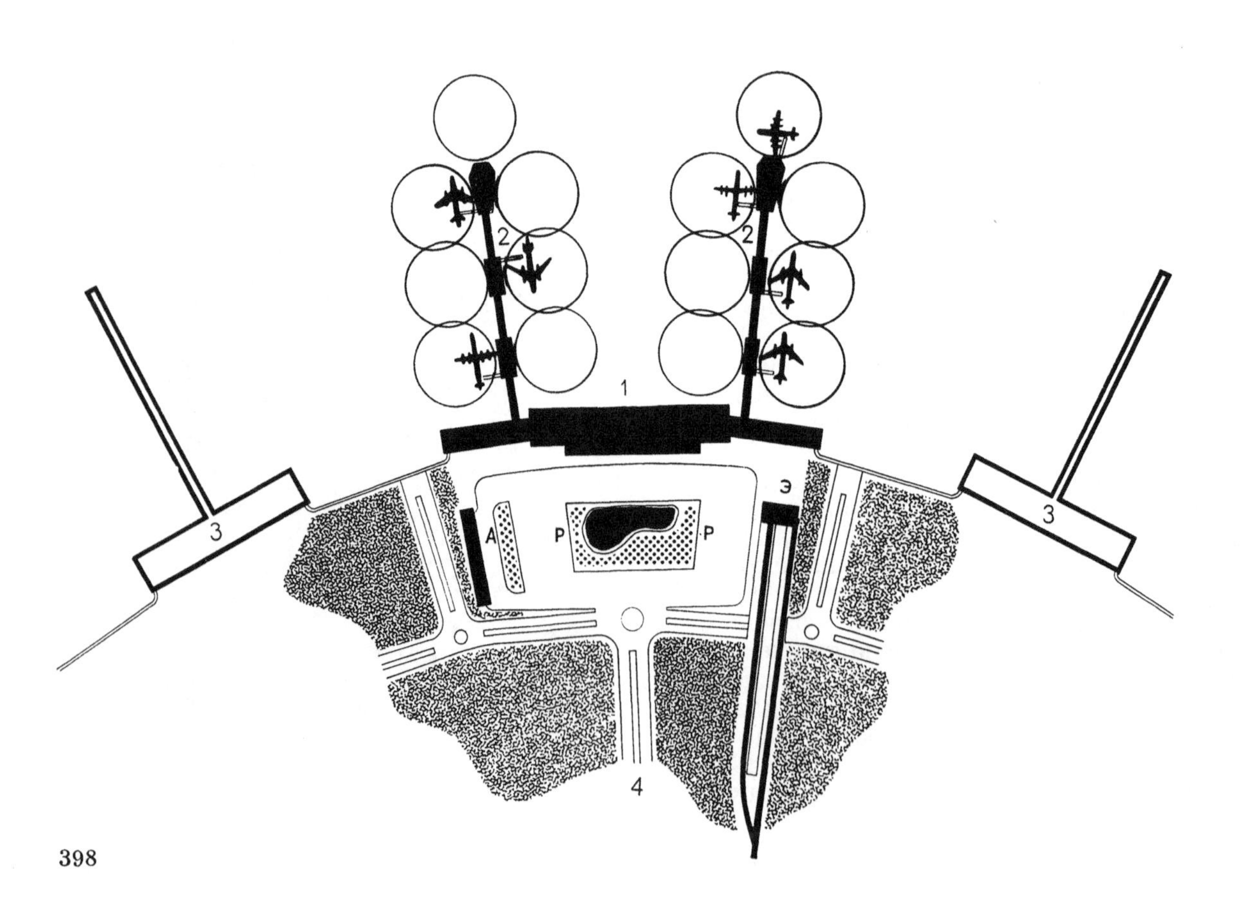

Вокзал
в Домодедово

Вокзал
в Шереметьево

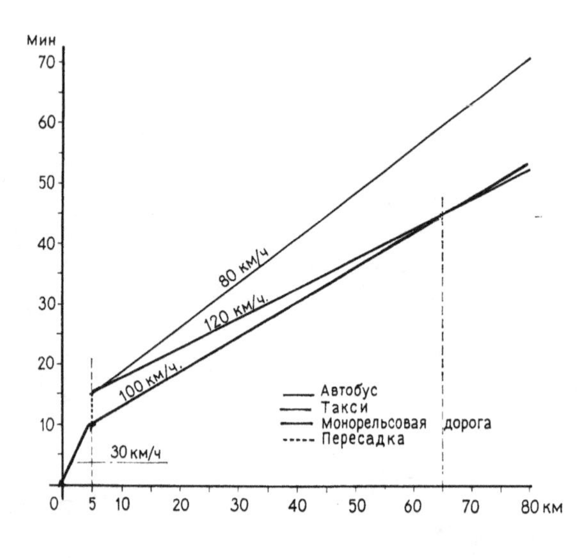

Рис. 71. Графическое сопоставление расходов времени, затрачиваемого на передвижение от аэропорта до города, при различных способах передвижения и разных расстояниях между аэропортом и городом

Fig. 71. Graphic comparison of the time spent on getting from the airport to the city by different means of communication and distances between the airport and the city

Очевидно, аэропорты (вследствие шума подымающихся самолетов) следует размещать в достаточном отдалении от жилых районов города (в 15—20 *км*), а в условиях неизбежности взлета в сторону города — не менее 25—30 *км* от границ городской селитебной территории. В условиях значительного удаления аэропорта от города необходимо обеспечить его быструю связь с городом. Это очень важно, так как мировая практика показывает, что на полет тратится 30—40% времени, а остальное время приходится на подъезд пассажиров к аэропортам.

На рис. 71 дано графическое сопоставление затрат времени на путь пассажира от аэровокзала до места назначения в городе при различном расстоянии от аэровокзала до города и при пользовании автобусом, такси, монорельсовой дорогой и при соответствующих скоростях сообщения 80, 100, 120 *км/ч* на загородных трассах. Предполагается, что при всех случаях пользования общественным транспортом (автобус, монорельсовая дорога) пассажир, достигая города, пересаживается на такси, следуя по городу на среднее расстояние 5 *км* со скоростью сообщения 30 *км/ч*. Время на пересадку с общественного транспорта на такси принято 3 *мин*, а время на ожидание состава общественного транспорта у аэровокзала — 2 *мин*. Из графика видно, что при наличии автострады, соединяющей город с аэродромом, позволяющей автомобилю следовать со средней скоростью 100 *км/ч*, другие быстроходные виды общественного транспорта уже не обеспечивают наибыстрейшую скорость сообщений. Учитывая, однако, что стоимость проезда на автобусах много ниже, чем на такси, значительный процент пассажиров и в будущем (до установления бесплатного пользования транспортом) будет пользоваться автобусным сообщением.

Центральные аэровокзалы в городах (например, в Москве) имеют прежде всего служебно-оперативное значение (центральное диспетчерское управление движения самолетов через аэродромы данного города, текущее планирование перевозок, служба информации и т. д.). Обслуживание пассажиров центральным вокзалом заключается прежде всего в сборе пассажиров на определенные рейсы самолетов, в приеме от них багажа и доставке пассажиров на автобусах непосредственно к самолетам. Доставка пассажиров на автобусах городского аэровокзала или агентства воздушных сообщений, расположенных в центре города, непосредственно к самолету, минуя здание аэровокзала, несомненно удобна для пассажиров, пользующихся общественным транспортом, хотя в большинстве случаев это ведет к удлинению пути следования пассажиров от места отправления до аэропорта. Однако такой способ доставки пассажиров возможен и целесообразен лишь при простейших схемах аэровокзалов и при относительно небольших взлетно-посадочных операциях, так как неудобен для эксплуатации. Поэтому его следует считать для крупных городов малоперспективным.

Вопросы строительства аэровокзалов и устройств для движения и стоянки самолетов на аэродромах, как показывает современная мировая практика, приобретают все большую сложность вследствие стремительного и повсеместного роста воздушных перевозок. В этом отношении пути развития аэровокзала как технологического комплекса по мере роста пассажирских операций повторяют пути, пройденные в развитии схем железнодорожных вокзалов, их перронных путей и предвокзальных площадей, хотя развитие тех же элементов легко проследить и на вокзальных комплексах морских и речных вокзалов, а также автовокзалов.

Увеличение числа операций на аэровокзалах требует развития фронта для посадочно-высадочных операций, четкого разделения прибывающих и отправляющихся пассажиров, применения нескольких плоскостей в разных уровнях для пассажиров и движения багажа, а в крупнейших аэровокзалах, кроме того, и для потоков автомобилей и безрельсового общественного транспорта на предвокзальных площадях. Организация обширных автостоянок, компактно размещенных по отношению к зданию вокзала, во всех случаях обязательна. Особое внимание уделяется созданию возможно более короткого пути от автомобиля или автобуса до посадки на самолет.

Развитие посадочно-высадочного фронта осуществляется путем подхода ряда самолетов к длинным коридорам, связанным с главным зданием вокзала для отправляющихся или прибывающих пассажиров. Коридоры имеют небольшие залы ожидания, соответствующие числу мест в самолетах. Расположение коридоров во втором этаже в уровне дверей пассажирских салонов самолетов облегчает и ускоряет посадочно-высадочные операции, осуществляемые при помощи мостиков или телескопических коридоров.

Такой тип аэровокзала (с планом в виде буквы П) имеет новый московский аэровокзал в Домодедове (рис. 70).

На рис. 72, **А, Б, В** показаны схемы аэровокзалов США с различным способом развития системы посадочно-высадочных коридоров. В одних случаях они связаны с одним зданием вокзала и поэтому имеют ограниченное развитие (рис. 72, **А, Б**). В крупнейших аэропортах применяется несколько вокзальных зданий, что даст возможность пропускать несколько миллионов пассажиров в год (рис. 72, **В**; 73). В гигантском международном аэропорту Нью-Йорка отдельные вокзальные комплексы принадлежат различным авиационным компаниям (рис. 73).

В социалистических условиях такое устройство дает возможность специализировать каждое вокзальное здание для определенных функций, например для полетов международных и внутри страны (московский аэропорт в Шереметьеве) или специализировать здания для определенных направлений.

Следует упомянуть о новых оригинальных схемах организации посадочно-высадочных операций, которые начинают внедряться в аэропортах США: при наличии основного здания помещения, обслуживающие посадку и высадку пассажиров, в том числе зал ожидания и ресторан, выносятся в особое круглое здание, используемое по периметру для стоянки самолетов (рис. 74). Помещения для пассажиров, таким образом, расположены компактно и удобно связаны кратчайшими

Рис. 72. Примеры развития посадочно-высадочных фронтов в аэропортах США. **А** — аэропорт в Мемфисе; **Б** — аэропорт в Сент-Льюисе; **В** — аэропорт в Чикаго; **О** — стоянка рейсовых самолетов под посадкой; **Р** — стоянки автомобилей; **Т** — пассажирские здания аэровокзалов ; **S** — служебные помещения

Fig. 72. Examples of frontages for arrival and departure in the airports of the USA: **A** — airport in Memfhis; **Б** — airport in Saint Louis; **B** — airport in Chicago; **O** — standing place of the liners during embarking; **P** — parking areas; **T** — passenger buildings of airports; **S** — office buildings

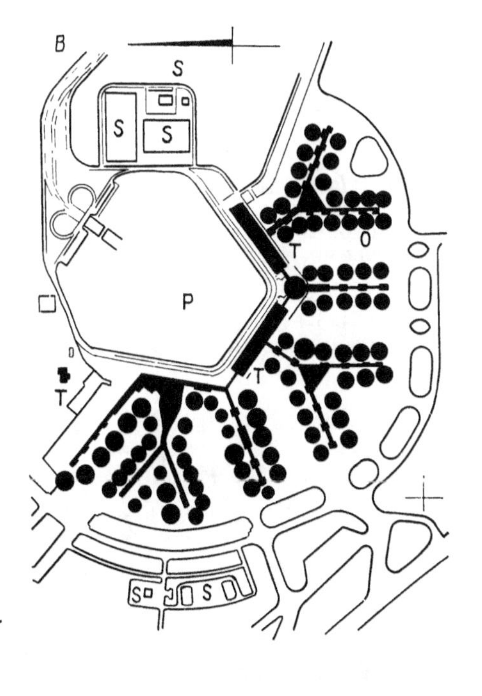

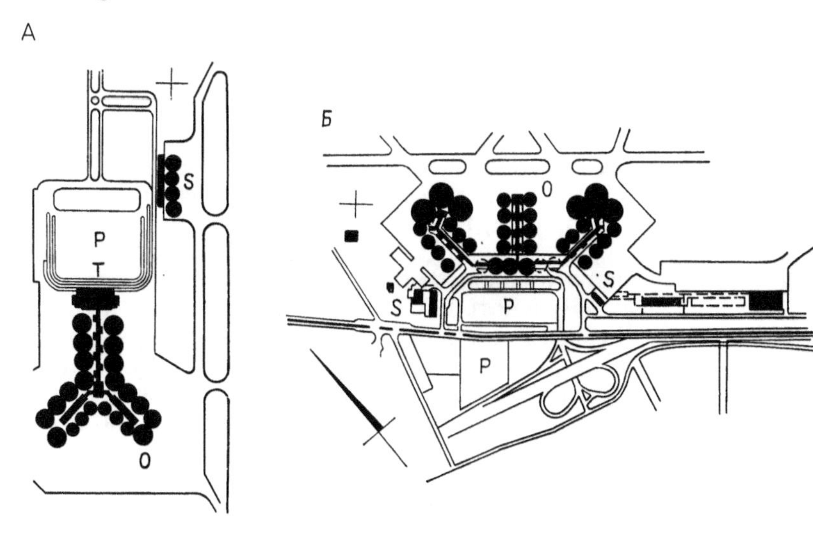

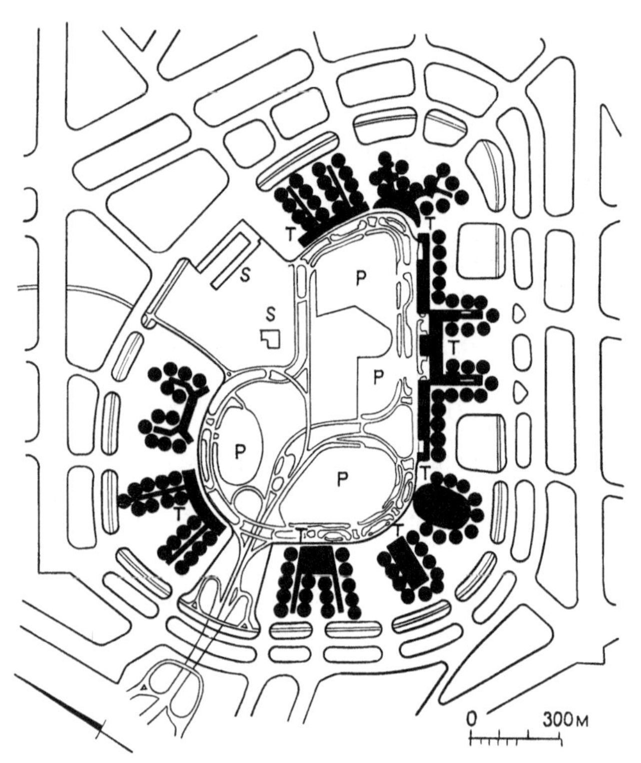

Рис. 73. План международного аэропорта в Нью-Йорке с рядом вокзальных зданий, принадлежащих различным компаниям

Fig. 73. Lay out of the International airport in New-York with airport buildings of varieus companies

Рис. 74. Здание для посадки и высадки пассажиров в международном аэропорту в Сан-Франциско, соединенное с самолетами телескопическими коридорами

Fig. 74. Passenger building of the International airport in San-Francisco, connected with airplanes by means of telescopic galleries

путями с самолетами. Некоторый недостаток заключается в отдаленности помещений для отправляющихся пассажиров от основного здания вокзала, а также от автомобильных стоянок и общественного транспорта.

Чем крупнее аэровокзалы, тем сложнее устройство крупных автостоянок и организация автомобильного движения. Для увеличения фронтов для посадки на легковые автомобили и высадки из них, а также для возможности подхода общественного транспорта непосредственно к зданию вокзала могут помимо непосредственных подъездов к зданию применяться проезды в уровне второго этажа здания, как это, например, показано на рис. 75 (аэропорт О'Хейр в Чикаго).

Обширные автостоянки, как правило, располагаются прямо против фасада здания аэровокзала (рис. 76). Для связи с аэровокзалами используются также вертолеты.

Автобусные вокзалы. Большой рост междугородных автобусных перевозок вызывает необходимость строительства во всех городах автовокзалов.

В городах с населением до 300 тыс. человек автовокзал может быть размещен в непосредственной близости к центру, в крупнейших городах целесообразно создание нескольких автовокзалов (в каждом секторе города), расположенных по пути обслуживаемых направлений. Так, например, в Москве имеется несколько пунктов отправления автобусов дальнего следования. Автобусные вокзалы дальнего следования, в особенности если в городе их несколько, можно объединять с автобусными вокзалами для пригородных сообщений.

На рис. 77 показано предполагаемое в перспективе размещение четырех автобусных вокзалов в Киеве по принципу, изложенному выше. На рис. 78 показаны план и общий вид киевского автобусного вокзала с вокзальным зданием, рампами для посадки пассажиров и небольшой привокзальной площадью. В дальнейшем намечается значительное увеличение фронта посадочных рамп.

Автобусные вокзалы должны располагаться в непосредственной близости от магистральных улиц общегородского значения. В городах, где проектируются городские скоростные дороги, автовокзалы следует располагать близ их развязок.

В некоторых крупных городах СССР построены автобусные вокзалы, например, в Ленинграде, Киеве, Риге (рис. 79). Ввиду относительно небольшого пока объема автобусных междугородных перевозок автобусные вокзалы вместе с рампами для стоянки автобусов имеют небольшие размеры, хотя в них и предусмотрено дальнейшее развитие

Рис. 75. Два вокзальных здания аэропорта в Чикаго с рестораном между ними. Справа — У-образный коридор для посадки на самолеты. Оба вокзальных здания имеют двухъярусные подъезды для автомобильного транспорта

Fig. 75. Two airport passenger buildings with a restaurant between them in the airport in Chicago. At right Y-shaped gallery for the embarking. Both buildings are provided with two-level approaches for motor transport

Рис. 76. Парижский аэропорт Орли связан с городом скоростной автострадой, пропущенной в туннеле под летным полем, зданием аэровокзала и привокзальной площадью с обширными автостоянками

Fig. 76. International Airport Orli near Paris is connected with the city by a motor highway, passing through a tunnel under the airport building, air-field and station square with vast parking areas

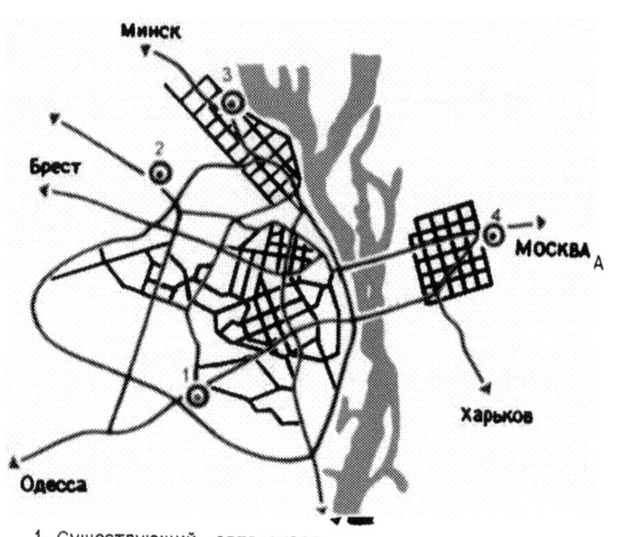

1-Существующий автовокзал
2,3,4-Проектируемые и строящиеся автовокзалы

Рис. 77. Схема размещения автобусных вокзалов междугородного сообщения в плане Киева

Fig. 77. Scheme of location of bus terminals of intertown communication within the city limits of Kiev

Рис. 78. Автобусный вокзал в Киеве. Перрон. Схематический генплан

Fig. 78. Bus terminal in Kiev. Platform. Draft plan

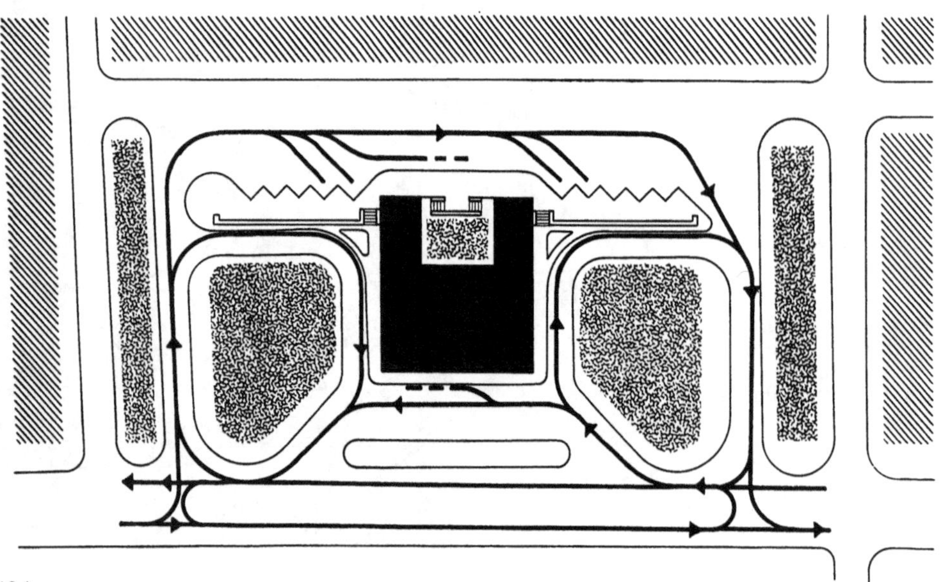

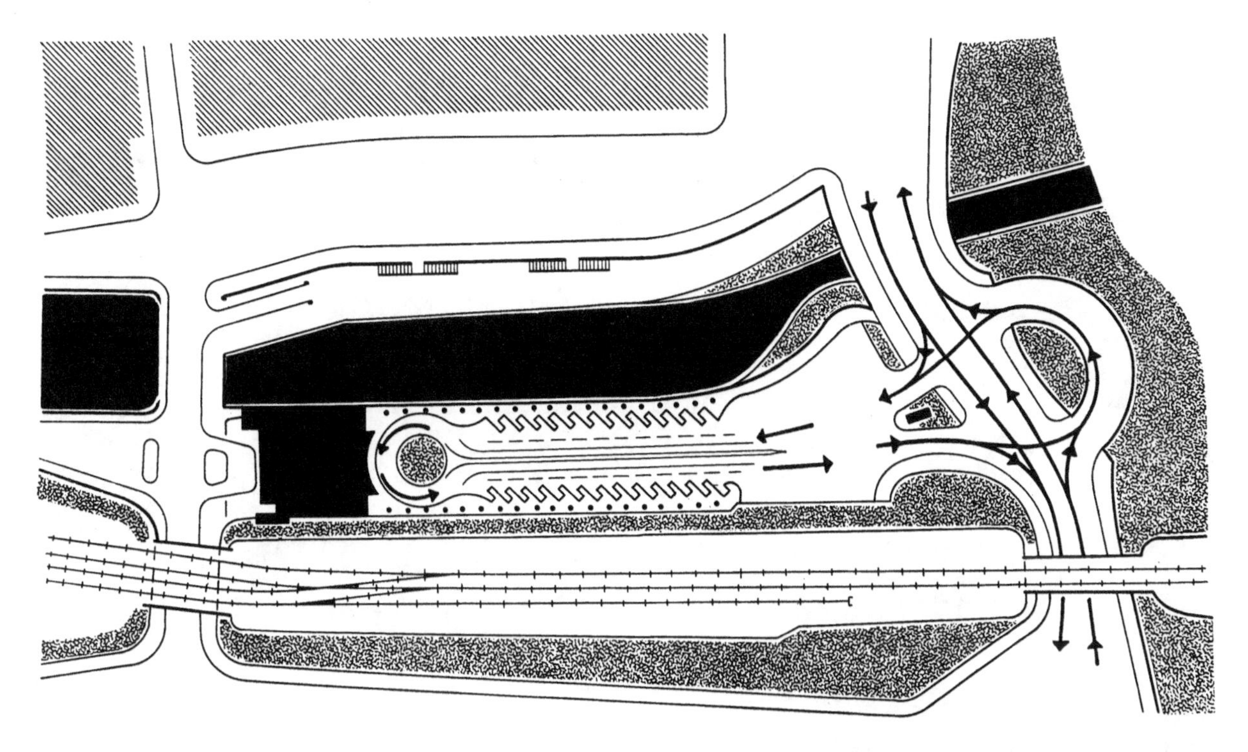

Рис. 79. Центральный автобусный вокзал в Риге. Схематический генплан. Автовокзал удобно расположен в центре города недалеко от железнодорожного вокзала и центрального рынка

Fig. 79. Central bus terminal in Riga. Schematic general plan. Riga airport building is situated in the vicinity of the main railway terminal and Central Collective Farm Market

Рис. 80. Во Владивостоке морской вокзал сооружается в непосредственной близости к существующему железнодорожному вокзалу и соединяется с ним коридорами

Fig. 80. Sea terminal in Vladivostok is being constructed in the existing railway terminal and is connected with it by passages

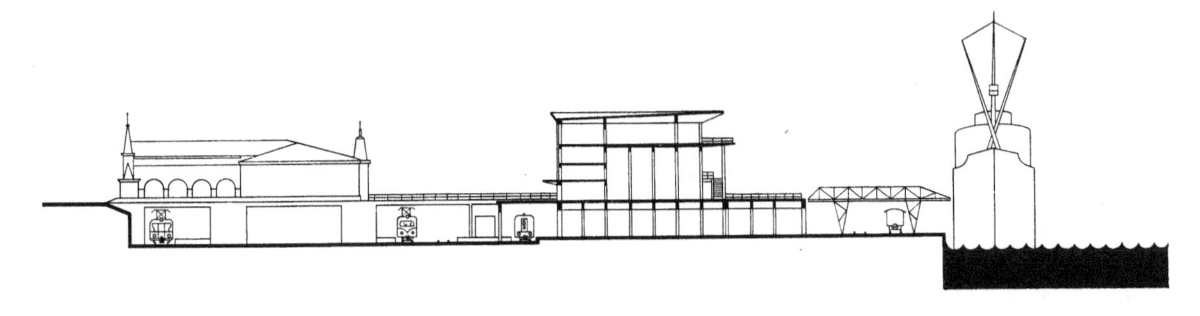

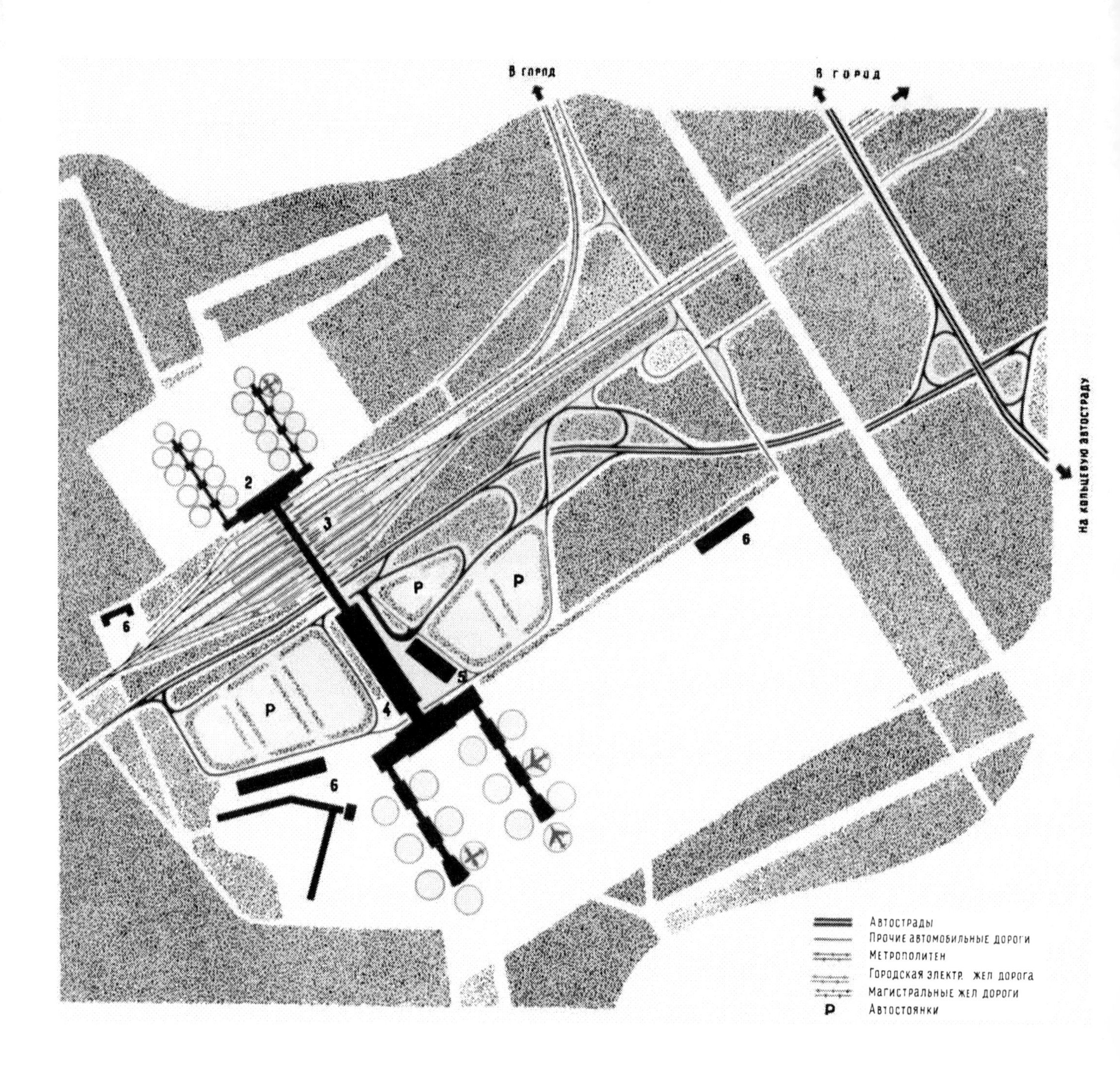

Рис. 81. В берлинском центральном аэропорту Шёнефельд (ГДР) запроектировано единое здание аэровокзала и вокзала железной дороги и метрополитена **1** — аэропорт дальних и международных авиалиний; **2** — аэропорт местных авиалиний; **3** — совмещенная станция железной дороги и метрополитена; **4** — объединенное вокзальное здание; **5** — гостиница; **6** — административные и служебные здания

Fig. 81. The central airport Schönefeld in Berlin (GDR). The project provides a complex building of the airport, railway station and subway. **1** — Airport of long distance and international lines; **2** — Airport of local lines; **3** — Combined railway and subway terminals; **4** — Complex terminal building; **5** — Hotel; **6** — Office buildings

операций по длине рамп. Стоянки для автомобилей перед автовокзалами, как правило, недостаточны по площади.

Впереди — строительство большого числа автобусных вокзалов, в том числе и более крупных, размеры которых за рубежом достигают иногда огромных масштабов. Таковы многоэтажные автобусные вокзалы в Нью-Йорке, Лос-Анжелосе, Чикаго, Бразилиа.

Объединенные вокзалы для различных видов внешнего транспорта. В том случае, когда в городе происходит массовая пересадка транзитных пассажиров с одного вида внешнего транспорта на другой, следует строить объединенные вокзалы для различных видов внешнего транспорта или хотя бы располагать их в непосредственной близости друг к другу. Этим достигаются большие удобства для транзитных пассажиров, а город освобождается от лишних внутригородских перевозок.

Целесообразность строительства объединенных вокзалов определяется количеством транзитных пассажиров. Строительство объединенных вокзалов дает возможность экономно использовать городскую территорию и обходится дешевле, чем строительство двух самостоятельных вокзалов для разных видов транспорта. Объединение вокзалов позволяет уменьшать стоимость их эксплуатации.

В СССР наиболее массовое применение могут иметь объединенные железнодорожные и автобусные вокзалы.

Более сложной технической и планировочной задачей является строительство объединенных железнодорожно-морских вокзалов. Как показывает мировая практика, их строительство наиболее целесообразно в условиях массовых транзитных пересадок с одного вида транспорта на другой. В настоящее время во Владивостоке морской вокзал строится в непосредственной близости к существующему железнодорожному такое решение оправдывается массовой пересадкой пассажиров с железной дороги на морские суда. На рис. 80 показан поперечный профиль всех устройств железнодорожного и морского вокзалов во Владивостоке, которые непосредственно связанны друг с другом крытыми переходами.

Новый центральный аэропорт Шёнефельд близ Берлина (ГДР) также создается как компактный узел пересадки с самолетов дальнего и местного сообщения на железную дорогу, метрополитен, автобусы и легковой автотранспорт.

Корпуса и крылья объединенного вокзального здания (рис. 81) соединены крытыми галереями, защищающими пассажиров от непогоды на всем пути от самолета до средств наземного транспорта.

БИБЛИОГРАФИЯ

К. Маркс, Ф. Энгельс. Манифест коммунистической партии. Соч., изд. 2, т. 4. Госполитиздат, М., 1955.

К. Маркс, Ф. Энгельс. Принципы коммунизма. Соч., изд., 2, т. 4. Госполитиздат. М., 1955.

Ф. Энгельс. К жилищному вопросу. Соч., изд. 2, т. 18. Госполитиздат, 1951.

В. И. Ленин. Великий почин. Соч., т. 29.

В. И. Ленин. Набросок плана научно-технических работ. Соч., т. 27.

В. И. Ленин. Одна из великих побед техники. Соч., т. 19.

Программа Коммунистической партии Советского Союза. Изд. «Правда», М., 1961.

О развитии жилищного строительства в СССР. Постановление ЦК КПСС и Совета Министров СССР 31 июля 1957 г. КПСС в резолюциях и решениях съездов, конференций и пленумов ЦК, ч. 4. Госполитиздат, М., 1960.

Об улучшении проектного дела в строительстве. Постановление Совета Министров СССР 20 февраля 1959 г. № 166. Собрание постановлений правительства Союза Советских Социалистических Республик, 1959.

Об устранении излишеств в проектировании и строительстве. Постановление ЦК КПСС и Совета Министров СССР 4 ноября 1955 г. КПСС в резолюциях и решениях съездов, конференций и пленумов ЦК, ч. 4. Госполитиздат, М., 1960.

СНиП. Часть 2, раздел А, глава 6. Строительная климатология и геофизика. Госстройиздат, М., 1963.

СНиП. Часть 2, раздел К, глава 3. Улицы, дороги, площади населенных мест. Нормы проектирования. Госстройиздат, М., 1963.

СНиП. Часть 2, раздел К, глава 2. Планировка и застройка населенных мест. Нормы проектирования. Стройиздат, М., 1965.

Справочник проектировщика. Градостроительство. Госстройиздат, М., 1963.

Баранов Н. В. О состоянии и задачах проектирования городов и внедрении прогрессивных приемов планировки населенных мест. Всесоюзное совещание по градостроительству 7—10 июня 1960 г. Сокращенный стенографический отчет Госстройиздат, М., 1960.

Баранов Н. В. Развитие советского градостроительства и задачи научно-исследовательской деятельности Академии строительства и архитектуры СССР. Труды VI сессии Академии строительства и архитектуры СССР по вопросам градостроительства 7—9 декабря 1960 г. Госстройиздат, М., 1961, стр. 6—57.

Баранов Н. В. Современное градостроительство. Главные проблемы. Госстройиздат, М., 1962.

Баранов Н. В. Современное градостроительство. Строительство и реконструкция городов 1945—1957 гг. V конгресс Международного союза архитекторов. М., 21—26 июля 1958 г. Сокращенный стенографический отчет. Госстройиздат, М., 1960.

Баркова Е. А. Методика получения данных о передвижениях населения. В сб.: «Проблемы советского градостроительства» № 10. Городское движение и транспорт. Госстройиздат, М., 1963.

Басс М. Г. и др. Инженерная подготовка городских территорий и строительство городских дорог. (Сообщение к Всесоюзному совещанию по градостроительству). Госстройиздат, М., 1960.

Бордуков И. В., Страментов А. Е. Вопросы городского движения и транспорта в планировке и застройке городов. (Сообщение к Всесоюзному совещанию по градостроительству). Госстройиздат, М., 1960.

Булатов М. С. Особенности и принципы прогрессивного решения планировки и застройки Ташкента. Труды VI сессии Академии строительства и архитектуры СССР по вопросам градостроительства. 7—9 декабря 1960 г. Госстройиздат, М., 1961.

Ван-Эстерен К. Доклад на V конгрессе Международного союза архитекторов. V конгресс Международного союза архитекторов. М., 21—26 июля 1958 г. Сокращенный стенографический отчет. Госстройиздат, М., 1960.

Витман В. А. Размещение и архитектурно-планировочная организация городов-спутников. Труды VI сессии Академии строительства и архитектуры СССР по вопросам градостроительства 7—9 декабря 1960 г. Госстройиздат, М., 1961.

Власов А. В. Проблемы науки в области строительства и архитектуры в свете современных требований. Второй всесоюзный съезд советских архитекторов 26 ноября — 3 декабря 1955 г. Сокращенный стенографический отчет. Госстройиздат, М., 1956.

Всесоюзное совещание по градостроительству. М., 1960. Сокращенный стенографический отчет. Госстройиздат, М., 1960.

Второй всесоюзный съезд советских архитекторов 26 ноября — 3 декабря 1955 г. Сокращенный стенографический отчет. Госстройиздат, М., 1956.

Галактионов А. А. Общие требования к планировке жилых районов. Инженерное оборудование микрорайонов. В кн.: «Застройка жилых микрорайонов». Госстройиздат, М., 1959, гл. II, VII.

Галактионов А. А., Шквариков В. А. Прогрессивные основы планировки и застройки жилых районов и микрорайонов. Труды VI сессии АСиА СССР по вопросам градостроительства. Госстройиздат, М., 1961.

Гибберд Ф. Градостроительство. Пер. с англ. Госстройиздат, М., 1959.

Градостроительные проблемы развития Ленинграда. Госстройиздат, Л., 1960.

Добровольский А. В. Планировка и застройка г. Киева в свете современных задач советского градостроительства. Труды VI сессии Академии строительства и архитектуры СССР по вопросам градостроительства. 7—9 декабря 1960 г. Госстройиздат, М., 1961.

Иванов В. М. Вопросы дальнейшего развития планировки и застройки Баку. Труды VI сессии Академии строительства и архитектуры СССР по вопросам градостроительства. 7—9 декабря 1960 г. Госстройиздат, М., 1961.

Иванченко Н. К. и др. Планировка и застройка мест массового отдыха трудящихся в Украинской ССР. (Сообщение к Всесоюзному совещанию по градостроительству). Госстройиздат, М., 1960.

Каменский В. А. Практика планировки и застройки пригородной зоны на примере Ленинграда. (Сообщение к Всесоюзному совещанию по градостроительству). Госстройиздат, М., 1960.

Каменский В. А., Василевский В. И. Пути решения проблемы расселения крупного города на примере Ленинграда. Труды VI сессии Академии строительства и архитектуры СССР по вопросам градостроительства. 7—9 декабря 1960 г. Госстройиздат, М., 1961.

Кибл. Г. Городская и районная планировка. Принципы и практика планировки городов Великобритании. Пер. с англ. тройиздат, М., 1965.

Король В. А. Оценка решения основных вопросов планировки и застройки г. Минска с учетом перспектив развития города. Труды VI сессии Академии строительства и архитектуры СССР по вопросам градостроительства. 7—9 декабря 1960 г. Госстройиздат, М., 1961.

Кратцер П. Климат города. Пер. с нем. Изд-во иностр. лит., М., 1958.

Кудрявцев О. К. Основы статистики пассажиропотоков городского транспорта. Изд-во М-ва коммун. хоз-ва РСФСР, М., 1958.

Кулага Л. Н. Вопросы культурно-бытового обслуживания населения при планировке и застройке современных городов. Труды VI сессии Академии строительства и архитектуры СССР по вопросам градостроительства. 7—9 декабря 1960 г. Госстройиздат, М., 1961.

Курашов С. В. Благоустройство, озеленение и улучшение санитарного состояния городов. Всесоюзное совещание по градостроительству. 7—10 июня 1960 г. Сокращенный стенографический отчет. Госстройиздат, М., 1960.

Кучеренко В. А. О состоянии и мерах улучшения градостроительства в СССР. Всесоюзное совещание по градостроительству. 7—10 июня 1960 г. Сокращенный стенографический отчет. Госстройиздат, М., 1960.

Лавров В. А. Город и его общественный центр. Стройиздат, М., 1964.

Лавров В. А. Реконструкция центральных районов городов. Труды VI сессии Академии строительства и архитектуры СССР по вопросам градостроительства. 7—9 декабря 1960 г. Госстройиздат, М., 1961.

Ларрайн Э. Доклад на V конгрессе Международного союза архитекторов. V конгресс Международного союза архитекторов. М., 21—26 июля 1958 г. Сокращенный стенографический отчет. Госстройиздат, М., 1960.

Левченко Я. П. Рациональное использование городской территории. Труды VI сессии Академии строительства и архитектуры СССР по вопросам градостроительства. 7—9 декабря 1960 г. Госстройиздат, М., 1961.

Ленинград. Планировка и застройка. 1945—1957 гг. Л., Госстройиздат, 1958.

Линг А. Доклад на V конгрессе Международного союза архитекторов. V конгресс Международного союза архитекторов. М., 21—26 июля 1958 г. Сокращенный стенографический отчет. Госстройиздат, М., 1960.

Литвинов Н. Н. Гигиенические основы планировки и благоустройства городов. Труды VI сессии Академии строительства и архитектуры СССР по вопросам градостроительства. 7—9 декабря 1960 г., Госстройиздат, М., 1961.

Ловейко И. И., Рожин И. Е. Планировка и застройка г. Крюково. (Сообщение к Всесоюзному совещанию по градостроительству). Госстройиздат, М., 1960.

Ловейко И. И., Заславский А. М. Пути прогрессивного развития и реконструкции Москвы. Труды VI сессии Академии строительства и архитектуры СССР по вопросам градостроительства. 7—9 декабря 1960 г. Госстройиздат, М., 1961.

Лукьянов В. И., Николаев И. С. Вопросы размещения промышленных предприятий в городах и планировка городских промышленных районов. (Сообщение к Всесоюзному совещанию по градостроительству.) Госстройиздат, М., 1960.

Лукьянов В. И. Прогрессивные приемы размещения, планировки и застройки промышленных районов города. Труды VI сессии Академии строительства и архитектуры СССР по вопросам градостроительства. 7—9 декабря 1960 г. Госстройиздат, М., 1961.

Лян Сы-чэн. Доклад на V конгрессе Международного союза архитекторов. V конгресс Международного союза архитекторов. М., 21—26 июля 1958 г. Сокращенный стенографический отчет. Госстройиздат, М., 1960.

Материалы I Межведомственного совещания по географии населения (январь-февраль 1962 г.). М.—Л., 1962.

Москва. Планировка и застройка города. 1945—1957. М., Госстройиздат, 1958.

Муравьев Б. В., Римская-Корсакова Т. В., Ястребова А. Л. Особенности планировки и застройки городов Крайнего Севера. Труды VI сессии Академии строительства и архитектуры СССР по вопросам градостроительства. 7—9 декабря 1960 г. Госстройиздат, М., 1961.

Новые города СССР. (Ангарск, Волжский. Запорожье, Кохтла-Ярве, Магнитогорск, Рустави, Сумгаит). Госстройиздат, М., 1958.

Опыт районной планировки и градостроительства за рубежом. Сборник. Госстройиздат, М., 1962.

Основы районной планировки промышленных районов. Стройиздат, М., 1964.

Планировка и застройка больших городов. Госстройиздат, М., 1961.

Планировка и застройка городов. Госстройиздат, М., 1956.

Поляков Н. Х. Основные направления реконструкции городов. Труды VI сессии Академии строительства и архитектуры СССР по вопросам градостроительства. 7—9 декабря 1960 г. Госстройиздат, М., 1961.

Проблемы советского градостроительства, № 8. Госстройиздат, М., 1960.

Проблемы советского градостроительства, № 9. Вопросы планировки, застройки и благоустройства промышленных территорий городов. Госстройиздат, М., 1961.

Проблемы советского градостроительства, № 10. Городское движение и транспорт. Госстройиздат, М., 1963.

Проблемы советского градостроительства, № 11. Общие вопросы градостроительства, Госстройиздат М., 1962.

Проблемы советского градостроительства, № 12 Сети культурно-бытового обслуживания. Госстройиздат, М., 1962.

Проблемы советского градостроительства, № 13 Планировка новых городов. Госстройиздат, М., 1961

Селф П. Города выходят из своих границ. Проблемы роста городов Великобритании. Пер. с англ. Госстройиздат, М., 1962.

Советская архитектура. Сборник № 10. Госстройиздат, 1958.

Советская архитектура. Сборник № 13. Госстройиздат, 1961.

Страментов А. Е., Сосянц В. Г., Фишельсон М. С. Городской транспорт и организация движения. Изд-во М-ва коммун. хоз-ва РСФСР, М., 1960.

Страментов А. Е., Фишельсон М. С. Городское движение. (Вопросы скорости и безопасности). Госстройиздат, М., 1963.

Страментов А. Е. Пути решения проблемы городского движения и транспорта в крупных городах СССР. Труды VI сессии Академии строительства и архитектуры СССР по вопросам градостроительства. 7—9 декабря 1960 г. Госстройиздат, М., 1961.

Строительство и реконструкция городов 1945—1957 гг. V конгресс Международного союза архитекторов. Госстройиздат, М., 1958.

Терехин В. Г., Зарецкий В. И., Глинский С. А. Оценка решения основ планировки и застройки г. Новосибирска. Труды VI сессии Академии строительства и архитектуры СССР по вопросам градостроительства. 7—9 декабря 1960 г. Госстройиздат, М., 1961.

Тилман О. Ф. Практика планировки и застройки пригородной зоны Риги. (Сообщение к Всесоюзному совещанию по градостроительству). Госстройиздат, М., 1960.

Топов Л. Доклад на V конгрессе Международного союза архитекторов. V конгресс Международного союза архитекторов. Москва, 21—26 июля 1958 г. Сокращенный стенографический отчет. Госстройиздат, М., 1960.

Транспорт и планировка городов. Сборник. Пер. с нем. М., Госстройиздат, 1960.

Транспортные узлы капиталистических стран. Изд-во АН СССР, М., 1962.

Третий Всесоюзный съезд советских архитекторов. 18—20 мая 1961 г. Сокращенный стенографический отчет. Госстройиздат, М., 1962.

Труды VI сессии Академии строительства и архитектуры СССР по вопросам градостроительства, Госстройиздат, М., 1961.

Файетон Ж. Доклад на V конгрессе Международного союза архитекторов. V конгресс Международного союза архитекторов. Москва, 21—26 июля 1958 г. Сокращенный стенографический отчет. Госстройиздат, М., 1960.

Хауке М. О. Градостроительство и районная планировка. Состояние и перспективы развития. Госстройиздат, М., 1962.

Хауке М. О. Основные принципы планировки и застройки пригородных зон крупных городов. Труды VI сессии Академии строительства и архитектуры СССР по вопросам градостроительства. 7—9 декабря 1960 г. Госстройиздат. М., 1961.

Хауке М. О. Пригородная зона большого города. Госстройиздат, М., 1960.

Хиллебрехт Р. Доклад на V конгрессе Международного союза архитекторов. V конгресс Международного союза архитекторов. Москва, 21—26 июля 1958 г. Сокращенный стенографический отчет. Госстройиздат, М., 1960.

Ходатаев В. П. Современные проблемы развития и реконструкции уличных сетей крупных городов. Труды VI сессии Академии строительства и архитектуры СССР по вопросам градостроительства. 7—9 декабря 1960 г. Госстройиздат, М., 1961.

Хьюз Л., Оглсби К. Автомобильные дороги. Сокр. пер. с англ. Автотрансиздат, М., 1958.

Целиноград. (Опыт проектирования.) Стройиздат, М., 1964.

Черчилль Г. Доклад на V конгрессе Международного союза архитекторов. V конгресс Международного союза архитекторов. Москва, 21—26 июля 1958 г. Сокращенный стенографический отчет. Госстройиздат, М., 1960.

Шквариков В. А. Основные задачи планировки и застройки городов. В кн.: «Размещение жилищного строительства в городах». Госстройиздат, М., 1960.

Шквариков В. А. Доклад на V конгрессе Международного союза архитекторов. V конгресс Международного союза архитекторов. Москва, 21—26 июля 1958 г. Сокращенный стенографический отчет. Госстройиздат, М., 1960.

Шквариков В. А. Основные задачи планировки и застройки городов. М., 1961.

Шквариков В. А. Рациональное размещение жилищного строительства в городах. Труды II сессии Академии строительства и архитектуры СССР по вопросам жилищного строительства. 15 мая 1957 г. Госстройиздат, М., 1958.

Шквариков В. А. Строительство городов в социалистических странах. «Знание», М., 1959.

Abercrombie P. Greater London Plan 1944. London, 1944.

Abercrombie P. Town and country planning. London, 1944.

Acropole (Brasilia). 1960, N 256—257.

Bartholomew H. Land uses in American cities. Cambridge, 1955.

Behrendt E. Vorläufige städtebauliche Richtzahlen für desellscnaftliche Einrichtungen von Wohnbezirks- und zentraler Bedeutung. Berlin, 1960.

Bockelmann W. Die Stadt zwischen Gestern und Morgen. Basel, 1961.

Burns W. New towns for old. The technique of urban renewal. Dublin, 1963.

La charte d'Athénes. Paris, 1957.

Ciborowski A. Pròba analizy aktualnych problemów urbanistycznych. Warszawa, 1956.

Le Corbusier. Oeuvre complète, 1946. Zürich.

Le Corbusier. L'urbanisme des trois etablissements humains. Paris, 1959.

Development and redevelopment in Coventri. Coventri, 1961.

The exploding metropolis. New-York, 1958.

Futterman R. The future of our cities. New-York, 1961.

Goss A. Industry and town planning. London, 1962.

Heap D. An outline of planning law. London, 1963.

Hilbersheimer L. The nature of cities. Chicago, 1955.

Hillebrecht R. Städtebau und Stadtentwicklung, 1962.

Holm P. Samhälsplanering och bostadspolitik. Stockholm, 1958.

Honzik K. Cestou k socialistické architekturé. Praha, 1960.

Hrůza J. Budoucnost měst. Orbis, Praha, 1962.

J a s p e r t F. Vom Stadtebau der Welt. Berlin, 1961.

K e e b l e L. The principles and practice of town and country planning. London, 1961.

K o r t e J. Grundlagen der Strassenverkehrsplannung in Stadt und Land. Wiesbaden—Berlin, 1960.

K ü t t n e r L. Zur Gebiets- Stadt und Dorfplannung. Berlin, 1958.

L a v e d a n P. Les villes françaises. Paris, 1960.

L o r e n c V. Přestavba historických měst. Praha, 1959.

M a l i s z B. Elastycznośź planu urbanictycznego jako kriterium jego realności. Warszawa, 1960.

M i l a n o. Il Piano regolatore generale 1953. Torino, 1956.

N i c h o l s o n J. New communities in Britain. London, 1961.

N o v i B e o g r a d. Novi grad. Beograd, 1961.

Der öffentliche Personennahverkehr. Berlin, 1957.

O t t o K. Die Stadt von Morgen. Berlin, 1959.

O s b o r n F. J., W h i t t i c h A. The new towns, the auswer to megalopolis. London, 1963.

Plan d'organisation général de la région Parisienne. Paris, 1960.

The planning of a new town Hampshire. London, 1961.

P e r é n y i I. A városépítés története. Budapest, 1961.

Preliminary outline plan for the Copenhagen metropolitan regin. Copenhagen, 1961.

R e i c h o w H. Die autogerechte Stadt. Ravensburg, 1959.

R o m a. Relazoine al piano regolatore generale. Roma, 1957.

S a a r i n e n E. The city. New-York, 1943.

S e r t J. Can our cities survive? Cambridg, 1944.

S h a r p T., G i b b e r d F., H o l f o r d W. Design in town and village. London, 1953.

Städte verändern ihr Gesicht. Hannover, 1961.

S t o i n C. Toward new towns for America. New-York, 1957.

С т а н е в С. Планиране на средните градове в България. София, 1962.

Stavba měst v Československu. Praha, 1958.

Š t v a n J. Problémy perspektivní prestavby našich mest. Výzkumny ústav výstavby a architektury. Praha, 1962.

Town centres. Approach to renewal. Planning Bulletin N 1. London, 1962.

T w a r o w s k i M. Stoce w architekturze. Warszawa, 1960.

Urban renewal. Report of International seminar on urban renewal. The Hague, 1958.

V o g l e r P., K ü h n E. Medizin und Städtebau. München—Berlin—Wien, 1957.

Z a l č i k T. Súhtn zásad prestavby miest na Slovensku z hládiska potreb súčasnej vystavby. SAV, 1960.

ОГЛАВЛЕНИЕ

ЗАМЕЧЕННЫЕ ОПЕЧАТКИ

Страница	Столбец	Строка	Напечатано	Следует читать
32	Левый	1-я сверху	50—70 *км*	50—150 *км*
69		3-я снизу	intra-regional	inter-regional
76	Правый	23-я снизу	около 30	около 40
80	Левый	3-я снизу	Говременное	Современное
111	Правый	28-я снизу	Днепропетровской	Днепровской
159	Правый	14-я снизу	places	placed
267		10-я сверху	town in with	town with
272		1-я снизу	staggered	stage
323		9-я снизу	in the most	is the most
325	Левый	5-я снизу	и в породах	и в городах
356	Правый	13- и 14-я сверху	по мостикам ходить труднее, и поэтому они широко применяются в городах Союза и за рубежом.	(по мостикам ходить труднее, и поэтому они мало применяются в городах Союза и за рубежом).
364	Правый	6- и 7-я снизу	и населением не более 300 тыс. человек целесообразно	и населением 300 тыс. человек и более целесообразно

www.ingramcontent.com/pod-product-compliance
Lightning Source LLC
LaVergne TN
LVHW081033100425
808267LV00011B/708

* 9 7 8 1 4 1 0 2 1 3 1 1 2 *